Leon More

Der sixtinische Himmel

Historischer Roman

Scherz

Das Gedicht auf S. 7 stammt aus »Michelangelo. Lebensberichte, Briefe, Gespräche, Gedichte«, herausgegeben und aus dem Italienischen übersetzt von Hannelise Hinderberger. Rev. Neuausgabe. Zürich: Manesse Verlag 1985, S. 387.

Die Gedichte auf S. 370 und S. 448 stammen aus »Michelangelo. Gedichte und
Briefe«, bearbeitet von R. A. Guardini, Teddington: The Echo Library 2006.
»Als mir dein Augenstern zuerst erglühte« wurde übersetzt von Sophie Hasenclever,
»Durch dich erst kenn ich mich« von Bettina Jacobson.

MIX
Papier aus verantwortungsvollen Quellen
FSC
www.fsc.org
FSC® C006701

Dritte Auflage 2012

Erschienen bei Scherz, einem Unternehmen
der S. Fischer Verlag GmbH, Frankfurt am Main
© S. Fischer Verlag GmbH, Frankfurt am Main 2012

Satz: Dörlemann Satz, Lemförde
Druck und Bindung: CPI – Ebner & Spiegel, Ulm
Printed in Germany
ISBN 978-3-502-10224-3

Für Leoni, Moritz und Nelly

Flieht, Liebende, die Liebe! flieht das Feuer!
Wild ist der Brand, die Wunde führt zum Tod;
nichts hilft, nachdem die erste Glut geloht;
nicht Kraft, Vernunft noch Flucht erbarmt sich euer.

Flieht! Vielfach ist die Tat und immer neuer
des scharfen Pfeils, dem starker Arm gebot;
in meinem Antlitz lest, was euch bedroht,
wie enden wird dies grause Abenteuer.

Flieht schon beim ersten Blick! Daß ich gewänne
die Harmonie für immer, wähnt ich einst.
Nun fühl ich, und ihr seht's, wie ich verbrenne.

(unvollendet)

Michelangelo Buonarroti

Prolog

JANUAR 1495

IHM GEGENÜBER KNIETE ein Engel, ein leibhaftiger Engel, mit Armen, Beinen und Schultern, so stark wie die seines Vaters. Zudem jedoch hatte er Flügel, zarte, zerbrechliche, weich gefiederte Flügel, mit denen er sich jederzeit mühelos in den Himmel aufschwingen konnte. Sein linkes Knie berührte den Boden, das rechte Bein hatte er aufgestellt, so dass der nackte Fuß unter seinem Gewand hervorkam. Er trug einen Kandelaber, halb so groß wie er selbst, und je nachdem, wie der Schein der Kerze seine Konturen erhellte, konnte er abwechselnd einen gütigen oder drohenden Ausdruck annehmen. Aurelio verharrte reglos in ehrfürchtigem Abstand und betrachtete das knabenhafte Gesicht des Engels. Weder spürte er die Kälte, die ihm seit einiger Zeit die Beine hinaufkroch, noch sah er den feinen, weißen Nebel, den er mit jedem Atemzug ausstieß.

Doch er begann, hinter seinem Rücken Geräusche wahrzunehmen. Der Engel und er waren nicht allein. Manchmal war es nur das Knacken einer Holzbank, das sich in den Seitenschiffen der Basilika verlor, doch immer wieder glaubte Aurelio, ein Zischen zu vernehmen, als hätten die Säulen des Mittelschiffs zu flüstern begonnen. Verstohlen blickte sich der Junge um. Die Kirche lag im Halbdunkel, die Seitenschiffe ließen sich nur mehr erahnen. Nie zuvor hatte Aurelio ein Gebäude von solchen Ausmaßen betreten,

9

eines, in dem man sich aufzulösen schien und verloren fühlte und dessen Größe sein Verstand nicht zu erfassen vermochte.

Da war es wieder. Ein kaum vernehmbares Schnaufen, wie von einem Tier. Aurelio fühlte es herannahen, wagte aber nicht, sich ein weiteres Mal umzudrehen. Inzwischen war es ganz dicht bei ihm. Ein Wolf, schoss es ihm durch den Kopf. Am zweiten Tag ihrer Reise war ihnen einer begegnet. Er hatte auf der Via Aemilia gestanden, als habe er dort auf sie gewartet. Tommaso hatte vom Karren steigen und einen Stein nach ihm schleudern müssen, bevor das Tier die Straße wieder freigegeben hatte und in Richtung der Berge im Wald verschwunden war.

Aurelio wollte davonlaufen, doch seine Beine rührten sich nicht von der Stelle. Sein Herz trommelte wild gegen die Brust. Verzweifelt blickte er zu dem Engel empor.

»Gefällt er dir?«

Ein heiseres Krächzen entrang sich der Kehle des Jungen. Kein Wolf. Ein Mann. Aurelio hielt den Blick stur nach vorne gerichtet.

»Also?«, fragte die Stimme.

Erst jetzt wagte der Junge einen Blick aus den Augenwinkeln. Besonders groß war der Mann nicht, kaum größer als Aurelios Bruder Matteo, und der war erst vierzehn. Aurelios Atem beruhigte sich ein wenig.

»Was ist«, drängte die rauchige Stimme, »hat es dir die Sprache verschlagen?«

Aurelio sah den Engel an und suchte nach den richtigen Worten. Gefällt er dir?, hatte der Mann gefragt, doch gefallen war ein viel zu schwaches Wort, um die Demut zu beschreiben, die Aurelio beim Anblick der Statue überkam.

»Kann er wirklich fliegen?«, fragte er schließlich.

»Pah!«, entfuhr es dem Mann, »dieses plumpe Ding wäre nicht in der Lage, sich vom Boden zu lösen, wenn es über ein Dutzend Flügel verfügte.«

Entsetzt starrte Aurelio den Mann an. Wie konnte er so abfällig über ein Geschöpf von solcher Erhabenheit sprechen?

Der Mann hatte einen Akzent, wie ihn Aurelio noch nie gehört hatte, und seine Kleidung war die eines Armen – ein Umhang aus grobem Stoff, der eher einer Soutane glich als einem Mantel und durch den sich die sehnigen Schultern abzeichneten. Beinkleider schien er keine zu tragen, und seine nackten Füße steckten in geschnürten Sandalen – wo es doch geschneit hatte und die Piazza vor der Basilika von einem dicken, weißen Teppich überzogen war. Jetzt begriff Aurelio auch, woher das Schnaufen rührte. Die Nase des Mannes saß eigentümlich schief in dessen Gesicht und gab mit jedem Atemzug ein leises Zischen von sich.

»Hier.« Der Mann trat an die Statue heran. Er war tatsächlich nicht alt, wie der Junge im Schein der Kerze erkannte. »Sieh dir diesen Fuß an.« Aurelio zuckte zusammen, als der Mann den Engel ohne zu zögern am Knöchel ergriff. »Viel zu breit«, erklärte er. »Und die Wölbung müsste ausgeprägter sein. Dann die Hand: Diese unförmigen Griffel sind die Finger eines Schmieds, nicht die eines Engels. Am unverzeihlichsten aber sind die Proportionen. Weißt du, was Proportion bedeutet?«

Aurelio schüttelte stumm den Kopf.

»Proportion meint das Verhältnis der einzelnen Teile zueinander. Und das Verhältnis dieses Oberschenkels zu dem dazugehörigen Unterschenkel«, er legte seine Hand auf das Gewand des Engels, als wolle er es anheben, »ist missraten zu nennen. Schließlich sind die Falten des Gewandes nicht weit genug ausgehöhlt. Allerdings ...« Er holte Luft, wobei seine Nase abermals ein Zischen ausstieß. Seine energische Stirn schien sich für einen Moment zu glätten. »Allerdings erkennt man die Möglichkeit, das Talent, die Gabe. Ein Mann mit solchen Fähigkeiten trägt eine große Verantwortung. Er könnte Ungeheures erschaffen. Für dieses Ding aber sollte er den Allmächtigen um Verzeihung bitten.«

Aurelio starrte noch immer die halbverhüllte Gestalt an, deren Worte wie Hagelkörner auf ihn niederprasselten, als sich Schritte näherten. Zwei Männer kamen durch das Seitenschiff. Die Silhouette des größeren erkannte Aurelio sofort.

»Vater!«

11

Aus seiner Starre erlöst, rannte der Junge über die Steinplatten und klammerte sich erleichtert an Tommaso.

»Hier also steckst du.«

Zwei Hände ergriffen ihn unter den Achseln und hoben ihn mühelos empor. Unwillkürlich ertastete die Hand des Jungen die Stelle an Tommasos Hals, die immer warm war und wo unter der Haut das Blut pulsierte.

»Da ist ein Engel«, setzte Aurelio an, »ein echter Engel … Und dieser Mann, der …«

Die Worte waren schneller aus ihm herausgesprudelt, als seine Gedanken zu folgen vermochten. Jetzt wusste er nicht mehr, was er hatte sagen wollen.

»Was für ein Mann?«, fragte Tommaso ruhig.

»Da!«

Aurelio deutete in Richtung der Statue, doch der Fremde war verschwunden.

»Sicher der junge Buonarroti«, sagte Tommasos Begleiter.

Er trug einen schweren, edlen Umhang, und seine Schnürstiefel waren mit goldenen Spangen verziert, die im Halbdunkel glänzten wie polierte Münzen.

»Der junge Buonarroti?«, wiederholte Tommaso.

»Ein Günstling der Medici«, erklärte der Mann mit den Spangen an den Schuhen. »Letztes Jahr, bevor es zum Aufstand kam, ist er aus Florenz geflohen. Er hatte Angst, seine Nähe zu Piero könnte ihm gefährlich werden. Er nennt sich Bildhauer. Ein komischer Kauz, der viel von sich reden macht. Noch kein halbes Jahr ist er in Bologna und nimmt sich heraus, Aufträge abzulehnen, nach denen sich jeder andere Künstler in der Stadt die Finger lecken würde. Dabei ist er gerade einmal zwanzig Jahre alt. Wahren Geschmack, sagt er, könne man nur an drei Orten in Italien finden: Venedig, Rom und Florenz.«

»Aber was hat er gegen den Engel?«, fragte Aurelio.

Tommasos Begleiter warf Aurelio einen fragenden Blick zu.

»Weshalb sollte er etwas gegen den Engel haben?«

»Er hasst ihn.«

Der Mann betrachtete nachdenklich den Kandelaberengel. »Dann hasst er vermutlich sich selbst. Schließlich hat *er* ihn aus dem Marmor gemeißelt.«

✢ ✢ ✢

Am nächsten Morgen kehrten Tommaso und Aurelio Bologna den Rücken und fuhren auf der Via Aemilia, der alten Römerstraße, zurück Richtung Forlì. Die Ausläufer des Apennin lagen zu ihrer Rechten, die schneebedeckten Kuppen steckten in einem Band aus dichten Wolken. Der Karren war leicht, jetzt, wo er die Last der Fässer nicht mehr tragen musste. Die frisch beschlagenen Räder drehten sich knirschend im Schnee. Aurelio saß, umhüllt von zwei Decken, neben seinem Vater. Tommaso hatte ihn eingewickelt wie in einen Kokon. Lediglich die obere Gesichtshälfte seines Sohnes war noch zu sehen. Aurelios Ohren glühten vor Wärme. Tommaso war zufrieden. Wie jedes Jahr hatte sich die lange Reise nach Bologna gelohnt. Die Familie Aldrovandi hatte ihm für den Wein und das Öl einen Preis bezahlt, den er in Forlì niemals erzielt hätte.

Nach und nach schläferten das gleichmäßige Ruckeln des Karrens und das Klappern der Hufe Aurelio ein. Er legte sich auf die Seite, den Kopf auf dem Bein seines Vaters. Das ist der schönste Tag meines Lebens, dachte er bei sich. Tommasos Hand ruhte auf der Schulter seines Sohnes. Aurelio schloss die Augen, dachte an die merkwürdigen Worte des seltsamen Herrn Buonarroti und an den Engel, der sich ihm für den Rest seines Lebens ins Gedächtnis gebrannt hatte.

Teil I

I

MÄRZ 1508

SIE KAMEN, OHNE VIEL Aufhebens zu machen, gegen Mittag. Italienische Söldner. Gelangweilt schlenderten sie zwischen den beiden Zypressen hindurch, die die Grenze des Lehens markierten, und folgten dem Weg in die Senke mit den Olivenbäumen. Wie Krähen ließen sie sich nieder, lautlos, einer nach dem anderen, bis plötzlich die Wiese von ihnen übersät war.

Aurelio kniete neben dem Trog, als er den Ersten von ihnen bemerkte. Zwischen seinen Beinen hielt er Trotula eingeklemmt – die Ziege, die sie sich nach dem Einfall der Franzosen von ihrem damals letzten Geld gekauft hatten. Ihr Horn war besonders hell und wuchs schneller als das der anderen, weshalb man ihr häufig die Klauen schneiden musste. Und genau das hatte Aurelio gerade vorgehabt, als er die Söldner am Horizont bemerkte.

»Mutter!«, rief er. Er war froh, die widerspenstige Trotula bezwungen zu haben, und wollte sie nicht leichtfertig freigeben.

Antonia trat vor das Haus. Stumm und mit einer tiefen Falte zwischen den Augen blickte sie in die Senke. Den ersten Söldnern folgten weitere. Schon kamen die nächsten über den Hügel. Antonia verschränkte die Arme vor der Brust. Wieder tauchten zwei von ihnen zwischen den Zypressen auf.

»Komm rein«, sagte Antonia, »beeil dich.« Sie wandte sich um.
»Aber Trotula …«
»Sofort!«

✛ ✛ ✛

Schon einmal hatte Aurelio miterlebt, wie ihr Hof von Söldnern
heimgesucht worden war – als der Winter das neue Jahrhundert auf
eisigen Händen vor sich hergetragen hatte. 1500. Das Heilige Jahr.
Zehn Jahre war Aurelio damals alt gewesen. In Rom hatte Papst
Alexander die heiligen Pforten geöffnet. Die Zukunft sollte Großes bereithalten, besser werden. Tommaso hielt nicht viel davon.
Er glaubte nicht daran, dass ein Jahr heiliger war als ein anderes.
Auch strebte er nicht nach Höherem. Es war so, wie es war. Und
so, wie es war, hatte man es zu nehmen.

In Forlì hatte das Heilige Jahr mit viel Getöse Einzug gehalten.
Angekündigt von dem dumpfen Gepolter zahlloser Trommeln und
dem tausendfachen Klirren eiserner Rüstungen, war es durch den
kalten Morgennebel herangewallt. Der Horizont hatte sich verdüstert, statt sich zu erhellen. Franzosen, Tausende. Ein ganzes Heer
hatte Cesare Borgia, der Sohn Alexanders, angeheuert, um Caterina Sforza zur Aufgabe von Forlì zu zwingen.

Tommaso hatte den Kompanieführer vor der Tür seines Steinhau-
ses empfangen. Antonia saß an der Feuerstelle und hielt Aurelio an
sich gedrückt. Das hatte sie lange nicht mehr gemacht. Matteo, der
schon siebzehn war, stand am Fenster und blickte durch den Spalt.
Aurelio hätte auch gerne durch den Spalt geguckt. Er fand, er war
viel zu groß, um noch von seiner Mutter umklammert zu werden.

»Auf welcher Seite steht Ihr?«, fragte der Söldner in gebroche-
nem Italienisch.

»Auf der Seite des Lebens«, entgegnete Tommaso mit fester
Stimme.

Die Antwort schien den Kompanieführer zufriedenzustellen. Er
war Söldner. Er stand auf der Seite dessen, der ihn bezahlte. Etwas

18

anderes interessierte ihn nicht. Als sie vier Tage später weiterzogen, waren bis auf die Katze alle Tiere gegessen, die Felder verwüstet, das letzte Korn gemahlen und verspeist. Doch sie hatten Tommaso unbehelligt gelassen und weder Antonia noch Matteo oder Aurelio ein Haar gekrümmt.

✢ ✢ ✢

Jetzt jedoch versammelten sich die eisenbewehrten Krähen in der Senke, und Tommaso war nicht mehr da. Vor drei Monaten, am kürzesten Tag des Jahres, war er gestorben – an einer Krankheit, für die niemand einen Namen gehabt hatte. Seitdem versuchten sie, den Hof alleine zu bewirtschaften. Es ging. Sie würden zurechtkommen, auch ohne Tommaso. So wie es war, hatte man es zu nehmen.

»Du schnürst ein Bündel mit dem Nötigsten«, befahl Antonia Matteo, »auf der Stelle. Aurelio, du spannst den Ochsen vor den Karren. Ihr verlasst den Hof zur anderen Seite. Giovanna, mach den Kleinen fertig.«

Matteo blickte aus dem Fenster in die Senke hinunter. »Das sind Soldaten des Papstes, Italiener. Die sind auf dem Weg nach Rom. Warum geben wir ihnen nicht einfach etwas zu essen und lassen sie durchziehen?«

»Ihr tut, was ich sage«, beharrte Antonia.

Matteo neigte den Kopf zur Seite. »Gefährlich sehen die nicht aus.«

»Das tun Wölfe auch nicht. Beeilung!«

»Wölfe sind Wölfe«, meinte Matteo.

»Söldner sind Söldner«, entgegnete Antonia. »Und Söldner ohne Krieg sind gefährlicher als Wölfe ohne Fressen. Manche töten schon aus Langeweile.«

»Was ist mit dir?«, fragte Aurelio, dem nicht entgangen war, dass Antonia bisher nur von »ihr« gesprochen hatte.

»Ich bin alt. Mir werden sie nichts tun.«

»Du willst alleine auf dem Hof bleiben?«, schaltete sich Giovanna ein, die dabei war, Luigi in eine Decke zu wickeln.

»Wenn wir ihnen einen unbewohnten Hof überlassen, wird am Ende nichts mehr davon übrig sein.«

Matteo und Aurelio warfen sich einen Blick zu. Ihre Mutter war noch störrischer als Trotula, die alte Ziege. Sie zum Mitkommen zu bewegen, wäre ein sinnloses Unterfangen.

»Wenn du bleibst, bleibe ich auch«, sagte Aurelio.

»Kommt nicht in Frage«, antwortete seine Mutter.

»Dann bleiben wir alle«, drohte Matteo.

»Also schön«, knurrte Antonia, »Aurelio kann bleiben. Du aber, Matteo, bringst deine Familie in Sicherheit. Darauf bestehe ich.«

Der Abschied gab sich den Anschein, ein gewöhnlicher zu sein. Matteo fuhr mit seiner eigenen, kleinen Familie zu Giovannas Eltern. Bereits gegen Abend würden sie ihr Ziel erreicht haben. In drei oder vier Tagen wären sie zurück.

Matteo klopfte seinem kleinen Bruder auf die Schultern. »Pass gut auf Mama auf«, sagte er.

Aurelio blickte in die Senke hinab. Sie sahen wirklich nicht gefährlich aus. »Keine Sorge«, antwortete er.

Als Matteo und Giovanna den kleinen Hügel hinauffuhren, der zum Apennin hin die Grenze des Lehens markierte, saß Giovanna an ihren Mann gelehnt und hielt den eingewickelten Luigi an sich gedrückt. Oben angekommen, drehte sie sich noch einmal um und winkte Antonia und Aurelio zu. Von Süden kommend strich ein erster, warmer Frühlingshauch über die Felder.

✢ ✢ ✢

Antonia hatte sich getäuscht. Sie war alt, doch für ein Rudel gelangweilter Wölfe war sie nicht alt genug. Sie kamen näher, umkreisten das Haus, rochen das Fleisch. Keine zwei Stunden nachdem Matteo, Giovanna und Luigi sich auf den Weg gemacht hatten, schlug der Erste von ihnen mit der Faust gegen die Tür.

Es waren sechs. Auf der Wange desjenigen, der als Erster das Haus betrat, prangte eine schlecht verheilte Narbe, die seinen linken Mundwinkel nach oben zog, wodurch er andauernd ein schiefes Lächeln zur Schau trug. Die Männer, die hinter ihm in den Wohnraum drängten, waren von ähnlichem Schlag: erfahrene Söldner, die nie etwas anderes gemacht hatten, als anderen gegen Geld die Schädel einzuschlagen. Der Geruch nach lehmiger Erde, altem Schweiß und kaltem Eisen breitete sich aus.

Der Bart des einen war bereits ergraut, sein Kettenhemd gleich an mehreren Stellen ausgebessert worden. Die zwei, die als Letzte das Haus betraten, waren hingegen sehr jung, kaum älter als Aurelio und jünger als sein Bruder. Einer hatte ein glattes, kindlichrundes Gesicht, dessen Blick verriet, dass er sehr viel lieber Viola da Gamba gespielt als das Schwert geführt hätte, das von seinem Gürtel baumelte. Für ihn war der Feldzug gegen Bologna sicher sein erster gewesen. Der andere war blond, trug einen gestutzten Bart und hatte wässrige, gleichgültige Augen, die Aurelio betrachteten, als sei er ein Insekt. Seine Schulterpanzer hingen an einem Lederriemen von seinem Hals herab.

»Meine Männer brauchen frisches Wasser«, sagte der Narbige.

Aurelio und seine Mutter wechselten einen Blick. Antonia nickte. Aurelio nahm die beiden Holzeimer und ging zur Tür, die von dem Blonden mit den leeren Augen verstellt wurde.

Da er keine Anstalten machte, die Tür freizugeben, sagte Aurelio: »Frisches Wasser gibt es im Brunnen, und der ist hinter dem Haus.«

Der Söldner trat ein Stück zur Seite.

Bis Aurelio mit den gefüllten Eimern zurückkehrte, hatten es sich die Männer wie selbstverständlich am Tisch bequem gemacht. »Kein Wort«, mahnte Antonias Blick. Aurelio befüllte einen Krug und stellte ihn in die Mitte. Antonia hatte sich in die Nische zurückgezogen, die zum Schlafplatz führte, den Rücken gegen die Wand gelehnt. Die Furche zwischen den Brauen war auf ihre Stirn zurückgekehrt.

»Wie steht's mit Wein?«, fragte der Narbige.

Sie aßen, was an Vorräten im Haus war. Ohne ein Widerwort stellte Antonia auf den Tisch, was sie an Essbarem finden konnte. Wann immer Aurelio einschreiten wollte, brachte ihr Blick ihn zum Schweigen. Gegen eine Meute, der ein Menschenleben nicht mehr bedeutete als ein warmer Platz zum Schlafen und ein voller Magen, begehrte man nicht auf. Nicht wegen etwas, das ersetzbar sein würde.

»Auch die anderen werden Hunger haben«, warf der Dickste in die Runde, der die Stimme eines Kastraten hatte.

Sein Kettenhemd, das beinahe bis auf die Knie herabreichte, spannte über dem Bauch und an den Oberschenkeln. Zwei Jahre in Bologna ohne einen Feldzug hatten ihn fett werden lassen.

»Ein Stück Fleisch würde ihnen guttun«, meinte der Alte.

Der Narbige strich sich über den zottigen Bart und blickte zu Antonia hinüber, die wieder den Platz in der Nische eingenommen hatte und sich unsichtbar zu machen versuchte. »Was habt ihr an Tieren auf eurem Hof?«

»Ich könnte Euch die Tiere in meinem Stall aufzählen«, antwortete Antonia, »am Ende aber würdet Ihr doch selbst nachsehen.«

Er tunkte das letzte Stück Brot in die Soße, lachte in die Runde und deutete mit dem Kinn zur Nische hinüber, als wolle er sagen: Gar nicht dumm, die Alte.

Nachdem er ohne zu kauen den letzten Bissen hinuntergeschlungen hatte, lehnte er sich zurück. »Dein Stall? Ich dachte, dein Mann sei nur eben in die Stadt gefahren?«

Antonia presste die Zähne aufeinander. Die ganze Zeit über hatte sie geschwiegen, und jetzt hatte sie sich doch verraten.

Der Anführer ließ die Hände auf den Tisch fallen und erhob sich: »Wenn das so ist, dann zeig ihn mir doch mal, deinen Stall.«

Aurelio trat hinzu: »Ich werde Euch den Stall zeigen«, beeilte er sich zu sagen.

»Du, mein schöner Jüngling«, der Narbige legte ihm lachend eine Hand in den Nacken und steuerte ihn an den frei gewordenen Platz, »darfst solange meinen Platz einnehmen.«

Er drückte Aurelio auf den Schemel. Die anderen lachten, ausgenommen die beiden Jungen.

Aurelio wollte sofort wieder aufspringen, doch der Dicke zu seiner Rechten hielt ihm bereits einen Dolch an die Kehle. Einen scharfen Dolch. Aurelio fühlte die Klinge kaum, dennoch rannen bereits erste Blutstropfen seinen Hals hinab. Mit diesem Dolch ließe sich mühelos jede Kehle durchtrennen. Und Aurelios wäre sicher nicht die Erste. Er spürte eine zweite Klinge – auf seinem Handrücken. Der Söldner links von ihm, dessen Schweißgeruch alle anderen Gerüche an ihm erstickte, hatte ebenfalls unbemerkt seinen Dolch gezogen und hielt ihn quer über Aurelios Handrücken. Eine kurze Bewegung würde ausreichen, ihm die Sehnen sämtlicher Finger zu durchtrennen.

»*Tranquillo*«, sagte der Anführer gedehnt. »Du wirst doch wohl den Platz in unserer Mitte nicht ausschlagen?«

Aurelio verstummte.

Die Pranke auf seiner Schulter bohrte sich schmerzhaft in Aurelios Muskeln. Er bemerkte, dass dem Daumen des Anführers der Nagel fehlte und die übrigen Nägel schwarz umrandet waren. Antonia konnte es nicht leiden, wenn man sich mit Erde unter den Nägeln zu Tisch setzte.

Der Dolch des Dicken drückte sich in Aurelios Kehle. »Du bist etwas gefragt worden«, sagte er mit seiner Fistelstimme.

»Nein«, presste Aurelio heraus.

»Na bitte.« Die Finger mit den verdreckten Nägeln ließen von seiner Schulter ab. »Komm, meine hübsche Stute«, sagte der Anführer zu Antonia.

Wieder lachten alle außer den Nachwuchssöldnern.

Als er Antonia vor sich her aus der Tür schob, legte der Narbige ihr seine Hand auf den Hintern und drückte seine Finger hinein – dieselben Finger, die sich einen Moment zuvor in Aurelios Muskeln gebohrt hatten. Sie wich seinem Griff aus, blieb aber stumm. Aurelio warf sie einen Blick zu, der sich ihm ins Gedächtnis einbrannte: warm und voller Mitgefühl. Sie glaubte zu wissen, was sie im Stall erwartete, doch für ihre Familie hätte sie jedes Schicksal auf sich genommen. Ihr Blick sollte Aurelio ein Trost sein. Er sollte sich nicht um sie sorgen. Was immer jetzt kam: Sie würde es erdulden.

Verzweifelt wandte Aurelio den Blick ab. Plötzlich schien der Raum seine Gestalt zu verändern, die Deckenbalken sich zu biegen, die Wände sich nach außen zu wölben – als wolle sich das Haus von innen nach außen stülpen. Sogar der Tisch bog sich unter einer unsichtbaren Last. Er hatte das Gefühl, sein Herz bliebe stehen.

Bevor er die Tür hinter sich schloss, warf der Anführer über die Schulter hinweg ein verschwörerisches Lächeln in die Runde. »Kann ein Weilchen dauern.«

✛ ✛ ✛

Aurelios Herz blieb nicht stehen. Nicht, als er die ersten unterdrückten Schreie aus dem Stall vernahm; nicht, als der Anführer zurückkehrte, mit schweißglänzender Stirn, und dem Dicken mit einem Kopfnicken bedeutete, dass die Reihe an ihm war; nicht, als dem Dicken der Alte folgte und dem Alten der Stinkende. Antonia versuchte, die Qualen möglichst lautlos über sich ergehen zu lassen. Dabei war die Stille für Aurelio noch unerträglicher, als es die unterdrückten Schreie waren. Er wusste, dass sie ihr Leid von ihm fernhalten, ihn schonen wollte. Er spürte Tränen auf seiner Wange. Nie hatte er sich so geschämt, sich so sehr verachtet, eine solche Ohnmacht empfunden – als kreise siedende Galle statt Blut in seinen Adern.

Nach den Alten kamen die Jungen an die Reihe. Zunächst der Blonde mit den Fischaugen. Er sah Aurelio lange an, bevor er sich erhob. Aurelio bemerkte die bläulichen Adern unter seiner milchigen Gesichtshaut, die wie aufgemalt aussahen. Er hängte seinen Schulterpanzer über die Stuhllehne und verließ den Wohnraum, als folge er einer unhörbaren Stimme. Der andere Junge, der mit dem weichen Gesicht und den warmherzigen Augen, hielt seinen

Blick zu Boden gerichtet. Seine Finger kratzten nervös am Tischbein herum.

Antonias Schrei fuhr Aurelio bis in die Spitzen seiner Finger und Zehen hinein. So hatte sie bei keinem der anderen geschrien. Dies war kein Schmerzensschrei, dies war Panik, Entsetzen, Flehen. Ein Ruck durchfuhr ihn, doch bevor er aufspringen und seiner Mutter zu Hilfe eilen konnte, brachte ihn die Klinge an seinem Hals bereits an den Tisch zurück. Aurelio wünschte sich, der Dicke würde ihm mit seinem Dolch das Herz durchbohren, damit es endlich zu schlagen aufhörte. Doch es schlug unbarmherzig weiter. Die anderen blickten unbeteiligt in die Gegend, während das Kinn des jungen Söldners noch weiter auf die Brust sank.

Als der Blonde zurückkehrte, um wieder seinen Platz gegenüber dem von Aurelio einzunehmen, ließ er die einzige menschliche Regung erkennen, die Aurelio an ihm sehen sollte: Er lächelte. Seine Augen jedoch waren Stein gewordenes Eis. Der Geruch von Blut klebte an ihm.

»Was ist?«, murrte der Anführer in Richtung des anderen Nachwuchssöldners.

Widerstrebend stand der Junge mit den braunen Augen auf, mied den Blick seiner Mitstreiter und verließ gesenkten Hauptes das Haus. Nur wenig später kehrte er mit schweren Schritten zurück, setzte sich an seinen Platz und starrte wieder auf die Stelle zwischen seinen Füßen.

»Du kannst jetzt gehen«, sagte der Narbige mit dem schiefen Lächeln.

Er musste seine Aufforderung wiederholen, ehe Aurelio begriff, dass er gemeint war.

»Und lass dir nicht einfallen, noch einmal herzukommen. Heute Nacht gehört das Haus uns.«

Das Letzte, was Aurelio wahrnahm, bevor er das Haus verließ, waren die blutigen Finger, mit denen der Blonde seinen, Aurelios, Lieblingsbecher zum Mund führte.

✢ ✢ ✢

Einer der Söldner hatte die Pferdedecke über Antonia gebreitet. Es war nicht schwer zu erraten, welcher. Aurelio konnte den Sanftmütigen mit den dunklen Augen vor sich sehen, wie er zögerlich den Stall betrat, seine schlimmsten Befürchtungen bestätigt fand, die alte Decke vom Gatter nahm, sie über Antonias leblosen Leib breitete und sich schnellstmöglich von ihr abwand. Was brachte jemanden mit einem so weichen Herzen dazu, Söldner zu werden?

Aurelio verharrte vor der steinernen Schwelle wie vor einer unsichtbaren Schranke. Wäre da nicht das viele Blut gewesen, das das Stroh, auf dem seine Mutter lag, braun gefärbt hatte, hätte man glauben können, sie schliefe. Aurelio wusste, dass sie tot war, noch ehe er den Stall betrat. Der Geruch ihres Blutes kroch ihm unter die Haut. Schließlich trat er über die Schwelle und schloss die Tür. Ein eiserner Reif legte sich ihm um die Brust, und er musste sich gewaltsam aufrichten, um Atem zu holen. Ihre Worte vom Mittag kamen ihm in den Sinn: Manche töten schon aus Langeweile. Aurelio kauerte sich neben Antonia auf den gestampften Lehmboden. Dort blieb er. Wenigstens im Tod wollte er ihr beistehen.

Nach und nach senkte sich die Dämmerung auf den Stall herab. Die Ritzen zwischen den Brettern verdüsterten sich, aus Blau wurde Grau, der Raum zog sich in die Dunkelheit zurück und löste sich schließlich auf. Aus der Senke drangen Geräusche zu Aurelio herauf. Geräusche aus einer anderen Welt. Die Söldner brieten ihre Schweine, tranken ihren Wein, verfeuerten ihr Holz, pissten zigfach gegen jeden Olivenbaum, füllten die Senke mit ihren Exkrementen. Nur Trotula hatten sie am Leben gelassen. Anders als Aurelios Mutter war ihnen die Geiß tatsächlich zu alt gewesen. Jetzt lag sie zu Antonias Füßen und leckte ihr von Zeit zu Zeit die Zehen, die unter der Decke hervorlugten. Wie bei einem Lämmchen. Aurelio spürte weder Hunger noch Durst, noch die Kälte um sich herum – nur eine schwarze Leere von solcher Kraft, dass er gar nicht erst den Versuch unternahm, sich gegen sie zur Wehr zu setzen. Falls er in dieser Nacht an irgendetwas dachte, so wusste er später nichts mehr davon.

✢ ✢ ✢

26

Im Morgengrauen erhob sich Gemurmel. Harnische wurden geschnürt, Befehle gerufen, die nächtliche Steife aus den Gliedern vertrieben. Die Söldner zogen weiter, wie sie gekommen waren: unaufgeregt, gleichgültig. Für sie unterschied sich dieser Tag durch nichts von tausend anderen. Nach und nach entfernte sich das Geklirr ihrer Rüstungen Richtung Süden. Gegen Mittag wurde es still. Die ersten Schwalben, die vor zwei Tagen begonnen hatten, ihre Nester zu bauen, flatterten aufgeregt im Giebel umher.

Aurelio hatte sich aufgesetzt. Irgendwann in der Nacht war unbemerkt sein Tränenfluss versiegt. Ein einziges Mal nur hatte er seine Mutter berührt – um ihre erloschenen Augen zu schließen. Ihre Haut schimmerte wie Marmor. Nichts in ihrem Gesicht deutete auf die Qualen ihres letzten Tages hin. Trotula wurde unruhig. Sie verlangte nach Futter. Aurelio hätte nicht sagen können, was schwerer wog: der Schmerz oder die Scham. Ein Gewicht, das ihn niederdrückte wie ein bleiernes Joch. Er hatte es nicht verhindert, hatte reglos am Tisch gesessen, inmitten der Söldner, hatte mit angehört, wie sie sich reihum an seiner Mutter vergingen. Wäre Tommaso noch am Leben gewesen, er hätte sie zu beschützen gewusst. Wie er es schon einmal getan hatte. Noch immer wünschte sich Aurelio, sein Herz möge ihn erlösen und aufhören zu schlagen. Doch es weigerte sich, schlug weiter, mit der Beharrlichkeit eines Steins. Eine wohltuende Vorstellung. Ein Stein. Zu Stein werden. Nicht mehr atmen, nie wieder fühlen oder denken müssen. Kein Schmerz. Kein Leid. Keine Schuld. Doch er würde nicht zu Stein werden. Es gab nur Fühlen, Denken, Leiden. Solange sein Herz schlüge, würde es keine Chance geben, nicht zu sein.

Es begann bereits zu dämmern, als Aurelio endlich aufstand. Er nahm Trotula und führte sie nach draußen. Niemals brächte er es über sich, seine tote Mutter anzurühren, ihren Körper zu entblößen, ihren nackten, entstellten, misshandelten Leib anzusehen, die tödlichen Wunden, die der blonde Söldner ihr mit seinem Dolch zugefügt hatte. Und Matteo sollte sie auch nicht sehen. Nicht so – auf einem Lager aus blutgetränktem Stroh. Aurelio trug nach draußen, was von Nutzen war, und scheuchte die beiden Katzen aus dem Stall. In der Tür stehend, warf er einen Blick zurück auf Antonia, deren milchig schimmernde Füße und das halb unter ihren Haaren verborgene Gesicht im Zwielicht des Stalls seltsam entrückt anmuteten.

Gefolgt von Trotula stieg Aurelio in die Senke hinab, wo ihn ein Geruch aus verkohltem Fleisch, Kot und Urin empfing. Er betrachtete die zertrampelte Wiese, die abgenagten Knochen, richtete seinen Blick hinauf zur Scheune, die neben dem Haus stand wie ein Kalb neben seiner Mutterkuh, zog einen noch glühenden Scheit aus der Asche und ging zurück. Der Wind kam von Osten. Das Feuer würde nicht auf das Haus überspringen. In der Tür stehend, betrachtete er seine Mutter zum letzten Mal. Im selben Augenblick quollen neue Tränen hervor. Diese Schuld würde er für den Rest seines Lebens mit sich herumtragen. Schnell schleuderte er den glühenden Scheit ins Stroh, schlug die Tür zu und sank vor dem Stall in sich zusammen.

Das Stroh fing sofort Feuer. Aurelio hörte das zornige Knistern durch die Tür hindurch. Die Nächte waren kalt und feucht, das Holz noch klamm. Es dauerte einige Zeit, bis auch die dicken Balken das Feuer an sich heranließen und schließlich das Dach zu brennen anfing. Dann allerdings brachen sich die Flammen ungehindert Bahn, und in kürzester Zeit ragte eine alles verschlingende Feuersäule in den farblosen Himmel empor. Die Schwalben kreisten ungläubig um den träge aufsteigenden Rauch. Sie würden sich einen neuen Ort für ihr Nest suchen müssen.

✢ ✢ ✢

Am dritten Tag kehrten Matteo, Giovanna und der kleine Luigi auf den Hof zurück. Statt des Stalls und seines Bruders fand Matteo Reste schwelender Asche und einen auf dem Trog kauernden, teilnahmslos vor sich hin blickenden Aurelio vor, der ihn ansah, als kenne er ihn nicht. Noch nicht einmal das verkrustete Blut hatte er sich vom Hals gewaschen. Aurelio musste nicht viel sagen. Sein Bruder und er hatten sich stets ohne viele Worte verstanden.

»Im Stall«, gab er nur zur Antwort, als Matteo wissen wollte, wo ihre Mutter zu finden sei.

Matteo verstand. Gut genug jedenfalls, um seinem Bruder keine Vorwürfe zu machen.

»Ich werde gehen«, sagte Aurelio jetzt wie zu sich selbst.

»Nach Rom«, antwortete Matteo, »ich weiß. Vater hat es mir gesagt.«

✢ ✢ ✢

Es ist Zeit zu gehen. Das waren die Worte gewesen, die Tommaso seinem jüngsten Sohn mit auf den Weg gegeben hatte, letztes Jahr, auf dem Sterbelager. *Für beide von uns.* Aurelio hatte es den anderen verschwiegen. Er hatte den Tod seines Vaters nicht benutzen wollen, um seiner Familie den Rücken zu kehren. Vielleicht aber, so dachte er jetzt, hatte Tommaso recht gehabt. Es war wohl an der Zeit, zu gehen. Nachdem die Söldner weitergezogen waren, war ihm die Rückkehr ins Haus unmöglich gewesen. Der Anblick der achtlos vom Tisch abgerückten Schemel, die erloschene Feuerstelle, das Schlaflager von Tommaso und Antonia, sein Lieblingsbecher … Er hatte sich gerade noch schnell genug abwenden können, um sich nicht in den Wohnraum zu übergeben.

»Er hat mir aufgetragen, dich fortzuschicken, wenn du nicht von selbst gehst«, erklärte Matteo. »Ich bin froh, dass du es nicht so weit hast kommen lassen.«

Aurelio zweifelte daran, dass sein Bruder ihm die Wahrheit sagte. Doch er hielt ihm zugute, dass er ihm den Abschied erleichtern wollte.

»Was wird aus dir?« Fragend sah er ihn an. »Und aus Giovanna und Luigi?«

»Ich werde einen neuen Stall bauen. Was sollte ich wohl sonst tun?«

Giovanna kam aus dem Haus. Wie immer hielt sie Luigi auf dem Arm, der schon jetzt wie ein kleiner Matteo aussah. Sie hatten Saatgut und frisches Mehl mitgebracht.

»Hier«, mit ihrem freien Arm drückte sie Aurelio an sich und reichte ihm ein verschnürtes Tuch.

Aurelio ertastete drei frische, noch warme Brotlaibe.

»Für den Weg«, sagte Giovanna fast entschuldigend.

Aurelio betrachtete das, was ihm von seiner Familie geblieben war: seinen Bruder, Giovanna, Luigi. Sie würden zurechtkommen. Es stimmte, was ihm Tommaso auf dem Sterbelager gesagt hatte: Matteo war ein guter Bauer, und Giovanna alles, was man sich von einer Frau wünschen konnte. Er und sein Bruder sollten einander nicht im Weg stehen.

II

DER WIND HATTE GEDREHT. Er kam jetzt aus Westen und blies die kalte Luft von den Bergen herunter. Bereits in der Nacht hatte Aurelio, der in Decken gehüllt hinter dem Brunnen geschlafen hatte, ihn durch die Ritzen des Hauses pfeifen hören. Er zog seinen Umhang enger, schulterte den Sack mit seinen Habseligkeiten und folgte dem Weg hinunter in die Senke mit den Olivenbäumen. Bei den Bauern in der Gegend hatte der Olivenhain seiner Familie den spöttischen Beinamen »i nebulosi« eingetragen, »die Umnebelten«, weil sich dort manchmal ganze Tage lang der Nebel hielt. Dann wurden aus den Bäumen geisterhafte Fabelwesen, die aus dem Nichts kommend plötzlich ihre Arme nach einem ausstreckten und Aurelio bis in die Träume seiner Kindheit hinein verfolgt hatten. Dafür gediehen in dieser Senke, wie Tommaso stets behauptet hatte, die saftigsten und aromatischsten Oliven zwischen Imola und Bologna.

Heute Morgen jedoch war die Luft von schneidender Klarheit. Der Westwind hatte jeden Rest von Nebel vertrieben, und die Tautropfen an den Grashalmen glitzerten im ersten Tageslicht wie Diamanten. Kaum hatte Aurelio die Senke durchquert und die beiden Zypressen passiert, sah er auch schon in der Ferne den Umriss des hochaufragenden Campanile von Forlì sich gegen den blassrosa Himmel abzeichnen. Bei Ostwind hätten sie die Glocken bis zu ihrem Hof hin läuten hören. Als später die mächtige Zitadelle, von einem rötlichen Strahlenkranz umgeben, in Aurelios Blickfeld rückte, hielt er kurz inne. Noch heute sprachen die Leute, wenn auch hinter vorgehaltener Hand, in ehrfürchtigem Ton davon, wie Caterina Sforza ein ums andere Mal die Armee Cesare Borgias zurückgeschlagen hatte – bis jeder Widerstand zwecklos geworden war.

Die Piazza Saffi war bereits von morgendlichem Leben erfüllt. Zwei Männer wurden von einer belustigten Menge dabei beobachtet, wie sie versuchten, einen störrischen Bullen über den Platz zu zerren; vor der noch verschlossenen Werkstatt des Scherenmachers peitschten drei Kinder einen Holzreifen über das Pflaster; eine Gruppe von Frauen stand, ihre Waschkörbe vor sich auf dem Boden, am Brunnen und schwatzte. Aurelio hatte diesen Ort immer gemocht: die Menschen, die Geräusche der Stadt, das Leben, das so viel größer war als er selbst. Doch heute, das spürte er, würde er hier nicht einmal für die Dauer eines Ave Maria zur Ruhe kommen. Als die Glocken zur Tertia läuteten und der halsstarrige Bulle sich losriss, um schnaufend über den Platz zu galoppieren und unter den Flüchen seiner Verfolger in einer Seitenstraße zu verschwinden, ging Aurelio zur Gruppe der Wäscherinnen. Dort erkundigte er sich nach dem Weg zur alten Römerstraße, schulterte seinen Sack und eilte aufrecht dem Stadttor, der Sonne und seinem neuen Leben entgegen.

Alles um ihn herum roch nach Aufbruch. Pflanzen, die ihn sein ganzes Leben umgeben hatten, verströmten einen Duft, der ihn schwindeln machte. Der Geruch der violett blühenden Rosmarinsträucher etwa oder die in der Morgensonne schwellenden Piniennadeln. Selbst das alte Straßenpflaster, das erst seine feuchte Haut abstreifte, um sich anschließend so schnell zu erhitzen, dass Aurelios Füße bald von unten gewärmt wurden, verbreitete einen Geruch, der ihm wie eine Verheißung erschien und ihn unwiderstehlich vorwärtszog.

✛ ✛ ✛

Am Nachmittag des ersten Tages begegnete er einem verwitweten Vinattiere, einem verängstigten Mann mit Trinkernase, der durch seinen Buckel noch kleiner wirkte, als er ohnehin war. Er stand neben seinem mit Fässern überladenen Wagen, betrachtete ratlos die gebrochene Deichsel und hielt Aurelio zunächst für einen Wegelagerer. Der jedoch besah sich den Schaden und verschwand im Gebüsch, um kurz darauf mit einem Ast von der Dicke eines Unterarms zurückzukehren.

Der Vinattiere näherte sich wie ein scheues Tier. »Was habt Ihr vor?«, fragte er, als Aurelio begann, den Ast mit seinem Messer zu bearbeiten.

»Ich schnitze Euch eine neue Anze«, gab Aurelio zurück.

Der Vinattiere reckte seinen Hals, als werde er Zeuge eines Wunders: »Ah.«

Sobald er seine Fahrt fortsetzen konnte, hatte sich das Selbstbewusstsein des Mannes plötzlich vervielfacht, und er schien um eine Handbreit gewachsen zu sein. »Ihr seid heute mein Gast«, erklärte er, »keine Widerrede.«

Den folgenden Tag verbrachte Aurelio mit einem Kopf, der ihm mit jedem Schritt schmerzhaft die ungezählten Sester Wein in Erinnerung rief, die der Vinattiere ihm aufgenötigt hatte, kaum dass sie dessen Haus erreicht hatten.

Umso größer war die Erleichterung, als am Nachmittag endlich die Silhouette von Rimini in der Ferne auftauchte. Sobald er sich innerhalb der Stadtmauern befand, kehrte er im ersten Gasthof ein, den er fand. »Die Ähre« bestand im Wesentlichen aus zwei Räumen. Im vorderen wurde den Gästen an langen Tischreihen das Essen vorgesetzt, im hinteren schliefen sowohl Mensch als auch Tier, wobei die Pferde, Ochsen und Maultiere in der Mitte des Raumes an Tröge angebunden wurden, während ihre Besitzer auf einem die Wände säumenden Podest nächtigten, eine Armeslänge von ihren Tieren entfernt.

Der schwere Geruch von lebendem und gebratenem Fleisch füllte beide Räume bis in den letzten Winkel. Während des Essens konnte Aurelio kaum die Augen aufhalten. Die Gespräche um ihn herum schlugen wie Wellen über ihm zusammen. Als er mit erschöpftem Lächeln zum wiederholten Male den Wein ablehnte, den die Wirtin stets vor seinem Platz abstellte, zwinkerte sie ihm zu, als teilten sie eine stumme Übereinkunft. Später, die Müdigkeit drückte ihm bereits die Lider zu, zeigte sie ihm sein Lager. Da er kein Tier bei sich führte, wies sie ihm eine Stelle in der hinteren Ecke zu, abseits der Tiere. Anschließend rollte sie eine frische Matte für ihn aus, damit er, wie sie mit einem zweiten Zwinkern erklärte, keine »ungebetenen Besucher« fürchten müsse. Auf die Frage, was er ihr schuldig sei, erhielt Aurelio ein weiteres Augenzwinkern sowie die Antwort, seine Schuld sei bereits von höherer Stelle beglichen worden. Ihrer. Er schlief bis zum Morgen und hatte nicht die geringste Erinnerung an die Nacht.

✢ ✢ ✢

Am Morgen des dritten Tages ließ Aurelio Rimini hinter sich. Er ging jetzt auf der alten Via Flaminia, die, so viel konnte er auf den römischen Meilensteinen entziffern, von ARMINIUM nach ROMA führte. Bis zum Ziel seiner Reise würde er diese Straße nicht mehr verlassen. Er tastete nach dem Beutel mit den Münzen, den er sich unter seinem Hemd um die Brust geschnürt hatte. Noch keinen einzigen Grosso hatte er ausgegeben, obwohl er zwei bequeme Nachtlager erhalten hatte und gut bewirtet worden war.

Der Meilenstein, eine Säule aus übereinandergeschichteten Steintrommeln, die früher um die sechs Ellen hoch gewesen sein musste, lag umgestürzt im Graben, die einzelnen Teile durcheinandergewürfelt. Eine Eidechse verkroch sich träge zwischen den Blöcken, als Aurelio sich auf einer der Trommeln niederließ. Er setzte den Sack im Gras ab, zog seine Schuhe aus und bewegte die Zehen in der Mittagssonne. Als Kind hatte Tommaso ihm erklärt, was es mit den Inschriften auf sich hatte, die in die Säulen eingraviert waren. Auf jedem Meilenstein stand der Name seines Erbauers, von wo nach wo die Straße führte und wie weit es bis nach Rom war. Tommaso hatte ebenso wenig lesen können wie Aurelio, doch er kannte das römische Zahlensystem und erklärte seinem Sohn, wie man es entzifferte.

Die Inschrift der Trommel war verwittert. Aurelio erkannte Buchstaben, die sich zu Wörtern zusammensetzten, andere standen für Ziffern. Er musste halb unter den Stein kriechen, um sie vollständig aneinanderzureihen. CCIII. Zweimal hundert und drei. Zweihundertdrei Meilen. Aurelio überlegte: Wenn er pro Tag zwanzig Meilen zurücklegte, wäre er in zehn Tagen in Rom. Er schloss die Augen und spürte die Wärme auf seinem Gesicht. Nur zehn Tage noch! Er nahm seine Schuhe aus dem Gras und stellte sie auf den Stein.

Neben seinem Messer und den zehn Dukaten und sechs Grossi, die ihm noch verblieben waren, stellten die Schuhe Aurelios kostbarsten Besitz dar. Er hatte lange gezögert, ehe er sie nach Tommasos Tod beim Calzolaio in Forlì in Auftrag gegeben hatte. Dabei wäre er beinahe der Versuchung erlegen, sich ein Paar Kuhmaulschuhe anfertigen zu lassen, wie sie in der Stadt seit einiger Zeit immer häufiger zu sehen waren. Aurelio gefielen die modischen Schuhe sehr, auch wenn Matteo meinte, sie sähen aus, als sei ihren Besitzern der Campanile auf die Füße gefallen. Doch dann erinnerte er sich der Worte seines Vaters, dass er niemals vergessen solle, wer er war und woher er kam, und er entschied sich für ein Paar Bauernschuhe – allerdings nicht ohne beim Schuhmacher eine doppelte Sohle in Auftrag zu geben und ein besonders dickes, aber geschmeidiges Leder sowie eine Schnalle auszuwählen, wie sie auch bei den modischen Schuhen zu finden war. Um sie zu bezahlen, hatte Aurelio beim Geldwechsler in Forlì die kostbaren zwölf Fiorini, die Tommaso ihm auf dem Sterbelager gegeben hatte, in Dukaten umgetauscht und dem Schuhmacher mit schweißnassen Händen die vereinbarte Summe von einem Dukaten und vier Grossi auf die Werkbank gezählt.

Er nahm einen Schuh und drehte ihn in den Händen. Die Schnalle funkelte stolz in der Sonne. Mit diesen Schuhen, dessen war er sich sicher, würde er den Weg nach Rom in nur acht Tagen bewältigen.

»Er wird dich doch wohl nicht vergessen haben?«

Aurelio musste eingenickt sein. Er hatte den Wagen nicht kommen hören. Im Gegenlicht erkannte er den Umriss einer Frau, die keine Kopfbedeckung trug und deren nachlässig hochgesteckte Haare leuchteten wie ein brennender Helm. Ihre Stimme war fest und freundlich. Und sie war allein.

Aurelio nahm seinen Schuh aus dem Schoß und stellte ihn zu dem anderen zurück. »Wer?«

»Der Engel, der dich abholen sollte.«

Aurelio war zu überrascht für eine Antwort.

»Du siehst aus, als wartetest du auf einen Engel, der dich abholt«, erklärte die Frau.

Noch immer fiel Aurelio keine Antwort ein. Was sollte er schon sagen? Dass er verstanden hatte, was sie meinte, aber nichts zu erwidern wusste?

»Wie wär's mit deinem Namen, kleiner Engel?« Sie schien seine Gedanken zu lesen. »Oder hast du keinen?«

»Doch«, gab Aurelio zurück.

»Und?« Eines ihrer Maultiere wackelte geduldig mit den Ohren. »Gibst du ihn auch preis?«

Aurelios Befangenheit verstärkte sich noch, als sie ihre Arme über den Kopf nahm, um ihren Haarknoten zu lösen. Das blonde Haar ergoss sich in sanften Wellen über ihre Schultern. Hätte sie das auf dem Markt in Forlì gemacht, wäre kein Mann auf dem Platz gewesen, der sich nicht den Hals verreckt hätte. Er selbst eingeschlossen.

»Aurelio«, stieß er hervor.

»Aurelio also, schön, schön«, sagte sie, als sei der Name ganz zu ihrer Zufriedenheit.

Aurelio überlegte, was sie wohl als Nächstes von ihm würde wissen wollen. Er musste nicht lange warten, um es herauszufinden.

»Und wohin wird seine Reise ihn wohl führen, den Herrn Aurelio?«

»Nach Rom«, gestand er. Sein Plan erschien ihm nach wie vor anmaßend.

»Hört, hört. Nach Rom also.«

Aurelio schwieg. Ihre Fragen waren keine richtigen Fragen, jedenfalls wusste er nichts auf sie zu antworten. Und irgendwie schien die Frau an Antworten auch nicht interessiert zu sein.

»Und wie gedenkt er, dorthin zu gelangen? Auf Schusters Rappen?«

Aurelio schirmte seine Augen ab, um sie besser erkennen zu können. Sie hatte ein ovales Gesicht und einen herausfordernden Blick, mit dem sie ihn unverhohlen musterte. »Certo«, antwortete er, sicher.

Wieder hob sie ihre Arme und führte die Hände hinter den Kopf. Das konnte kein Zufall sein. Sie wusste um die Wirkung dieser Geste, musste darum wissen. Eine Strähne glitt über ihre Schulter.

»Hör zu«, sagte sie nach einer Pause, »du und ich, wir haben … nun, wir haben vermutlich nicht dasselbe Ziel«, sie ließ ein helles Lachen hören, »aber wir haben denselben Weg. Fünf Grossi, und der Platz neben mir ist deiner.«

Fünf Grossi! Beinahe die Hälfte dessen, was er dem Schuhmacher in Forlì gezahlt hatte. Aurelio nahm einen Schuh und zeigte ihn vor. »Aber ich hab doch meine Schuhe«, sagte er.

Die Frau ließ die Arme sinken. »Aber er hat doch seine Schuhe«, wiederholte sie.

»Mit denen brauche ich keine zehn Tage«, bekräftigte Aurelio.

»Zehn Tage.«

»Höchstens.«

Die Frau richtete sich auf. Danach war auch der letzte Rest Freundlichkeit aus ihrer Stimme gewichen. »Na, dann laufe er eben!« Sie wandte ihren Blick nach vorn und ließ die Zügel schnalzen, worauf sich die Maultiere pflichtschuldig in Bewegung setzten.

Aurelio wartete, bis der Wagen aus seinem Sichtfeld entschwunden war, dann zog er seine Schuhe an und folgte ihm.

III

IHR WAGEN STAND ZWISCHEN denen der anderen Gäste auf dem
gestampften Platz neben dem Gasthaus. Für einen Moment erwog
Aurelio, an »La Campana«, der Glocke, vorbeizugehen. Die Begegnung vom Mittag hatte ihn in einen Zustand nervöser Erregung
versetzt, der ihn noch Stunden später nicht verlassen hatte. Ohne
es erklären zu können, hatte er sich in Gegenwart der Frau wie ein
Kind gefühlt, das bei etwas Verbotenem ertappt worden war. Doch
Hunger und Müdigkeit waren größer als der Wunsch, ihr nicht
noch einmal zu begegnen. Außerdem brach bereits die Dunkelheit herein, und der Wind trug eine kalte, salzige Luft vom Meer
herüber. Den Weg fortzusetzen hieße womöglich, unter freiem
Himmel schlafen zu müssen und Knoten in der Lunge oder gar die
Skrofulose zu riskieren, die man davon angeblich bekommen
konnte.

Aurelio hörte sie, bevor er sie sah. Ihr helles Lachen übertönte
mit Leichtigkeit die Rufe und das Gemurmel der übrigen Gäste.
Vorsichtig wagte er einen Blick in das Zimmer hinter der Feuerstelle. In diesem Raum saßen zumeist eine Frau und ein Mann zusammen. Sie hatte ihre Haare zu zwei Zöpfen geflochten, die sich
kunstvoll um ihren Kopf schlangen. Ihr überlebensgroßer Schatten
tanzte an der Wand. Hier, im hinteren Gastraum der »Glocke«, irgendwo zwischen Porto del Colombarone und Pesaro, war sie un

bestreitbar die Königin. Der Mann zu ihrer Rechten saß auf der Bank wie auf einem Pferderücken und redete mit den weit ausholenden Gesten eines Lehnsherren auf sie ein.

Aurelio zog sich in den Vorraum zurück und bat um Essen und ein Nachtlager. Er hatte noch nicht viel von der Welt gesehen, aber genug, um zu wissen, dass er nicht fürchten musste, ihr heute noch im Schlafsaal für das einfache Volk zu begegnen.

✢ ✢ ✢

Er lag auf dem Rücken, den Blick auf die Deckenbalken über sich gerichtet, und lauschte dem Gesang der Vögel. Die ersten Stunden des Tages waren ihm stets die liebsten: das Erwachen, das erste Licht, die zarten Gerüche, der Beginn des Neuen. Er hatte den Geschmack von Salz auf der Zunge. Das Meer konnte nicht weit sein. Doch sein Ziel lag in einer anderen Richtung: im Süden. Lautlos packte er seine Sachen und verließ den Gasthof.

Ihr Wagen nahm in der Dämmerung gerade erst Gestalt an, und als Aurelio eine Viertelmeile gegangen war und sich noch einmal umdrehte, war die »Glocke« nicht mehr als die Erinnerung an einen bereits verblassten Traum.

Drei Meilen später begann die Sonne, seinen Nacken zu kitzeln und seinen Rücken zu wärmen. Wie jeden Morgen war Aurelio in Gedanken bei seinem Vater. Keiner von ihnen, nicht einmal Tommaso selbst, hatte seinen Tod begreifen können. Zunächst hatte er sein Augenlicht verloren. Aurelio war es als Erstem aufgefallen. Sein Vater wollte die Leiter zum Schlaflager hochsteigen, die Matteo mittags nach draußen getragen hatte, um eine undichte Stelle im Dach zu reparieren. Seine Hand tastete in der Nische nach der Leiter, und plötzlich wurde Aurelio klar, was ihm an seinem Vater seit einiger Zeit so merkwürdig erschienen war.

»Vater, du siehst nicht mehr richtig.«

Der gesamte Wohnraum erstarrte. Lediglich das brennende Holz in der Feuerstelle ließ weiter Schatten über die Wände tanzen. Antonia hielt die Schüssel von sich gestreckt, als erwarte sie, dass jemand sie ihr aus den Händen nahm, Matteos Miene versteinerte, Giovanna, Matteos schöne Frau mit dem kleinen Luigi auf dem Arm, zog sorgenvoll die Stirn in Falten.

»Unsinn«, gab Tommaso zurück.

Aurelio ließ sich nicht beirren. »Aber die Leiter steht da nicht.«

»Das sehe ich auch«, erwiderte sein Vater.

»Nein, das tust du nicht.«

Von da an verschlechterte sich Tommasos Zustand von Tag zu Tag. Er klagte nicht über Schmerzen, auch behauptete er, sich nicht krank zu fühlen. Und dennoch: Nach der Ernte hatte er noch wie jedes Jahr mit eiserner Hand den Acker gepflügt und mit sicherem Tritt den Ochsen über das Feld getrieben, bis dieser vor Erschöpfung stehengeblieben war. Jetzt schwanden seine Kräfte wie an einem Spätsommertag, wenn die Sonne eben noch heiß und senkrecht vom Himmel herunterbrannte und im nächsten Moment bereits die Dämmerung hereinbrach. Bis der Winter den Herbst ablöste, konnte er sich nicht mehr von seinem Lager erheben.

Am Abend, als er starb, wachte Aurelio an seinem Bett. Tommasos Augen waren zur Decke gerichtet. Im Gegenlicht betrachtete Aurelio die verschleierten Pupillen. Es war, als hätten sich die Augäpfel mit einer grauen Flüssigkeit gefüllt. Die Finger seines Vaters tasteten suchend auf dem Lager umher. Es dauerte eine Weile, ehe Aurelio begriff, dass sie auf der Suche nach seiner, Aurelios, Hand waren. Tommaso wollte die Hand seines Sohnes halten. Oder von ihr gehalten werden. Vorsichtig ergriff er die Hand seines Vaters, die Finger dünn wie Krähenfüße.

Tommaso schloss die Augen. »Du warst mir immer das Liebste auf dieser Welt, das weißt du.«

Ja, das wusste Aurelio, wenngleich es ihm unangenehm war. Er wollte nicht mehr oder anders gemocht werden als sein Bruder.

»Das weißt du«, wiederholte Tommaso.

»Ja, Vater.«

»Ich glaube, es ist, weil du so anders bist als ich, während mir

Matteo so ähnlich ist. Deine Talente sind mir fremd. Und diese Schönheit … Keiner, der sich nicht nach dir umdrehte, wenn wir in die Stadt fahren.«

Aurelio betrachtete die Stelle am Hals seines Vaters – wo sich das Blut seinen Weg durch die Adern bahnte.

»Matteo ist ein guter Bauer«, fuhr Tommaso fort, »und Giovanna ist alles, was man sich von einer Frau wünschen kann. Ihr solltet euch nicht im Weg stehen.«

Aurelio erschrak. Forderte sein Vater ihn etwa auf, den Hof zu verlassen?

»Da war immer dieser Blick in die Ferne«, fuhr Tommaso fort, »immer die Sehnsucht nach dem, was auf der anderen Seite der Berge auf dich wartet.«

»Aber hier ist mein Zuhause!«, protestierte Aurelio.

»Unterbrich mich nicht. Meine Atemzüge sind gezählt.« Tommaso schluckte schwer. »Weißt du bereits, wohin es gehen soll?«

»Rom«, antwortete Aurelio und biss sich gleich darauf auf die Lippen.

Tommaso stöhnte auf. »Ich wünschte, ich hätte nicht gefragt. Rom. Der größte Sündenpfuhl der Welt. Was zieht dich ausgerechnet dorthin?«

Aurelio zögerte, aber dann sagte er es doch: »Ich möchte in die Dienste von Michelangelo Buonarroti treten.«

Tommaso überlegte. »Ist das nicht dieser Bildhauer?«

»Er ist *der* Bildhauer, Vater. In Florenz hat er eine Statue geschaffen, die nirgends in der Welt ihresgleichen hat. Sie ist neun Ellen hoch, aus einem einzigen Stein gehauen, und jeder, der an ihr vorbeigeht, verneigt sich vor ihr.«

»Der David, ich weiß. Hab davon gehört. Neun Ellen … Wenn das wahr wäre, würde sie unser Haus überragen. Die Leute auf dem Markt in Forlì reden viel, Aurelio, und sie übertreiben gerne.«

»Es ist wahr, Vater! Die Florentiner nennen ihn ›Il Gigante‹. Und jetzt hat Papst Julius ihn nach Rom kommen lassen, weil er für ihn ein Grabmal mit vierzig Statuen bauen soll.«

»Und du willst ihm dabei helfen, dem Herrn Buonarroti?«, folgerte Tommaso.

Die Vermessenheit seines Wunsches ließ das Blut in Aurelios Kopf pulsieren. »Wenn ich kann«, flüsterte er.

»Wie auch immer …« Tommaso versuchte, Ordnung in seine Gedanken zu bringen, doch der Faden entglitt ihm. »Es ist Zeit zu gehen«, sagte er schließlich, »für beide von uns.«

Aus seinen Fingern wich die Anspannung. Ein letzter Hauch strich über die Stelle an seinem Hals. In den Adern stockte das Blut. Kurz darauf benetzten Aurelios warme Tränen den Handrücken seines Vaters.

✢ ✢ ✢

Diesmal hörte er ihren Wagen bereits aus der Ferne. Er erkannte ihn am Klang der frisch beschlagenen Räder, deren noch neues Eisen hart auf das Pflaster hämmerte. Bald hatte sie ihn eingeholt. Sie drosselte das Tempo und fuhr neben ihm her, ohne etwas zu sagen. Aurelio richtete seinen Blick geradeaus. Wieder fühlte er sich ertappt.

»Gut geschlafen?«, fragte sie schließlich.

Offenbar war ihr doch nicht entgangen, dass er und sie die Nacht wenn schon nicht im selben Raum, so doch unter demselben Dach verbracht hatten. Aurelio ersparte sich eine Antwort.

»Schleicht sich davon im ersten Tageslicht wie ein Dieb«, fuhr sie fort. »Bist du etwa auf der Flucht, Aurelio?«

Er blieb stehen, sie hielt den Wagen an. Sie befanden sich inmitten eines kleinen Kiefernwaldes. Der Boden war von leuchtenden Flecken überzogen.

»Ich bin kein Dieb«, gab er zurück.

Ein Lächeln umspielte ihren Mund. »Das hatte ich auch nicht angenommen.«

Zum ersten Mal hatte Aurelio Gelegenheit, sie aus der Nähe zu betrachten. Sie war jünger, als sie gestern auf ihn gewirkt hatte, womöglich nur wenig älter als er selbst. Auf jeden Fall aber viel jünger, als seine Mutter Antonia gewesen war. Ihr Körper schien das Leben im Sturm erobern zu wollen.

»Weshalb fragt Ihr mich dann, ob ich auf der Flucht sei?«

»Irgendwie muss man dich ja zum Reden bringen.« Sie zog die Schultern hoch und ließ sie wieder fallen. »Hör zu, mein kleiner Adonis, ich mache dir einen Vorschlag: Du kannst ohne Bezahlung auf meinem Wagen mitfahren. Strenggenommen ist es gar nicht meiner. Dafür gibst du dich als mein Mann aus, sofern einer vonnöten ist. In Zeiten wie diesen ist es für eine Frau nicht ratsam, ohne Begleitung zu reisen. Auf Schritt und Tritt laufen einem diese Söldner über den Weg, die meinen, sich einfach nehmen zu können, was sie begehren. Und wenn es gerade keine Schlacht zu schlagen gibt, begehren sie fast alles.«

In den vergangenen Tagen hatte Aurelio nach Kräften versucht, die Bilder der Söldner zu verdrängen. Meist war es ihm gelungen. Jetzt jedoch traten sie mit Gewalt vor seine Augen: der Narbige, der Warmherzige, der Blonde mit dem leeren Blick. Er wechselte seinen Sack von der rechten auf die linke Schulter. Ihn nicht länger tragen zu müssen, würde eine große Erleichterung bedeuten. Doch die Frau täuschte sich, wenn sie glaubte, er könne sie vor einem Rudel Söldner beschützen. Nicht einmal seine eigene Mutter hatte er ihren Fängen entreißen können.

Entschuldigend blickte er zu ihr auf. »Ich danke Euch. Aber ich komme zu Fuß schnell genug voran.«

»Störrisch wie ein Esel«, schnaufte sie. Dann ließ sie mit derselben Bewegung wie am Vortag die Zügel schnalzen, woraufhin sich die Maultiere mit demselben Gleichmut in Bewegung setzten.

Unschlüssig betrachtete Aurelio die Lichtflecken, die über ihre Schultern und ihr Haar strichen, dann schloss er eilig zu ihr auf. Jetzt war er es plötzlich, der neben ihr herging.

Aurelio sah ihr Schmunzeln, gab jedoch vor, es nicht zu bemerken. »Warum ich?«

Die Frau musterte ihn, als überlege sie, ob sie es wirklich sagen sollte. »Du hast ein gutes Herz.«

»Woher wollt Ihr das wissen? Vielleicht bin ich ja doch ein Dieb und raube Euch aus?«

Sie lachte ihr helles Glockenlachen. »Worauf wartest du dann noch?«

Als sie das Ende des Kiefernwäldchens erreichten, in das blendende Mittagslicht traten und sich das Meer vor ihnen auftat, sagte sie zu ihm: »Auch wenn du es vorziehst, neben dem Wagen herzulaufen, statt bei mir zu sitzen – vielleicht möchte es sich dein Sack so lange neben meiner Truhe bequem machen?«

Aurelio antwortete nicht, doch nach etwa einer Meile nahm er unauffällig den Sack von der Schulter und warf ihn mit beiläufigem Schwung zu dem hölzernen Koffer auf den Wagen. Nach einer weiteren Meile, die Sonne spiegelte sich in unzähligen, gleißenden Scherben auf dem Meer, und in der Ferne nahmen die mächtigen Stadtmauern von Fano Gestalt an, stieg er zu ihr auf die Bank.

»Ihr täuscht Euch, wenn Ihr glaubt, ich könnte den Lauf des Schicksals beeinflussen«, sagte er.

»Den Lauf des Schicksals …« Sie lachte auf. »Keine Sorge, den bestimme ich selbst.«

IV

MARGHERITA WAR AUF DER FLUCHT vor ihrem Mann. Jedenfalls behauptete sie das. Ihr wirklicher Name war gar nicht Margherita, aber, so sagte sie, ihren früheren Namen habe sie bei ihrem Mann in Rimini gelassen. Ceffo war Chiavaiolo, Schlüsselmacher, und als solcher hatte er es zu einigem Ansehen und Wohlstand gebracht. In Rimini gab es keinen Zweiten, der so kunstvolle Schlösser und Schlüssel zu fertigen verstand. Aurelio solle sich nur einmal Margheritas Koffertruhe ansehen. An den Scharnieren hätte sich Cesare Borgia die Zähne ausgebissen.

Ceffo hatte sie um jeden Preis zur Frau haben wollen. Doch Margherita war die vierte von fünf Töchtern, zudem war ihre Familie völlig mittellos. An eine Aussteuer war nicht zu denken. Ceffo löste das Problem, indem er Margheritas Vater unter der Hand das Geld für die Aussteuer zuschob. Außerdem ließ er die Koffertruhe fertigen, die er anschließend in seiner Werkstatt mit einem ebenso komplizierten wie effektiven System aus Schlössern versah und die jetzt auf der Ladefläche des Wagens stand und Margheritas Aussteuer bewachte. Margherita war froh gewesen, der heimischen Enge und einem Vater entfliehen zu können, der keinen Tag verstreichen ließ, ohne sich über den Fluch seiner fünf Töchter zu beklagen. Ihr Vater wiederum dankte dem Allmächtigen, dass er ihn wenigstens von der Last einer Tochter befreit hatte.

Wie sich herausstellte, war Ceffo nicht nur verrückt nach Margherita, sondern auch verrückt vor Eifersucht. Noch in der kleinsten Mauerritze wähnte er einen Nebenbuhler, und wenn sie das Haus verließen, verlangte er von Margherita, dass sie stets zwei Schritte hinter ihm gehen und auch dann noch den Blick gesenkt halten sollte, wenn er stehenblieb, um sich zu unterhalten. Obgleich er sich ihr mit leidenschaftlicher Hingabe unterwarf, hielt er Margherita gleichzeitig vor, ein verderbtes, lasterhaftes Weib von teuflischer Lüsternheit zu sein. Am schlimmsten aber war es, wenn er alleine fortging. Dann verrammelte Ceffo sämtliche Fenster und sicherte jedes einzelne mit einem Schloss, das dem Castell Sant'Angelo zur Ehre gereicht hätte. Begab er sich auf Geschäftsreise, saß Margherita tagelang bei Kerzenschein in ihrem Verlies, und lediglich der Schimmer, der durch die Spalten der Verschläge drang, sowie die Geräusche auf der Straße verrieten ihr, ob es Tag war oder Nacht.

Aurelios Neugier war entfacht. »Wie ist es dir dann gelungen, zu fliehen?«

Margheritas Lächeln haftete etwas Spöttisches an, als sie sich die Begebenheit in Erinnerung rief. »Man könnte wohl sagen, dass ich ihn mit seinen eigenen Waffen geschlagen habe.«

»Du hast ihn eingeschlossen?«

»Ich habe ihn mit einer lasterhaften Liebesnacht beschenkt – eine von denen, für die er sich stets mit Freuden verachtet hat. Danach schlief er wie ein Kleinkind. Der Ring mit den Schlüsseln liegt irgendwo bei Riccione im Straßengraben. Ich bin sicher, Ceffo wird einen Weg finden, sich zu befreien. Aber einfach wird es nicht.«

»Und dann?«

»Dann wird er mich suchen.«

✢ ✢ ✢

46

Sie übernachteten im »La Cicogna«, dem Storch, einer nach Urin und Schweiß riechenden Taverna, die sich schutzsuchend mit dem Rücken gegen die Stadtmauer von Fano drückte. Im Schlafraum im ersten Stock, in dem sich Aurelio nur zwischen den Deckenbalken zu seiner vollen Größe aufrichten konnte, standen sich an den Längsseiten jeweils vier Betten gegenüber, deren Fußenden sich beinahe berührten. Außer ihnen schliefen zwei weitere Personen in dem Zimmer – grobschlächtige Söldner, die erst zur Matutina ins Zimmer polterten und dem Geruch von Urin und Schweiß noch den von halbvergorenem Wein hinzufügten. Erleichtert registrierte Aurelio, dass keiner der beiden unter den Söldnern gewesen war, die eine Woche zuvor ihr Haus betreten hatten.

»Wie gut, dass ich mit meinem Ehegatten reise«, flüsterte Margherita, und zum ersten Mal fühlte sich Aurelio in ihrer Gegenwart wie ein richtiger Mann.

Vielleicht, dachte er, könnte er sie doch beschützen – womöglich tat er es bereits, einfach indem er bei ihr war. Einer der Männer schlug sich den Kopf an einem Deckenbalken an, der andere stieß sich das Schienbein am Bettpfosten. Wenige Augenblicke später schnarchten beide laut.

Seit Margherita ihm von ihrer Flucht erzählt hatte, beschäftigte Aurelio eine Frage, die zu stellen er bisher nicht gewagt hatte. »Was wirst du tun, wenn du in Rom bist?«, fragte er in die Dunkelheit hinein.

Er war sicher, dass sie nicht schlief. Um bei diesem Lärm Schlaf zu finden, hätte man ein betrunkener Söldner sein müssen. Er hörte, wie sie sich bewegte. Die Art, wie ihre Stimme an sein Ohr drang, verriet ihm, dass sie sich auf die Seite gedreht hatte.

»Was glaubst du wohl, was ich tun werde – eine Frau wie ich, ohne Mann, ohne Herkunft und ohne Geld?«

Aurelio wusste es nicht.

»Deine Unschuld rührt mich, Aurelio«, sagte sie, als er nicht antwortete. »Nun, ich werde das tun, was alle hübschen, jungen Frauen tun, die es dieser Tage nach Rom zieht.«

Aurelio starrte in das Dunkel über ihm.

»Ich werde Kurtisane, mein Engel.«

Die Deckenbalken wölbten sich drohend aus dem Nichts. Eine Zeitlang war nur das unregelmäßige Schnarchen der Söldner zu hören.

»Was ist?«, fragte Margherita schließlich.

»Ich dachte nur ... Um eine Hure zu werden, müsstest du nicht bis nach Rom ...«

»Vorsicht!«, unterbrach ihn Margherita. Einer der Söldner verschluckte sich im Schlaf. »Eine Hure und eine Kurtisane sind nicht dasselbe. Nenn mich eine Hure, und du wirst mich kennenlernen! Eine römische Cortigiana ist eine ehrbare Frau. Rom ist die Stadt, in der Frauen, egal welchen Standes und welcher Herkunft, zu Königinnen aufsteigen können. Sofern sie schön und schlau genug sind, versteht sich.«

»Woher weißt du das alles?«

»Die ganze Welt weiß es, Aurelio. Nur du nicht, mein süßer Träumer. Vor ein paar Jahren hat Cesare Borgia in der Engelsburg eine Orgie mit fünfzig ehrbaren Dirnen veranstaltet, von der man sich heute noch erzählt. Diejenigen Gäste, die mit den meisten von ihnen den Akt vollziehen konnten, wurden mit Preisen bedacht. Auch der Papst war zugegen.« Ihre Hand streckte sich nach Aurelio aus, fand seinen Kopf und fuhr zärtlich durch seine Locken. Margherita senkte die Stimme. »Hast du etwa noch nie von der göttlichen Imperia gehört?«

In der Dunkelheit der Nacht, umhüllt von einer wärmenden Decke und geborgen in dem höhlenartigen Raum, der an die Rückseite der Stadtmauer grenzte, weihte Margherita ihren Begleiter in die Geheimnisse der Stadt ein, die sie selbst noch nie gesehen hatte. Von überallher, so erzählte sie, strömten Frauen nach Rom, um dort ihr Glück als Kurtisanen zu machen. Neben Italienerinnen zog es vor allem Spanierinnen, aber auch Französinnen, Deutsche und Griechinnen in die Ewige Stadt. Inzwischen sollte jede dritte Frau eine von ihnen sein. Und der Hunger Roms nach dem schönen Geschlecht war unersättlich. Der Hofstaat des Papstes, die Verwaltung, die Kardinäle mit ihren Haushalten, Botschafter, Gesandte … Die Stadt bestand aus einem Heer an zölibatär lebenden Männern, die alle wollten, was alle Männer wollen.

Viele Kurtisanen trugen ganz selbstverständlich die Kleidung römischer Patrizierinnen, ließen sich in Kutschen durch die Stadt fahren und auf offener Straße von Adligen und Geistlichen den Hof machen. Nicht wenige waren so vermögend, dass sie herrschaftliche Häuser oder Palazzi besaßen, und einige waren so berühmt, dass die Plätze, an denen sie wohnten, nach ihnen benannt waren. Manche lebten gar im Vatikan und gaben die römische Kurie als ihren Wohnsitz an.

Aurelio lag im Bett und war zu keiner Regung fähig. Von diesem Rom hatte er noch nie gehört. Margheritas Hand streichelte selbstvergessen seine Locken. »Was ist mit dieser Imperia?«, fragte er.

»Hätte ich mir denken können, dass dich vor allem die interessiert.« Margheritas Hand zog sich zurück. »Also schön: Damit du nicht als Unwissender in Rom eintriffst, werde ich dir erzählen, wer Imperia ist. Aber sei gewarnt, Aurelio, ihretwegen wurden schon Männer ermordet – wenn sie sich nicht gleich selbst entleibt haben.«

Imperia wurde derart umworben, dass die gesamte Oberschicht der Stadt, egal ob weltlich oder geistlich, sich einen Krieg um ihre Gunst lieferte. Die Liste ihrer Verehrer war länger als die der Hofangestellten des Papstes. Ihr Haus galt als Inbegriff geschmackvollen Überflusses. Einmal, als ihr der spanische Botschafter seine Aufwartung machte und das Bedürfnis verspürte zu spucken, benutzte er dafür das Gesicht seines Dieners. Alles andere in diesem Haus, so erklärte er, sei so schön, dass er es nicht zu beflecken gewagt hätte.

Seit einiger Zeit ließ Imperia ihre Gunst vor allem »Il Magnifico« zuteilwerden – so nannten die Römer den berühmten Bankier Agostino Chigi, den reichsten Mann des Kirchenstaates.

»Ich dachte, der Papst sei der reichste Mann im Land.«

»Du hast wirklich noch viel zu lernen, mein lieber Aurelio. Der Papst hat nichts als Schulden. Und jetzt rate, bei wem.«

»Bei Agostino Chigi.«

»Schnell gelernt. Gewiss sind Chigi und Imperia das berühmteste Liebespaar der Stadt.« Margherita schob einen Seufzer ein. »Zumindest offiziell.«

Während Margheritas Worte in seinem Kopf widerhallten, nahm in Aurelios Phantasie ein Rom Gestalt an, wie er es sich nie hätte erdenken können: ein leuchtendes Rom, eine Stadt aus Gold und Purpur, in der die Luft vom Duft frischer Orangen und dem Funkeln zahlloser Rubine und Smaragde erfüllt war. Er sah stolze Frauen in kunstvoll verzierten Kutschen, marmorne Palazzi mit lichtdurchfluteten Innenhöfen, Springbrunnen und prächtige Pferde mit Brokatüberwürfen.

»Wie meinst du das«, fragte er schließlich, »zumindest offiziell‹?«

Margherita drehte sich wieder auf den Rücken. »Manchmal ist es besser, nicht alles zu wissen.« Offenbar betrachtete sie das Gespräch als beendet.

»*Du* warst es doch, die wollte, dass ich nicht als Unwissender nach Rom gehe«, wandte Aurelio ein.

Margherita schwieg. Aurelio wartete.

»Imperia ist sicher die meistbegehrte und -beneidete Frau Roms …« Sie senkte ihre Stimme. »Möglicherweise jedoch nicht die mächtigste.«

»Möglicherweise?«

»Es gibt … Gerüchte. Gerüchte, Aurelio, nichts weiter.«

Wie auf ein Zeichen stellten die Söldner das Schnarchen ein. Entfernt läutete eine Glocke zur Prima. Danach war es lange Zeit still.

»Du schläfst nicht«, flüsterte Aurelio schließlich.

»Wie kannst du das wissen?«

»Ich fühle es.«

»Soso, du fühlst es.« Margherita drehte sich wieder auf die Seite. Ihre Stimme war ein Hauch in der Dämmerung. »Es heißt, der Papst habe eine eigene Kurtisane. Doch niemand ist ihrer jemals ansichtig geworden. Es heißt, sie wohne streng bewacht in verborgenen Gemächern des Papstpalastes, die niemand außer dem Heiligen Vater persönlich betreten dürfe. Das Essen wird auf silbernen Wagen bis vor ihre Türen gefahren und erst von ihren Dienerinnen hereingetragen, wenn sich alle bis auf die Wächter zurückgezogen haben.«

Aurelio kamen die Worte seines Vaters in den Sinn: »Die Leute auf dem Markt in Forlì reden viel, Aurelio, und sie übertreiben gerne.« Nun, gegen den Markt in Rimini schien es auf dem in Forlì wahrlich bescheiden zuzugehen. Margherita rückte noch ein Stück näher an ihn heran. Ihr Atem streifte sein Ohr, als sie fortfuhr.

»Sie treibt ihn in den Wahnsinn, Aurelio. Es heißt, wenn Papst Julius Gottes Vertreter auf Erden ist, dann ist sie die Gesandte des Teufels. Und bei diesem Gefecht triumphiert der Teufel. Der Papst ist besessen von ihr. Kein Tag vergeht, an dem er nicht mindestens zweimal ihre Gemächer aufsucht, um sich ihr zu unterwerfen.«

Aurelio war hin- und hergerissen zwischen fassungslosem Entsetzen und ungläubiger Belustigung. Ein Rom, wie Margherita es beschrieb, konnte es nicht geben. Und einen Papst, der sich seiner Geliebten unterwarf ... Das war völlig ausgeschlossen. Andererseits: Wenn es stimmte, dass Papst Julius sich bereits zu Lebzeiten ein Grabmal bauen ließ, das nicht weniger als vierzig Statuen schmücken sollten ...

»Der Papst wirft sich niemandem zu Füßen«, behauptete Aurelio.

»Hör zu, Aurelio«, zischte Margherita. »Auch wenn sie für manche nur ein flammender Geist ist, der des Nachts von Zunge zu Zunge durch die Gassen der Stadt schwebt: Es gibt sie wirklich. Und es ist gefährlich, ihr zu begegnen. Wer sie unverhüllt zu Gesicht bekommt, dem lässt Julius die Augen blenden, und jedem, der öffentlich ihren Namen ausspricht, wird die Zunge herausgeschnitten.«

Wieder musste Aurelios an Tommaso denken. Wenn du nicht weißt, was du glauben sollst, hatte sein Vater stets gesagt, versuche dem Problem mit deinem Verstand beizukommen.

»Wenn niemand sie je gesehen hat«, überlegte Aurelio, »und niemand ihre Gemächer betreten darf … Woher weiß man dann von ihrer Existenz?«

»Manchmal verlässt eine geschlossene Kutsche den Vatikan, um durch die Straßen Roms zu fahren. Wenn sie anhält, entsteigt ihr eine verschleierte Gestalt, die außerdem Handschuhe trägt. Nirgends ist ein Stück ihrer Haut zu sehen, verstehst du? Eine Freundin, deren Schwager bei einem Tuchhändler in Rom arbeitet, hat mir davon erzählt. Wenn sie ein Geschäft oder eine Werkstatt betritt, gilt alles, was von ihren weißen Handschuhen berührt wird, als gekauft und muss noch am selben Tag in den Papstpalast geliefert werden. Auf diese Weise hat sie, ohne dass eine Silbe über ihre Lippen gekommen wäre, bei besagtem Tuchhändler ein halbes Dutzend der kostbarsten Brokatstoffe gekauft und ihm in wenigen Augenblicken den Umsatz eines halben Jahres beschert. Man weiß also, dass es sie gibt, auch wenn man nicht weiß, wie sie aussieht. So, und jetzt schlafe, Aurelio. In zwei Stunden müssen wir unsere Reise fortsetzen. Ich kann keinen Mann gebrauchen, der mit den Zügeln im Schoß einschläft.«

Margheritas Worte breiteten sich wie ein Fieber in Aurelio aus. Das Schlucken bereitete ihm Mühe, die Beine juckten bis hinunter zu den Zehenspitzen. Nie zuvor war ihm sein Vorhaben, in Rom sein Glück zu suchen, schicksalhafter erschienen. Plötzlich tat sich eine dunkle Kluft vor ihm auf, ohne Anfang und ohne Ende, mit einer Wendeltreppe hinunter ins Nichts.

»Wie heißt sie?«

»Schlaf!«

»Wie ist ihr Name?«

»Habe ich dir nicht soeben erklärt, dass Julius jedem die Zunge herausschneiden lässt, der es wagt, öffentlich ihren Namen auszusprechen?«

Aurelio spürte, wie ihm die Hitze zu Kopf stieg und seine Augen aus den Höhlen presste. »Der Papst mag gute Ohren haben«, hörte er sich sagen, »doch werden sie kaum bis an dieses Bett heranreichen.«

Einen Moment lang hörte er lediglich das Rauschen des Blutes in seinem Kopf, dann beugte sich Margherita über sein Lager. Durch den Stoff ihres Nachtgewandes hindurch drückten sich ihre Brüste gegen seinen Arm. Ihre Lippen berührten sein Ohr.

»Aphrodite. Ihr Name ist Aphrodite. Und jetzt schlaf endlich.« Mit diesen Worten zog Margherita sich zurück und wandte Aurelio den Rücken zu.

Aphrodite. Der Name durchlief Aurelio wie ein heißkalter Schauer. Als der Morgen heraufdämmerte und die Wände um ihn herum Gestalt anzunehmen begannen, lehnte Aurelio sich aus dem Bett, um durch die winzige Fensteröffnung die Stadtmauer emporzublicken. Die oberen Steinreihen glommen bereits rötlich im Tageslicht. Eine Kreuzspinne hatte im Fenster ihr kunstvolles Netz gesponnen und sich in eine Ecke zurückgezogen, wo sie darauf wartete, dass ihr ein Insekt in die Falle ging.

V

Neun Tage sollte ihre Reise dauern. In dieser Zeit sahen sie Adler kreisen und Wildschweine kämpfen, hörten Wölfe heulen und Ratten fauchen, während der Mond Nacht für Nacht um eine Silberhaut dünner wurde. Sie fuhren an senkrecht in die Tiefe stürzenden Schluchten entlang, badeten in einem Wasserfall, ruckelten unterhalb des Intercisa-Passes durch einen alten Römertunnel und ließen auf diese Weise einen ganzen Berg hinter sich. Bei Fossombrone liefen sie in den Resten einer alten Siedlung herum, in Cagli bestaunten sie Leder- und Wollmanufakturen, bei Narni führte sie eine vierbögige Brücke, die einer Armee standgehalten hätte, über einen reißenden Fluss.

Als sie den Apennin überquerten, übernachteten sie in den Ruinen des Jupitertempels auf der Passhöhe, da sich die erschöpften Maultiere weigerten, auch nur einen Schritt weiter zu tun. Aurelio, der einen beträchtlichen Teil des Aufstiegs hinter dem Wagen hergegangen war, um ihn anzuschieben, versagten ebenfalls die Beine ihren Dienst.

Sie schliefen eng umschlungen auf der Ladefläche. Aurelio erwachte mit eisigen Fingern und Atemwolken vor dem Gesicht. Er löste sich aus der Umarmung der noch schlafenden Margherita und erklomm die Reste des Tempels, um den Punkt mit der besten Aussicht zu finden. Noch nie hatte er eine solche Weite gespürt.

Richtete er seinen Blick nach Osten, sah er seine Vergangenheit im milchigen Morgenlicht liegen, drehte er sich nach Westen, erhob sich seine Zukunft vor ihm. Schließlich wandte er sich nach Rom, die Sonne im Rücken, kniete sich auf die Reste einer Freitreppe und dankte seinem Schöpfer.

Sie begegneten Söldnern, Pilgern und Wegelagerern. Von einem geistlichen Würdenträger, der zu seiner Sicherheit eine ganze Kompanie um sich geschart hatte, wurden sie in den Straßengraben gedrängt. Einer alten Frau mit einem verkrüppelten Bein richteten sie für die Dauer eines Tages ein Lager auf dem Wagen her. Während der Fahrt schnitzte Aurelio ihr aus einer Astgabel eine passende Stütze. Er konnte sich nicht erinnern, je einen Menschen so glücklich gemacht zu haben. In den engen Gassen von Nucera Umbra schließlich, dessen Häuser sich aneinanderdrängten wie Schafe bei einem Gewitter, lauerten ihnen Diebe auf, die sie nur deshalb unbehelligt ließen, weil zufällig gerade ein Adliger mit seinem Tross die Straße herunterkam.

Je näher sie dem Haupt der Welt kamen, umso mehr Osterpilger begegneten ihnen. Selbst jetzt, da der heilige Sonntag bereits eine Woche zurücklag, strömten sie noch immer zu Tausenden aus der Stadt. Die beiden letzten Nächte hatten sie in Herbergen zugebracht, in denen sich die Pilger förmlich stapelten. Begierig schnappte Aurelio jedes Wort auf, das um ihn herum gesprochen wurde. Auch wenn einige sich kritisch über die Einführung der Ablassbriefe äußerten, in der Einschätzung des Heiligen Vaters als politischem und geistlichem Führer herrschte unter den Pilgern weitgehend Einigkeit: Ja, es stimme, er sei »Il papa terribile« und habe ein galliges Temperament, das zuweilen sein Blut überhitze. Doch sofern es überhaupt jemanden gab, der dem Kirchenstaat eine unanfechtbare Vormachtstellung sicherte, dann sei er das, Julius. In ihm, der selbst an der Spitze seines Heeres ritt, wenn es galt, abtrünnige Gebiete in den Kirchenstaat zurückzuzwingen, habe Gott einen würdigen Verfechter seiner Anliegen gefunden. Kein Wort darüber, dass der Papst eine Kurtisane habe, nichts von geheimen Gemächern oder davon, dass Julius Anzeichen von Wahnsinn erkennen ließ. Margherita, so war Aurelio bald überzeugt, musste das Opfer einer auf dem Marktplatz von Rimini blühenden Phantasie geworden sein.

Am Abend des 6. April 1508, wenige Meilen vor Rom, teilten sie ihr letztes gemeinsames Nachtlager. Sämtliche Herbergen entlang der Via Flaminia waren überfüllt. Margherita wollte keinesfalls eine zweite Nacht auf dem Wagen zubringen, also legten sie an einer Stelle, an der die Straße mit dem Tiber zusammentraf, eine Rast ein und überlegten, was zu tun sei. Der Tag war sonnig gewesen. Margherita raffte ihre Röcke und ging an einer seichten Uferstelle barfuß ins Wasser.

Sie blinzelte in die untergehende Sonne. Eine stattliche Anzahl ihrer flammenden Locken hatte sich aus dem Haarknoten befreit und umspielte ihre Schultern. Sie sah müde aus, wie Aurelio bemerkte – müde, aber glücklich. Von ihren Füßen spritzten glitzernde Tropfen auf. Er betrachtete ihre kindliche Freude und verspürte zu seiner Überraschung selbst ein Gefühl der Befreiung. Seit dem Tod seiner Mutter hatte er keine solche Leichtigkeit mehr empfunden. Vor ihnen lag ein noch unangebrochenes Leben. Morgen würden sie die Porta del Popolo durchschreiten und neu geboren werden. Danach würden sich ihre Wege für immer trennen.

Aurelio deutete nach Westen, wo etwa eine Meile entfernt eine Ansammlung von Häusern zu erkennen war. »Wir könnten dort um Aufnahme bitten.«

»Wohin auch immer mein Herr und Gebieter seine Schritte zu lenken für richtig hält«, rief Margherita scherzhaft und ließ ihre Zähne aufblitzen, »ich werde ihm folgen.«

+ + +

Sie trafen zur rechten Zeit auf dem Gut ein. Die Frau des Bauern empfing sie mit einem sorgenvollen Blick, der jedoch nicht ihnen galt. Aurelio bat um ein Nachtlager und bot als Gegenleistung seine Hilfe auf dem Hof an.

Die Bäuerin hatte nur ein trauriges Lächeln für ihn: »Ich wünschte, Ihr könntet uns helfen.«

In diesem Moment drangen die erschöpften Schreie eines Tieres aus dem Stall. Margherita zuckte zusammen.

»Ein Schaf?«, fragte Aurelio.

Die Bäuerin zog die Stirn in Falten. Eine weiße Haube, wie sie auch Aurelios Mutter stets getragen hatte, zitterte auf ihrem Kopf. »Die Aue«, erklärte sie und wandte den Kopf ab. »So geht das schon den ganzen Tag.«

»Was ist mit ihr?«

»Sie bekommt ein Junges. Aber etwas stimmt nicht. Das Lamm will nicht kommen.«

Ohne ein Wort der Erklärung sprang Aurelio vom Wagen und eilte, gefolgt von der Bäuerin und einer verwunderten Margherita, zum Stall.

»Möglicherweise kann ich helfen«, sagte er zu dem am Boden knienden Bauern, als erkläre das allein seine Anwesenheit.

Er hockte sich neben das Mutterschaf und legte ihm die Hände auf den Bauch. Kurz darauf blickte er zu den anderen empor, die ihn umringten. Die Aue gab ein Stöhnen von sich.

»Das Lamm lebt nicht mehr«, erklärte Aurelio.

»Wie könnt Ihr das wissen?«, fragte der Bauer, als argwöhne er einen Hinterhalt.

Aurelio zeigte seine Hände vor. »Die haben sich noch nie geirrt.« Da keiner etwas erwiderte, fuhr er fort: »Ihr müsst es holen, wenn Ihr nicht auch noch das Mutterschaf verlieren wollt.«

Der Bauer blickte zunächst Aurelio, anschließend seine Frau, dann wieder Aurelio an. Er sah aus, als habe Aurelio ihm verkündet, dass er den Apennin versetzen müsse.

Aurelio legte dem Schaf eine Hand auf den Hals. »Also gut«, sagte er, als spreche er mit dem Tier, nicht mit dem Bauern. »*Ich* muss es holen. Bringt mir zwei Seile und legt den Boden mit Stroh aus. Es wird Blut fließen.«

✢ ✢ ✢

»Wo hast du gelernt, wie man ein totes Lamm zur Welt bringt?«, wollte Margherita wissen.

»Ich war einmal dabei, als mein Vater ein totes Kalb holte.«

Die Bäuerin hatte ein Laken über das Stroh gebreitet und ihnen genug Decken gegeben, um ein ganzes Dorf zu wärmen. Noch konnten sie nicht sicher sein, ob die Aue überleben würde, doch sie schlief, und ihr Atem ging gleichmäßig. Wie von Aurelio prophezeit, hatte sie viel Blut verloren.

»Und woher wusste dein Vater, dass es tot war?«

»Von mir.«

Bereits als Kind war Aurelio bei den Bauern in der Gegend für seine »begabten Hände« bekannt gewesen. Ganz gleich, ob Mensch oder Tier – sobald er ihnen die Hände auf den Bauch legte, wusste er, was darin vorging. Wie seine Hände dieses Kunststück vollbrachten, vermochte er nicht zu sagen. Jeder Erklärungsversuch war vergebens. Manche meinten, Aurelio könne mit seinen Händen praktisch in den Bauch eines Tieres hineinsehen, doch so war es nicht. Vielmehr schienen die Bäuche zu seinen Händen zu sprechen. Aber das zu beschreiben war unmöglich.

Aufgrund seiner begabten Hände konnte Aurelio zuverlässig den Zeitpunkt einer bevorstehenden Geburt bestimmen und hatte sich in der Tat noch nie geirrt. Wenn er sagte, dass die Kuh, deren Bauch er befühlt hatte, morgen gegen Abend ihr Kalb zur Welt bringen würde, dann war es so. Und wenn ein Bauer in der Gegend mit seiner schwangeren Frau eine größere Reise zu unternehmen in Betracht zog, suchten sie zuvor Tommasos Hof auf, um Aurelio zu fragen, ob womöglich während ihrer Reise die Wehen einsetzten.

Das tote Kalb, das Tommaso aus dem Leib der Mutterkuh gezogen hatte, als Aurelio gerade einmal neun Jahre alt gewesen war, hatte einem Viehhändler gehört.

»Was, wenn er unrecht hat und am Ende beide tot sind?«, fragte der Händler.

Tommaso hockte sich vor seinen Sohn und nahm Aurelios Hände in seine. »Bist du sicher?«, fragte er.

Hilfesuchend blickte Aurelio seinen Vater an. Wie konnte er sich einer Sache sicher sein, von der er nicht einmal wusste, wie sie vor sich ging? Er betrachtete den Bauch der Kuh, den er auf Augenhöhe vor sich hatte. »Da ist ein Tier drin«, erklärte er, »und das lebt nicht mehr.«

Tommaso richtete sich auf: »Die Entscheidung liegt bei Euch«, sagte er zu dem Händler, »aber wenn mein Sohn sagt, es ist tot, dann ist es tot.«

Aurelios Aussage bewahrheitete sich. Tommaso rettete die Mutterkuh, und zum Dank schenkte der Händler Aurelio das Messer mit der schmalen, spitz zulaufenden Klinge und dem kunstvoll verzierten Holzgriff, in den auf beiden Seiten je eine Rose aus Perlmutt eingearbeitet war. Es war Aurelios kostbarster Besitz.

✣ ✣ ✣

Die Müdigkeit drückte Aurelio sanft, aber bestimmt die Lider zu. Ein Glücksgefühl durchströmte ihn. Er hatte mit seinen eigenen Händen einem Tier, das halb so groß war wie er selbst, das Leben gerettet. Es war, als habe er von seinem Schöpfer eine Belohnung erhalten.

»Was tust du da?«, fragte er.

Margherita hatte seine Hand ergriffen und auf ihren Bauch gelegt. Mit Schrecken wurde Aurelio bewusst, dass sie ihr Nachthemd abgestreift hatte. Sie war vollkommen nackt! Unter den vielen Wolldecken dampfte ihr Körper geradezu vor Wärme.

»Wenn du wirklich so begabte Hände hast«, flüsterte Margherita wie im Traum, »wäre es doch sehr schade, wenn sie zu nichts anderem gut wären, als Geburten vorherzusagen.«

Sie nahm seine erstarrte Hand und führte sie nach oben, bis Aurelio ihre feste, üppige Brust unter seinen Fingern spürte, sowie eine Brustwarze, die sich sanft in seine Handfläche drückte.

Margherita schmiegte ihre Brust in seine Hand. »Sag mir, was du fühlst.«

Innerhalb eines einzigen Atemzugs versteifte sich Aurelios Glied. »Leben«, stieß er hervor.

»Nun, mein lieber Aurelio«, ihre freie Hand verlor sich in seinen Haaren, »du kannst ruhig ein wenig mit diesem Leben spielen. Auch wird es gerne geküsst.«

Später, als Margherita sich von der Begabung seiner Hände überzeugt hatte, nahm sie Aurelios Finger und führte sie zwischen ihre Schenkel.

Caterina Sforza. Aurelio musste an Caterina Sforza denken. Nicht, dass er sie je zu Gesicht bekommen hätte, doch hatte er oft von ihr geträumt. Unter den Älteren in Forlì waren nicht wenige, die behaupteten, selbst dabei gewesen zu sein, als man ihr damals angedroht hatte, ihre Kinder umzubringen, falls sie sich nicht ergebe. Zur Bekräftigung dieser Drohung hatte man die Kinder zur Zitadelle geschleppt und jedem von ihnen ein Messer an die Kehle gesetzt. Caterina zeigte sich daraufhin auf der Burgmauer, hob vor den Augen der Belagerer ihre Röcke, entblößte ihren Unterleib und erklärte, dass sie noch jede Menge Kinder bekommen könne. Und so hatte Aurelio sie stets in seinen Träumen gesehen: mit gehobenen Röcken, nacktem Unterleib, offenen Haaren und einem überlegenen Lächeln im Gesicht.

Margheritas Schoß jedoch hatte nichts mit dem gemein, den Aurelio sich bei Caterina Sforza ausgemalt hatte. Dieser war echt, warm, wärmer noch als ihr Bauch, fleischig und empfindlich – sehr feinfühlig –, zudem pulsierte er vor Leben und barg versteckte Geheimnisse. Außerdem stieg ein Geruch von ihm auf, der Aurelios Erregung ins Unermessliche steigerte.

»Du kannst ruhig weiteratmen«, hörte er sie sagen.

Nachdem Margherita ihn in die Geheimnisse und Vorlieben ihres Schoßes eingeweiht hatte, dauerte es nicht lange, bis Aurelios begabte Hände ihren Körper sich erst lustvoll aufbäumen und anschließend in einem Reigen freudvoller Zuckungen wieder in sich zurückkehren ließen.

»Allmächtiger«, sagte sie mit einer Stimme, die noch nicht wieder zu ihrer gewohnten Tonlage gefunden hatte, »du bist in der

Tat ein sehr gelehriger Schüler.« Sie warf die Decken zurück, schob Aurelios Beine auseinander und kniete sich zwischen seine Schenkel. Ihre Zähne leuchteten in der Dunkelheit. »Mir scheint, da ist jemand sehr erpicht darauf, in die geheimen Gemächer eingelassen zu werden«, sagte sie, als ihre Finger sein Glied umfassten.

Aurelio versuchte nicht einmal mehr, Worte zu formen. Umringt von Pferden, Ochsen, Schweinen und einem mit dem Tode ringenden Schaf, beugte Margherita sich über ihn. Kaum hatten ihre vollen Lippen sein pochendes Glied umfangen, glaubte Aurelio zu spüren, wie ein Gefäß in seinem Kopf platzte, und von einem Schrei begleitet, ging ein Sternenregen an den Innenseiten seiner Schädeldecke nieder, der bis nach Rom hätte leuchten müssen, tatsächlich aber – Aurelio überzeugte sich davon, indem er kurz die Augen öffnete – außerhalb seines Körpers nicht zu sehen war.

VI

AURELIO STAND IM SCHATTEN der Stadtmauer und legte ungläubig den Kopf in den Nacken. Dreißig Fuß musste sie hoch sein, mindestens. Und alle zwanzig Doppelschritte ein Wehrturm, der die eigentliche Mauer noch einmal überragte. Sie nahm kein Ende. Ganz Rom war eine Festung. Tausende von Arbeitern mussten jahrzehntelang Steine aufgeschichtet haben, um sie zu erschaffen. Aurelio kam sich unbedeutend und nichtig vor – ein Käfer, der Einlass zum Caput Mundi, dem Haupt der Welt, begehrte.

Je länger er sich der Gravitation der Mauer aussetzte, umso stärker schien sie ihm nicht nach außen, sondern nach innen gerichtet zu sein. Wer es wagte, dort hineinzugehen, dachte Aurelio, der kam nicht mehr heraus. Diese Stadt war sein Schicksal. Margherita öffnete umständlich ihre Koffertruhe, streifte sich ein tief ausgeschnittenes Kleid mit Granatapfelmuster über und flocht sich ihre Haare zu dem Reif, der Aurelio noch aus dem Hinterzimmer der »Campana« in Erinnerung war. Ihre Aussteuer war alles, was sie besaß, doch wollte sie erhobenen Hauptes in die Stadt einfahren – als ihre kommende Königin.

Als sie auf die Porta del Popolo zuhielten, das Stadttor, an dem die Via Flaminia ihren Anfang nahm, stieß einer der Wachen seinem Kollegen in die Rippen und deutete mit dem Kinn in ihre Richtung. Sie raunten sich etwas zu, und als Margherita und Aurelio in den Torbogen eintauchten, schickte eine der Wachen ihnen ein »Willkommen im Cauda Mundi!« hinterher.

Aurelio glaubte, den römischen Akzent falsch verstanden zu haben. »Was hat er gesagt?«, fragte er Margherita.

Inzwischen hatten sie die Chiesa Santa Maria passiert, überquerten die Piazza del Popolo und steuerten die Via del Corso an.

»Willkommen im Schwanz der Welt«, gab Margherita zur Antwort.

Aurelio hatte sich also nicht verhört. »Ich dachte, Rom sei das *Haupt* der Welt.«

»Nun«, sagte Margherita und ließ die Zügel schnalzen, »ich schätze, dieser Tage ist es wohl beides.«

Die Via del Corso schien von einem Titanen mit der Axt in das Gassengewirr geschlagen worden zu sein. Schnurgerade führte sie von der Piazza in die Altstadt, und das auf einer Länge, die Aurelio mit bloßem Auge nicht abzuschätzen vermochte. Sie war breit genug, um Pferderennen darauf auszutragen, was, wie Aurelio später erfahren sollte, einer der Gründe war, weshalb Paul II. sie hatte anlegen lassen. Sie konnte erst wenige Jahrzehnte alt sein. Die Räder der Fuhrwerke hatten kaum Spuren in das Pflaster gegraben. Aurelio kam es wie eine Ewigkeit vor, bis sie in das Herz der Stadt vordrangen. Wortlos bestaunte er die neuen Palazzi entlang der Straße, während die Bebauung um sie herum immer dichter wurde und in Aurelio das Gefühl auslöste, von der Stadt verschluckt zu werden.

»Das muss sie sein«, brach Margherita das Schweigen.

Gemeint war die Piazza Venezia. Margherita machte sich nicht einmal die Mühe, eine Richtung anzudeuten. Der Platz war über jeden Zweifel erhaben. Vor ihnen wölbte sich der Campidoglio, der Kapitolshügel, wie eine buckelnde Katze aus dem Erdreich. Auf dem höchsten Punkt wachte die Kirche Santa Maria in Aracoeli mit versteinertem Gesicht über das weltliche Treiben auf den Straßen.

Die steinerne Tränke im Schatten des festungsartigen Palazzo Venezia war so begehrt, dass sie warten mussten, bis ein Platz für die Maultiere frei wurde. Aurelio sah sich um: So viele Menschen!

Zu Füßen der Treppe lungerten Bettler in zerfetzten Lumpen, kaum zehn Stufen über ihnen standen drei sich unterhaltende Frauen in kunstvoll gearbeiteten Kleidern, deren Hermelinbesätze und Goldborten dem Treiben auf dem Platz Glanzlichter aufsetzten. Margherita warf der Gruppe einen Blick zu, der zu sagen schien: Wartet nur. Ein stechender Geruch von Kot und Parfüm hing schwer in der Luft.

Unter den jüngeren Frauen war keine, die noch eine Haube getragen hätte. Viele hatten sich zudem die Stirnhaare sowie die Augenbrauen gezupft. Ausnahmslos alle waren geschminkt. Antonia, Aurelios Mutter, hätte sich vor Grausen abgewandt. Mit geübter Sicherheit schritten sie zwischen Kot, Straßendreck und schlammigen Pfützen einher. Ihre zierlichen Riemenschuhe schienen kaum den Boden zu berühren. Mit ihrem unbeweglichen Halblächeln erschienen sie Aurelio wie wandelnde Gemälde. Hin und wieder kreuzte einer ihrer Blicke den seinen und verweilte einen Moment. Dann sah Aurelio von einem wissenden Lächeln umspielte Lippen oder meinte, einem herausfordernd aufblitzenden Blick zu begegnen. Immer war er es, der zuerst seine Augen niederschlug.

Margherita stand neben dem Wagen und sah zu ihm auf, als warte sie auf eine Antwort. »Was ist jetzt«, fragte sie, »kommst du?«

Sie stiegen die hundertvierundzwanzig Marmorstufen der »Himmelsleiter« hinauf. Santa Maria in Aracoeli schien für die zweifelhaft gekleideten Frauen mit ihren tiefen Dekolletés und den kurzen Ärmeln nur Missbilligung übrig zu haben. Aurelio hielt sich am Rand der Treppe. Auf dem Hügel ging ein leichter Wind. Von dem Gestank der Piazza wehte nur noch eine Ahnung zu ihnen herauf. Oben angekommen, drehte Aurelio sich um und hielt den Atem an.

Im kühlen Frühlingslicht, in der Ferne von silbrigen Dunstschleiern verklärt, breitete sich die Stadt unter ihnen aus. In dem scheinbar willkürlich gewachsenen Gassengewirr, das sich wie eine Baumwurzel dem Horizont entgegenarbeitete, sah er Kirchen, leuchtende Türme neuerbauter Palazzi und, schemenhaft wie in einem Traum, die Umrisse der Engelsburg und des Papstpalastes.

Rom war, so viel ahnte er, nicht die gleißende Verheißung, die sich von hier oben seinem Auge darbot. Und dennoch ... Selbst wenn er nur den kleinen Finger einer Statue Michelangelos fertigen dürfte, wäre das bereits mehr als genug.

»Hier trennen sich unsere Wege.« Margherita war es, die aussprach, was beide dachten. »Deine Zukunft wartet da oben«, sie deutete mit dem Kinn in Richtung des Vatikans, »meine da unten.«

Mit ausgestrecktem Arm zeigte sie auf die andere Tiberseite nach Trastevere hinüber, wo der Schwager ihrer Freundin wohnte, bei dessen Familie sie für den Anfang Aufnahme zu finden hoffte.

Aurelio antwortete nicht. Es gab nichts mehr zu sagen. Beim Blick hinüber zum Vatikan gaben seine Knie nach. Schließlich standen Margherita und er einander gegenüber, und Aurelio suchte nach den richtigen Worten, um sich von ihr zu verabschieden. Sie schlang ihre Arme um seine Taille und presste für einen wehmütigen Moment ihren Kopf an seine Brust. Durchströmt von ihrer Wärme, erwiderte Aurelio die Umarmung.

»Viel Glück«, sagte sie.

Aurelio glaubte, eine Träne in ihrem Augenwinkel zu sehen. Die Sonne stach durch die Wolken und ließ wie zum Abschied ihre Haare noch einmal aufflammen.

»Ja«, antwortete er, »viel Glück.«

Teil II

VII

»Du willst *was?*«

Aurelio musste sich beeilen, um mit ihm Schritt zu halten. Michelangelo stampfte die Stufen vor Sankt Peter hinab, als wolle er sie dem Erdboden gleichmachen.

»Ich möchte in Eure Dienste treten, Herr.«

Mitten auf der Treppe blieb Michelangelo stehen. Aurelio stolperte halb in ihn hinein. Der Bildhauer warf dem Neuankömmling aus seinen dunklen Augen einen brodelnden Blick zu, sog geräuschvoll die Luft durch die Nase, stieß ein »Pah!« aus und stampfte weiter. Kaum hatte er den Vorplatz erreicht, beschleunigte er noch einmal seinen Schritt. Sein Bart und seine Haare standen in sämtliche Himmelsrichtungen ab, und sein Umhang schien, ebenso wie Aurelio, kaum mit ihm mithalten zu können.

Als Michelangelo klar wurde, dass sich Aurelio auf diese Weise nicht würde abschütteln lassen, rief er im Gehen: »Wer hat dich geschickt? Bramante, Raffael oder gar Julius selbst?«

Aurelio verstand kein Wort: »Niemand, Maestro Buonarroti.«

Abermals hielt Michelangelo unvermittelt inne. Diesmal bohrte sich sein Blick einen Atemzug länger in Aurelios Augen. »Pah!«, rief er erneut und setzte seinen Weg fort.

Bis Aurelio wieder zu sich gefunden hatte, war der Bildhauer ihm bereits enteilt. Sollten soeben auf einen Schlag all seine Pläne, seine Wünsche und Träume zunichtegemacht worden sein? Hatte er dafür all die Mühen auf sich genommen – um der Laune eines Augenblicks geopfert zu werden?

»Hört mich an, Maestro, ich bitte Euch!«

Endlich blieb Michelangelo stehen, richtig stehen. Er war einen halben Kopf kleiner als sein Gegenüber, doch seine Präsenz hätte ein Bataillon aufgehalten. »Was?«

Aurelio wusste nicht, was er sagen sollte. »Ich …«

»Wessen Idee war das? Für wen sollst du spitzeln? Bramante? Es ist Bramante, nicht wahr? Natürlich ist es Bramante.«

»Aber …« Aurelio drohte die Stimme zu versagen. »Die Herren, von denen Ihr sprecht, sind mir nicht bekannt.«

»Du behauptest, nicht zu wissen, wer Bramante ist?«

»Nein, Maestro, ich meine: ja. Ich kenne ihn nicht.«

»Du weißt nicht, wer Bramante ist, aber du weißt, wer ich bin?«

»Natürlich. Ihr seid Michelangelo Buonarroti, der berühmte Bildhauer.«

Einen Moment schien Michelangelo zu überlegen, ob er sich diese Schmeichelei gefallen lassen sollte. Dann sagte er: »Schlau ausgeheckt, aber so leicht gehe ich euch nicht auf den Leim. Aus meinen Augen!«

Aurelios Gedanken überschlugen sich. Hatte er etwas Falsches gesagt? »Aber ich möchte in Eure Dienste treten«, wiederholte er verzweifelt. »Ihr habt den Kandelaberengel in der Basilika in Bologna erschaffen und den David in Florenz, der nirgends auf der Welt seinesgleichen hat.«

Aurelio bemerkte eine erste Irritation im Blick des Bildhauers. Michelangelo zog seinen abgewetzten Umhang enger, der sich beim Gehen gelöst hatte. Noch immer machte er dieses Geräusch beim Atmen, dieses leise Pfeifen, wie damals.

»Den Kandelaberengel?«

»Ich war noch ein kleiner Junge, als ich ihn das erste Mal sah. Ihr selbst habt mir erklärt, wie unvollkommen er sei – dass die Proportionen missraten seien …« Aurelio überlegte. »Seither habe ich ihn jedes Jahr besucht«, beeilte er sich hinzuzufügen, »und ja, es ist wahr, seine Proportionen sind … nicht perfekt. Auf seine Weise aber ist er dennoch vollkommen …«

Michelangelo kreuzte die Arme vor der Brust. »Ich selbst soll dir die Makel meiner Arbeit aufgezeigt haben?«

Aurelio hatte das Gefühl, Stück für Stück auf festen Boden zurückzukehren. Er bemühte sich, weniger gehetzt zu sprechen. »Ihr standet plötzlich neben mir, und als ich sagte, wie schön der Engel sei, spracht Ihr nur davon, dass die Wölbung des Fußrückens nicht gelungen und die Finger zu dick seien …«

Michelangelo brachte Aurelio zum Schweigen, indem er eine Hand hob. Er wandte einen Blick zur Engelsburg, der sich jedoch bereits auf halbem Weg dorthin in den Gassen verlor. Sein Krausbart strich träge über die Brust.

»Der kleine Junge damals …« Er wandte sich wieder Aurelio zu, und als er ihn diesmal ansah, war es, als lege er seine Waffen vor ihm nieder. »Das warst du?«

✠ ✠ ✠

»Was kannst du?«

Noch immer standen sie auf der Piazza vor Sankt Peter. Seit er sich an die Situation von damals erinnert hatte, schien Michelangelo keine Eile mehr zu haben. Aurelio hatte es ihm erklärt: Wie er nach Rom gekommen war, warum zu ihm, Michelangelo, und dass er es tief im Inneren immer schon gewusst hatte, seit damals.

»Ich …«

»Wo hast du gelernt, bevor du zu mir gekommen bist?«

»Auf unserem Hof …«

Michelangelos Stirn legte sich in Falten.

»Ich weiß, wann das Korn reif ist«, erklärte Aurelio, »und ich kann fühlen, wenn die Kuh kalbt, und ich merke, wenn der erste Frost kommt …«

»Du weißt, wann eine Kuh kalbt?«

»Eine Kuh, eine Frau …« Er streckte die Hände vor, spreizte die

Finger und legte die Daumen aneinander. »Ich kann sagen, wann es kommt. Ich muss ihr nur die Hände auf den Bauch legen.«

»Du legst einer Kuh die Hände auf den Bauch und weißt, wann sie kalbt?«

»Meine Hände haben sich noch nie geirrt, Maestro.«

Michelangelo ließ die Hände seines Gegenübers nicht aus den Augen: »Und woran merkst du es?«

Auch Aurelio sah seine Finger an. »Ich …« Er zog die Hände zurück. »Ich weiß es einfach.«

Zwei von Michelangelos Fingern verschwanden bis zur Hälfte in seinen Bart. »Lass mal sehen.«

Widerstrebend führte Aurelio die Hände vor den Körper. Michelangelo zögerte, bevor er sie in seine nahm und die Handflächen nach oben drehte. Erst befühlte er Aurelios Fingerknöchel, anschließend drückte er an den Muskeln unterhalb des Daumens herum.

»Warm«, stellte er fest.

»Ich habe immer warme Hände«, beeilte sich Aurelio zu sagen.

»Hm.«

Inzwischen betastete Michelangelo die Handgelenke. Die Hände des Bildhauers waren, wie Aurelio erstaunt feststellte, ebenso kräftig wie dünn. Ein Mann, der eine neun Ellen hohe Statue aus einem einzigen Marmorblock geschlagen hatte, hätte die Hände eines Riesen haben müssen. Tatsächlich aber waren Michelangelos Finger sehnig und kürzer als Aurelios.

»Für Hammer und Meißel sind sie nicht gemacht«, stellte er fest.

»Aber ich will Bildhauer werden!«

Michelangelo sah ihn an. Hinter seinen Augen schien sich ein Abgrund aufzutun. »Auch ich hatte nie einen anderen Wunsch, als Bildhauer zu werden«, sagte er wie zu sich selbst. »Jetzt jedoch hat mich Seine Heiligkeit unwiderruflich zum Fassadenschmierer degradiert. Du kommst zu spät.«

Aurelio sah ihn verständnislos an.

Michelangelo ließ seinen Blick über den belebten Platz schweifen. Mit einem Seufzer gab er Aurelios Hände frei, drehte sich um und ging. Da er ihn nicht ausdrücklich fortschickte, folgte Aurelio ihm in gebührendem Abstand.

In der Mitte des Platzes erhob sich ein Gebirge aus weißem Marmor, das die gesamte Piazza beherrschte. Bereits auf dem Hinweg hatte Aurelio ungläubig innegehalten und die vielen Dutzend Quader bestaunt, die im Zentrum des Platzes verteilt lagen. Als seien Gott sämtliche Zähne ausgefallen, hatte er gedacht. Eine Gruppe von Kindern rannte umher und spielte Fangen zwischen den Steinen.

Auch auf der übrigen Piazza herrschte großes Durcheinander. Unablässig fuhren Wagen mit Baumaterialien an ihnen vorüber, die eine provisorisch errichtete Rampe zu Sankt Peter emporgeleitet wurden. Im gleichen Takt verkehrten schuttbeladene Karren in die entgegengesetzte Richtung. Es gab Männer, deren Uniformen sie als Angestellte des Vatikans auswiesen und die offenbar keine andere Funktion hatten, als den Strom aus Menschen, Tieren und Wagen, der zu Sankt Peter hinaufwollte beziehungsweise von dort zurückkehrte, in geordnete Bahnen zu lenken.

»Was siehst du?«, fragte Michelangelo.

Die Zähne Gottes, ging es Aurelio wieder durch den Kopf. »Marmor ...«, setzte er an, doch in diesem Moment traf ihn die Erkenntnis. »Das Julius-Grabmal!«

Michelangelo senkte den Kopf wie ein Sünder. »Du siehst das, was das Julius-Grabmal hätte werden sollen. Was jetzt damit geschieht, weiß Gott allein.« Er verfiel in ein Schweigen, das Aurelio nicht zu unterbrechen wagte. »Einhundert Wagenladungen besten Carrara-Marmors. Mehr als ein halbes Jahr habe ich dort in den Bergen zugebracht und die Blöcke ausgesucht, manche selbst gebrochen. Wir mussten eine Straße in den Berg schlagen, um sie ins Tal zu bringen. Einer meiner Gehilfen – ein junger Mann, nicht älter als du – wurde unter einem von ihnen zerquetscht. Als wir sie entluden, ist ein Kran in den Tiber gestürzt, und eines der Schiffe ist wegen des Gewichts aufgrund gelaufen. Allein der Transport hat mich hundertvierzig Dukaten gekostet ...« Ihm ging die Luft aus. »Zwei Jahre liegt das jetzt zurück. Seither schimmeln die Blöcke vor sich hin. Und heute hat *er* endgültig entschieden, mich statt mit dem Grabmal mit der Bemalung der Sistina zu beauftragen. Wenn es nach ihm geht, kann ich aus dem Marmor zehntausend handtellergroße Juliusse schnitzen und sie an die Pilger verhökern.« Aurelio war nicht sicher, ob Michelangelo nicht längst nur noch mit sich selbst redete und ihn inzwischen vergessen hatte. Doch dann sprach er ihn wieder direkt an. »Hier …« Er bahnte sich den Weg zwischen einigen Steinen hindurch und führte Aurelio zu einem Block von fünf Ellen Länge, der schräg auf einem zweiten lag. »Runter da!«, knurrte er einen Jungen an, der mit überkreuzten Beinen auf dem Stein saß und seine Freunde beim Spielen beobachtete.

Ungläubig ließ sich der Junge den Stein hinunterrutschen und lief davon. Aurelio hätte nicht sagen können, woran, aber selbst er erkannte, dass dies ein besonderer Block war. So, wie Michelangelo jetzt seine Hände auf den Stein legte, bedächtig und mit gespreizten Fingern, fühlte sich Aurelio an das Schaf erinnert, dem er selbst einen Tag zuvor die Hände auf den Bauch gelegt hatte. Als trage auch der Marmor etwas Lebendiges in sich.

»Dieser Block hätte die zentrale Figur freigeben sollen …« Langsam strich Michelangelo über die Kante. »Ich habe neben ihm geschlafen, im Steinbruch, als er noch Teil eines Berges war. Ich habe im Sonnenaufgang beobachtet, wie er das Licht bricht, ob er Adern hat, habe ihn berochen, befühlt, in ihn hineingehorcht. Hier« – sein Daumen rieb über eine Kerbe –, »hier habe ich das Eisen angesetzt.« Die Schultern gebeugt, stützte Michelangelo sich auf. »Gott allmächtiger …«

Plötzlich wirkte der Mann, der kurz zuvor noch einem Bataillon die Stirn geboten hätte, als könne ihn bereits ein Windstoß von den Beinen reißen. Langsam wandte er Aurelio den Kopf zu. Der Zorn des Bildhauers lag begraben unter einem Gefühl, das schwerer wog als alles andere. Seine Augen, die Aurelio eben noch so feindselig angeblitzt hatten, waren jetzt nach innen gerichtet und ertranken in unaussprechlicher Trauer.

VIII

Nur drei Strassen entfernt erwartete Aurelio die nächste Überraschung. Die dem Petersplatz benachbarte Piazza Rusticucci war ein Ort voller Unauffälligkeiten – keine Palazzi, keine Obelisken, keine Statue. War der Petersplatz von einem wilden Durcheinander umherlaufender Menschen und umherfliegender Stimmen erfüllt gewesen, so herrschte hier, wenig mehr als einen Steinwurf entfernt, die unaufgeregte Geschäftigkeit eines Dorfplatzes. Im Zentrum standen ein Brunnen sowie eine steinerne Viehtränke, nach Osten schloss sich eine Kirche an, die dem Trog und dem Brunnen an Bescheidenheit kaum nachstand. Eine der abgehenden Straßen, die allesamt ungepflastert waren, führte auf direktem Weg zur Engelsburg hinüber.

Michelangelo ging links an der Kirche vorbei und tauchte in ein Labyrinth ein. Er hatte den schwachen Moment überwunden, der für einen Augenblick seinen inneren Abgrund offenbart hatte, und legte erneut ein Tempo vor, das geeignet gewesen wäre, Verfolger abzuschütteln. So jedenfalls kam es Aurelio vor: Als litte der große Bildhauer unter dem Gefühl, ständig verfolgt zu werden.

Michelangelo sah sich um: »Hier.«

Sie standen unter dem Vordach eines Hauses, das sich zwischen die angrenzenden Häuser gedrängt zu haben schien und dessen Putz bereits abbröckelte. Aurelio versuchte, nicht allzu überrascht auszusehen. Eines zeigte sich bereits jetzt: Michelangelo war kein Freund unnötiger Worte oder langer Erklärungen. Sollte es dem Bauernsohn aus Forlì tatsächlich gelingen, in seine Dienste zu treten, würde er schnell lernen müssen.

Michelangelos Arm verschwand zur Hälfte in seinem Umhang und förderte einen Ring mit Schlüsseln zutage, die Aurelios Handspanne überragt hätten. Zwei Bolzen gaben geräuschvoll die Tür frei. Sie betraten einen fensterlosen Vorraum, in dessen Mitte ein provisorisch errichteter Tisch aus Böcken und losen Brettern aufgebaut war, um den sich vier wackelige Stühle verteilten. Über die linke Längswand zog sich eine Treppe, die ins Obergeschoss führte. Mehr gab es nicht zu entdecken. Michelangelo stieß die Flügeltür an der Stirnseite auf, die einen weiteren, größeren Raum offenbarte. An der linken Wand stand eine grobbehauene, vergessen wirkende Marmorsäule, der Boden war von weißem Staub bedeckt.

»Eure Werkstatt«, schloss Aurelio.

»Meine Bottega und mein Zuhause.«

»Ihr wohnt hier?«

»So, wie du – vorausgesetzt, ich finde eine Aufgabe für dich.«

Aurelio war zu überrascht, um zu antworten. Derselbe Mann, der ihn kurz zuvor noch zum Teufel jagen wollte, bot ihm jetzt einen Platz in seinem Haus an. Vorsichtig blickte er sich in der Werkstatt um. Das Licht fiel in Form dicker, schräger, von glänzendem Staub erfüllter Balken auf den Boden. Hier würde er wohnen, zusammen mit dem größten Bildhauer Italiens. Vorausgesetzt, der würde eine Aufgabe für ihn finden.

»Tritt in die Sonne«, forderte Michelangelo seinen Begleiter auf und zog einen Wirbel aus leuchtendem Staub durch den Lichtbalken.

Aurelio trat ins Licht.

Der Bildhauer erstarrte. Zum ersten Mal schien er Aurelios wahres Antlitz zu erkennen. Wie eine dunkle Ahnung, die sich erfüllte. Beschämt schlug Aurelio die Augen nieder. Michelangelos zischender Atem näherte sich, zwei braune, abgewetzte Halbschuhe schoben sich in Aurelios Sichtfeld. »Kopf hoch!«

Im Licht funkelten Michelangelos Augen wie Bernstein. Als er seine Finger an Aurelios Kinn legte, um es ins Profil zu drehen, stockte dem Bauernsohn der Atem. Die Gesichter der beiden Männer trennten nicht mehr als drei Handbreit. Es war Aurelio unmöglich, Michelangelos Blick zu deuten: Verwunderung? Erstaunen? Angst etwa? Nein, das konnte nicht sein.

Der Bildhauer trat in den Halbschatten zurück. »Zieh dich aus.«

Mit pochendem Herzen antwortete Aurelio: »Ich verstehe nicht.«

»Was gibt es daran nicht zu verstehen?«

Eines nach dem anderen legte Aurelio seine Kleidungsstücke neben sich auf den Boden. Michelangelo zog sich unterdessen in eine Ecke des Raumes zurück und schwieg.

Als Aurelio vollständig entkleidet war, sagte der Bildhauer: »Dreh den Kopf nach rechts.«

Aurelio drehte den Kopf.

»Nach rechts, habe ich gesagt … nicht so weit … das Kinn etwas höher.« An seiner Stimme erkannte Aurelio, dass Michelangelo wieder aus der Ecke getreten war und näher kam. »Und jetzt dreh dich um die eigene Achse. Langsam! Halt. Ein Stück zurück. Halt. Nimm das linke Bein als Standbein und öffne das rechte. Nicht so weit, Grundgütiger! Willst du dich vierteilen? Gut. Lass die Hüfte etwas tiefer einsinken. Gut … So ist es gut.«

Nach diesen Worten war sehr lange Zeit nur noch Michelangelos Schnaufen zu hören. Aurelio verharrte ebenso reglos wie der Künstler. Nicht einmal letzte Nacht, als er mit Margherita im Stall gelegen hatte, war er sich so nackt vorgekommen. Michelangelo zischte etwas. Kurz darauf stürmte er aus dem Zimmer.

Von irgendwo aus dem Haus erscholl seine Stimme: »In Gottes Namen: Zieh dich an!«

✢ ✢ ✢

Lange blieb der Künstler in seiner Kammer im ersten Stock verschwunden. Aurelio, der ratlos im Atelier wartete, wagte nicht, nach ihm zu sehen. Er zog sich wieder an und befühlte die Marmorsäule, die noch nicht zu erkennen gab, was in ihr verborgen war. Der Stein war nicht so kalt, wie Aurelio es erwartet hatte. Da, wo die Sonne ihn berührte, schien er von Leben erfüllt zu sein und leuchtete von innen heraus. Mit geschlossenen Augen tastete Aurelio nach den warmen Stellen. Was für ein wundervolles Material!

»Lass uns in die Küche gehen.«

Aurelio öffnete die Augen. Michelangelo wandelte in seinem Haus offenbar wie ein Geist umher.

Die Küche enthielt nur das Notwendigste. An den Wänden stachen die Ziegel aus dem Putz, die Luft schmeckte nach Stein und feuchtem Gips. Sie nahmen einander gegenüber am Tisch Platz. Michelangelo zog mit dem linken Fuß die Risse der gesprungenen Steinfliesen nach, während seine Finger auf die Tischplatte drückten. Aurelio tat alles, um ihn nicht in seinen Überlegungen zu stören.

»Ich zahle dir zwei Dukaten im Monat«, sagte Michelangelo, den Blick aus dem Fenster gerichtet. Hinter den gedrungen wirkenden Häusern auf der anderen Hofseite ragte der Passetto auf, die Mauer, die den Borgo durchzog und in der sich ein Gang befand, durch den sich die Päpste bei Gefahr vom Vatikan in die sichere Engelsburg retten konnten. »Du wirst mir Modell stehen, die Werkstatt in Ordnung halten, mir assistieren. Schlafen kannst du in einer der beiden Kammern. Such dir den besten Platz aus. Es werden noch mehr kommen. Ohne wenigstens vier Gehilfen kann ich die Sistina nicht in Angriff nehmen. Was ist? Ist dir nicht wohl?«

Zwei Dukaten. Im Monat! Aurelio schämte sich für seinen künftigen Reichtum, bevor er auch nur den ersten Grosso erhalten hatte. Noch vor der Ernte würde er seinem Bruder genug Geld für einen zweiten Ochsen schicken können. Und er würde hier wohnen, unter einem Dach mit Michelangelo. Sein Lehrmeister hatte eine Aufgabe für ihn gefunden. Tommaso hätte ihm das niemals geglaubt.

»Doch, Maestro.«

✢ ✢ ✢

Seine Schrittgeschwindigkeit hatte sich halbiert. Er ging auch nicht mehr mit der nach vorne gebeugten Haltung und den auf dem Rücken verschränkten Händen, sondern hielt den Körper gerade und den Kopf erhoben. Seine Hände gestikulierten, während er Aurelio die Stadt erklärte. Dabei krächzte er wie ein Rabe.

»Du musst entschuldigen«, erklärte er, »mein Hals ist es nicht gewohnt, viel zu reden.«

Rom war tatsächlich das, was Aurelio sich darunter vorgestellt hatte. Die Ewige Stadt war groß und erhaben, strahlte wie eine Verheißung, glänzte von Marmor und dem Geschmeide junger Frauen. Das Getrappel edler Pferde, die durch die Straßen stolzierten, als seien ihre Reiter lediglich das Zierrat, hallte von den Wänden wider. Aurelio sah hermelinbesetzte Samtärmel und geschlossene Kutschen mit Goldbeschlägen, festungsähnliche Häuser, mächtige Tore und Kirchen, deren bloßer Anblick ihn demütig innehalten ließ. All das war Rom. Und das Gegenteil davon. Allem Schönen in dieser Stadt – ganz gleich ob Mensch oder Tier, Kutsche oder Haus – war wie selbstverständlich das Gegenteil zur Seite gestellt. Als sollte dadurch das Schöne noch stärker zur Geltung gebracht werden und das Hässliche noch hässlicher erscheinen. Kein Patrizier, der nicht ein halbes Dutzend zerlumpter Bettler anzog, keine Marmorfassade, der nicht eine Ruine gegenüberstand. Die kleinen Straßen und Gassen waren von Müll und Exkrementen jeder Art übersät. Alles, was nicht mehr von Nutzen war, wurde kurzerhand aus dem Fenster geworfen oder vor die Tür gekehrt. In dieser Stadt war sich jeder selbst der Nächste. Angesichts dieser Übermacht von Eindrücken kam sich Aurelio vor, als sei er in der letzten Nacht mit Margherita erst geboren worden. Neunzehn Jahre lang hatte er im Dunkel gelebt, um jetzt, endlich, das Licht der Welt zu erblicken.

Als sie an der Kirche Santo Spirito in Sassia vorübergingen und Michelangelo ihm erläuterte, dass die zweigeschossige Fassade antike und moderne Bauformen zu einer harmonischen Lösung ver-

79

eine, wurde Aurelio unvermittelt von einem süßen Duft umhüllt, der Michelangelos Worte vorübergehend verschleierte. Aurelio sah sich um. Drei lachende Frauen fuhren in einem offenen Wagen an ihnen vorbei, von denen ihm eine ihre Hand entgegenstreckte. Wenige Schritte später, Aurelio hatte den betörenden Duft noch in der Nase, schlug ihnen aus dem an die Kirche grenzenden Spital ein Geruch von Fäulnis, Verwesung, Eiter und Gedärm entgegen. Aurelio musste einen Würgreiz niederringen.

Als sie die Porta Santo Spirito durchschritten, glaubte Aurelio einen Moment lang, Michelangelo führe ihn aus der Stadt heraus. Die neuerbaute Via Lungara, eine Straße von der Breite der Via Flaminia, zog sich schnurgerade am Tiber entlang. Michelangelo brabbelte etwas in seinen Bart, aus dem Aurelio den Namen Bramante herauszuhören meinte. Zur Rechten wurde die Straße von einem Mäuerchen begrenzt, über dem blühende Apfelbäume aufragten, und auch die dem Ufer zugewandte Seite war nur spärlich bebaut.

»Wohin gehen wir?«, wagte Aurelio zu fragen.

»Nach Trastevere, dir ein Bett besorgen. Oder hattest du vor, auf dem Boden zu schlafen?«

Sie waren etwa eine Meile gegangen. Die Porta Settimiana, das Tor nach Trastevere, war bereits deutlich auszumachen, als sie an einem imposanten Palazzo vorbeikamen. Diesem stand eine noch beeindruckendere, frisch erbaute Villa gegenüber, die sich hinter Palmen, Pinien und einer hohen Mauer verbarg. Die helle Fassade leuchtete in der Nachmittagssonne, und das Grundstückstor war von Wachposten flankiert. Für einen Augenblick gab die Mauer den Blick auf einen weißen Marmorspringbrunnen frei, dessen Wasser wie eine Fontäne aus flüssigem Glas in den Himmel schoss.

»Was ist das?«, fragte Aurelio.

»Chigis Villa«, murrte Michelangelo und ging weiter.

»*Der* Chigi?!«, rief Aurelio.

»Wenn du mit ›der‹ meinst, dass ihm eine Bank gehört, dann ja. Wieso – kennst du ihn?«

»Nun, ich weiß, wer er ist, weil …« Aurelio erinnerte sich an die

Geschichte, die ihm Margherita erzählt hatte – dass die Kurtisane Imperia und der Bankier Chigi das berühmteste Paar der Stadt seien. Beim Anblick dieser Villa glaubte er es sofort. »Weil ihm eben diese Bank gehört, und weil er … sehr reich ist, nicht wahr?«

Michelangelo blieb stehen, wie immer ohne vorherige Anzeichen. »So«, sagte er. Zum ersten Mal meinte Aurelio, ein Lächeln unter seinem Bart auszumachen. »Du weißt also, wer er ist, weil er sehr *reich* ist. Nicht wahr?« Er wandte sich der Villa zu. »Nun, das ist wohl offensichtlich – wenn sich jemand ein solches Schloss bauen und anschließend die Räume von den namhaftesten Künstlern ausmalen lässt. Penni, Peruzzi, Sodoma, del Piombo … Alle stehen sie an, um für den großen Chigi den Pinsel zu schwingen.« Sie setzten ihren Weg fort. »Raffael wird sein Schlafgemach mit Fresken schmücken. Sollte mich nicht wundern, wenn sich das Muttersöhnchen dafür in Gold aufwiegen ließe.«

Aurelio interessierte etwas anderes: »Ist es wahr, dass er und Imperia ein Paar sind?«

»Woher weißt du denn, wer Imperia ist?«

»Nun, ist sie nicht eine berühmte Kurtisane – die berühmteste Kurtisane Roms?«

»Um Ruhm zu erlangen, Aurelio, gilt es, zuvor etwas zu leisten. Etwas Außergewöhnliches. Was Imperia tut, ist weder besonders außergewöhnlich, noch würde ich es eine Leistung nennen, auch wenn manch einer sicher anders darüber denkt.«

»Man sagt, sie lese Dante und Petrarca«, versuchte Aurelio ins Feld zu führen.

»Man sagt sogar, sie sei eine *honesta*, eine Dame von Ehre! Lesen allein genügt nicht, Aurelio. Man sollte das Buch dabei wenigstens richtig herum halten.«

»Und sie soll die Laute spielen!«

»Als sei ihre Lasterhaftigkeit nicht ohne Musik schon Bedrohung genug!« Sie hatten die Porta Settimiana erreicht. Michelangelo räusperte sich einige Male, bevor er seine Stimme zurückgewonnen hatte. »Auf den Banketten, die Chigi veranstaltet, wird jeder Gang auf einem eigenen Silberteller serviert. Wer fertig ist, wirft seinen Teller in den Tiber und bekommt den nächsten. Natürlich lässt er sie am Tag darauf wieder herausfischen, auch wenn er das niemals zugeben würde. Nun sag mir, Aurelio: Glaubst du, dass Silberteller *dafür* gemacht werden – dass man sie in den Tiber wirft wie Nussschalen?«

Aurelio hatte in seinem ganzen Leben noch nicht von einem Silberteller gegessen. In Forlì gab es einen Orefice, einen Goldschmied, der auch Silberteller herstellte. Jeder einzelne kostete einen Monatslohn. Prahlerei, hatte Tommaso gesagt, sei Sünde. Was hätte er jedoch zu Menschen gesagt, die ihre Silberteller in den Tiber warfen, nachdem sie einmal davon gegessen hatten? Dennoch verspürte Aurelio einen kleinen, neidischen Stich in der Brust. Die Gewissheiten des Lebens wurden einem in dieser Stadt wie Planken unter den Füßen weggezogen.

»Habt Ihr es selbst gesehen?«, wollte er wissen.

»Was um alles in der Welt hätte ich auf einem solchen Bankett verloren?«

Nichts, ging es Aurelio durch den Kopf.

»Ich weiß nicht viel, Aurelio, doch eines weiß ich sicher: Wer nichts Besseres im Sinn hat, als sich in seinem eigenen vergänglichen Glanz zu spiegeln, der wird Gottes Licht niemals erblicken.«

Vergiss nie, wer du bist und woher du kommst, hatte Tommaso seinem Sohn auf dem Totenbett eingeschärft. Aurelio wusste nicht, wo Michelangelo herkam, langsam jedoch glaubte er zu begreifen, wer er war.

IX

Hatte die Via Lungara noch eine breite Schneise durch den Borgo geschlagen, so fraßen sich die Gassen von Trastevere wie Würmer durch den Stadtteil jenseits des Tiber. Nach nur wenigen Metern hätte Aurelio nicht mehr sagen können, in welcher Richtung der Fluss lag. Ob Häuser, Straßen oder Menschen: Alles bog sich, krümmte sich, wurde notdürftig gestützt. Die Gassen waren so eng, dass die Sonne kaum den Boden berührte.

Die Räume des Altwarenhändlers Petronino schienen den Stadtteil noch einmal im Kleinen nachzubilden. Bis unter die Decke stapelten sich Möbel, Teppiche, Teller – ein System war nicht zu erkennen. Niemand hätte sagen können, wo etwas seinen Anfang nahm und wo es aufhörte. Der Geruch von Generationen, die an diesen Tischen gegessen und in diesen Betten gestorben waren, lag wie ein Dunst über den Möbeln. Petronino selbst, der seine langen, grauen Haare zu einem Zopf gebunden trug und im Laufe der Jahre die Farbe seiner Umgebung angenommen hatte, schlich durch die kaum schulterbreiten Gassen seines Lagers, wobei er den Kopf einzog, als fürchte er, jeden Moment unter einer durchhängenden Decke begraben zu werden. Michelangelo bestellte »die zwei billigsten Doppelbetten, die nicht unter ihrem eigenen Gewicht zusammenbrechen«, sowie einen Schrank und genug Geschirr, um »ein halbes Dutzend hungriger Mäuler zu stopfen«.

Als sie wieder auf die Straße traten, schüttelte Michelangelo den Ekel von sich ab: »Ein widerliches Exemplar der menschlichen Spezies.«

»Wenn er Euch so zuwider ist, weshalb kauft Ihr dann Eure Möbel bei ihm?«

»Weil er der Billigste ist. Immer noch ein Halsabschneider, aber der billigste.« Michelangelo klopfte sich den Umhang ab. »Zeit für etwas Schönes.«

Nur zwei Gassen entfernt, in der Kirche Santa Maria in Trastevere, nahmen Michelangelo und sein neuer Gehilfe ein »goldenes Bad«, wie der Bildhauer es nannte. Eine treffendere Formulierung hätte er schwerlich finden können. Obgleich die goldenen Mosaiken in der Apsis hinter dem Altar bereits mehrere Jahrhunderte alt waren, erfüllte das Licht, das Jesus und Maria aussandten, die gesamte Basilika. Danach schien Michelangelo vom Dunst des Möbelhändlers vorerst gereinigt zu sein. Er blickte den Gianicolo empor – eine Erhebung, die nicht zu den sieben Hügeln Roms zählte. Auf der Kuppe war eine Klosteranlage zu sehen, die abfallenden Hänge waren zum Teil mit Weinreben bepflanzt, zum Teil sich selbst überlassen worden.

Beim Anblick des Klosters schien sich eine Last auf Michelangelos Schultern zu legen. Schließlich sagte er: »Wo wir schon einmal hier sind …«

Mit kleinen Schritten schlurfte er den Pfad zwischen den Weinreben hinauf. Vor der Klosterkirche angekommen, hielt er inne. Die Türen öffneten sich, eine Mönchsprozession erschien, kam die Stufen herab und verschwand in den Mauern des angrenzenden Klosters. Nachdem das Scharren der Füße verstummt war, sank Michelangelo auf die Knie, faltete seine Hände wie ein Betbruder und blickte zum Portal empor.

»Verzeiht mir, Herr, aber er ist nicht der Richtige. Niemals wird er dieses Werk zuwege bringen, geschweige denn vollenden.« Seine Stimme wurde lauter. »Ich weiß es. Ich weiß es einfach!« Er stöhnte auf. Für einen Moment hielt er noch stumme Zwiesprache, dann schüttelte er den Kopf und ließ seine Hände auf die Oberschenkel sinken. »Also dann.«

Er erhob sich, jedoch nicht, wie Aurelio erwartet hatte, um die Kirche zu betreten, sondern um in den benachbarten Klosterhof zu gehen. Noch im Durchgang blieb Aurelio, der ihm folgte, wie angewurzelt stehen. Auf einem runden, aus drei Stufen gebildeten Podest erhob sich eine von Säulen umstandene Kapelle.

»Ein Kirch-Tempelchen«, erklärte Michelangelo. »Der Tempietto. Sieh ihn dir genau an.«

Langsam trat Aurelio in den Hof und näherte sich dem Bauwerk. Den Säulen war eine Balustrade aufgesetzt, die das leicht zurückweichende Obergeschoss wie auf einem Tablett darbot. In einigen Schritten Abstand umrundete Aurelio den Andachtsort. Michelangelo rührte sich derweil nicht von der Stelle.

»Er ist …«, setzte Aurelio an.

»Perfekt, ich weiß«, führte Michelangelo den Gedanken zu Ende. »Er bedarf keiner Erklärung. Er ist so, wie er ist, und so, wie er ist, ist er perfekt. Man betrachtet ihn nicht und denkt: Die Säulen hätten einen Fuß kürzer sein können, oder: Warum ist das Podest nicht aus vier Stufen gebildet? Es findet sich kein Makel. Das einzige Problem ist, dass er eingeklemmt zwischen den Klostermauern sein Dasein auf diesem unwürdigen Innenhof fristen muss.«

»Die Proportionen«, sagte Aurelio wie zu sich selbst, und in diesem Augenblick ging die Saat auf, die Michelangelo ihm in der Basilika von Bologna vor dreizehn Jahren eingepflanzt hatte, »es sind die Proportionen – das Verhältnis der einzelnen Teile zueinander.«

»Wie recht du hast«, seufzte Michelangelo.

»Habt Ihr ihn erbaut?«

»Leider nein.«

»Wer dann?«

Michelangelo wandte sich ab und stapfte dem Tor entgegen. Aurelio eilte ihm nach. »Wer dann?«, wiederholte er.

Sie tauchten in den Durchgang ein.

»Bramante!«, platzte es aus Michelangelo heraus.
Der Name hallte von den Wänden wider.

✢ ✢ ✢

Auf dem Weg zurück ins Gassengewirr von Trastevere klärte Michelangelo seinen Begleiter endlich auf. Nicht, dass die Stadt nicht ohnehin voller Widersacher gewesen wäre. An jeder zweiten Straßenecke und in jeder gesellschaftlichen Position fanden sich Neider, Konkurrenten und Intriganten. Bramante jedoch war von allen der Schlimmste.

Seit er vor gut zehn Jahren aus Mailand gekommen war, hatte er nach und nach Michelangelos Freund Sangallo, der noch Lorenzo de' Medicis Lieblingsarchitekt gewesen war, den Rang abgelaufen und war zum päpstlichen Baumeister aufgestiegen. Inzwischen bekleidete der »glupschäugige Speichellecker« eine Position, die selbst durch Julius nicht mehr zu erschüttern gewesen wäre. Der Papst hatte sich von Bramante ebenso abhängig gemacht wie dieser sich von ihm.

Beide, Bramante und Julius, waren von demselben Größenwahn befallen. Julius wollte der Stadt göttliche Größe und Würde verleihen, er wollte ein völlig neues Rom erschaffen. Und Bramante würde es ihm bauen. Der Papst hatte ihn mit allem beauftragt, was sich denken ließ: Straßen, Kirchen, Plätze, Villen. Bramantes Anhänger nannten ihn den »Brunelleschi unserer Zeit«. Kaum ein Ort in der Stadt, dem er nicht bereits seinen Stempel aufgedrückt oder an dem er nicht seine Handschrift hinterlassen hätte. Selbst das Problem der Wasserversorgung sollte er lösen und den Vatikanhügel in einen Lustgarten verwandeln, der sogar Caesar hätte verstummen lassen. Der Papstpalast war von ihm umgestaltet und durch zwei parallele, langgezogene Gebäude mit dem abgelegenen Palazzetto del Belvedere verbunden worden, in dem Bramante residierte, als sei *er* der Herrscher des Vatikans. Die zwischen diesen beiden »Korridoren« entstandenen Innenhöfe, Cortile genannt, beherbergten einen Brunnen, ein Theater, einen Skulpturengarten, eine Nymphengrotte und sogar eine Stierkampfarena. Niemand verschlang mit größerer Freundlichkeit Unsummen von Dukaten als Bramante.

Vor drei Jahren hatte Julius Michelangelo aus Florenz nach Rom kommen lassen, um bei ihm sein Grabmal in Auftrag zu geben. Also hatte Michelangelo ihm eines entworfen; eines, das es kein zweites Mal auf der Welt gab noch jemals geben würde; eines, das sowohl seinem Auftraggeber wie auch seinem Erbauer unsterblichen Ruhm eingetragen hätte. Eine frei stehende Konstruktion von dreißig Fuß Breite und dreißig Ellen Höhe. Vierzig lebensgroße Statuen hätten das Ensemble aus Säulen, Bögen und Nischen schmücken sollen, und über allem thronend Papst Julius, selbst sitzend noch zehn Fuß hoch, auf dem Kopf die Tiara als irdische Krönung eines göttlichen Hauptes.

»Die Säule auf dem Petersplatz«, unterbrach ihn Aurelio.

»Ebenjene.«

Julius war begeistert gewesen, ein Vertrag wurde geschlossen, das Geld für den Marmor bereitgestellt. Michelangelo fuhr nach Carrara, suchte acht Monate lang die Steinbrüche nach geeigneten Blöcken ab und überwachte den von tragischen Zwischenfällen und großen Komplikationen überschatteten Transport.

Doch kaum war er nach Rom zurückgekehrt, war plötzlich alles anders. Julius hatte beschlossen, eine neue Peterskirche erbauen zu lassen, größer als alles, was die Welt je gesehen hatte. Ein Bauwerk, das den Ruhm der Kirche – und natürlich seinen eigenen – auf ewig festschreiben würde. Zunächst ging man davon aus, dass Sangallo zum Baumeister von Sankt Peter ernannt werden würde. Doch nachdem Bramante dessen Entwürfe zunächst kopiert hatte, um sie anschließend ins Unermessliche zu übersteigern, wurde ihm der Auftrag erteilt.

Nach Sangallos Plänen wären Teile der alten Basilika in den Neubau integriert worden. Außerdem war vorgesehen, den Chor dergestalt zu vergrößern, dass Julius' Grabmal dort einen würdigen Platz gefunden hätte. Doch dann kam Bramante und redete dem Papst alles aus. Jede Woche legte er ihm einen neuen Entwurf vor, jedes Mal wurde die Kirche ein Stück größer. Die Vorstellung, am Ende nur als der zu gelten, der Michelangelo – einem Florentiner Bildhauer, gerade einmal halb so alt wie er – das passende Dach für sein einzigartiges Grabmal gezimmert hätte, machte Bramante krank. Folglich tilgte er in seinen Plänen als Erstes den Chor, der Michelangelos Lebenswerk hätte aufnehmen sollen. Später nahm er ihn zwar zähneknirschend wieder auf, doch da hatte er Julius die Idee mit dem Grabmal bereits vollends ausgeredet.

An einem schicksalhaften Tag – Bramante und Julius saßen auf der Terrasse des Palazzetto inmitten von Platten voller Krabben, Kaviar und Spanferkel – hatte dann der Größenwahn der beiden über dem in abendliches Sonnenlicht getauchten Langschiff der alten Basilika die Form einer Kuppel angenommen, gegen die sich Brunelleschis Florentiner Domkuppel wie eine Fingerübung ausnahm.

»Niemals wird ihm das gelingen.« In Michelangelos Stimme mischten sich Wut und Trauer. »Der Mann hat Sinn für Proportionen, aber kein Gefühl für das Material. Er glaubt, er muss nur alles fünfmal so dick machen, dann wird es schon halten. Er denkt in göttlichen Dimensionen, doch wenn es ans Irdische geht, erweist er sich als Stümper.«

Jedenfalls wirkte Bramante so lange auf den Papst ein, den er allen Ernstes als Julius Caesar den Zweiten anredete, bis dieser trunken vor Selbstverliebtheit beschloss, die alte Basilika mitsamt dem abschließenden Querhaus dem Erdboden gleichmachen zu lassen, um einen Ort zu schaffen, an dem seine Hybris sich ungehindert entfalten könnte.

Die Bürger Roms waren entsetzt. Und nicht nur die: Kardinäle, Bettler, Pilger, einfach alle. Wie konnte ein Papst sich solch ein Sakrileg anmaßen – eine geheiligte Stätte vorsätzlich zu zerstören, noch dazu eine über tausend Jahre alte Kirche, die bereits den ersten Christen als zentrale Glaubensstätte gedient hatte? Der Sockel des Pasquino neben dem Palazzo Orsini, eine von mehreren »sprechenden Statuen« in Rom, versank in einem zwei Handbreit hohen Haufen aus Zetteln, auf denen die Bürger unmissverständlich ihren Unmut über diese Entscheidung zum Ausdruck brachten. Julius ließ sie täglich einsammeln und im Hof des Cortile verbrennen. Der einzige Kommentar, den Bramante dazu abgab, war der, dass er nach einigen Wochen beim Anblick der auflodernden Flammen zu Julius sagte: »Seht Ihr, es werden von Tag zu Tag weniger.«

Der Papst hatte sich also in ein Projekt gestürzt, das nicht nur seine ganze Aufmerksamkeit, sondern auch sämtliche finanziellen Ressourcen in Anspruch nahm. Und als wäre das alles noch nicht genug, redete Bramante Julius ein, dass es Unglück bringe, wenn man sich bereits zu Lebzeiten sein Grabmal bauen ließ. Das war das Ende von Julius' Mausoleum. Für Michelangelo gab es keine Verwendung mehr. Die hundert Marmorblöcke wurden auf dem Petersplatz abgeladen, wo sie seit nunmehr über zwei Jahren als Irrgarten für spielende Kinder dienten.

Kaum hatte Bramante freie Hand, ging dem Papst das Geld aus. Also erließ er zur Finanzierung seiner in Travertin errichteten Selbstüberhebung eine Bulle, die die Gläubigen zum Kauf der Ablasszettel drängte, welche seither jedem Besucher der Stadt aufgeschwatzt wurden. Käufliches Seelenheil! Der gute Petrus, über dessen Grab die neue Kirche errichtet werden sollte, hätte die Hände über dem Kopf zusammengeschlagen. Da jedoch trotz der Ablasszettel nicht genug Geld zusammenkam, verschuldete sich Julius zusätzlich bei Chigi. Die Höhe seiner Schulden war nicht bekannt, aber man konnte sich denken, in welchen Größenordnungen sich der Kredit bewegte, wenn man wusste, dass Chigi die päpstliche Tiara als Sicherheit eingefordert hatte.

»Dann könnte Chigi sich also selbst zum Papst krönen«, überlegte Aurelio.

»Soll das ein Witz sein?«

»Ja«, antwortete Aurelio kleinlaut.

»Ah.«

Vor zwei Jahren also war ein fünfundzwanzig Fuß tiefer Krater ausgehoben und der Grundstein darin versenkt worden. Beinahe hätte sich Julius den Fuß gebrochen, als er hinabstieg, um den Marmorblock – aus Carrara! – zu weihen. Seither war nichts passiert, außer dass »Il Ruinante«, wie Bramante inzwischen im Volksmund hieß, für Tausende und Abertausende von Dukaten die kostbarsten Dinge zerstören und abtransportieren ließ. Statuen, Mosaiken, Ikonen, ja sogar geweihte Gräber und Altäre wurden abgerissen und weggeworfen. Vor nichts hatte Bramante Respekt. Dafür schob sich nun Tag für Tag eine endlose Karawane von Lastkarren die Rampe zu dem der Basilika vorgelagerten Atrium empor, um Unmengen von Pozzolana, Marmor und Travertin anzuliefern, von denen niemand wusste, wie sie einst verwendet werden sollten. Zweitausend Mann arbeiteten auf der Baustelle, und keiner wusste, was der andere tat.

Doch das war noch nicht alles: Nachdem Bramante es zuwege gebracht hatte, dass Michelangelo sein Lebenswerk entzogen wurde, kam dem Papst die Idee, ihn stattdessen die Decke der Sixtinischen Kapelle bemalen zu lassen. Er empfing ihn im großen Thronsaal im Beisein zweier Kardinäle, eines Kämmerers, eines Sekretärs sowie seines Neffen Francesco, der gerade erst achtzehn geworden war, alle Welt jedoch glauben zu machen versuchte, er sei von der Weisheit eines Hundertjährigen beseelt.

»Ah, mein teurer Michelangelo«, begrüßte ihn Julius vom Thron herab, um sich gleich darauf wieder seinem Neffen zuzuwenden.

Michelangelo musste warten, bis die beiden ihr Gespräch beendet hatten. »Ihr habt mich rufen lassen, Heiliger Vater?«

»So ist es.« Julius ließ ein unbestimmbares Lächeln erkennen. »Ich habe einen Entschluss gefasst.«

Das Grabmal, schoss es Michelangelo durch den Kopf, er gibt mir das Grabmal zurück.

»Ihr werdet das Deckengewölbe der Sixtinischen Kapelle mit einem neuen Fresko ausschmücken.«

Der Kämmerer sowie der Sekretär wandten sich unauffällig ab, Francesco täuschte eine Beschäftigung vor. Bevor die Bedeutung von Julius' Worten vollständig zu Michelangelo vorgedrungen war, pulsierte ihm vor Groll bereits das Blut in den Schläfen. Natürlich versuchte er, den Papst von seiner Idee abzubringen. Er sei Bildhauer, kein Maler. Das zu entscheiden, gab Julius zurück, solle er getrost ihm überlassen. Aber Gott habe ihm sein Talent nicht gegeben, um Decken zu bemalen, sondern um Statuen zu erschaffen, insistierte Michelangelo. Gott, entgegnete der Papst, habe ihm, Julius, die Entscheidung überlassen, wie Michelangelos Talent einzusetzen sei. Inzwischen wagte der Kämmerer kaum mehr zu atmen.

Und wenn er sich weigere, den Auftrag anzunehmen? Julius' Hand knetete den Knauf seines berüchtigten Stocks, der über der in den Boden gebohrten Spitze zu rotieren begann. Er habe gehört, antwortete der Papst mit einer Stimme, die Granit hätte schneiden können, in der Engelsburg seien noch Zellen frei. Zu diesem Zeitpunkt wünschte selbst Francesco, sich in Luft auflösen oder wenigstens durch Wände oder geschlossene Türen gehen zu können. Michelangelo fragte sich, wann er endlich aufwachen und diese Szene sich als Albtraum erweisen würde. Eingesperrt in der Engelsburg, wandte er ein, würde er den Ruhm des Heiligen Vaters kaum mehren können. Die Spitze von Julius' Stock krachte mit solcher Heftigkeit auf den Boden, dass die Marmorplatte sprang. Dann werde ihm, Julius Caesar Pontifex dem Zweiten, keine andere Wahl bleiben, als darauf zu hoffen, dass die Mauern der Engelsburg sich als geeignet erwiesen, ihn, Michelangelo, seine Meinung überdenken zu lassen und die Einsicht darin zu lehren, in wessen Person sich der göttliche Wille auf Erden manifestiere.

✢ ✢ ✢

Schwer atmend blieb Michelangelo stehen. Sie waren den Gianicolo wieder hinabgestiegen und in die Gassen von Trastevere eingetaucht. Doch es war nicht der Abstieg, der Michelangelo erschöpft hatte, sondern die Last der Erzählung, die er den Hügel heruntergetragen hatte. Seine Schultern hoben und senkten sich, während seine Nase das Geräusch eines Blasebalgs machte. Aurelio versuchte, seine Gedanken zu ordnen, doch in seinem Kopf ging alles durcheinander. Zudem wurde er von einem drängenden Bedürfnis abgelenkt.

»Was war das?«, fragte Michelangelo.

»Mein Magen, Maestro, entschuldigt.«

»Du hast Hunger?«

Aurelio nickte.

»Hunger …«, überlegte Michelangelo, als kenne er dieses Gefühl lediglich vom Hörensagen.

»Ich weiß, wie man ein Cacciucco zubereitet.«

»Ein Cacciucco …« Der Vorschlag einer gekochten Mahlzeit schien Michelangelo zu überraschen. »Nun, warum nicht? Wir können auf dem Rückweg am Portico di Ottavia vorbeigehen.« Er nahm seinen gewohnten Gang wieder auf. »Ein schrecklicher Ort voller schreiender Menschen. Seine einstige Größe ist kaum noch zu erahnen. Doch gibt es dort, wie ich mich entsinne, alle erdenklichen Sorten Fisch zu kaufen.«

Aurelio rief sich das Bild der leeren Küche in Erinnerung. »Was esst Ihr denn sonst?«

»Brot.«

Bis sie wieder das Viertel hinter dem Petersplatz erreicht hatten, warfen die Häuser lange, spitze Schatten über die Piazza Rusticucci, und ein kühler Ostwind wirbelte Staub und den Geruch des fauligen Wassers aus dem Graben der Engelsburg durch die Gassen. Michelangelo ließ die Bolzen seiner Türschlösser zurückfahren und steckte die Schlüssel ein. Endlich konnte Aurelio den Gedanken in Worte fassen, der ihn seit ihrem Abstieg vom Gianicolo beschäftigt hatte.

»Warum bemalt Ihr nicht einfach die Decke, so wie der Papst es von Euch verlangt«, fragte er, »und wendet Euch danach wieder dem Marmor zu? Wie lange kann es schon dauern, die Decke einer Kapelle zu bemalen?«

Michelangelo stieß die Tür auf. »Ein ganzes Jahr, fürchte ich.«

»Ein ganzes Jahr, sagt Ihr? Aber weshalb?«

»Das, mein Lieber, wirst du morgen erfahren.« Michelangelo schloss die Tür und schob die Riegel vor. »Jetzt kümmern wir uns erst einmal um deinen Magen.«

X

SIE STANDEN ZWISCHEN ZYPRESSEN, Birken und hochgewach-
senen Pinien irgendwo hinter dem Papstpalast und atmeten tief
die von Vogelrufen erfüllte Morgenluft ein. Michelangelo hatte
Aurelio an vier Gardisten der Schweizergarde vorbei in den Vatikan geführt, war mit ihm zwischen engstehenden Mauern entlang-
gegangen und schließlich in diesen Hain gelangt. Zu ihrer Rechten schimmerten die Kräne und Gerüste der Baustelle von Sankt
Peter durch die frisch belaubten Baumkronen. In einer Stunde
würden die ersten der zweitausend Arbeiter anrücken, die Bramante dort beschäftigte. Jetzt jedoch lag die größte Baustelle der
Welt noch in ungestörtem Schlaf.

Michelangelo sah seinen neuen Gehilfen herausfordernd an.
Einmal mehr wusste Aurelio nicht, was von ihm erwartet wurde.
Überhaupt kam er sich seit gestern fürchterlich dumm und unwis-
send vor. Zu Hause, auf ihrem Hof, hatte er immer gewusst, was zu
tun war – und wie es zu tun war. Jeden Handgriff hatte er von
klein auf gelernt. Unsicher blickte er sich um. Vor ihnen ragte eine
mächtige Mauer auf.

»Du wolltest wissen, was der Grund dafür ist, dass die Kapelle
nicht ohne weiteres mit einem Fresko ausgeschmückt werden
kann. Nun«, Michelangelo deutete mit dem Kinn geradeaus, »das
ist er.«

Aurelio wusste, dass das nicht die richtige Antwort sein konnte, doch etwas anderes wollte ihm nicht einfallen: »Eine Mauer?«

Michelangelo deutete mit dem Zeigefinger gen Himmel. Aurelio trat aus dem Hain heraus. In ungefähr dreißig Fuß Höhe waren Fenster in die Mauer eingelassen. Noch weiter oben zog sich ein Wehrgang mit Schießscharten entlang. Die Mauer war keine Mauer, sondern …

»Eine Festung?«

»Eine Festung des Glaubens«, antwortete Michelangelo. »Die Sixtinische Kapelle.«

Während er den ungläubigen Aurelio um das Gebäude herumführte, erklärte er ihm, was es mit der Kapelle für eine Bewandtnis hatte. Ihre eigentümliche Form verdankte sie der Bibel. Dort hieß es, der Tempel des Salomon sei zweimal so lang wie hoch und dreimal so lang wie breit gewesen. Papst Sixtus, der Julius' Onkel gewesen war, hatte sich also vor dreißig Jahren einen zweiten Salomontempel erbauen lassen. Und weil Sixtus nach seiner Wahl im Jahre 1471 von aufgebrachten Römern mit Steinen beworfen worden war, legte er besonderen Wert darauf, dass die nach ihm benannte Kapelle gleichzeitig ein Bollwerk sein würde, gegen das auch der aufgebrachteste Pöbel machtlos wäre. Es konnte einen also nicht wundernehmen, dass er Pontelli mit den Ausführungen beauftragte, denn dieser hatte vor allem durch die Entwürfe von Militärbauten Bekanntheit erlangt. An der Basis hatten die Mauern eine Stärke von zehn Fuß. Vom Wehrgang aus ließ sich die gesamte Stadt überblicken, und die Räume oberhalb des Gewölbes dienten als Quartiere für die Soldaten.

»So«, beendete Michelangelo seine Ausführungen. Sie waren vor einer überraschend schmalen Seitentür angelangt. Er legte eine Hand auf den Knauf. »Und jetzt zu den Schwierigkeiten.«

Aurelio blieb der Mund offen stehen. Langsam bewegten sich seine Füße über die bunten Steinmosaiken, während er mit in den Nacken gelegtem Kopf die Wände abschritt. Die Flächen unterhalb der Fenster waren bereits ringsum mit Fresken versehen, jedes einzelne etwa zwanzig Fuß breit und zwölf Fuß hoch. Michelangelo erklärte ihm, dass nach dem letzten Krieg gegen das konkurrierende Florenz Lorenzo de' Medici als Geste der Versöhnung eine Gruppe Florentiner Künstler nach Rom geschickt hatte, um die Wände der damals neuen Kapelle zu schmücken – unter ihnen Perugino, Botticelli und Michelangelos späterer Lehrmeister Ghirlandaio.

»Der hätte den Auftrag für die Decke liebend gerne angenommen«, sinnierte Michelangelo. »Wäre dem Papst damals eingefallen, die leoninische Mauer rundherum und von beiden Seiten mit Fresken zu verspachteln – Ghirlandaio wäre der Erste gewesen, der ihn angefleht hätte, sein Gerüst aufbauen zu dürfen.«

Die Erwähnung der Decke lenkte Aurelios Aufmerksamkeit auf den eigentlichen Grund ihres Kommens. Auch sie war bereits mit einem Fresko versehen, allerdings nicht mit einem szenischen. Die Strahlkraft der Farben war dafür umso gewaltiger. Kopfüber tauchte man in einen tiefblauen Himmel, auf dem goldene Sterne leuchteten und der die gesamte Decke überspannte. Die goldenen Sterne leuchteten auf dem tiefblauen Hintergrund, als könne man sie vom Gewölbe pflücken.

»Das Werk Piermatteo d'Amelias«, sagte Michelangelo. »Nicht besonders originell, dafür umso teurer.«

»Die Farben ...«, setzte Aurelio an.

»Gold und Ultramarin. Die kostbarsten Farben, die zu bekommen sind. Letzteres mit Sicherheit aus Indien. Daher der Name: Jenseits des Meeres. Der Preis für eine Unze aus erster Pressung liegt bei acht Dukaten. Wenn in Florenz ein Freskant dabei erwischt wird, wie er es heimlich gegen Azurit austauscht, wird er aus der Gilde ausgeschlossen und aus der Stadt gejagt. Sixtus war ganz verrückt danach. Sieh dir die Fresken an den Wänden an: Gold und Ultramarin, wo es nur geht. Nachdem Rosselli den Anfang gemacht hatte, verlangte Sixtus von den anderen, es ihm nachzutun. Die Decke ist mit Hunderten von Dukaten gepflastert – die wir alle abschlagen werden.«

Aurelio schien seinen Meister nicht zu hören. Er deutete auf einige Linien, die den nordwestlichen Teil des Sternenhimmels wie weiße Blitze durchzuckten.

»Der päpstliche Himmel hat Risse bekommen«, erläuterte Michelangelo. »Man hat sie mit Ziegelsteinen gefüllt und mit Gips überspachtelt. Offiziell ist das der Grund für die Deckenüberarbeitung. Das Erdreich unter der Kapelle gibt nach. Sieh mal …« Er deutete zum gegenüberliegenden Ende des Raumes.

Aurelio kniff ein Auge zu. »Die Südwand neigt sich nach außen«, stellte er fest.

»Gutes Auge. Deshalb hat Sangallo die Kuppelstangen einziehen lassen und den Boden verstärkt. Das gleiche Problem ist bei der alten Petersbasilika aufgetreten – noch ein Grund, weshalb Bramantes Projekt zum Scheitern verurteilt ist.«

»In Bologna und in Forlì habe ich Fresken gesehen, die mir groß erschienen. Verglichen hiermit jedoch waren sie winzig.«

»Das größte mir bekannte Fresko ist das von Ghirlandaio für Santa Maria Novella in Florenz. Aber selbst das ist kleiner – und noch dazu auf einer glatten Wand. Ich jedoch werde andere Schwierigkeiten zu bewältigen haben als Ghirlandaio. Es ist nicht so sehr die Größe, die mir Sorgen bereitet, als vielmehr die Wölbung.«

»Ich bin erfreut zu hören, dass Ihr Euch bereits Gedanken über die Ausführung Eurer Arbeiten macht«, erscholl plötzlich eine Stimme. Sie schien direkt aus den Mauern zu sprechen, war scharf und klar und kam aus allen Richtungen zugleich.

Aurelio fuhr herum. Auf dem etwas vorspringenden Balkon in der Mitte der Südwand stand, eine üppig beringte Hand auf der Brüstung, Papst Julius. Er musste es sein. Schon seine Haltung bezeugte, dass *er* es war, dem man sich unterzuordnen hatte. Dieser Mann war niemandem Rechenschaft schuldig – außer dem allmächtigen Herrgott. Und selbst das schien in Frage zu stehen. Sein Gesicht war kantig, und über seinem schmallippigen Mund wölbte sich die kräftige Nase wie ein Felsvorsprung. Am hervorstechendsten jedoch war der klare, durchdringende Blick, der unter den buschigen Brauen lauerte.

»Heiliger Vater …« Michelangelo verbeugte sich in Richtung des Balkons.

Aurelio, der sich wünschte, von einer Falltür verschluckt zu werden, setzte ein Knie auf den Boden und senkte den Kopf so weit, dass er die Schnalle seines Schuhs im Blick hatte.

»Sagt mir, mein lieber Michelangelo, wie ist Euer Befinden an diesem wunderschönen Morgen?«, tönte die Stimme vom Balkon.

»Danke.«

»Ist das alles – danke?«

»Nun, Eure Heiligkeit, gestern Morgen war mir wohler. Da durfte ich noch darauf hoffen, Euer Grabmal in Angriff zu nehmen ...«

»Hoffen dürft Ihr noch immer.«, Julius lachte auf. »Schließlich werde ich eines benötigen – früher oder später.«

Eine Tür wurde geöffnet und geschlossen. Kurz darauf trat der Heilige Vater aus einer weiteren Tür zu ebener Erde, die Aurelios Aufmerksamkeit entgangen war. Michelangelos Gehilfe hob den Kopf gerade weit genug, um einen Blick zu erhaschen. Der Papst war alt, sehr viel älter, als er auf dem Balkon gewirkt hatte. Doch er bewegte sich ohne sichtbare Anstrengung, und seine Stimme klang jünger als die Michelangelos. Seine mit Edelsteinen besetzten Schlupfschuhe glitten mühelos über den Marmorboden, und der scharlachrote, von Goldfäden durchwirkte Umhang raschelte bei jedem Schritt.

Michelangelo trat ihm aufrecht entgegen. Er war kleiner als der Papst, und seine grobe, braune Leinentunika wirkte gegen Julius' Umhang schäbig und unwürdig. Seine energische Stirn jedoch bot sich sogar dem Stadthalter Gottes auf Erden. Ein Kampf, dachte Aurelio, sie tragen einen Kampf aus.

Ein verschmitztes Lächeln umspielte die Lippen des Papstes. »Ihr werdet dieser Kapelle zu neuem Ruhm verhelfen – das sollte Euch mit Stolz erfüllen.«

Michelangelo antwortete ohne Umschweife. »Ihr wisst, dass ich kein Freskenmaler bin. Genügt es nicht, dass ich mich bereits in der Vergangenheit Eurem Willen gebeugt und Dinge geschaffen habe, obgleich sie nicht meiner künstlerischen Natur entsprachen?«

»Dem Willen Gottes, mein teurer Michelangelo, beugt man sich nicht – man folgt ihm. Mit Demut und Leidenschaft. Und was die Bronzestatue betrifft, die Ihr in Bologna mir zu Ehren gegossen habt …«

»Ich hatte keinerlei Erfahrung mit dem Verfahren!«

Aurelio hörte Julius' Wirbel knacken, als dieser sich zu seiner vollen Größe aufrichtete. Er war ein Bollwerk, genau wie die Sistina.

»Und dennoch«, der Papst drehte seinen gold- und edelsteinverzierten Stock in den Händen, »ist sie Euch am Ende gelungen, nicht wahr?«

»Weil ich sie zweimal gießen konnte. Bei einem Fresko aber gibt es keinen zweiten Versuch. Was nicht beim ersten Strich gelingt, kann nur durch Abschlagen des Putzes wieder rückgängig gemacht werden.«

Julius' Stock hielt inne. »Eure Hartnäckigkeit ermüdet mich. Verschiedene Quellen haben mir berichtet, dass Euer Karton für ›Die Schlacht von Cascina‹ ganz Florenz in Entzücken versetzt hat. Man erzählt sich sogar, dass Leonardo die Arbeiten an seinem Fresko abgebrochen hat, weil er fürchtete, es würde gegen Eures nicht bestehen können.«

»Aber ›Die Schlacht von Cascina‹ ist nie zur Ausführung gelangt. Und dies hier, Heiliger Vater«, Michelangelo umfing mit einer Geste das gesamte Gewölbe, »ist etwas vollkommen anderes. Bramante hat recht: Ich habe keine Erfahrung mit der Freskenmalerei, und obendrein ist die Decke ein Tonnengewölbe. Ich müsste die Figuren in perspektivischer Verkürzung malen – *di sotto in sù* –, etwas, das ich noch nie gemacht habe!«

»Höchste Zeit, Euch mit dieser Technik vertraut zu machen, meint Ihr nicht?« Das Lachen des Papstes rollte die Wände empor. »Auch Ihr werdet nicht jünger, mein Lieber. Was Bramante angeht: Ich bin mir sicher, Ihr werdet ihn Lügen strafen und uns alle zu überraschen verstehen.«

Michelangelo seufzte, legte seine Handflächen aufeinander und die Fingerspitzen unter das Kinn. »Gibt es irgendetwas, das ich noch sagen könnte, um Eure Entscheidung rückgängig zu machen?«

»Ihr kennt mich zu gut, um eine solche Frage zu stellen.«

»Aber Heiliger Vater, ich …«

»Genug!«, donnerte Julius.

Das nachsichtige Lächeln des Papstes wich steinernem Zorn. Offenbar neigte sein Temperament dazu, äußerst schnell umzuschlagen. Bis in den letzten Winkel der morgendlich erleuchteten Kapelle herrschte eine zitternde Stille. Aurelio zog den Kopf ein. Nur das gleichmäßige Klicken von Julius' rubinbesetztem Ring war zu hören, der gegen den Goldbesatz seines Stocks tippte. Die Mosaiken vor Aurelios Augen begannen zu verschwimmen. Das Rascheln des päpstlichen Umhangs näherte sich, dann spürte Aurelio ein Stechen – Julius' Stock, dessen Spitze sich in seine linke Schulter bohrte.

»Wer oder was ist das?«, fragte der Papst, der das Gespräch über das Fresko als beendet ansah.

Michelangelo stieß einen weiteren Seufzer aus. »Ein neuer Gehilfe.«

Die goldene Stockspitze glitt an Aurelios Hals entlang und legte sich unter sein Kinn. »Möge er sich erheben.«

Aurelio stand auf, den Blick noch immer zu Boden gerichtet. Die Stockspitze jedoch zwang sein Kinn empor. Papst Julius verströmte den Duft von Rosenblüten. »Il papa terribile« war ein alter Mann, der nach Rosenblüten roch. Als sein und Aurelios Blicke sich trafen, wölbte sich die Augenbraue des Papstes zu einem silbernen Triumphbogen, und seine eben noch versteinerten Mundwinkel schmolzen wieder zu dem verschmitzten Lächeln.

»Wie ist dein Name?«

»Aurelio, Heiliger Vater.«

»Woher?«

»Forlì.«

»Forlì, hm.« Er löste seinen Stock von Aurelios Kinn, zog ein in Metall gefasstes Rundglas aus seinem Umhang, beugte sich vor und studierte mit einem riesenhaft vergrößerten Auge Aurelios

Gesicht wie ein Insekt. »Mein lieber Michelangelo … mir scheint, Ihr veranstaltet neuerdings Schönheitswettbewerbe, um Eure Gehilfen auszuwählen. Welch ein Quell der Inspiration!«

»Er wird mir Modell stehen«, antwortete Michelangelo knapp. »Unter anderem.«

»Alles andere wäre auch Verschwendung.« Julius ließ das Glas in den Falten seines Umhangs verschwinden und wandte sich wieder Michelangelo zu. »Aber vergesst nicht: Ich habe Euch mit den zwölf Aposteln beauftragt. Nicht, dass mir an dieser Decke am Ende zwölfmal das Antlitz Eures Gehilfen begegnet.«

Belustigt von dieser Vorstellung begann Papst Julius, leise zu kichern. Leichtfüßig schritt er dem Ausgang zu, wobei sein funkelnder Stock, die Spitze zur Decke gerichtet, zum Takt einer unhörbaren Musik über seinem Haupt tanzte. Einen Augenblick später war er verschwunden. Sein Kichern verhallte zwischen den Wänden, der Rosenduft verflüchtigte sich. Zurück blieben Aurelio und der Zweifel, ob er soeben tatsächlich Papst Julius begegnet war und dieser ihn einen »Quell der Inspiration« genannt hatte.

XI

»Maestro Buonarroti, welche Ehre!«

Der Mann, dessen Ohren wie Henkel an dem kugelförmigen Glatzkopf klebten, verbeugte sich so tief, dass seine Nackenfalten sichtbar wurden. Die Wand hinter dem Tresen bestand aus Hunderten unterschiedlich großer Fächer, und selbst Kreidestücke von der Größe eines Fingernagels wurden in dafür vorgesehenen Kästchen aufbewahrt. Der stechende Geruch frischen Papiers erfüllte den Raum.

»Man hat mir bereits berichtet, dass Ihr wieder in der Stadt weilt.«

»So«, antwortete Michelangelo, »hat man das?«

Der Mann kam hinter dem Verkaufstresen hervor – ein Fleischkloß, der keinen Hals und fast keine Beine zu haben schien. Die kleinen Augen blickten verschwörerisch zwischen Michelangelo und Aurelio hin und her.

»Ein Gehilfe«, erklärte Michelangelo.

»Verstehe …« Erneut wurde Aurelio vom Blick des Mannes eingefangen. »Verstehe. Ist es also wahr, dass Ihr die Kapelle der Sistina mit neuen Fresken ausschmücken werdet?«

»Das wisst Ihr wahrscheinlich besser als ich«, gab Michelangelo zurück, während er ein loses Blatt Papier von einem Stapel nahm und es prüfend gegen das Licht hielt. »Was meint Ihr, Paolo, ist es wahr?«

Die Augen des Mannes begannen zu funkeln. »Also *ist* es wahr!«
Vor Freude klatschten seine teigigen Hände gegeneinander.
Michelangelo legte das Blatt zurück und wandte sich dem
Händler zu. »Jetzt, da Ihr das Geheimnis gelüftet habt: Seit wann
erzählt man sich denn davon?«

»Oh, seit Wochen schon. Doch da Euch bislang niemand zu Gesicht bekam …«

Aus der Nasenwurzel des Bildhauers entsprang eine Zornesfalte,
die sich bis zu seinem Haaransatz emporschlängelte. »Und wer berichtet davon?«

Der Glatzkopf richtete den Blick zur Decke und knetete sein
aus dem Fleischwulst hervortretendes Kinn. »Ihr wisst doch, wie
das in Rom ist: Hier sprudeln die Neuigkeiten aus jedem Brunnen, und selbst die Mauern sind noch geschwätziger als anderswo
die Waschweiber.«

»Ja«, seufzte Michelangelo, »ich weiß, wie das in Rom ist.« Er
stützte sich mit den Händen auf dem Tresen ab. »Reden wir über
das Geschäftliche. Ich brauche …«

»Papier, lose, mittlere Größe?«

»Und nicht das Zeug, mit dem sie am Portico die Fische einwickeln.«

»Natürlich nicht!« Der Mann nahm seinen angestammten Platz
wieder ein und zog eine Schiefertafel sowie einen kunstvoll verzierten Griffel unter der Theke hervor. »Wie viel?«

»Hundert Blatt.«

»Von den Größeren?«

»Fünfzig.«

»Skizzenblöcke?«

»Ein halbes Dutzend.«

»Kartons?«

»Noch lange nicht.«

»Kreide?«

»Schwarz und weiß. Und weich. Nicht zu sandig und nicht zu
spröde. Wenn ich einen Griffel will, kaufe ich mir einen.«

»Rötelstifte?«

»Zwei Breiten.«

Der Griffel kratzte über die Schiefertafel. »Silberstifte?«

»Später.«

»Federn?«

»Zwei.«

»Tinte?«

»Braun und schwarz.«

Der Mann sah von seiner Tafel auf. »Die Sistina …« Ganz offensichtlich witterte er das Geschäft seines Lebens: »Wann reden wir über die Farben?«

»Wenn ich weiß, was ich brauche. Frühestens in sechs Wochen.«

»Vergesst nicht: Auf gutes Ultramarin muss man zurzeit Monate warten.« Entschuldigend zog der Händler seinen halslosen Kopf noch weiter zwischen die Schultern. »Schwierigkeiten mit Venedig«, erklärte er.

Es hatte zu regnen begonnen. Aus einem tiefhängenden, undurchdringlich grauen Himmel klatschten schwere, warme Tropfen auf die Tonziegel der Dächer, wo sie sich zu Rinnsalen vereinigten und von einem Moment zum nächsten zahllose Krater in die Gassen bohrten, den gestampften Lehm aufweichten und den Borgo mit seinen engen, düsteren Straßen und den Wand an Wand gebauten Häusern in eine riesige Kloake verwandelten. Das war eine der vielen Lehren, die Aurelio aus diesem Tag ziehen sollte: Sobald der Regen kam, schnürte einem der Gestank der Stadt die Kehle zu.

Michelangelo schien weder den Regen noch den Gestank zu bemerken. Verdrossen und barhäuptig stapfte er durch den Lehm, dass der Matsch von seinen Schuhen aufspritzte. Während die anderen Passanten eilig ihre Köpfe bedeckten oder sich unter den Vordächern und überhängenden Balkonen in Sicherheit brachten, ging er selbst dann noch unbeirrt mitten auf der Straße, als ihm der Regen bereits aus dem Bart tropfte und in Rinnsalen über die Stirn lief.

»Ich wusste es.«

Er blieb stehen. Einen Schritt weiter, und er wäre mit einem

Maultier zusammengestoßen, das einen Karren hinter sich herzog und jetzt ebenfalls stehengeblieben war. Er blickte das Tier an, als frage er sich, was ihm einfiele, sich ihm in den Weg zu stellen. Von beiden Nasen tropfte der Regen herab. Der Mann auf dem Karren stieß unter seinem tief ins Gesicht hängenden Hut einen Fluch aus und lenkte sein Maultier schließlich um den Bildhauer herum.

»Was wusstet Ihr, Meister?«

Michelangelo setzte seinen Weg fort. »Dass Bramante dahintersteckt.« Er ging in der Mitte der beiden Rillen, die die Räder des Karrens in den Lehm gedrückt hatten. »Du hast gehört, was der Fettwanst gesagt hat: Seit Wochen erzählt man sich bereits, dass die Sistina beschlossene Sache ist, und ich …«

»Ihr erfahrt es erst gestern«, führte Aurelio seinen Gedanken zu Ende.

Der Bildhauer schüttelte den Regen von sich ab wie ein Hund. »Hätte Julius alleine die Idee ersonnen, hätte ich davon als Erster erfahren.«

»Was nicht bedeutet, dass es Bramante gewesen sein muss.«

»Schweig, Schlauberger! Bramante war's! Er hat dafür gesorgt, dass ich diesen Auftrag erhalte – weil er sicher ist, dass ich die Aufgabe nicht bewältigen kann.« Er blickte zu seinem neuen Gehilfen auf und studierte dessen Gesicht. Wieder war da dieses plötzliche Erstaunen – als nehme er ihn erst jetzt richtig wahr. Seine Hand begann, Aurelios Gesicht entgegenzuschweben, hielt auf halber Strecke inne und zog sich wieder zurück. »Unerhört!«, brummte er.

»Entschuldigt, ich wollte Euch nicht widersprechen. Ich …«

»Das ist es nicht.«

✢ ✢ ✢

Kaum hatte Aurelio die Tür hinter ihnen geschlossen und Michelangelo seinen durchnässten Umhang abgelegt, stand der Künstler bereits am Tisch über ein Skizzenblatt gebeugt und drehte ein

Stück schwarzer Kreide zwischen den Fingern. Abwesend strich er sich den Regen aus der Stirn. Aurelio wurde Zeuge, wie innerhalb weniger Augenblicke alles um Michelangelo herum – der Raum, der Regen, die Geräusche der Straße – von der Wahrnehmung des Meisters ausgeschlossen wurde, bis nur noch er und das vor ihm liegende Blatt übrig waren.

»Sechzig Ellen Länge, zwanzig Ellen Breite, dreißig Ellen Höhe«, flüsterte er, während sein linker Fuß nach einem Stuhl angelte und er den Kreidestift anleckte.

Was darauf folgte, grenzte für Aurelio an ein Wunder. Wie von Geisterhand geführt, warf der Stift in atemloser Hast Linien auf das Papier und ließ die Sixtinische Kapelle entstehen, so wie Aurelio sie erblickt hatte, als er sie durch den Seiteneingang betrat. Vor Staunen vergaß er, seinen Umhang abzulegen, und stand bald in seiner eigenen Pfütze. Nur wenige Striche Michelangelos reichten aus, ihn die Wölbung der Decke fühlen zu lassen. Kurz darauf, die Fenster, Lünetten und Zwickel hatten eben erst Gestalt angenommen, erschienen von Säulen gerahmte Figuren zwischen den Spandrillen, als träten sie aus dem Nebel hervor, und das restliche Gewölbe füllte sich mit geometrischen, ineinander verschachtelten Mustern. Aurelio war fassungslos. Mit solcher Mühelosigkeit bewegte sich der Stift über das Blatt, dass es ihm vorkam, als sei jeder Strich bereits als unsichtbare Linie vorgezeichnet und Michelangelo müsse ihn lediglich nachziehen. Und dann, in einem Moment, in dem sich Unglauben und Gewissheit vermischten, begriff Aurelio, dass es sich genau so verhielt: Für seinen Meister existierte die Zeichnung bereits, bevor er sie zu Papier brachte. Er sah jedes Detail vor sich, bevor er den Stift ansetzte. Alles, was er tun musste, war, die Linien nachzuziehen.

Michelangelo trat einen Schritt zurück. Wie auf ein Fingerschnippen war er wieder Teil der Welt, die ihn umgab. »Was meinst du?«

Aurelio starrte auf die Zeichnung, als habe sich Luzifer persönlich auf dem Tisch materialisiert.

»Ist dir nicht wohl?«, fuhr Michelangelo fort. »Du bist ja völlig durchnässt! Warte, ich hab …« Er sah sich um. »Irgendwo hab ich …« Er eilte die Stufen zum Obergeschoss hinauf. Aurelio hörte ihn über sich hin und her gehen und eine Truhe öffnen. Einen Moment später kam er die Stufen wieder herunter, ein blaues Tuch wie eine Beute vor sich hertragend. »Hier.«

Er reichte Aurelio das Tuch, das er eilig losließ, sobald Aurelio es berührte. Es war aus fein gesponnener Baumwolle und schien noch nie benutzt worden zu sein.

Michelangelo deutete auf Aurelios Kopf. »Da oben«, erklärte er, »und zieh dir ein anderes Hemd an.«

»Was ist mit Euch?«, gab Aurelio zurück, während er seine Locken trockenrieb.

Michelangelo, der ganz in den Anblick seines Gehilfen versunken war, befühlte seine Haare. »Oh, die sind nur ein wenig feucht.« Er zwang seinen Blick zurück auf das Blatt. »Also: Was hältst du davon?«

»Euer Können ist …« – Aurelio suchte nach dem richtigen Wort, »es ist Magie, Maestro.«

»Ich meine den Entwurf, Aurelio, nicht mein Können. Das ist nur eine Leihgabe Gottes. Was sagst du zu dem Entwurf: Gefällt er dir?«

Aurelio betrachtete die Decke der Kapelle, der Michelangelo durch die Figuren und Muster in so kurzer Zeit Leben eingehaucht hatte. Er verspürte den drängenden Wunsch, etwas zu sagen, das ihn in den Augen seines Meisters nicht wie einen Schafskopf aussehen ließ.

Er deutete auf eine der Figuren. »Sind das die Apostel, von denen Julius sprach?«

Michelangelo ging sie der Reihe nach durch: »Petrus, Jakobus der Ältere, Matthäus, Simon, Jakobus der Jüngere … So stellt sich der Papst die Decke vor: Zwischen den Fenstern die zwölf Apostel, den Rest soll ein Flechtwerk aus ineinandergreifenden Kreisen und Quadraten bedecken.« Er erklärte Aurelio, dass solche Muster im antiken Rom sehr in Mode gewesen waren und dass Julius erst kürzlich zwei anderen Künstlern sehr ähnliche Aufträge erteilt hatte: Pinturicchio, der das Deckengewölbe von Santa Maria del Popolo ausschmücken sollte, und »Raffael, dieser Schönling, der Julius' Bibliothek auf dieselbe Weise verzieren wird«.

Aus den Worten seines Meisters schloss Aurelio, dass Michelangelo sich nicht damit zufriedengeben würde, den päpstlichen Auftrag so auszuführen, wie Julius es von ihm verlangte. »Das zu tun, was andere bereits vor Euch getan haben, befriedigt Euch nicht«, stellte er fest.

Michelangelo sah Aurelio an, als habe erst der ihm den wahren Grund für seinen Widerwillen aufgezeigt. Doch falls es so war, dann verbarg er diese Erkenntnis schnell wieder. »Auf jeden Fall ist Julius' Fähigkeit, eine Schlacht auszumalen, deutlich stärker entwickelt als seine Imaginationsfähigkeit dieses Deckengewölbe betreffend.«

»Was also wollt Ihr tun?«

»Ich bin Künstler, Aurelio, kein Seher.« Er lächelte, was nicht nur seine Nase, sondern auch seinen Mund schief aussehen ließ und eine Seite an ihm zum Vorschein brachte, die er seinem Gehilfen bis dahin noch nicht preisgegeben hatte. »Aber morgen werde ich hundert Skizzenblätter und ein halbes Dutzend Blöcke bekommen, um herauszufinden, wozu meine Imagination fähig ist.«

✢ ✢ ✢

In der folgenden Nacht hörte Aurelio, wie sein Meister bis weit über die Stunde der Laudes hinaus im Zimmer über ihm auf und ab ging oder Kreise drehte wie ein eingesperrter Hund. Er selbst lag auf der Matte in der Ecke seiner Kammer und konnte keinen Schlaf finden. Der erste Entwurf für die Decke der Sistina, den sein Meister ihm überlassen hatte wie einen vertrockneten Brotkanten, lehnte an der grobporigen Wand, wo er vom Licht einer auf dem Boden stehenden Kerze beschienen wurde.

Vergiss nie, wer du bist und woher du kommst, hatte sein Vater gesagt. Nun, er war ein Bauer und kam aus einem Hof bei Forlì. Wo er hätte bleiben sollen. Aurelios Blick trübte sich. Wie hatte er nur so anmaßend sein können, Bildhauer werden zu wollen? Sein ganzes Leben lang hatte er davon geträumt, etwas zu erschaffen, dessen Anblick ihn in derselben Weise emporgehoben hätte, wie es der Engel in Bologna damals getan hatte. Er spürte Tränen aufsteigen. Selbst die von Michelangelo beiläufig hingeworfene Skizze zeugte von einer Meisterschaft, die Aurelio auch nach lebenslangem Studium nicht erreichen würde. Bei ihrem Anblick schrumpfte er unwillkürlich zu völliger Bedeutungslosigkeit zusammen – wie ein Stein, der zu Sand zerrieben wurde und sich schließlich von nichts mehr unterschied, das ihn umgab. So trug Aurelio in dieser Nacht, einsam in seiner Kammer liegend, still und unbemerkt vom Rest der Welt, seinen Lebenstraum zu Grabe.

Wozu auch immer er auf der Welt war – Künstler sollte er nicht werden. Diese quälende Gewissheit ließ Aurelio nicht zur Ruhe kommen. Denn Bauer zu werden war auch nicht seine Bestimmung, dessen war er sicher. Gut, er war als Bauer aufgewachsen, aber wie hatte Tommaso gesagt: Da war immer der Blick in die Ferne. Sein ganzes Leben lang war er davon überzeugt gewesen, zu wissen, wer er einmal sein würde. Jetzt wusste er nur noch, woher er kam. Eine schwarze Leere breitete sich in ihm aus. Wie konnte man existieren, ohne zu wissen, wofür? Die größte Gewissheit seines Lebens, die ihm die Kraft gegeben hatte, alles hinter sich zu lassen und diese Reise zu unternehmen, war verbrannt in den Strichen eines mühelos über das Papier kratzenden Kreidestiftes.

Aurelio drehte der Zeichnung den Rücken zu, rollte sich wie ein Fötus zusammen, sponn einen Kokon aus Decken um sich und schob seine Hände zwischen die Knie. Als endlich die Kerze heruntergebrannt war und das Licht erlosch, empfand er ein Gefühl der Dankbarkeit. Er wollte nichts mehr sehen müssen. Und noch immer waren aus der Dunkelheit über ihm die Schritte seines Meisters zu hören.

Erst mit dem anbrechenden Tag fand auch der erste tröstliche Gedanke seinen Weg zu Aurelio. Gott wollte nicht, dass er ein

Künstler wurde. Das bedeutete jedoch nicht, dass Gott überhaupt nichts mit ihm im Sinn hatte. Schließlich hatte er Aurelio die Illusion lange genug erhalten, um ihn bis nach Rom zu führen, zu Michelangelo. Außerdem hatte auch Aurelio ein Talent: seine begabten Hände. Und er hatte dieses Gesicht, das der Heilige Vater einen »Quell der Inspiration« genannt hatte. Aurelio wusste, woher er kam. Wer er war oder sein würde – nun, das herauszufinden war offenbar seine Aufgabe.

XII

ALS SEIN MEISTER die Kammertür aufriss, lag Aurelio unverändert mit dem Gesicht zur Wand, die Hände zwischen den Knien, seine Lider verklebt, die Wangen verkrustet, der Mund ausgetrocknet. Es dauerte geraume Zeit, bis er den ohnmachtsähnlichen Schlaf abgeschüttelt hatte und wieder wusste, wo er sich befand – und dass es Michelangelo Buonarroti war, der nun schon zum wiederholten Male seinen Namen rief. Beim Aufstehen schmerzten seine Glieder wie nach einem langen Erntetag auf dem Feld.

Michelangelo hatte den provisorisch errichteten Tisch ab- und in der Werkstatt wieder aufgebaut. »Mehr Licht«, erklärte er, als Aurelio mit blinzelnden Augen den von der Morgensonne durchfluteten Raum betrat. Der weiße Staub, der noch immer den Fußboden bedeckte, glitzerte wie Raureif. »Zieh dir Schuhe an, bevor du hereinkommst«, fuhr der Meister fort, »sonst ritzt dir der Marmor die Fußsohlen auf.«

Auf dem Tisch lagen ein Brot, ein Stück Käse, ein Messer sowie ein Stapel Zeichnungen. Aurelio wagte sich kaum heran.

Die Decke der Sistina. In zwei Dutzend unterschiedlichen Ausführungen. Die ersten Entwürfe hielten sich noch streng an die Vorgaben des Papstes: die zwölf Apostel vor dem Hintergrund geometrisch verschachtelter Muster. Doch nahmen die Apostel nach und nach übermenschliche Größe an, wuchsen sich zu Göttern aus, veränderten ihre Positionen, teilten sich den Raum jedes Mal neu, traten schließlich sogar miteinander in Beziehung und erzählten eine Geschichte. Danach schien der Vorstellungskraft Michelangelos das Korsett der päpstlichen Vorgaben zu eng geworden zu sein. Räume nahmen Gestalt an, Podeste, Treppen und angedeutete Landschaften waren zu sehen, während für die geometrischen Figuren immer weniger Platz blieb. In den letzten Entwürfen gesellten sich den Aposteln schließlich weitere Figuren hinzu, nackte, muskulöse Männer, die Säulen schulterten oder Gesimse stützten. Die Arbeit von weniger als sechs Stunden. Entsprungen dem Geist eines einzigen Mannes. Er musste brennen, von innen.

Michelangelo hatte Aurelio den Rücken zugewandt und betrachtete durch das Fenster den blühenden Feigenbaum hinter dem Haus. Aurelio spürte, dass er auf ein Wort seines Gehilfen wartete.

»Was würde wohl Papst Julius dazu sagen, wenn er wüsste, dass sich in Eurer Phantasie nackte Männer im Gewölbe seiner Kapelle tummeln?«

Michelangelo antwortete, ohne sich umzudrehen. »Es werden nur schöne Körper sein, und Julius hat durchaus Sinn für Schönheit.«

Aurelio dachte an die Fresken der anderen Florentiner Künstler, die er an den Wänden der Kapelle gesehen hatte. Keiner hatte es gewagt, einen entblößten Körper darzustellen. »Ihr wollt das tatsächlich zur Ausführung bringen?«

»Mit zwölf Aposteln komme ich nicht weit.« Michelangelo kam zum Tisch herüber. »Nicht, wenn dieses Fresko auch nur annähernd die Wirkung erzielen soll, die ich anstrebe.«

»Warum macht Ihr nicht einfach, was der Papst von Euch verlangt – nur besser als Pinturicchio und Raffael?«

»Zum einen, weil Julius' Pläne vor allem geeignet sind, mich zum Einschlafen zu bringen, zum anderen, weil er und Bramante eine Wette auf mich abgeschlossen haben. Rosselli hat es mir in einem Brief geschrieben. Er war dabei, als Bramante Julius versichert hat, dass ich« – er spuckte die folgenden Worte förmlich aus – »weder die *Kraft* noch den *Mut*, noch das *Feuer* besäße, diesen Auftrag auszuführen! Er ist sicher, dass ich der Aufgabe nicht gewachsen bin, und glaubt, meinen Ruf als Künstler für immer zerstören zu können. Ich frage dich, Aurelio: Was weiß jemand, der Leidenschaft bestenfalls aus Büchern kennt, schon von Feuer!« Seine Schultern spannten sich wie die einer Katze. »Alleine aus diesem Grund also bin ich gezwungen, Julius nicht irgendein Fresko an die Decke zu pinseln, wie es jeder andere auch könnte, sondern …« Seine Gedanken verloren sich, während er zur Decke blickte und das imaginierte Gewölbe der Sistina in Felder einteilte.

»Ja, Maestro?«

Michelangelo ging im Zimmer umher, als schreite er die Wände der Kapelle ab. Zu gerne hätte Aurelio gesehen, was sein Meister dort sah. »Wenn Gott gewollt hätte, dass ich Mittelmäßiges schaffe, Aurelio, hätte er mir nicht diese Fähigkeiten gegeben. Folglich …« Er drehte sich um die eigene Achse und verfolgte den Weg des einfallenden Lichts. Schließlich sah er seinem Gehilfen offen ins Gesicht. »Ich werde das großartigste Fresko aller Zeiten erschaffen.« Es war eine Feststellung. Kein Versprechen, kein Bekenntnis – eine Feststellung, unverrückbar, in Stein gemeißelt. »Was bleibt mir anderes übrig?«

Die Einsicht in die Unausweichlichkeit dieser Entscheidung schien Michelangelo traurig zu stimmen. Da war kein triumphales Leuchten in seinen Augen, kein Stolz auf den kommenden Sieg, den er über Bramante und Raffael erringen zu können glaubte. Nur das Bewusstsein um die endlosen Mühen, die ihm der Weg bis dahin bereiten würde.

✢ ✢ ✢

Aurelio fegte den Boden des Ateliers und atmete den süßen Duft der Feigenblüten ein, als er bemerkte, dass Michelangelo nicht länger in seinem Zimmer Briefe schrieb, sondern in der Tür stand und seinem Gehilfen bei der Arbeit zusah. Aurelio hielt inne.

»Stell den Besen weg«, sagte Michelangelo, »wir gehen dir ein neues Hemd kaufen. In diesem siehst du nicht aus wie der Gehilfe eines Künstlers, sondern wie … der Gehilfe eines Gehilfen.«

Aurelio sah an sich herunter und blickte dann seinen Meister an. Dessen Hemd war in einem deutlich beklagenswerteren Zustand als sein eigenes. An den Ellenbogen und den Schultern war der Stoff beinahe durchgewetzt, und der Halsausschnitt war gleich an mehreren Stellen aufgerieben.

»Was ist mit Euch?«, fragte er.

»Sieh mich an«, antwortete Michelangelo und breitete die Arme aus wie ein Sünder. »Was sollte ich mit einem neuen Hemd anfangen? Ich bin hässlich, Aurelio. Schon bevor Torrigiani mir die Nase zertrümmerte, war ich kein schöner Anblick, und seither ist es nicht besser geworden.« Er senkte den Blick. »Meine Hässlichkeit verdient kein schönes Hemd, Aurelio. Du dagegen … du solltest wirklich nicht so auf die Straße gehen.«

Seinen Meister derart verwundbar zu erleben beschämte Aurelio. »Wer ist Torrigiani?«, fragte er.

»Ein Bildhauer …« Michelangelos Blick wandte sich nach innen und verlor sich in der Vergangenheit. »Mit ihm zusammen habe ich in Florenz den Umgang mit Hammer und Meißel erlernt. Er war alles, was ich nicht war: wohlhabend, schön, gebildet, von athletischem Körperbau … Er war ebenso ehrgeizig wie ich, doch sein Vermögen war … mittelmäßig. Und das ließ ich ihn spüren. Obgleich er drei Jahre älter war als ich. Also ließ er mich irgendwann seine Faust spüren.« Michelangelo strich mit dem Mittelfinger seinen gezackten Nasenrücken entlang. »Die Wahrheit ist: Ich selbst trage die Schuld an meinem entstellten Gesicht, Aurelio. Es war Hochmut, der aus mir sprach. Ich bildete mir ein, wertvoller zu sein als Torrigiani – weil ich über das größere Vermögen verfügte.«

Aurelio schwieg. Er rief sich in Erinnerung, wie Michelangelo über Raffael und Bramante gesprochen hatte. War das nicht ebenso hochmütig gewesen?

»Ich spreche von mir als Mensch«, erklärte Michelangelo, »nicht als Künstler. Ich glaubte, der wertvollere Mensch zu sein. Dabei bin ich als Mensch ein armer Sünder, den verderbte Gedanken plagen, der mit Eitelkeit geschlagen ist und die Folgen seines Hochmuts im Gesicht trägt. Eine bemitleidenswerte Kreatur.« Er richtete sich auf, als wolle er eine Bürde abschütteln. Auf dem Grund seiner Augen glomm wieder ein kämpferischer Funke. »Als Künstler allerdings bin ich nur Gott Rechenschaft schuldig!«

☩ ☩ ☩

Sie gingen zur Engelsburg hinunter, die mit jedem Schritt größer und mächtiger wurde, bis sie schließlich wie eine göttliche Drohung vor ihnen auffragte. Das Gespräch mit Aurelio schien Michelangelo erleichtert zu haben. Jedenfalls präsentierte er sich trotz seiner vom Vortag heiseren Stimme erneut ungewöhnlich redefreudig. Während sie im Getümmel von Händlern, Pilgern, Bettlern, Ablassverkäufern und Maultieren über den Ponte Sant' Angelo geschoben wurden, rief Michelangelo seinem Gehilfen zu, dass die auf drei Bögen ruhende Brücke lange Zeit als die schönste der Welt gegolten hatte. Auf der anderen Seite angekommen, deutete er zur Ripetta hinüber, dem Flusshafen, vor dem sich ein Knäuel aus Booten im Wasser drängte. Die kunstvolle Uferbefestigung und die symmetrisch angelegte Freitreppe leuchteten in der Sonne.

»Alles Travertin«, erklärte Michelangelo. »War mal ein Teil des Kolosseums, bis die Blöcke beim Erdbeben von dreizehnneunundvierzig aus der Fassade gefallen sind. Es gibt keine Stelle, an der mehr Leichen in den Tiber geworfen werden als dort.« Er breitete die Arme aus: »Das ist Rom. Die Stadt nährt sich von ihrer Vergangenheit und leidet an ihrer Gegenwart.«

Er führte Aurelio in ein Labyrinth aus Straßen, das ähnlich verwinkelt und eng war wie das des Borgo. Als am Ende einer Gasse plötzlich die weißglänzende Fassade einer offenbar neuerbauten Kirche aufblitzte, ließ Michelangelo nur ein Schnaufen hören.

Im Vorbeigehen bestaunte Aurelio die neuartige Wölbung der Fassade.

»Papst Sixtus hat sie erbauen lassen«, erklärte Michelangelo, »als Dank für die Unterstützung im Krieg gegen meine Heimatstadt. Der Kreuzgang ist übrigens ebenso schön wie die Fassade.«

Aurelio ahnte, was das bedeutete: »Bramante.«

»Seine erste größere Arbeit in Rom.«

Doch nicht einmal das konnte Michelangelos Gemütsverfassung trüben. Beinahe beschwingt schritt er voran durch einen von zahlreichen Arkadenbögen, und noch ehe Aurelio Gelegenheit hatte, sich zu fragen, was für ein merkwürdiges Gebäude sie zu betreten im Begriff waren, füllte sich die Luft mit zahllosen Stimmen und Gerüchen. Vor ihnen tat sich ein riesiger, langgestreckter Platz auf, der von gemauerten Tribünen eingefasst war.

Aurelio blieb stehen, als drohe er beim nächsten Schritt in die Tiefe zu stürzen. »Was ist das?«, fragte er.

»Der Circus Agonalis.« Michelangelo lächelte sein schiefes Lächeln. »Auch wenn kaum noch Wagenrennen stattfinden, seit Sixtus den Markt vom Kapitol hierher hat verlegen lassen.« Mit einer Geste fing er den Platz mit seinen Buden, Ständen und den vielen Menschen ein. »Hier findest du alles: ob Schnallen für die Schuhe oder Henna für die Haare. Und da drüben«, er deutete auf die gegenüberliegende Seite, wo sich oberhalb der Tribüne gestreifte Markisen vor den Geschäften spannten, »befinden sich die besten Schneider Roms. Das jedenfalls behauptet Kardinal Alidosi, und der sollte es wissen.«

Sie wurden von einem halb mitleidig, halb amüsiert blickenden Verkäufer empfangen. Ein kleinwüchsiger Mohr ging von Kunde zu Kunde und bot auf einem Silbertablett gezuckertes Gebäck dar. Aurelio fühlte sich wie der, der er war: der Sohn eines Provinzbauern auf der Bühne der Eitelkeiten des römischen Adels.

»Was?«, fuhr Michelangelo den Verkäufer an.

Die überheblich lächelnden Mundwinkel fanden augenblicklich in ihre Ausgangsposition zurück.

Michelangelo ließ sich nicht weniger als vierzehn verschiedene

Hemden vorlegen, bevor er für Aurelio zwei davon auswählte. Zudem erstand er eine dieser eleganten Strumpfhosen, wie sie von Männern bevorzugt wurden, die ihre gehobene Stellung zur Schau stellen wollten. Widerstrebend streifte Aurelio sie über. Plötzlich sahen seine Bauernschuhe plump aus – die Schuhe eines Tölpels. Auch entging ihm nicht, dass der Verkäufer angesichts dieser Schuhe, die bis heute Morgen Aurelios kostbarsten Besitz dargestellt hatten, die Nase rümpfte. Als sie endlich das Geschäft verließen, atmete er auf.

✤ ✤ ✤

Sie standen auf der Tribüne, zu ihren Füßen eine Gruppe Focaccine essender Wollfärber, als der Platz von einem zunächst ungreifbaren Ereignis erfasst wurde. Es war, als verfinstere sich die Sonne und ein plötzlicher Schatten ziehe über das Stadion. Doch es war kein Schatten. Es war ein Schweigen. Vom Südtor ausgehend, schlug es eine Schneise durch die Gasse aus Verkaufsständen und breitete sich von dort über den gesamten Platz aus. Innerhalb weniger Augenblicke verstummten die Rufe der Händler, eine Gruppe von Gauklern, die mit den Besuchern ihre Späße trieb, unterbrach ihre Darbietung, ein sich lauthals beschimpfendes Paar legte bis auf weiteres seinen Streit bei.

Aurelio spürte das Schweigen auf sich zurollen wie eine Woge. Erst durchbrach das helle Klappern frisch beschlagener Hufe die Stille, dann erblickte er zwei Schimmel, die aus einer Ladenstraße kamen. Sie zogen eine weiße, geschlossene Kutsche, die in verschwenderischer Pracht mit Goldbeschlägen versehen war. Sogar die Speichen der Räder waren mit Goldreifen verziert, und die Ohren der Pferde wurden von goldbestickten Mützen bedeckt.

»Wende dich ab«, zischte Michelangelo seinem Gehilfen zu, doch der hörte nur die Worte Margheritas, die sie ihm im »La Cicogna« zugeflüstert und die er zwischenzeitlich vergessen hatte. Es gab sie also wirklich: die Kurtisane des Papstes.

»Aphrodi-«, setzte er an, doch bevor er den Namen vollständig aussprechen konnte, hatte sein Meister ihm bereits einen Ellenbogen in die Rippen gestoßen und ihn von der Gruppe der Wollfärber weg in eine Nische gedrängt. Dort drückte er ihn gegen eine Mauer. Es roch nach Katzenpisse.

»Woher …« Michelangelos Blick wäre geeignet gewesen, die Tribüne zum Einsturz zu bringen. »Wie kannst du überhaupt von ihr wissen?«

»Ich …«

»Schweig! Niemand − niemand, hörst du − führt ihren Namen im Mund.« Er sah sich um und senkte seine Stimme zu einem eindringlichen Flüstern. »In dieser Stadt gibt es keine Straßenkreuzung, an der nicht einer von Julius' Spionen herumlungern würde! Verstehst du, was ich sage, Aurelio? Aus jedem Waschzuber werden ihm die Neuigkeiten zugetragen.«

Aurelio bekam eine Gänsehaut.

»Wenn du weißt, wie man sie nennt«, fuhr Michelangelo fort, »dann weißt du auch, was demjenigen droht, der ihren Namen ausspricht.«

»Die Zunge …« Weiter kam Aurelio nicht.

Michelangelo ließ ihn los. »Du wärst nicht der Erste.« Seine Nase stieß ihr gewohntes Zischen aus. »Allmächtiger«, murmelte er noch, dann hob er die Hemden auf, die in der Aufregung heruntergefallen waren. »Komm jetzt«, raunte er.

Sie traten zur rechten Zeit aus der Nische, um zu verfolgen, wie die Kutsche vor der Tribüne hielt. Wer in ihrer Nähe stand, wandte sich ab, wer sich in sicherer Entfernung glaubte, verfolgte unauffällig das Geschehen. Aurelios Blick war wie gebannt. Die Kutsche öffnete sich, und ihr entstiegen zwei verschleierte, weiß gewandete Frauen. Die erste trug eine Anzahl bestickter Seidentücher auf den vorgestreckten Händen, die von der zweiten, eins nach dem anderen, auf den Boden gelegt wurden, bis schließlich eine Spur aus Tüchern zum Geschäft eines Goldschmieds führte. Erneut öffnete sich die Kabine. Das gesamte Stadion hielt den Atem an.

Aphrodite wandelte auf den Tüchern, wie Jesus auf dem Wasser gewandelt sein musste. Es war die bestickte Seide, die sie trug, nicht der Boden. Aurelio kam es vor, als balanciere sie auf dem Grat, der die menschliche Welt von der göttlichen trennt. Ihr Gazeschleier reichte bis zum Boden und diente ihr gleichzeitig als Gewand, das sie mit einer Goldkette um die Taille gegürtet trug. Es ließ alles erahnen, doch wirklich erkennen konnte Aurelio nichts. Margherita hatte recht gehabt: Selbst Aphrodites Hände und Unterarme waren in golddurchwirkten Handschuhen verborgen. Nirgends war ein Stück ihrer Haut zu sehen. Ihre Brüste zeichneten sich zart durch Stoff ab, und beim Gehen bildete sich eine Falte, die in aufreizender Weise ihre Scham betonte. So schwebte sie gleichsam auf den Tüchern die Stufen empor, wobei sie ihr Gewand eine Handbreit raffte, so dass die Rundung ihrer Pobacken hervortrat.

Die Tür des Goldschmieds öffnete sich, und Aphrodite glitt hindurch, gefolgt von ihren Aufwärterinnen. Dann schloss sich die Tür wieder, und ein allgemeines Gemurmel setzte ein. Aurelio verstand jetzt, was Margherita ihm im Schatten der Stadtmauer erklärt hatte: dass Aphrodite von überirdischer Schönheit war. Dass der Papst besessen von ihr war und den Verstand zu verlieren drohte bei dem Gedanken, sie könnte einem anderen gehören. Sie war diabolische Verheißung und göttliche Bestrafung zugleich. Bereits der Anblick ihrer verhüllten Gestalt entfachte ein unerklärliches Verlangen.

»Ist sie wirklich die schönste Frau der Welt?«, flüsterte er.

»Neben vielen anderen Dingen, Aurelio, ist Schönheit eine Frage der Komposition. Drei Töne einer Orgel können, sofern sie richtig gesetzt sind, ein ganzes Kirchenschiff erstrahlen lassen. Schlecht gesetzt können dich dieselben drei Töne in die Flucht jagen.«

Erneut breitete sich Schweigen über den Platz aus. Die Tür des Goldschmieds hatte sich wieder geöffnet. Aphrodite erschien, trat unter der Markise hervor und verweilte am Kopf der Stufen in der sich bereits neigenden Nachmittagssonne. Ihr Gesicht dem Himmel zugewandt, zeichneten sich die Konturen ihres Profils durch den Schleier ab – die gerade Nase, die sinnlichen Lippen, das ausgeprägte Kinn, der schlanke Hals. Aurelio trank ihren Anblick mit den Augen. Der Schleier war kaum mehr als eine zweite Haut. Rosenblüten. Der Duft, den Julius in der Kapelle verströmt hatte – es war ihrer. Nach einer kleinen Ewigkeit begann Aphrodite, ihren Blick über das Stadion schweifen zu lassen. Als sie Michelangelo und seinem Gehilfen, die ein halbes Dutzend Schritte von ihr entfernt standen, den Kopf zuwandte, spürte Aurelio seine Knie nachgeben. Er wusste, dass sie ihn ansah. Hinter dem Schleier ging eine Veränderung vor. Ein Lächeln? Aurelio richtete den Blick zu Boden.

Bis er sich gesammelt hatte und den Kopf zu erheben wagte, war Aphrodite bereits am Fuße der Stufen angelangt und verschwand in der Kutsche. Kaum setzten sich die Pferde in Bewegung, kamen aus allen Richtungen Kinder angerannt und versuchten, die Seidentücher zu ergattern, die noch auf dem Boden lagen. Wer in den Besitz eines Tuches kam, schwenkte es stolz über dem Kopf und verschwand damit in der Menge. Aurelio sah die Kutsche in das nördliche Tor einbiegen. Kurz darauf deutete nichts mehr auf das Ereignis hin, das sich soeben zugetragen hatte. Die Gaukler trieben ihre Späße, die Händler priesen ihre Waren an, und sogar das schimpfende Ehepaar hatte wieder zu streiten begonnen.

»Nun, was glaubst du: War das die schönste Frau der Welt?«

»Ja«, flüsterte Aurelio gedankenverloren.

»Möglich«, antwortete Michelangelo, »aber gesehen hast du es nicht.«

»Sie hat mir zugelächelt.«

»Auch das ist möglich«, stellte er fest, »aber gesehen hast du es nicht.«

XIII

Julius und Bramante erwarteten Michelangelo bereits. Als dieser, gefolgt von seinem Gehilfen, die Kapelle betrat, verstummte augenblicklich das Gespräch, das der Papst und sein Baumeister geführt hatten.

»Ah, der Freskant und seine Muse«, begrüßte ihn Bramante. Die Nachricht von Michelangelos »Quell der Inspiration« hatte sich offenbar schnell verbreitet.

Die linke Hand des Meisters ballte sich hinter seinem Rücken zur Faust. »Eure Heiligkeit.« Er verbeugte sich vor Julius. Bramante nahm er mit einem angedeuteten Kopfnicken zur Kenntnis, dem er einen drohenden Blick folgen ließ.

Julius sah spitzbübisch zwischen den Kontrahenten hin und her. Die unverhohlene Feindseligkeit, mit der die beiden sich begegneten, schien ihm eine ebenso unverhohlene Freude zu bereiten.

Aurelio, der am Eingang verharrte in der Hoffnung, nicht bemerkt zu werden, verstand sofort, warum sein Meister so abfällig über den Architekten gesprochen hatte. In Bramante erkannte Michelangelo das wieder, was er an sich selbst so sehr hasste: Hochmut. Bramante glaubte, mehr zu gelten – als Mensch.

Der Papst schlug einen versöhnlichen Ton an. »Mein teurer Buonarroti. Ich bin erfreut, Euch zu sehen.« Er deutete zur Decke. »Was haltet Ihr davon?«

Gegenüber dem Altar schwebte eine hölzerne Plattform unter dem Deckengewölbe. Sie überspannte die gesamte Breite von nahezu vierzig Fuß und musste an die fünfzehn Fuß tief sein. Bramante strich die Falten seiner Samtweste glatt. Seine Mundwinkel deuteten ein Lächeln an.

Eigentlich hätte Piero Rosselli das Gerüst für die Arbeiten am Gewölbe bauen sollen. So jedenfalls hatte Michelangelo es geplant. Der Florentiner Freund und Kollege, dessen Eintreffen Michelangelo seit Tagen ersehnte, war, so hatte er seinem Gehilfen erklärt, nicht nur Bildhauer und Architekt, sondern hatte sich auch als Ingenieur einen Namen gemacht. Michelangelo war überzeugt davon, dass er der richtige Gerüstbauer für diese Aufgabe war. Stattdessen aber hatte der Papst wieder einmal Bramante den Vorzug gegeben.

Je länger Michelangelo schwieg, desto selbstsicherer wurde Bramantes Lächeln.

»Ihr habt die Bühne an Seilen in der Decke verankert – warum?«, fragte Michelangelo.

Bramante legte sich sein langes Silberhaar über die Schulter. »Ganz einfach: Damit sie nicht herunterfällt.«

»Das Gerüst soll ohne Pfeiler und Stützbalken auskommen«, ergänzte Julius. »Ich möchte, dass der Boden frei bleibt, damit auch während der Umgestaltung die vorgesehenen Zeremonien abgehalten werden können.«

»Ich soll da oben das Fresko anbringen, während hier unten die Messe gelesen wird?«

»So ist es. Doch sorgt Euch nicht. Die Bühnen des Herrn Donatello Bramante werden das gesamte Gewölbe unsichtbar machen.«

Bevor Michelangelo Gelegenheit hatte, den nächsten Einwand vorzubringen, wurde dieser von Bramante bereits entkräftet. »Die Seilkonstruktion wird es Euch erlauben, den Abstand zur Decke nach Belieben zu verändern. So könnt Ihr die Wölbung ebenso gut erreichen wie die Decke.«

Bramante zupfte ein einzelnes Haar von seinem Ärmel, wagte

jedoch nicht, es in Gegenwart des Papstes auf den Boden fallen zu lassen. Stattdessen wickelte er es um seinen Finger und ließ es in seiner Westentasche verschwinden. Er war hochgewachsen, kräftig, und sein Gesicht war, wie Aurelios Mutter es formuliert hätte, hart, wo es hart sein sollte, und weich, wo es weich sein sollte. Unter einer prominenten Stirn saßen große, dunkle Augen, das maskuline Kinn wurde von feinen Linien umspielt. Seine Kleidung war elegant, aber schlicht: eine Samtweste in dunklem Violett über einem schwarzen, geschlitzten Hemd, dessen Kragen am Hals durch einen einzigen, edelsteinbesetzten Knopf geschlossen wurde. Keine Verbrämungen, keine Goldfäden, keine Schnallen oder Spangen. In seinen Augen jedoch lauerte der Heißhunger, den er in seinem Namen trug.

Michelangelo inspizierte das Gerüst. Einen Moment lang war nur sein Schnaufen zu hören. »Was ist mit den Löchern?«, fragte er.

»Was für Löcher?«, entgegnete Bramante, dessen hohe Stimme nicht recht zu seiner würdigen Erscheinung passte.

»Die Löcher, die die Verankerungen in der Decke zurücklassen werden, sobald das Gerüst abgehängt wird.«

»Nun«, Bramante sprach wie zu einem ungelehrigen Schüler, »man wird sie zuspachteln müssen. Für einen Mann von Euren Fähigkeiten sollte das …«

»Aber sie werden zu sehen sein.«

»Sie werden … Natürlich werden sie zu sehen sein – als Punkte. Mit bloßem Auge kaum erkennbar. Anders kann es eben nicht gemacht werden!«

Bevor sie hergekommen waren, hatte Michelangelo seinem Gehilfen eine Münze gezeigt, die Julius hatte prägen lassen, nachdem er Bramante zum Baumeister von Neu-St. Peter ernannt hatte. Darauf war der Architekt als Büste mit freiem Oberkörper dargestellt – einem römischen Kaiser gleich. Es bedurfte keiner besonderen Phantasie, um sich vorzustellen, wie dieser Mann sich in der Rolle desjenigen gefiel, der, umringt von schönen Frauen und bekannten Größen aus Klerus, Politik und Gesellschaft, griechische Gedichte rezitierte oder auf der Laute improvisierte. Wenn es stimmte, was Michelangelo seinem Gehilfen gesagt hatte, und Bramante – ebenso wie Aurelio – der Sohn eines Provinzbauern war, dann hatte er vergessen, woher er kam.

»Heiliger Vater.« Michelangelo wusste, an wen er seine Worte zu richten hatte. »Ich habe von Euch den Auftrag erhalten, dieses Gewölbe mit einem neuen Fresko zu versehen, weil das alte Risse bekommen hat. Und jetzt wird von mir verlangt, es mit Löchern zu spicken?«

Julius' Geduld begann zu erlahmen. Sein Stock, auf den er sich bis dahin gestützt hatte, wackelte hin und her. Er wandte sich an Bramante. Für einen Moment bildeten sie ein Dreieck, in dem jeder den Mann zu seiner rechten fixierte.

»Das scheint mir ein berechtigter Einwand zu sein«, sagte er. »Was meint Ihr, Donatello?«

»Eine andere Lösung gibt es nicht!«, beharrte Bramante. Offenbar hatte er erwartet, Michelangelo angesichts seiner Konstruktion vor Ehrfurcht auf die Knie sinken zu sehen. Stattdessen musste er sich nun für sie rechtfertigen.

Julius richtete seinen Blick auf Michelangelo: »Mein Baumeister sagt, es gebe keine andere Lösung.«

Michelangelo legte den Kopf schief, betrachtete die unter der Decke schwebende Bühne und ging einige Schritte. Eitelkeit. Er wusste, wo Bramante am verwundbarsten war. »Gebt mir zwei Tage, Heiliger Vater.«

Bramante konnte nicht länger an sich halten. »Wie könnt Ihr glauben …?«

Julius' Stock löste sich vom Boden und ließ den Architekten verstummen. »Ihr glaubt, eine andere Lösung zu finden?«, fragte der Papst.

Michelangelo hielt den beiden den Rücken zugekehrt. »Dessen bin ich mir sicher.«

»Innerhalb von zwei Tagen?«

»Höchstens.«

Erneut wollte Bramante protestieren. Diesmal jedoch genügten bereits zwei abgespreizte Finger des Papstes, um ihn zum

Schweigen zu bringen. Sein Zorn entlud sich stattdessen in einer schwungvollen Bewegung, mit der er seine Haare über die Schulter warf.

»Ergo.« Julius schien eine Entscheidung getroffen zu haben. »Die Herren Bramante und Buonarroti werden sich abermals an diesem Ort einfinden, übermorgen, im Anschluss an die Messe.«

Michelangelo verbeugte sich. »Heiliger Vater.«

Er ging zwischen Bramante und dem Papst hindurch auf den Ausgang zu. Kaum hatte er die beiden im Rücken, bemerkte Aurelio, wie seine Lippen ein triumphales Grinsen zu unterdrücken versuchten und daran scheiterten. Eitelkeit. Nirgends schien sie auf einen fruchtbareren Boden zu fallen als in dieser Stadt.

✢ ✢ ✢

»Am Ende also widerfährt mir doch noch Gerechtigkeit!«, rief Michelangelo und breitete die Arme aus.

Die Passanten in Hörweite blickten sich nach ihm um. Noch ein Verrückter mehr in dieser von Verrückten wimmelnden Stadt. Aurelio und sein Meister hatten den Vatikan verlassen und überquerten die Piazza Rusticucci auf dem Weg zurück zu Michelangelos Haus. Aurelios Frage, wie er sich eine Arbeitsbühne vorstellte, die auf Pfeiler und Stützbalken verzichtete, ohne in der Decke verankert werden zu müssen, hatte Michelangelo mit aufeinandergepressten Lippen und einem Stirnrunzeln quittiert. Plötzlich jedoch hellte sich sein Gesicht auf.

Unter den Menschen, die sich auf der Piazza drängten, war ein Mann, der nun ebenfalls die Arme ausbreitete: »Carissimo Fratello!«, liebster Bruder, rief er. Sein Gesicht strahlte vor ehrlich empfundener Freude, ebenso wie das Michelangelos.

An der Art, wie sein Meister den Mann in die Arme schloss, erkannte Aurelio den Grund für seinen plötzlichen Freudenausbruch: Erleichterung. Michelangelo hatte keinen Zweifel daran gelassen, dass er sich in dieser Stadt von Widersachern, Neidern,

Betrügern und Quälgeistern umringt glaubte. Nun – offenbar gab es auch Menschen, die ihm wohlgesinnt waren.

Als sich die Männer aus ihrer Umarmung lösten, schien Michelangelo zwei Fingerbreit gewachsen zu sein. »Ich wusste, du würdest mich nicht im Stich lassen.«

»Granacci sagte, du brauchst meine Hilfe.« Erneut blitzten die Zähne des Mannes auf. »Was hätte ich da schon tun können?«

Michelangelo legte ihm eine Hand auf die Schulter und winkte mit der anderen seinen Gehilfen herbei. »Aurelio! Steh da nicht rum wie ein Ablassverkäufer. Komm her und begrüße meinen Freund Piero.«

Piero Rosselli, schoss es Aurelio durch den Kopf, der Mann, der das Gerüst hätte bauen sollen. Er ergriff die Hand, die Rosselli ihm entgegenstreckte. In dessen Blick lag nichts als unverstellte Freundlichkeit. Eine Begrüßung ohne Argwohn. Sie würden sich verstehen.

XIV

»Was hast du die letzten Jahre getrieben?«, wollte Michelangelo wissen, kaum dass sie die Tür hinter sich geschlossen hatten.

»Du weißt doch, wie das bei mir ist: hier ein Stück Marmor, da eine Fassade, ein paar Auftragswerke … kein Grund zur Klage.«

Obgleich Piero ein Jahr älter war als Michelangelo, wirkte er deutlich jünger. Die vielen Sommersprossen verliehen seinem Gesicht etwas Jungenhaftes, außerdem schien er nicht von Sorgen geplagt, was ihn um weitere fünf Jahre verjüngte. Seine Kleidung war einfach, sein Blick unvoreingenommen, sein Wesen uneitel. Als Michelangelo die Tür zur zweiten Kammer öffnete, die ebenso dunkel und klein war wie die Aurelios, und von Piero wissen wollte, ob er damit zufrieden wäre, zog der nur die Schultern hoch: »Zu etwas anderem als zum Schlafen werde ich sie kaum brauchen.« Rosselli fragte, welche Aufgaben Michelangelo seinem neuen Gehilfen zugedacht habe. Dieser antwortete, dass es an ihm, Piero, sei, das herauszufinden. Rosselli lächelte: »Sofern er willens ist zu arbeiten, wird es sich finden.«

Rosselli fühlte sich durch Michelangelos Freundschaft geadelt. Die Verehrung, die er dem Schöpfer des David entgegenbrachte, zeigte sich allenthalben. Michelangelos erste Skizzen für die Sistina in Händen, sagte er: »Ich bezweifle, dass deine Schöpferkraft irgendwo auf der Welt ihresgleichen hat.«

Michelangelo kommentierte Rossellis Bemerkung mit einem Schnaufen. »Was nutzt mir das, wenn sie missbraucht wird, um den Fresken von sechs Florentiner Künstlern ein siebtes hinzuzufügen.«

»Angesichts dieser Entwürfe würde wohl niemand auf die Idee verfallen, von Missbrauch zu sprechen. Sag mir: Wie lebt es sich mit einem Kopf, in dem das ganze Jahr über ein Jahrmarkt der Ideen herrscht?«

»Ich wünschte, es wäre ein Jahrmarkt«, klagte Michelangelo. »Es ist jedoch Krieg, mein Lieber, Krieg.«

Rosselli hielt eine Skizze in die Höhe wie ein Beweisstück. »Und ich wünschte, dieser Krieg würde in meinem Kopf toben.«

Als Nächstes inspizierte Piero die Küche. Was er dort vorfand, ließ ihn die Brauen hochziehen. »Was willst du hiermit schneiden?«, fragte er, während er mit dem Daumen die Klinge des einzigen Messers prüfte. »Selbst einer Aubergine könntest du mit so etwas nicht zu Leibe rücken. Ich werde uns ein Stufado kochen«, entschied er. »Aber vorher gehen wir zu einem Scherenmacher und lassen uns dieses Messer schärfen.«

Während sie einkauften und einen Scherenmacher aufsuchten, versorgte Piero seinen Freund mit Neuigkeiten aus Florenz, gab ihm einen Brief seines Vaters und berichtete von den Fortschritten, die Granacci bei der Suche nach geeigneten Gehilfen für das Projekt machte.

»Du bist sicher, dass du keinen Künstler aus Rom in die Bottega aufnehmen willst?«, fragte Rosselli, als sie beim Forbiciaio darauf warteten, ihr Messer zurückzubekommen.

»Bevor ich es so weit kommen lasse«, gab Michelangelo zur Antwort, »lege ich mich auf den Rücken und male das Gewölbe mit Händen und Füßen gleichzeitig aus.«

✢ ✢ ✢

»Was schreibt er?«, fragte Rosselli.

Sie saßen in der Küche, wo Piero das Stufado vorbereitete.

Michelangelo faltete den Brief seines Vaters zusammen und steckte ihn in den Umschlag zurück. »Das Übliche.«

»Er bittet dich um Geld.«

Michelangelo zog die Schultern hoch. »Bitten geht anders.«

Rosselli setzte das frisch geschärfte Messer ab und legte seine Stirn in Falten. Der Bewunderung, die er Michelangelo entgegenbrachte, war Mitgefühl beigemischt. »Jahrelang wirft er dir vor, den Namen der Familie zu besudeln, weil er meint, dass du einer entehrenden Arbeit nachgehst, und jetzt, wo du gutes Geld mit dieser ehrlosen Tätigkeit verdienst, hat er nichts anderes im Sinn, als möglichst viel davon an sich zu bringen.«

»Ja, aber an der Schande, die ich in seinen Augen über die Familie bringe, hat sich nichts geändert. Immerhin: Meine Brüder sind gesund und lassen mich grüßen.«

»Was ist mit Giovan Simone?«

»Auch das Übliche.«

Rosselli nahm sich den Speck vor. »Geld.«

»Schlimmer. Er erwartet, dass ich ihm in Rom eine Stelle verschaffe – hier, zwischen Priestern, Pilgern und Prostituierten. Was für eine Stelle soll das sein, frage ich dich? Alles, was er kann, ist mein Geld ausgeben. Dafür muss er nicht nach Rom kommen.« Michelangelo ließ den Umschlag auf den Tisch fallen und blickte ihn traurig an. »Lass uns lieber über das Gerüst reden«, sagte er schließlich.

»Welches Gerüst?«

Michelangelo berichtete von dem Treffen mit Bramante und Julius und wie er sich dazu hatte hinreißen lassen, dem Papst so leichtfertig das Versprechen zu geben, in zwei Tagen ein neues Gerüst zu ersinnen, das dem Bramantes überlegen sein würde.

»Das sieht dir ähnlich.« Piero wirkte nachdenklich.

»Es muss möglich sein – ich habe es versprochen.«

»Du willst ein Gerüst, das sich selbst trägt und vierzig Fuß überspannt – und das in einer Höhe von sechzig Fuß?«

»Über dem ersten Gesims ist die Kapelle noch etwas breiter.«

Rosselli erhob sich. Er hatte den Speck in Würfel geschnitten und gab ihn in den Topf, der bereits auf der Feuerstelle stand und ein kämpferisches Zischen von sich gab. »Darf ich fragen, wie das gehen soll?«, fragte er über die Schulter.

»Ich dachte, das sagst du mir.«

Rosselli gab die gespickten Ochsenschwanzstücke hinzu. Sofort füllte sich der Raum mit dem Duft von gebratenem Fleisch, Zwiebeln und Knoblauch. »Wie stark sind die Mauern da oben?«

»Sehr stark.«

»Stark genug, um Sorgozzoni zu tragen?«

Michelangelo griff sich eine der Skizzen. »Sorgozzoni …« Er sprang auf und lief aus der Küche. »Ich wusste, mit dir würde es gehen!«, rief er aus dem Atelier.

Über den Topf hinweg zwinkerte Rosselli Aurelio zu: »Er ist wie dieses Gerüst, das ich ihm bauen soll: schwierig, aber nicht unmöglich.«

Sie lachten. Auch Aurelio spürte jetzt die Erleichterung, die er am Nachmittag bei Michelangelo beobachtet hatte. Piero war so jemand. Ohne dass es ihn sichtbare Anstrengung kostete, machte er das Leben ein bisschen leichter.

✢ ✢ ✢

Auch Rosselli würde in diesem Haus wohnen, ebenso wie die anderen, die noch kommen sollten: Granacci, von dem Michelangelo sprach, als könne das Fresko ohne ihn nicht ausgeführt werden, dazu einer, den sie Aristotile nannten, ein gewisser Giuliano, ein Agnolo und schließlich war noch ein Jacopo del Tedesco im Gespräch, wenngleich Granacci nicht sicher war, ob er ihn für das Vorhaben würde gewinnen können. Sie alle schienen erfahrene Freskanten zu sein und würden eine Bottega bilden, eine Familie, gemeinsam leben und arbeiten, in diesem Haus. Und Aurelio wäre einer von ihnen.

Michelangelo und Piero hatten ein halbes Dutzend Kerzen entzündet, standen über den großen Tisch gebeugt und diskutierten
die Probleme, die eine auf Sorgozzoni ruhende Bühne mit sich
bringen würde. Sie hatten unverdünnten Wein getrunken, etwas,
das für Aurelio ungewohnt war. Schon lange lastete die Müdigkeit
schwer auf seinen Lidern. Doch die beiden Künstler zu erleben,
wie sie sich über den Tisch hinweg die Ideen zuwarfen, sie prüften,
mit ihnen spielten, sie verwarfen oder verfolgten, übte eine solche
Faszination auf ihn aus, dass er nichts von diesem Schauspiel ver-
säumen wollte. Irgendwann konnte er ihren Ausführungen nicht
mehr folgen, doch er hörte ihre Stimmen, und die Erregung, die in
ihnen mitschwang, sagte ihm, dass sie eine Lösung finden würden.

Ein Vogel, der ihm unbekannt war, saß im Feigenbaum und gab
ein nächtliches Konzert. Von Zeit zu Zeit war ein Hufklappern
zu vernehmen. Der warme Blütenduft drang durch die geöffneten
Fenster und vermischte sich mit dem des Stufado, der noch in der
Luft hing. Szenen seiner Reise kamen Aurelio in den Sinn: der
bucklige Vinattiere, der ihn so betrunken gemacht hatte; der umgestürzte Meilenstein, auf dem er gesessen hatte, als Margherita gekommen war und ihn gefragt hatte, wo der Engel geblieben sei, der
ihn hätte abholen sollen; die Taverne in Fano, in der sie das Zimmer mit den beiden Söldnern geteilt hatten; die Nacht, die sie neben dem Jupitertempel auf dem Apennin verbracht hatten; das tote
Lamm und Margherita, die sich zwischen seine Schenkel kniete ...

Weder hätte er sagen können, wie er in sein Bett gekommen,
noch wann er eingeschlafen war. Doch als er am nächsten Morgen
erwachte, hatte Aurelio ein Lächeln auf den Lippen.

XV

DER STOFF SEINES HEMDES war der gleiche wie beim letzten Mal, ebenso der Schnitt: schwer, schwarz, geschlitzte Ärmel, ein einzelner Knopf, mit dem sich der Kragen passgenau an seinen Hals schmiegte. Lediglich der Edelstein war ein anderer. Dieser schimmerte grünlich. Ein Smaragd von der Größe eines Daumennagels.

Bramante reckte sein Kinn vor. »Soll er tun, was ihm beliebt – wenn er glaubt, dass ein paar Schläge an die Gurgel ausreichen werden, um ein Gerüst von solchen Dimensionen zu tragen.«

Sorgozzoni, »Schläge an die Gurgel«, so hatte Piero Aurelio erklärt, waren kurze Hölzer, die wie Pflöcke im Mauerwerk verankert wurden, so dass man auf den überragenden Stümpfen Lasten aufbringen konnte. In Florenz benutzte man sie, um vorspringende Gebäudeteile zu stützten. Der Entwurf, den Michelangelo und Piero für die Bühne erarbeitet hatten, sah vor, einige Dutzend von ihnen fünf Handbreit tief in den Längswänden zu versenken, um sie als Träger für eine Reihe von Laufstegen zu benutzen, die sich wie Fußgängerbrücken von einer Wand zur anderen spannen sollten. Dabei würden die Stufen die Wölbung der Decke nachvollziehen, so dass jeder Teil des Gewölbes ohne Hilfsmittel erreichbar wäre.

Papst Julius besah sich die Skizze: »Also ist es entschieden.« Er blickte erst Bramante an, anschließend Michelangelo, dem er die Zeichnung zurückgab. »Soll er tun, was ihm beliebt.«

Michelangelo verbeugte sich tiefer, als es notwendig gewesen wäre. Es war die Geste eines Mannes, dem auch die tiefste Verbeugung den Sieg nicht mehr nehmen konnte.

✛ ✛ ✛

Aurelio war dankbar, endlich gebraucht zu werden. Von Kindesbeinen an war er gebraucht worden. Darauf zu warten, dass es etwas zu tun gab, erfüllte ihn mit Unruhe. Rosselli seinerseits war dankbar, einen so gelehrigen Gehilfen an seiner Seite zu haben. Gemeinsam mit einem Zimmermann, den Piero von früher kannte, stellten sie aus Teilen, die sie im Garten hinter der Kapelle zusammenfügten, innerhalb weniger Tage die erste Brücke fertig. Michelangelos Berechnungen erwiesen sich als richtig: Je größer das Gewicht, desto sicherer der Halt. Keinen Monat nach Beginn der Arbeiten war der halbe Sternenhimmel hinter Bühnen verschwunden, unter denen wiederum Planen hingen, damit nicht Teile des Putzes beim Abschlagen von der Decke fielen.

Sie hatten keine Zeit zu verlieren. Michelangelo hatte darauf spekuliert, die Decke in *martellinatura* vorbereiten zu können. Nach dieser Technik wurde das vorhandene Fresko durch zahllose Schläge mit einem Spitzhammer so perforiert, dass man den Putz für das neue Fresko direkt auf dem alten aufbringen konnte. Diese Hoffnung jedoch zerschlug sich, als Piero und Aurelio erstmals zum Gewölbe hinaufstiegen, um die Festigkeit der Bühne sowie die Beschaffenheit der Decke zu prüfen.

Piero klopfte den Sternenhimmel über ihren Köpfen ab. »Hm«, machte er und richtete seinen Blick auf Aurelio. »Was meinen deine begabten Hände dazu?«

Aurelio streckte seine Hand nach den Sternen und klopfte am Himmel an. »Das Fresko hat sich vom Mauerwerk gelöst«, stellte er fest.

133

»Und das bedeutet?«

»Kein *martellinatura*.«

»Sondern?«

»Wir müssen das gesamte Fresko abschlagen.«

»Und einen neuen Arriccio auftragen.«

Der Arriccio war eine fingerdicke Putzschicht, die als Ausgleichsbewurf auf das Mauerwerk aufgetragen wurde. Für das eigentliche Fresko diente er jedoch nur als Vorbereitung. Der Intonaco, die Schicht, in die das Fresko eingearbeitet wurde, würde erst später aufgebracht werden – wenn der Arriccio vollständig durchgetrocknet wäre, was Wochen oder gar Monate dauern konnte. Wollte Michelangelo mit den Arbeiten am eigentlichen Fresko noch vor dem Winter beginnen, galt es, jeden Tag zu nutzen.

✢ ✢ ✢

Als Erstes ließ Rosselli den Tischler Seilwinden an den Bühnen anbringen. Für jeden Sack mit abgeschlagenem Putz, den Aurelio abseilte, zog er einen mit Sand oder Kalk herauf. Zwei Gehilfen hackten den Sternenhimmel von der Decke, während Aurelio den neuen Putz für Piero anrührte. Dabei bewies er großes Geschick: Der Arriccio hatte immer die perfekte Konsistenz, egal wie kalt oder warm, wie feucht die Luft oder wie groß der Eimer war. Von Anfang an verzichtete Aurelio darauf, die Mengen an Kalk, Sand und Wasser abzumessen, sondern verließ sich ausschließlich auf sein Feingefühl. Rosselli war begeistert: »Deine begabten Hände werden uns eine Menge Nacharbeiten ersparen!«

Von da an fühlte sich Aurelio endgültig aufgenommen. Und Piero, der ihn stets mit Respekt behandelte, tat das Seinige, ihn in diesem Gefühl zu bestätigen, auch wenn Aurelio bislang nur Hilfsarbeiten verrichtete. »Ein Fresko ist keine Holztafel, die mit Ölfarben bemalt werden will«, sagte er. »Viele Arbeiten müssen ineinandergreifen, damit ein Fresko gelingen kann – vom Auftragen des

Arriccio bis zum Stampfen der Farben. Und jeder Teil ist wichtig. Was nutzt dir das schönste Fresko, wenn es von der Decke fällt, bevor der Putz getrocknet ist?«

Dreimal täglich erschien Michelangelo in der Kapelle. Manchmal stieg er zu ihnen herauf, manchmal stand er nur unten und rief: »Piero?«

Die Antwort war stets dieselbe: »Hier oben!«

»Wie geht die Arbeit voran?«

»Sie geht voran.«

»Mit Aurelio alles in Ordnung?«

»Warum fragst du ihn das nicht selbst?«

Nach dieser Antwort verließ Michelangelo jedes Mal wortlos die Kapelle.

»Warum tut er das?«, fragte Aurelio eines Nachmittags.

Rosselli lächelte sein gutmütiges Lächeln. »Warum fragst du ihn das nicht selbst?«

✢ ✢ ✢

Als Nächstes erlernte Aurelio den Umgang mit Kelle und Spachtel. Zunächst ließ Piero ihn Probeflächen auftragen. Am ersten Abend legte er ein Kantholz an, zeigte Aurelio die Unebenheiten und sagte: »Abschlagen.« Als er am zweiten Tag das Kantholz anlegte, war es Aurelio, der ihm zuvorkam und sagte: »Abschlagen.« Am dritten Abend legte Aurelio selbst das Holz an. Rosselli klopfte ihm anerkennend auf die Schulter: »Ab morgen dann über Kopf.«

Voller Eifer machte sich Aurelio an die Decke. Piero hatte ihm eine Stelle in der Mitte zugewiesen, wo die Wölbung am geringsten war. Die Sonne hatte ihren höchsten Punkt noch nicht erreicht, da glaubte Aurelio, nie wieder seinen Arm heben zu können, geschweige denn eine Kelle. Die Schmerzen in seiner Hand und besonders in der Schulter hätte er noch bezwingen können, das Gewicht seines eigenen Arms jedoch … Unmöglich.

Erschöpft ließ er sich auf die Bretter fallen. Wie schafften es die beiden Gehilfen, seit einer Woche von morgens bis abends den Putz über ihren Köpfen abzuschlagen, ohne vor Entkräftung zusammenzubrechen? Und der schmächtige Piero – wo nahm er die Kraft her, so lange über Kopf den Arriccio aufzutragen? Und warum war er nicht, wie Aurelio, von Kopf bis Fuß mit Putz besudelt? Aurelio hatte nicht einmal mehr die Kraft, sich die getrockneten Brocken aus den Locken zu zupfen. Und das, obwohl er seit Jahren an harte Feldarbeit gewöhnt war. Piero trat an ihn heran, begutachtete die verputzte Fläche und legte das Kantholz an.

»Oh nein!«, stöhnte Aurelio.

Als er am Abend sein Arbeitshemd abstreifte, stellte Rosselli sich vor ihn und betrachtete ihn nachdenklich. Schließlich legte er ihm zwei Finger auf eine Stelle oberhalb des rechten Schlüsselbeins. Aurelio schrie auf und ging unter dem Gewicht der beiden Finger in die Knie.

»Ricotta«, sagte Rosselli nur.

Zwei Wochen lang quälte sich Aurelio bis an den Rand der Ohnmacht. Die Schmerzen erschöpften ihn mehr als die eigentliche Arbeit. Rosselli riet ihm, häufiger Pausen einzulegen, aber nicht auszusetzen. »Die Bewegung formt das Organ«, sagte er. Abends legte er ihm Wickel mit Ricotta an. Nachts brannte die Schulter, als hätte sich Aurelios Schlüsselbein in glühendes Eisen verwandelt. Die einzige Position, in der er wenigstens für einige Stunden Schlaf finden konnte, war auf dem Rücken liegend, sein Kissen unter dem Arm. Den Rest der Nacht lauschte er Michelangelo, der in der Kammer über ihm seine Kreise drehte.

✢ ✢ ✢

Einmal hörte er seinen Meister nachts die Treppe herabsteigen. Der Lichtschein einer Kerze kroch unter Aurelios Tür hindurch. Eine Weile meinte er, Michelangelo atmen zu hören. Schließlich zog sich der Lichtschein wieder zurück. Kurz darauf waren aus der Werkstatt Hammerschläge zu vernehmen, Eisen, das auf Eisen traf, gleichmäßig wie ein Räderwerk. Fünf Schläge, Pause, fünf Schläge, Pause, fünf Schläge, Pause. Ein großes, gleichmäßiges Atmen. Kling, kling, kling, kling, kling – Pause. Am nächsten Morgen war der Bereich um die Marmorsäule von weißem Staub und glitzernden Brocken bedeckt. Über Nacht hatte sich ein Fuß zur Hälfte aus dem Stein befreit, spreizte die Zehen und stemmte seinen Ballen auf den Boden, als wolle er den Block von sich abschütteln. Der Marmor war zum Leben erwacht.

Das nächste Mal, dass Aurelio seinen Meister die Treppe herunterkommen hörte und sein Türspalt vorübergehend vom Schein einer Kerze erleuchtet wurde, blieb das erwartete Hämmern aus. Vorsichtig drehte Aurelio sich auf die Seite, hielt sich den Arm, stand auf und ging in die Bottega. Michelangelo hatte sich aus Draht ein Gestell geformt, einen Reif, der ihm auf dem Kopf saß. Auf der Stirnseite entsprang diesem Reif ein ausgreifender Bogen, der sich in den Raum streckte und eine brennende Kerze hielt. Eine Arbeitsleuchte. Mit jeder Bewegung Michelangelos änderte der Marmorblock seine Gestalt. Der Rest der Bottega war von seinem Schatten erfüllt.

Schwer atmend kniete er vor der Marmorsäule, Hammer und Spitzeisen neben sich auf dem Boden, die Hände auf den Oberschenkeln. Mit jedem Atemzug hob und senkte sich sein Schatten. Er sprach, ohne sich umzudrehen.

»Wie kann er mir das antun?« Seine Stimme war in Tränen gebadet.

Aurelio antwortete nicht. Er wusste, wovon sein Meister sprach, auch wenn er die Tiefe seines Abgrunds nicht ermessen konnte. Der Marmor. Sein Leben. Seine Bestimmung. Der Grund, weshalb er auf der Welt war. Ausersehen. Jedes Wort Aurelios hätte automatisch eine Anmaßung bedeutet.

Michelangelo wandte sich um. Der zitternde Schatten des Drahtarms teilte sein Gesicht in zwei Hälften. Für einen Moment tauchte er aus seiner Versunkenheit auf und streckte seine Hände vor: »Wie lange muss ich warten, bevor ich tun darf, wozu Gott mir diese Hände gegeben hat?«

Aurelio wollte etwas sagen, irgendetwas. »Aber ist es nicht der Vertreter Gottes, der Euch mit dem Fresko beauftragt hat?«

Michelangelos Lachen endete in einem Stöhnen. »Seit ich auf der Welt bin, Aurelio, hat noch kein Papst den Segen Gottes erhalten. Julius macht da keine Ausnahme. Sixtus betrieb Nepotismus in nie gekanntem Ausmaß, Alexander ließ jeden umbringen, dessen Nase ihm nicht passte, setzte mindestens ein Dutzend Bankerte in die Welt und trieb es sogar mit seiner eigenen Tochter, und Julius scheint die Simonie für eine Tugend zu halten. Wenn er, wie er behauptet, Dante tatsächlich gelesen hätte, dann wüsste er, dass er dafür im achten Höllenkreis schmoren wird, kopfüber begraben, die Füße von Flammen umschlossen. Hast du Dante gelesen, Aurelio?«

»Wie Ihr wisst, kann ich nicht lesen.«

Michelangelo sah seinen Gehilfen an, als habe er dessen Antwort nicht richtig verstanden. Danach versank er wieder in seiner Melancholie. »Einer der Sklaven für das Grabmal steckt in diesem Marmor.« Er sprach zu sich selbst. »Ich kann ihn doch nicht auf ewig in diesem Block eingeschlossen lassen!« Seine Nase stieß ein Pfeifen aus. »Niemals wird mir so ein alberner Pinsel Ersatz für Schlägel und Eisen sein!«

Erst einmal hatte Aurelio ein Gesicht gesehen, in dem die Ausweglosigkeit des eigenen Schicksals derart greifbar gewesen war: Als seinem Vater Tommaso klargeworden war, dass er sterben würde. Vor Aurelio kniete ein verzweifelter Mann. Daran konnte auch Rosselli nichts ändern. Und die anderen – Granacci, Tedesco, Agnolo – ebenso wenig. Jedes Mal, wenn Michelangelo dieses Atelier betrat oder an den Marmorblöcken auf dem Petersplatz vorbeiging, wurde ihm aufs Neue das Lebenswerk entrissen, das ihn hätte unsterblich machen sollen.

»Du kannst mir nicht helfen.« Michelangelo wandte sich dem Sklaven zu und legte seine Hand auf die Fußwölbung. »Geh ins Bett. Ich bin ein entwürdigender Anblick.« Er nahm Schlägel und Meißel in die Hände. »Geh ins Bett, Aurelio.«

Die Sonne stand bereits hoch am Himmel, als Aurelio erwachte. Irgendwann musste er über dem fortwährenden Pling, Pling, Pling,

Pling, Pling aus der Bottega eingeschlafen sein. Sein Nachthemd troff vor Schweiß, seine Locken klebten in Striemen im Nacken und auf der Stirn. Als er die Füße auf den Boden stellte, kamen ihm die Fliesen kälter vor als sonst. Piero hatte ihn schlafen lassen. Michelangelo stand am Tisch im Atelier und zeichnete. Wenn er jemals schlief, so wusste er es gut zu verbergen. Aurelio hielt sich den Quarkwickel, der in der Nacht verrutscht war, und ging in die Küche. Erst mit der zweiten Hand voll Wasser, in die er über dem Trog stehend sein Gesicht tauchte, fiel ihm auf, dass die Schmerzen in seiner Schulter verschwunden waren.

XVI

Sie schnürte ihr Mieder auf, streifte es über die Schultern und ließ es auf die Hüfte rutschen. »Die haben dich vermisst.«

Aurelio saß auf der Bettkante und wagte nicht, sich zu bewegen. Vor Erregung drohte sein Schädel zu explodieren. Margherita stand vor ihm, die Beine gespreizt, seine Knie zwischen ihren Schenkeln. Ihre vollen Brüste glänzten silbrig im milchigen Mondlicht. Zärtlich schmiegte er eine Hand an die üppige Rundung. Augenblicklich versteifte sich die Brustwarze. Margherita, die Hände an den Hüften, raffte geräuschvoll ihren Rock, setzte sich auf Aurelios Oberschenkel, schob sich an ihn heran und ließ qualvoll langsam ihr Becken kreisen. Unter ihrem Rock war sie nackt. Musste es sein. Aurelio spürte die Wärme ihres Schoßes durch seine neue Trikothose hindurch. Als sie eine Hand zwischen seine Schenkel gleiten ließ, sprang ihr sein Bigolo förmlich entgegen.

»Hoppla.« Margheritas weiße Zähne blitzten auf. »Der wird mich doch nicht beißen.« Mit geübtem Griff umfasste sie sein Glied. »Willkommen, mein ungestümer Prinz«, flüsterte sie, und es war klar, dass damit nicht Aurelio gemeint war.

✦ ✦ ✦

Er hatte ihre Stimme erkannt, noch bevor sie seinen Namen vollständig ausgesprochen hatte. Sie wiederum musste ihn erkannt haben, ohne zuvor sein Gesicht zu sehen.

»Aurelio!«

Er fuhr herum. »Margherita!«

Die halbe Piazza drehte sich nach ihnen um. Vor aller Augen ließ Margherita den Pilger, der sie gerade umworben hatte, stehen und eilte zu Aurelio, den sie zur Begrüßung in die Arme schloss. Als sie außerdem noch ihren Kopf an seine Brust drückte, wurde ihm schlagartig klar, dass auch sie heimlich ein Wiedersehen ersehnt haben musste. Unwillkürlich dachte Aurelio an sich selbst, als Kind, wenn Tommaso von einer seiner endlos scheinenden Reisen nach Hause zurückgekehrt war und wie er seinen Vater dann umschlungen und seinen Kopf gegen dessen Bauch gepresst hatte.

Margherita bemerkte die Hilflosigkeit, die Aurelio angesichts ihrer stürmischen Begrüßung überfiel, löste sich von ihm und legte ihm die Hände auf die Arme. Ihre Augen glänzten vor Freude. »Mein großer Engel.«

Aurelio wusste nichts zu erwidern.

Piero hatte ihn losgeschickt, um für das Abendessen einzukaufen. Auf dem Rückweg vom Portico di Ottavia hatte er dann einen kleinen Umweg auf sich genommen, um am Circus Agonalis und an Santa Maria della Pace vorbeizugehen. Neben Sant'Agostino, wo die Kurtisanen es mit den Geistlichen sogar auf dem Altar treiben sollten, waren nämlich die ehemalige Rennbahn sowie die Kirche, deren Fassade Aurelio beim ersten Mal so bestaunt hatte, als Kurtisanentreffpunkte bekannt. Er wusste, dass er nicht darauf hoffen durfte, an einem dieser Orte Aphrodite zu begegnen, doch vielleicht würde er irgendwann die göttliche Imperia oder eine andere berühmte Kurtisane zu Gesicht bekommen. Oder Margherita wiedersehen.

»Wie ist es dir ergangen?«, fragte sie und hakte sich bei ihm unter. »Ich will alles wissen – ganz genau.«

Aurelio klemmte sich die Einkäufe unter den Arm und ließ sich zögerlich Richtung Circus Agonalis entführen. Junge Männer, die in Begleitung von Kurtisanen über die Piazza stolzierten, gehörten ebenso zum Stadtbild wie die Pilger, von denen sich zeitweise mehr in Rom aufhielten, als die Stadt Einwohner zählte. Dennoch spürte Aurelio, wie ihm die Schamesröte ins Gesicht stieg, als Margherita ihn mit stolz erhobenem Haupt quer über die Piazza zog. Schwungvoll strich sie sich ihre roten Locken aus dem Gesicht, die das eingefangene Sommerlicht in flüssigen Honig verwandelten.

»Wenn du weiter so auf deine Füße starrst«, sie zog ihn so fest an sich, dass sein Arm gegen ihre Brust drückte, »stolperst du noch drüber.«

Erst als Aurelio davon berichtete, was ihm seit seiner Ankunft alles widerfahren war, gelang es ihm, den Blicken der Entgegenkommenden einigermaßen standzuhalten. Begeistert erzählte er, wie Michelangelo, der berühmte Bildhauer, ihn erst abgewiesen, dann aber doch bei sich aufgenommen hatte und dass er jetzt einer Bottega angehörte, die seinem Meister helfen würde, das Gewölbe der Sistina mit einem neuen Fresko zu versehen. Nur mit Mühe konnte er den Impuls unterdrücken, vor Margherita damit zu prahlen, dass er dem großen Bildhauer sogar Modell stehen würde. Es hätte kaum einen Unterschied gemacht. Vergeblich bemühte er sich, den Stolz auf den Respekt, den Piero ihm entgegenbrachte, nicht allzu sehr durchklingen zu lassen. An Margheritas Reaktion konnte er ablesen, wie sehr die Begeisterung aus ihm sprach.

»Wie ist es dir ergangen?«, fragte er schließlich.

Inzwischen hatten sie den Circus wieder verlassen, und Margherita steuerte sie sicher durch ein Knäuel namenloser Gassen, in dem sie sich bestens auszukennen schien.

Ihr Aufstieg zur Königin der Kurtisanen ließ auf sich warten. Noch. An Freiern herrschte kein Mangel, wie sich denken ließ. Die Natur des Mannes war so eingerichtet, dass sein Geist dem Fleisch am Ende immer unterlag. Täglich lieferte das Haupt der Welt den Beweis dafür. Ob Pest, Malaria oder die Franzosenkrankheit – nichts konnte dem Manne wirklich die Lust austreiben. Eine bemitleidenswerte Kreatur, wirklich.

»Wenn du mich fragst«, überlegte sie, »hat sich Gott da ein hübsches Kuckucksei ins Nest gelegt. Er hat das Verlangen des Mannes so beschaffen, dass auch die teuflischste Seuche ihm keinen Einhalt gebieten kann.«

Aurelio spürte die Wärme ihres Körpers, schluckte wortlos und dachte daran, wie sehr er selbst seit einiger Zeit von diesem Verlangen verfolgt wurde. Margherita redete mit ihm wie mit einer alten Freundin. Dabei hätte ihr doch klar sein müssen, dass Aurelio spätestens seit ihrer letzten gemeinsamen Nacht sehr genau wusste, wovon sie sprach.

Margheritas Informationen hatten sich bewahrheitet: Die Stadt war voll von Männern, die sich der Gunst einer Kurtisane versichern wollten. Bedauerlicherweise waren das Einzige, wovon es noch mehr gab, Frauen, die diese Gunst feilboten. Zudem war Margheritas Typ nicht gefragt, jedenfalls nicht unter Klerikern. Ihre Roben konnten nicht rot genug sein, aber bei einer Frau mit roten Haaren verfielen sie augenblicklich in eine Starre und beteten zum Allmächtigen, er möge ihnen die Kraft geben, dieser Versuchung zu widerstehen. Gefragt waren dagegen Griechinnen mit hoher Stirn, klassischem Profil und guter Bildung. Am besten solche, die lateinische Verse rezitierten und sich dabei noch auf der Gambe begleiteten. Oder aber Blondinen, einheimische Blondinen.

Anfangs hatte auch Margherita versucht, ihre Haare zu bleichen. Das machten viele. Doch am Ende hatte sich das Rot nur verstärkt. Das wahre Wesen ihrer Haare ließ sich nicht verleugnen. Am wichtigsten aber war die Unschuld: Eine erfolgreiche Kurtisane musste unschuldig aussehen. Berstend vor Lust, aber jungfräulich. Wenn es ihr gelang, sich mit dem Mantel der Unschuld zu kleiden, dann konnte sich eine Cortigiana mit ein paar Tricks ihre Jungfräulichkeit jeden Tag aufs Neue vergolden lassen.

»Mir glaubt niemand, dass ich noch Jungfrau bin«, schloss Margherita. »Ich bin schön, ja, aber unschuldig bin ich nicht.« Sie lachte kurz auf. »Das ist wie mit meinen Haaren. Mein wahres Wesen lässt sich nicht verleugnen.«

Aurelio presste die Kiefer aufeinander. Es versetzte ihm einen eifersüchtigen Stich, sie so freigebig über ihre Liebhaber reden zu hören.

Zur Zeit war sie auf der Suche nach einem Mezzano, der ihr das Tor zum Vatikan öffnen würde, doch mit den Vermittlern verhielt es sich wie mit allem anderen: Die wirklich guten waren heiß begehrt und stellten hohe Anforderungen. Violinspiel, Tanz, Kenntnis der Werke von Dante und Petrarca … »Das bin ich nicht, Aurelio.« Solange also die Adeligen und hochrangigen Kleriker noch nicht den Weg zu ihr suchten, durfte sie bei der Wahl ihrer Gönner nicht allzu kleinlich sein. Geschäftsleute, Pilger, die nicht nur der inneren Einkehr wegen in die Stadt kamen, Händler von außerhalb, die nach einem hübschen Fötzlein gierten, aber nicht mehr dafür auszugeben bereit waren, als sie unbemerkt vor ihrer Frau verheimlichen konnten. Sie zahlten ordentlich und behandelten sie mit Respekt, doch statt in Luxus zu baden, musste Margherita sämtliche Einnahmen auf eine standesgemäße Ausstattung und eine vorzeigbare Wohnung verwenden. Sie hatte sich, nachdem sie die ersten Tage bei dem Bekannten ihrer Cousine gewohnt hatte, an der Torre di Nona, dem Festungsturm, von dem aus der Fährverkehr kontrolliert wurde, eine Wohnung gemietet – das Mindeste für eine Kurtisane, die etwas auf sich hielt. Unterm Strich zahlte sie jedoch drauf. Noch.

Während sie durch die Gassen schlenderten, nahm ihre Stimme nach und nach eine dunkle Färbung an. Es war nicht Resignation, die aus ihr sprach, eine gewisse Müdigkeit jedoch war nicht zu überhören. Sie hatte es sich einfacher vorgestellt. Ihr lebensfrohes Wesen war ungebrochen, aber vom Traum des schnellen Ruhms hatte sie sich verabschieden müssen.

✢ ✢ ✢

Aurelio hatte sich gewaschen, sein neues Hemd angezogen und die Schnallen seiner Schuhe poliert. Am Nachmittag, auf dem Gerüst, hatte seine Hand nur noch fahrig mit der Kelle über das Gewölbe gekratzt. Natürlich war es Piero nicht verborgen geblieben. Mehr als einmal hatte er Aurelio einen skeptischen Seitenblick zugeworfen. Doch es half nichts. Aurelio konnte kaum die Beine stillhalten, wie sollte er da seine Hände beruhigen, die an nichts anderes dachten, als dass sie heute Nacht zu Margherita zurückkehren würden? Bis sich die Sonne dem Horizont entgegenneigte und das Licht beinahe waagerecht in die Kapelle strömte, hatte sich Aurelios Zustand so verschlechtert, dass er mehr Putz auf der Bühne verteilte, als er aufzutragen imstande war. Inzwischen drohte er sich mit der Kelle zu verletzen. Piero trat an ihn heran und stellte das Kantholz wie ein Lanze neben sich.

»Legt es nicht an«, bat Aurelio. Das einfallende Licht ließ die Wellenlinien im Putz für das bloße Auge erkennbar zutage treten. »Morgen früh schlage ich es wieder ab.«

Bereits am Nachmittag hatte ein frischer Westwind eingesetzt und den Gestank aus den Straßen gefegt. Sogar die Engelsburg konnte Aurelio passieren, ohne dass ihm der Geruch des fauligen Wassers aus dem Graben den Atem verschlug. Jetzt, im Schein der an der Fassade züngelnden Fackeln, wirkte die Burg noch bedrohlicher als bei Tage. Im ölig glänzenden Wasser kämpften unterarmgroße Ratten verbissen um die in den Graben geworfenen Abfälle.

Eilig lief er über den Ponte Sant'Angelo, von dem aus der mächtige Torre di Nona bereits zu sehen war. Das Wiedersehen mit Margherita hatte die Erinnerung an ihre Reise und die letzte gemeinsame Nacht wiederaufleben lassen. Sehr lebendig aufleben lassen. Mit ihr durch die Gassen zu gehen, ihre Nähe und ihre Weiblichkeit zu spüren, hatte Aurelios Gedanken und Gefühle wie die Bälle eines Jongleurs durcheinandergewirbelt. Gier. Das war es. Nichts anderes. Margherita hatte recht behalten. Er gierte danach, ihren nackten Körper zu berühren, ihre Pobacken unter seinen Händen zu spüren, ihr lustvolles Stöhnen zu hören, wie es honigsüß in sein Ohr tropfte.

Er fragte sich noch, ob dies das Haus war, welches Margherita ihm beschrieben hatte, als er über sich ein Rascheln vernahm. Sie stand auf dem Balkon und lehnte sich gerade so weit über das Geländer, dass Aurelio ihr im Fackelschein loderndes Dekolleté erblickte. Er war nicht der Einzige. Vom Flussufer her pfiff jemand auf den Fingern. Ihr Kleid ließ sie aus dem Dunkel treten wie ein Engel. Der Westwind strich über den Tiber und streichelte den perlmuttfarbenen Stoff. Ihr Schattenriss auf der Fassade zitterte kaum merklich.

Margherita beugte sich etwas weiter über das Geländer. Ihre weißen Zähne leuchteten auf. Begleitet vom Rascheln des Kleides, schwebte ihr Flüstern zu ihm herab. »Worauf wartest du?«

Jetzt spreizte sie die Beine über ihm und senkte langsam ihr Becken. Als ihre Prinzessin, wie Margherita sie nannte, seinen Bigolo berührte, brach eine Flut von Gedanken in Aurelios Kopf los.

»Nicht nachdenken«, flüsterte sie, umspielte sein Ohr mit der Zunge und legte seine Hände auf ihren Po, »das schadet nur.«

Kurz darauf hatte Margherita seine Erregung so weit gesteigert, dass kein Platz mehr für irgendeinen Gedanken gewesen wäre, und als Aurelio schließlich in sie eindrang, war es wie damals, unter den Decken in der Scheune des Bauern, dessen Aue er vor dem Tod bewahrt hatte: der Sternenregen, der Herzschlag, den er bis in die Spitzen seiner Finger und Zehen spürte, der freie Fall beim Sprung über die Klippe, die weiche Landung in einem See aus Daunen, die schwerelose Leichtigkeit, die warme Trägheit.

Versonnen strich Margheritas Hand über seine Brust. »Endlich hab ich dich wieder, mein kleiner Engel.«

✢ ✢ ✢

Als Aurelio, die aufgehende Sonne im Rücken, über den Ponte Sant'Angelo schritt, erhob sich der Vatikan in der Ferne aus dem morgendlichen Dunst wie ein Geisterschloss. Schritt für Schritt wurde Aurelio von einem neuerlichen Glücksgefühl durchströmt. Bis er den Petersplatz mit seinen hundert schlafenden Marmorsäulen überquert hatte und in der Kapelle angelangt war, konnte er den neuen Tag voller Arbeit kaum erwarten. Noch bevor Piero auftauchte, würde er den fehlerhaften Arriccio abgeschlagen und den neuen Putz angerührt haben. So sorgfältig würde er ihn auftragen, dass Piero am Abend nirgends auch nur ein Blatt unter dem Kantholz durchschieben könnte. Letzte Nacht, in den Armen der schlafenden Margherita, hatte es plötzlich vor ihm gestanden, klar und deutlich. Er wusste jetzt, weshalb ihn seine Arbeit so mit Stolz erfüllte: Er war Teil von etwas, das größer war als er selbst. Zwei Sprossen auf einmal nehmend, stieg er die Leiter zum Gewölbe empor.

Oben erwartete ihn, sehr zu seiner Überraschung, Michelangelo. Mit gekreuzten Beinen saß er auf der Bühne, vor sich seinen Skizzenblock. Vorwurfsvoll blickte er Aurelio an: »Wo bist du die ganze Nacht gewesen?«

XVII

GEWISSENHAFT STUDIERTE Giuliano da Sangallo Michelangelos
Entwürfe. Immer wieder wog der Architekt einzelne Zeichnungen
gegeneinander ab und blätterte nachdenklich in dem dicken Skizzenbuch. Sie hatten sich um den Tisch versammelt, den der Bildhauer im Garten hinter der Sistina hatte aufbauen lassen – Rosselli,
Sangallo, Aurelio und er. Michelangelo hatte seinen Florentiner
Freund um Rat gebeten. Genaugenommen war es ein unausge-
sprochener Hilferuf gewesen, auch wenn er das nicht zugegeben
hätte.

In den vergangenen Wochen hatte sich Michelangelos Gemütsverfassung zusehens verdüstert. Phasen, in denen er auf alles und
jeden schimpfte und ihm nichts recht zu machen war, wechselten
mit solchen, in denen er, eingeschlossen in einer dunklen Wolke,
über dem Skizzenblock brütete oder einfach nur auf einem Stuhl
saß und stundenlang denselben, unbestimmbaren Punkt fixierte.

»Zu viel schwarze Galle«, erklärte Piero, als handele es sich um
eine unheilbare Krankheit, »immer schon.«

Dann wieder gewann die cholerische Seite seines Meisters die
Oberhand: »Warum geht das nicht schneller?«, rief er, kaum dass
er zu ihnen auf das Gerüst gestiegen war. Dabei kamen sie mit der
Arbeit besser voran, als Rosselli gehofft hatte. Mitte Juni bereits
war die vordere Hälfte des Gewölbes mit einem neuen Arriccio

versehen. Bei dem Tempo würden sie Ende Juli, Anfang August die Vorarbeiten abgeschlossen haben.

»*Caro fratello*«, gab Piero zur Antwort, »wir arbeiten von Sonnenauf- bis Sonnenuntergang.«

»Es geht zu langsam voran!«, beharrte Michelangelo.

»Wenn du willst, stelle ich weitere Gehilfen ein«, schlug Piero vor. Nicht zum ersten Mal.

»Alles, nur das nicht! Die beiden Schnecken mit ihren Putzhämmern sind mir bereits ein Dorn im Auge. Ebenso gut kann ich meine Dukaten direkt in den Tiber werfen.«

»Er hat Angst«, sagte Rosselli nachdenklich, als Aurelio und er während einer Pause im Schatten einer Platane des päpstlichen Gartens saßen, auf ihren Focaccie al formaggio kauten und dem Treiben auf der Baustelle für Neu-St.-Peter zusahen, die inzwischen jedes Maß verloren zu haben schien. Um die Mittagszeit staute sich die Hitze unter dem Gewölbe der ansonsten angenehm kühlen Kapelle, und der Geruch nach faulen Eiern, der dem Arriccio entströmte, wurde unerträglich. »Er hat Angst, eine neuntausend Quadratfuß große Fläche vor sich zu haben und nicht zu wissen, wie er sie füllen soll. Und er hat Angst, den technischen Anforderungen nicht gewachsen zu sein.«

Aurelio konnte sich nicht vorstellen, dass es irgendetwas gab, dem sich sein Meister als Künstler nicht gewachsen glaubte. »Und was denkst du?«

»Ich denke, es wird Zeit, dass Francesco und die anderen kommen.«

Rosselli hatte recht. Die Marmorblöcke auf dem Petersplatz verwittern lassen zu müssen quälte seinen Meister ebenso wie der Entwurf für das Fresko. Er trat auf der Stelle. Je krampfhafter er versuchte, sich an Julius' Vorgaben zu halten, umso größer wurde sein Widerwillen. Als Folge davon verbrachte er mehr und mehr Zeit in der Kapelle. Oft hörte Aurelio ihn bereits vor Sonnenaufgang das Haus verlassen. Dann trafen sie ihn bei Arbeitsbeginn auf der Bühne an, im Schneidersitz, einen Kohlestift in der Hand, vor sich einen Skizzenblock. Erst der Gestank des frisch angerührten

Arriccio, von dem es hieß, er sei der Gesundheit abträglich, vertrieb ihn im Laufe des Vormittags vom Gerüst.

Den Zimmermann wies er an, im Garten hinter der Kapelle einen provisorischen Tisch zu errichten, an dem sechs Zeichner gleichzeitig Platz hätten. Anschließend fertigte er von den wie Segel geformten Stichkappen oberhalb der Fenster, in denen die Apostel ihren Platz finden sollten, Papiervorlagen in Originalgröße an. Die breitete er auf der Bühne aus, einzig zu dem Zweck, sie mit Flüchen zu belegen.

✢ ✢ ✢

Sangallo brütete so lange über den Entwürfen, dass Michelangelo seine Ungeduld nicht länger beherrschen konnte und ihm das aufgeschlagene Skizzenbuch unter den Händen wegzog.

Er deutete auf die aufgeschlagene Seite: »Kreise, Quadrate, Kegel …« Wahllos blätterte er weiter. »Sechsecke, Achtecke, Trapeze …« Nicht viel, und er hätte das Buch vor Ekel vom Tisch gestoßen. »Es ist und bleibt eine *cosa povera*«, stellte er resigniert fest.

»Mindestens ein Dutzend Eurer Entwürfe würden den Papst mehr als zufriedenstellen«, antwortete Sangallo ruhig.

»Sangallo«, Michelangelos Hände tasteten nach etwas, das ihnen Ersatz für Schlägel und Eisen hätte sein können. Am Ende kratzten sie mit einem Rötelstift auf dem Tisch herum. »Wenn ich etwas will, das mich zufriedenstellt, dann gehe ich zum Portico und kaufe mir einen Fisch. Ihr kennt mich lange genug: Als Künstler werde ich mich niemals mit etwas abfinden, das zufriedenstellt. Zufriedenstellen ist zu wenig. Viel zu wenig!«

Sangallo blätterte nachdenklich im Skizzenbuch. »Dann bittet Julius um eine Audienz. Legt ihm einen neuen Entwurf vor. Sagt ihm, was Ihr mir gesagt habt: dass aus seinen Plänen nur eine arme Sache entstehen kann.«

Aurelio mochte Sangallo und seine besonnene Art vom ersten

Augenblick an. Dabei hätte man den Architekten aus etwas Distanz für einen kleinen Bramante halten können. Er war nicht nur ebenso alt wie sein Konkurrent, auch schien er seine Kleider beim selben Schneider fertigen zu lassen: das gleiche Barett, die gleiche Vorliebe für schwere, schwarze Samtstoffe. Der einzige Kleidungsunterschied bestand darin, dass Sangallos Kragen zwei Knöpfe hatte und er sein schwarzes Hemd offen trug und nicht, wie Bramante, zugeknöpft.

In ihrem Wesen jedoch unterschieden sich die beiden Architekten grundlegend. Rosselli hatte in großen Bögen gestikuliert, als er Aurelio von Sangallos Fähigkeiten als Architekt vorgeschwärmt hatte. Auch Sangallo genoss das Vertrauen des Papstes – wenngleich nicht im selben Maße wie Bramante. Julius hatte ihn mit einer Reihe wichtiger Bauten beauftragt. Und die Villa Medici in Poggio, deren Entwürfe Piero gesehen hatte, würde einmal ein Juwel sein – vorausgesetzt, die Arbeiten an ihr, die seit der Vertreibung der Medici im Jahre 1495 ruhten, würden je zu Ende gebracht werden.

Michelangelo hatte seinem Florentiner Freund viel zu verdanken. Mehr als einmal schon hatte Sangallo zwischen Julius und Michelangelo vermittelt – so zum Beispiel, als Michelangelo vor zwei Jahren nach einem Streit mit dem Papst kurzerhand nach Florenz geflohen war. Was diesen Streit, der im April 1506 ebenso plötzlich wie heftig zwischen den beiden entbrannt war, ausgelöst hatte, wusste bis heute niemand genau zu sagen. Sprach man den Künstler darauf an, antwortete er entweder gar nicht oder nuschelte etwas von Drohungen, die er erhalten habe, und dass Julius ihn mit seinem gefürchteten Stock geschlagen hätte. In jedem Fall flüchtete er nach Florenz und war erst zur Rückkehr zu bewegen, nachdem Julius Florenz offen mit Krieg gedroht hatte und Sangallo, der Michelangelo beim Papst eingeführt hatte, sich als Vermittler anbot.

Bescheidenheit, dachte Aurelio. Das war es, was Sangallo von seinem Konkurrenten unterschied: Während Bramante der Erfolg zu Kopf gestiegen war, hatte er Sangallo bescheiden gemacht. Deshalb hatte sich Julius auch beim Neubau von Sankt Peter für Bramantes Entwurf entschieden. Die Kirche sollte von Hochmut zeugen, nicht von Demut.

Der Architekt schloss das Skizzenbuch und wandte sich Michelangelo zu. »Ihr habt dem Papst bereits einmal den Rücken gekehrt. Ein zweites Mal wird er das nicht hinnehmen. Niemand würde danach noch die Wogen glätten können – ich nicht und auch Kardinal Alidosi nicht.«

»Eine Änderung seiner Pläne würde Julius niemals akzeptieren«, wandte Michelangelo ein.

Sangallo forschte im Gesicht seines Freundes nach dem wahren Grund für dessen Verbitterung. Es war, als suche Michelangelo geradezu nach Gründen, die das Unterfangen unmöglich machten. Daran konnten nicht nur Julius' Vorgaben für das Fresko schuld sein. Es war die Demütigung. Und er wollte zurück an seinen Marmor.

»Ich glaube, Ihr unterschätzt ihn«, gab Sangallo zu bedenken. »Julius mag Euch nicht freundlich gesinnt sein, doch seine Wertschätzung für Euch als Künstler könnte kaum größer sein.« Sehnsüchtig blickte Sangallo zur Baustelle von Sankt Peter hinüber, die seine hätte sein sollen – bevor Bramante seine Entwürfe zu mythischen Dimensionen aufblies und ihm so den Auftrag abjagte. »Bramante hat die Pläne für Sankt Peter sicher zwei Dutzend Mal geändert, und immer hat Julius es gutgeheißen. Obwohl noch immer niemand weiß, wie die Basilika einmal aussehen wird.«

Der Blick seiner blauen Augen war bereits alterstrübe. Aurelio hatte es bemerkt, als Sangallo Michelangelos Skizzen studierte. Um die Details zu erkennen, hatte er das Blatt dicht vor sein Gesicht halten oder sich über den Tisch beugen müssen. Vielleicht war auch das ein Grund für seine Bescheidenheit: Er wusste um seine eigene Endlichkeit.

»Ihr solltet wenigstens versuchen, Julius umzustimmen«, schloss er, wobei sich der Blick aus seinen stumpfen Augen ins Leere verlor.

Michelangelo legte den Rötelstift aus der Hand, der während seiner Unterhaltung mit Sangallo über die Tischplatte geirrt war.

Auf dem Holz hatte der Umriss eines Bauwerks Gestalt angenommen: ein zweigeschossiges Monument voller Nischen und Pilaster – Julius' Grabmal.

Er schob das Skizzenbuch über die Zeichnung. »Ihr habt recht. Ich muss mit Julius über die Sache reden.«

Teil III

XVIII

DER DREIZEHNTE JULI schien kein guter Tag zu werden. Vor zwei Wochen bereits hatte sich eine sengende Hitze über die Stadt gestülpt, seitdem wurde das Leben von Tag zu Tag unerträglicher. Ganz Rom verwandelte sich in eine Kloake. Das Haupt der Welt stöhnte unter einem nervösen Fieber. Besonders in den tiefer gelegenen Rioni auf der anderen Tiberseite war die Luft schwer von beißender Fäulnis, und man ekelte sich vor jedem Atemzug. Außer am Brunnen auf dem Petersplatz war nirgends sauberes Wasser zu bekommen. Aurelio hatte das Gefühl, eine schmierige und stinkende zweite Haut mit sich herumzutragen, die er nachts in sein Lager schwitzte. Aus den Sumpfgebieten jenseits der Mauern sollte sich die Malaria in die Stadt geschlichen haben, und sogar von ersten Pesttoten war bereits die Rede. In einer Stadt, die bei der letzten der zahlreichen Epidemien die Hälfte ihrer Einwohner verloren hatte, löste das eine Reaktion aus, die zwischen Panik und Resignation verharrte und vor allem in endlosen Klagen zum Ausdruck kam. Wer es sich irgend leisten konnte, verrammelte sein Haus und floh aus der Stadt.

Der sonst so klaglose Rosselli litt seit Tagen an Kopfschmerzen, die sich anfühlten, als habe ihm jemand »eine Garotte um den Kopf geschmiedet«. Ein plötzlicher Schwindel hatte ihn am Tag zuvor beinahe vom Gerüst stürzen lassen. In Michelangelo dagegen gärte es wie in den Gassen von Trastevere. Noch hatte er nicht gewagt, um eine Audienz bei Julius zu ersuchen, doch seit dem Gespräch mit Sangallo war klar: Er konnte noch so viele Skizzenbücher füllen, kein Entwurf würde ihn zufriedenstellen, sofern der Papst nicht einer Änderung des Gesamtkonzepts zustimmte. Missgelaunt verließen sie am Morgen gemeinsam die Bottega, um an der kleinen Kirche vorbei auf die bereits sonnenbeschienene Piazza Rusticucci zu treten und von dort zum Vatikan hinüberzulaufen, wo sie das nächste Ärgernis erwartete.

»Signor Rosselli!«, tönte eine bekannte Stimme von unten, kaum dass sie ihre Arbeit aufgenommen hatten. Sie gehörte Paris de' Grassi, der unter anderem die Stelle als Magister Caerimoniarum innehatte.

Michelangelo ignorierte de' Grassi kurzerhand, Piero hielt sich die Schläfen und verdrehte die Augen.

Die Amtsgemächer des päpstlichen Zeremonienmeisters befanden sich im Untergeschoss der Sistina. Beinahe täglich erschien er in der Kapelle, um sich über irgendetwas zu beschweren. Dabei trug er stets ein ledergebundenes Buch unter dem Arm, das er behandelte, als enthalte es die Urteile des Jüngsten Gerichts. Wenn er nichts an der Arbeit der Bottega auszusetzen fand, beschimpfte er die Ministranten, dass die Kerzenhalter auf dem Altar nicht in einer Flucht standen, oder ermahnte die Kirchgänger zischend zur Ruhe. Jeder Verstoß gegen die Messevorschriften, jede Nichteinhaltung der Regularien wurde akribisch in seinem Buch notiert. Am liebsten hätte er Rossellis Gehilfen die Hämmer persönlich aus den Händen gerissen, doch zum Glück schien er Höhenangst zu haben – jedenfalls stellte die fünfundvierzig Fuß lange Leiter, durch die man auf die Arbeitsbühne gelangte, ein unüberwindliches Hindernis für ihn dar.

Michelangelo und Paris de' Grassi verband eine innige Feindschaft. Alleine das Erscheinungsbild des Künstlers – der ungepflegte Bart, die abgewetzten Hemden sowie der Umstand, dass er nicht einmal im Winter eine Kopfbedeckung trug – fasste der stets mustergültig gekleidete de' Grassi als Beleidigung auf. Kaum standen sie sich persönlich gegenüber, begann der Zeremonienmeister unwillkürlich, sich am Hals zu kratzen. Michelangelo wiederum bezeichnete de' Grassi als »Kläffer«. Er hatte Aurelio erklärt, dass sowohl Paris' Name als auch die seiner Brüder Agamemnon und Achilles der Ilias entstammten und dass Paris in Homers Geschichte immer der Erste gewesen war, wenn es darum ging, große Reden zu schwingen, dass er aber auch stets als Erster in die Reihen der anderen zurücktrat, wenn den Worten Taten folgen sollten. Ein feiges Großmaul. »Als hätten es die Eltern schon bei der Geburt gewusst.«

Bevor Piero antworten konnte, fuhr de' Grassi bereits fort: »Ich verlange, dass dieses Gehämmere auf der Stelle eingestellt wird!«

Das letzte Mal hatte er diesen Ton am Abend vor Pfingsten angeschlagen, als er wutschnaubend aus der Kapelle gestampft war, um sich beim Papst persönlich darüber zu beklagen, dass der Lärm und der Staub die Vespergebete unmöglich machten und die Kardinäle außer sich seien vor Empörung darüber, dass Rosselli und seine Männer sich weigerten, ihre Arbeit einzustellen.

Rosselli mit seiner nie endenden Geduld entgegnete: »Es tut mir außerordentlich leid, Signor de' Grassi, aber Ihr werdet verstehen, dass ich meine Anweisungen nur von Herrn Buonarroti entgegennehmen kann.«

»Und Herr Buonarroti hat sie von mir entgegenzunehmen!«

Piero blickte entschuldigend zu Michelangelo hinüber. Der verzog die Mundwinkel, als wolle er sagen: Dieser Tag ist ohnehin nicht mehr zu retten.

»Dann schlage ich vor, Ihr sprecht mit ihm«, antwortete Rosselli, während er den flüssigen Putz auf seiner Kelle balancierte.

»Und wo finde ich Herrn Buonarroti?«

»Er ist hier oben.«

De' Grassi benötigte einen Moment, um seine Empörung unter Kontrolle zu bringen. Danach allerdings war seine Stimme umso kräftiger. »Möge er sich zeigen!«

Mit einem Seufzer legte Michelangelo den Kohlestift aus der Hand, erhob sich und trat an den Rand der Arbeitsbühne, wo nur noch sechzig Fuß freier Fall ihn vom Boden der Kapelle trennten. Er machte den beiden Gehilfen ein Zeichen, die daraufhin die Hämmer ruhen ließen.

»Ehrwürdiger de' Grassi«, rief er. »Womit kann ich Euch dienlich sein?«

»Hier kann es wohl kaum darum gehen, *mir* dienlich zu sein«, stellte de' Grassi klar. »Euer Interesse sollte vielmehr sein, der Kirche einen Dienst zu erweisen, indem Ihr während der Andachtszeiten wie vereinbart die Arbeit einstellt.«

»Ist das eine päpstliche Anweisung?«, rief Michelangelo.

»Als solche könnt Ihr sie ansehen.«

Michelangelo drehte sich kurz zu Rosselli und Aurelio und schnitt eine Grimasse. Als er sich wieder dem Abgrund zuwandte, trug er ein entschuldigendes Lächeln zur Schau. »Es tut mir außerordentlich leid«, rief er hinunter, »aber Ihr werdet verstehen, dass ich päpstliche Anweisungen nur vom Papst entgegennehmen kann.«

Das anschließende Schweigen hätte ausgereicht, um es mit einem vollständigen Rosenkranz zu füllen. Schließlich gab Michelangelo den beiden Gehilfen, die in der Bewegung verharrten, seit er an den Bühnenrand getreten war, ein Zeichen, mit der Arbeit fortzufahren.

Sobald das Hämmern erneut ertönte, rief de' Grassi, der kurz davor war, endgültig seine Fassung zu verlieren: »Wenn das so ist …!«

Danach hörte man nur noch, wie die Tür der Kapelle zugeschlagen wurde.

Michelangelo kehrte zu Stift und Papier zurück. »Da geht er hin und petzt …«, sagte er im Vorbeigehen.

Noch kein Strich hatte Michelangelos Skizzenblatt gefüllt, als Papst Julius, dicht gefolgt von de' Grassi, die Kapelle betrat.

»Maestro Buonarroti«, rief er hinauf, »eingedenk des Ortes, an dem wir uns befinden, würde ich nicht zögern, Euch zu bitten, meinem Zeremonienmeister auf halbem Weg entgegenzukommen. Doch da mir eine Leiter nicht der rechte Ort für eine Aussprache zu sein scheint, bitte ich Euch: Kommt zu uns herunter.«

Michelangelo schlug sein Skizzenbuch zu, klemmte es demonstrativ unter den Arm und stieg rückwärts die Leiter hinab. Kaum war sein Kopf verschwunden, legten sich Rosselli und Aurelio so auf die Bühne, dass ihr Blick durch den Spalt zwischen zwei Planen fiel. Ein Gefecht zwischen de' Grassi und Michelangelo, mit Papst Julius als oberstem Richter – das versprach spannend zu werden.

Julius erklärte, dass er in den letzten Vorbereitungen begriffen und daher sehr beschäftigt sei. Er werde, begleitet von einem Zug der Schweizergarde, für einige Tage die Stadt verlassen, um seine Tochter in Bracciano zu besuchen. Dort werde er endlich einmal das tun, wozu ihm seine Amtsgeschäfte in Rom so wenig Gelegenheit gaben: angeln und segeln. Er wünsche, dass die Arbeiten in der Kapelle während seiner Abwesenheit ohne weiteren Hader vonstattengingen. Aurelio glaubte, einen beschwingten Unterton in Julius' Stimme wahrzunehmen. Offenbar war er fest entschlossen, sich die Vorfreude auf die kommenden Tage durch nichts trüben zu lassen. Aurelio war sicher, dass ihm der Duft von Rosenblüten anhaftete. Am Ende seiner Ausführungen bat der Papst de' Grassi, sich zu erklären.

Der Zeremonienmeister zupfte sich die Ärmel zurecht und legte mit wohlgesetzten Worten dar, dass er nicht bereit sei, die derzeitige Situation auch nur einen weiteren Tag zu erdulden. Michelangelo entgegnete, dass, wenn de' Grassi ein Verfahren bekannt sei, den Putz vom Gewölbe zu entfernen, ohne dabei Geräusche zu verursachen und Staub aufzuwirbeln, er herzlich eingeladen sei, dieses zu demonstrieren.

De' Grassi verscheuchte Michelangelos Einwand mit einer brüsken Handbewegung. »Ich habe die geheiligte Pflicht, der Kurie diesen Ort in einem seinem Zweck entsprechend würdigen Zustand zur Verfügung zu stellen«, verkündete er.

Michelangelo straffte seine Schultern und reckte seinen Kopf vor. »Und ich habe den geheiligten Auftrag, das Gewölbe dieser Kapelle mit einem neuen Fresko zu versehen.«

Die Spitze von Julius' gefürchtetem Stock krachte auf den Boden. Nachdem das Echo verklungen war, hätte man einen Putz-krümel von der Decke fallen hören können. Aurelio und Rosselli blickten sich an.

»Maestro Buonarroti«, bemühte sich der Papst um einen ver-söhnlichen Ton, »wie lange werden die derzeitigen Arbeiten noch andauern?«

»Ihr meint: vorausgesetzt, wir können ungestört mit ihnen fort-fahren?«

»Erspart uns Eure Pedanterie, Buonarroti! Ihr wisst, was ich meine.«

»Drei Wochen«, sagte Michelangelo.

Rosselli sah zu den beiden Gehilfen hinüber. Der eine nickte, der andere schüttelte den Kopf.

»Das bedeutet«, überlegte Julius, »die Assumptio Mariae könnte ohne Hämmern an der Himmelspforte vonstattengehen?«

»Ganz bestimmt«, versicherte Michelangelo.

De' Grassi war es unmöglich zu warten, bis der Papst ihn zum Sprechen aufforderte. »Heiliger Vater«, platzte es aus ihm heraus, »ich fühle mich verpflichtet, Euch nachdrücklich an die Verträge zu erinnern, in denen festgehalten ist, dass die Arbeiten am Ge-wölbe derart vorzunehmen sind, dass die Durchführung der Zere-monien in keiner Weise behindert wird.«

Julius zwirbelte seinen Stock zwischen den Fingern. Für einen Moment war völlig unklar, in welche Richtung das päpstliche Pendel ausschlagen würde. Ein nicht zu deutendes Lächeln schien seine schmalen Lippen noch schmaler zu machen. Schließlich hielt er die Nase in die Luft, als spüre er einem Duft nach.

»Habt Ihr es bemerkt, de' Grassi?«

Der Zeremonienmeister tat es ihm nach und hob seine Nase, so weit sein eng geknöpfter Kragen dies zuließ. »Eure Heiligkeit?«

»Ihr habt soeben Euren Befugnisbereich übertreten.«

Augenblicklich senkte de' Grassi sein Haupt und trat einen Schritt zurück. Er deutete eine Verbeugung an. »Wie Ihr meint, Eure Heiligkeit.«

Rosselli stieß Aurelio in die Seite. Er war kein Mann von Schadenfreude, aber de' Grassi klebte seit Wochen wie Hundekot an seinem Schuh, und die Hälfte seiner Kopfschmerzen, so hatte er Aurelio erst vor zwei Tagen zugeraunt, habe er dem päpstlichen Erbsenzähler zu verdanken.

»Mein teurer Buonarroti«, schloss Julius, »ich verlasse mich darauf, dass in drei Wochen Ruhe einkehrt, damit Maria ungestört zum Himmel auffahren kann.«

»Ich danke Euch.«

Der Papst und sein Zeremonienmeister hatten bereits den Ausgang erreicht, als Michelangelo den Mut aufbrachte, zu sagen: »Eure Heiligkeit?«

Julius fuhr herum: »Wer hat Euch gestattet, mich hinter meinem Rücken anzusprechen!?«

Michelangelo umklammerte mit beiden Händen sein Skizzenbuch und setzte demütig ein Knie auf den Boden: »Verzeiht, Eure Heiligkeit.«

»Hm.«

»Eure Heiligkeit, es ist …«

Julius schien zu spüren, dass es echte Sorge war, die Michelangelo das Wort ergreifen ließ. »Ja?«

»Gewährt mir eine kurze Audienz.«

»Eine Audienz?«

Mit jedem Wort sank das Haupt des Bildhauers etwas tiefer. »Unter vier Augen.«

»Unter vier Augen?«

»Jetzt.«

De' Grassi sah aus, als wittere er eine Intrige göttlichen Ausmaßes. Julius stützte sich auf seinen Stock und atmete zweimal tief durch. Dann wandte er sich an seinen Zeremonienmeister: »De' Grassi, ich habe Euch lange genug von Euren Aufgaben ferngehalten.«

✢ ✢ ✢

Michelangelo stand mit ausgebreiteten Armen im Zentrum der Kapelle und richtete den Blick zum Gewölbe empor, als habe sich die Himmelspforte für ihn geöffnet. »Tut, was Euch beliebt.« Seine bei Wasser und Brot gehaltene Phantasie hatte mit einem Satz des Papstes mehr Nahrung erhalten, als sie in Wochen zu verdauen in der Lage sein würde. Zum ersten Mal schien ihm die Sistina nicht nur Last und Fluch und Strafe zu sein, sondern Hoffnung und Freude, ein Reich unbegrenzter Möglichkeiten. »Tut, was Euch beliebt«, hatte Julius gesagt. Und im Hinausgehen: »Überrascht mich!«

Mit jedem Atemzug nahm das Gewölbe eine neue Gestalt an, plötzlich war es von Menschen bevölkert, von Figuren aus der Bibel, Sibyllen, Propheten. Szenen aus dem Alten Testament kamen Michelangelo in den Sinn, die Sintflut … Warum nicht? Alles war möglich. Die Übermacht der Bilder, die beim Anblick des Gewölbes auf den Künstler einstürmten, war für ihn selbst nicht mehr zu greifen. Lange stand er so, die Arme ausgebreitet, den Blick zum Gewölbe erhoben, und ließ die Früchte seiner Phantasie auf sich niederregnen. Schließlich stieß er einen Laut aus, in dem die Freude über das Bewusstsein, von Gott auserwählt zu sein, sich mit dem Erkennen einer einmaligen Verantwortung mischte.

»Aurelio, Piero!« Michelangelos Worte sprangen zwischen den Wänden hin und her. »Habt ihr das gehört? ›Tut, was Euch beliebt‹, hat er gesagt, ›überrascht mich‹!«

Michelangelos Freude war so groß, dass Rosselli und Aurelio sich auf der Bühne in die Arme schlossen und gegenseitig auf die Schulter klopften.

»Allora«, sagte Rosselli. Er war um einen sachlichen Ton bemüht, doch die Erleichterung sprach ihm aus jeder Pore. Die Sorge um seinen Freund hatte ihn stärker bedrückt, als er es sich hatte anmerken lassen. »An die Arbeit.«

In diesem Moment öffnete sich die Pforte der Kapelle, und ein Mann trat ein, dem vier weitere folgten wie Entenküken ihrer Mutter. Die Ärmel seines weitgeschnittenen Hemdes öffneten sich wie Schwingen, als er seine Arme ausbreitete. »Hast du etwa graue Haare bekommen?«, fragte er Michelangelo.

Der legte seine zum Gewölbe erhobenen Hände ineinander: »Meine Gebete sind erhört worden!«

XIX

FRANCESCO GRANACCI WAR Michelangelo der Liebste von allen. Für ihn hätte sich der Bildhauer jederzeit in Festungshaft nehmen lassen. Er genoss sein bedingungsloses Vertrauen. Dabei hätten Michelangelo und sein Florentiner Freund unterschiedlicher kaum sein können. Bereits die erste Begegnung in der Kapelle hatte es gezeigt: Granacci war alles, was Michelangelo nicht war. Er trug ein senffarbenes Hemd aus glänzendem Stoff, dazu ein federgeschmücktes Barett, um das ihn manch junger Adeliger beneidet hätte. Wenn er redete, untermalten seine Hände die kräftige Stimme mit den weit ausholenden Gesten eines Mannes, der das Leben in vollen Zügen genoss. Und nicht erst seit gestern. Sein Gesicht zeugte davon: Es hatte viel gelacht, viel gegessen und noch mehr getrunken. Er hatte die Augen eines sorglosen Kindes, doch seine Haut war früh gealtert.

Erst im Laufe der kommenden Wochen sollte Aurelio verstehen lernen, dass es sich bei Granaccis Hang zur Ausschweifung nicht nur um eine lasterhafte Angewohnheit handelte, sondern dass die Maßlosigkeit und die Verweigerung jeder Art von Verantwortung über sich selbst hinaus Teil seines Wesens waren. Sich einzuschränken hätte für ihn bedeutet, einen anderen Menschen aus sich zu machen. Als Michelangelo ihm nach einer durchzechten Nacht vorhielt, dass der viele Wein und die vielen Frauen ihn noch ins

Grab brächten, antwortete Granacci seelenruhig: »Das Leben ist es, das uns ins Grab bringt. Mich und dich und alle anderen vor uns und nach uns.«

Es gab nichts, was Michelangelo seinem Freund nicht nachgesehen hätte. Manchmal schien es Aurelio sogar, dass sein Meister über Granaccis Eskapaden ganz froh war. Als würde Granacci für ihn, Michelangelo, all das tun, was er selbst sich niemals gestattet hätte. Michelangelo war maßlos nur in dem, was er sich versagte, und in dem, was er sich als Künstler abverlangte. Als nähre er sich von der Qual – in der Kunst, im Leben, in der Liebe. Manchmal konnte er Ruhe in seiner Arbeit finden, wenn er, Schlägel und Eisen in Händen, in seinem Atelier den Sklaven aus dem Marmor befreite. Glück jedoch fand er nie.

Weshalb allerdings Michelangelo ausgerechnet Granacci für derart unverzichtbar bei dem Projekt hielt, blieb Aurelio ein Rätsel. Unter all den Florentiner Künstlern, die jetzt die Bottega bildeten, war Granacci der Einzige, der noch nie ein Fresko gemalt hatte. Und der nach eigener Aussage auch nicht vorhatte, sich je an einem zu versuchen. Er sah nicht ein, weshalb er derartige Mühen und Strapazen auf sich nehmen sollte, wo sich doch mit einer Holztafel und einfachen Ölfarben die schönsten Bilder malen ließen.

Rosselli hatte Aurelio erzählt, dass Granacci unter den Schülern Ghirlandaios als das größte Talent gegolten hatte – bis der damals erst vierzehnjährige Michelangelo in dessen Bottega aufgenommen worden war. Seine Begabung zeigte sich sehr bald, doch anders, als so mancher in Ghirlandaios Werkstatt vermutete, wurden die beiden nie zu Konkurrenten. Granacci erkannte das überragende Talent des sechs Jahre Jüngeren neidlos an und unterstützte ihn, wo er konnte.

»Michelangelo musste Francesco niemals fürchten«, erklärte Piero, »nur deshalb konnten sie Freunde werden.«

Die hohen Erwartungen, die sich an Granaccis künstlerische Begabung geknüpft hatten, sollten sich nicht erfüllen. Seine Bilder bezeugten nach wie vor sein Talent, doch nächstes Jahr würde er vierzig werden, und der große Wurf, das Bild, das ihn über den Stand anderer Künstler hinaushob, war nicht unter seinen Arbeiten gewesen. Viele, auch Granacci selbst, hatten Zweifel, dass es ihm noch gelingen würde.

Aurelio fragte Rosselli, worin er den Grund dafür sehe. »Mangelnder Wille«, erklärte Piero, »Es ist ihm einfach nicht wichtig.«

Granacci war es gelungen, jene vier Künstler als Gehilfen zu gewinnen, auf die er gehofft hatte: Giuliano Bugiardini, der ebenso alt war wie Michelangelo und ebenfalls bei Ghirlandaio gelernt hatte; Agnolo di Donnino, der bereits seit zwanzig Jahren mit seinem jüngeren Bruder in Florenz eine Werkstatt für Porträts, Fresken und Altarbilder betrieb; Jacopo del Tedesco, der sich vor allem für seine Bezahlung interessierte und bis zuletzt gezögert hatte, und schließlich Bastiano da Sangallo, der noch keine dreißig war, in Michelangelo die »Zukunft der Kunst« sah und dessen Onkel Michelangelos langjähriger Freund Giuliano da Sangallo war.

✠ ✠ ✠

Granacci teilte die Schlafplätze auf: Das neugeschaffene Lager im Atelier wies er Giuliano und Agnolo zu, Jacopo steckte er zu Piero in die Kammer, und Aurelio erhielt Bastiano als Bettgenossen, der von allen nur Aristotele genannt wurde, weil es in Florenz ein Porträt des Philosophen gab, das ihm täuschend ähnlich sehen sollte. Granacci selbst, der nicht vorhatte, allzu viele Nächte in einem »Stall voller Böcke« zuzubringen und der außerdem keine Geldsorgen zu haben schien, ließ sich ein Bett kommen und bezog in einer Ecke des Ateliers Quartier. Wie er vorausgesagt hatte, blieb sein Lager jedoch meist leer.

In den folgenden Wochen hielt die nervöse Aufbruchsstimmung alle zusammen. Niemand konnte zu diesem Zeitpunkt sagen, wer wie lange an dem Projekt mitarbeiten würde. Trotzdem stellte sich jeder in den Dienst der gemeinsamen Unternehmung. Außerdem gab es in der Bottega keinen, der nicht wenigstens ein bisschen von Michelangelos Schöpfungswut angesteckt wurde. Seit Julius ihm freie Hand für die Gestaltung des Freskos gegeben hatte, war er wie eine Kerze, die an beiden Enden gleichzeitig brannte. Stunden brachten die Künstler jeden Tag über dem Zeichentisch im vatikanischen Garten zu, diskutierten Michelangelos Ideen, beratschlagten, wie den Problemen der Wölbung am sinnvollsten beizukommen sei und welche Motive geeignet wären, um in perspektivischer Verkürzung dargestellt dem Betrachter den Eindruck zu vermitteln, er stehe unter einer geraden Decke. Und jedes Mal, wenn man sich für einen der Spitzbögen auf ein Motiv oder eine Figur festgelegt hatte, konnte man sicher sein, dass Michelangelo am nächsten Tag mit einer Idee aufwarten würde, die alles Vorangegangene über den Haufen warf.

Aurelio schuftete derweil jeden Tag bis Sonnenuntergang in der sich unter dem Gewölbe stauenden Hitze. Durch das viele Wasser, das er zum Anrühren des Arriccio benötigte, verwandelte sich die Bühne bereits in den Vormittagsstunden in ein Dampfbad. Abends säuberte er die Werkzeuge, räumte die Bühne auf, zog sich sein durchgeschwitztes Arbeitshemd über den Kopf und verspürte eine seltsame Befriedigung. Sobald er anschließend dem ätzenden Gestank fauler Eier entronnen war, den Vatikan verlassen hatte und über den Petersplatz ging, wo die Marmorblöcke für Julius' Grabmal im Abendlicht einen rosigen Schimmer annahmen, steigerte sich diese Befriedigung regelmäßig zu einem erfüllenden Glücksgefühl. Er schuf etwas. Etwas, das Bestand haben würde. Und sogar Jacopo, der sonst an allem etwas auszusetzen hatte, und Aristotele, der Aurelio als Einziger mit Argwohn begegnete, erkannten die Qualität seiner Arbeit an.

Als Aurelio schließlich in der zweiten Augustwoche bei sengender Hitze und mit schweißtropfendem Kinn das letzte Pendentif in Angriff nahm, mischte sich in die Freude darüber, rechtzeitig zu Maria Himmelfahrt die Arbeiten abgeschlossen zu haben, die Sorge, was ihn danach erwartete.

Unterdessen mussten die Vorbereitungen für die eigentlichen Arbeiten getroffen werden: welche Pinsel, welcher Sand und wie fein, was für Kalk, wie würde man die Übertragung der vorgezeichneten Kartons auf den Intonaco vornehmen? Granacci fuhr nach Florenz, um mit Proben unterschiedlicher Farbpigmente zurückzukehren. Er präsentierte sie, als handele es sich um Pulver, die ewiges Leben versprachen. Außerdem hatte er einen Brief mitgebracht, den er Michelangelo unauffällig zusteckte.

»Von seinem Vater«, flüsterte Piero, der es ebenfalls bemerkt hatte.

Michelangelo zog sich in seine Kammer zurück. Als er die Stufen wieder herabstieg, wirkte er wie von einem Schicksalsschlag getroffen.

Granacci begegnete ihm mit einem Blick aus Neugier und Mitgefühl.

Michelangelo winkte ab.

Granacci zog eine Augenbraue in die Höhe.

Michelangelo ließ die Arme sinken: »Wenn meine Brüder wirklich so fleißig arbeiten, wie er schreibt ...« Seine Nase stieß ihr gewohntes Zischen aus. »Weshalb braucht er dann immer noch mehr von meinem Geld?«

Ein betretenes Schweigen setzte ein, das schließlich von Granacci beendet wurde, der seinem Freund einen Arm um die schmalen Schultern legte: »Korsischer Wein«, sagte er. In Granaccis Augen gab es kaum ein Leiden, das sich durch korsischen Wein nicht kurieren oder zumindest lindern ließ.

»Bei dir mag Wein helfen«, antwortete Michelangelo.

»Korsischer Wein.«

»Korsischer Wein.« Er rang sich ein Lächeln ab. »Bei mir hilft Arbeit. Lasst uns weitermachen.«

Als Aurelio zu fragen wagte, weshalb Michelangelo die Farben nicht bei dem glatzköpfigen Papierhändler kaufen wolle, entgegnete der Bildhauer: »Niemals würde ich bei einem römischen Halsabschneider meine Farben kaufen. Das lasse ich ihn nur glauben, damit er mir einen guten Preis für das Papier und die Stifte macht. Wer wirklich gute Farben will, für den gibt es nur einen Ort, an dem er sie bekommt.«

»Das Kloster San Giusto alle Mura in Florenz«, führte Agnolo den Satz zu Ende, der gerade mit äußerster Sorgfalt die Kappe von einem Papierköcher entfernte. Auf alles, was Agnolo tat, und sei es, ein Blatt zu falten, verwendete er äußerste Sorgfalt. Piero hatte Aurelio gesagt, dass, wenn Agnolo etwas fertigstellte, sich kein Makel daran fand. Das Problem mit ihm war: »Er wird nie mit etwas fertig.«

Piero, der neben ihm stand, leckte die Spitze seines kleinen Fingers an, stippte ihn in die Röhre und betrachtete im Licht das blaue Pulver, das daran klebte. Nach einer Weile begann er, es mit etwas Spucke auf der Handfläche zu verreiben. Schließlich hielt er die Hand in die Höhe. Der blaue Kreis leuchtete wie der Augusthimmel in der Nachmittagssonne. »Ein Azurit wie dieses gibt es auf der Welt kein zweites Mal«, frohlockte er.

✚ ✚ ✚

Aurelio gingen die Briefe, die sein Meister von seinem Vater erhielt, nicht aus dem Kopf. »Aber hat Michelangelo nicht furchtbar viel Geld?«, fragte er, als Piero und er auf dem Gerüst standen. Maria Himmelfahrt lag bereits eine Woche zurück. Sie waren rechtzeitig zu den Feierlichkeiten fertig geworden. Jetzt ging es darum, zu prüfen, ob sich im trocknenden Arriccio Risse zeigten.

»Am Ende ist es nicht das Geld, das ihn schmerzt.«

»Was ist es dann?«

»Lodovico hat sich nie für ihn interessiert. Und für seine … nennen wir es Bestimmung. Im Gegenteil: Er hat alles versucht, sie ihm auszutreiben. Schläge eingeschlossen.« Pieros Augen suchten die Decke ab. »Alles, was ihn an Michelangelo je interessiert hat, war, was er ihm einbringt.«

Aurelio, der vorsichtig eine Spandrille abklopfte, hielt inne.

»Ist was?«, fragte Piero.

Das Bild Tommasos nahm Gestalt an, wie er vor Aurelio auf dem Sterbebett lag und ihn bat, nach der Öffnung in der Matratzennaht zu suchen und das kleine Säckchen aus der Füllung zu ziehen. Zwölf glänzende Goldmünzen, auf den Vorderseiten eine Lilienblüte, auf den Rückseiten ein Mann mit Heiligenschein, Johannes der Täufer, der Stadtheilige von Florenz. Echte Fiorini d'oro. Tommaso musste lange dafür gespart haben. »Es ist Zeit, zu gehen. Für uns beide.« Seine letzten Worte.

»Ist was?«, wiederholte Piero.

»Bei mir war es umgekehrt«, antwortete Aurelio schließlich. »Mein Vater hat sich immer nur für mich interesiert, nie für das, was ich ihm einbringen könnte.«

Jetzt hielt auch Piero einen Moment inne. »Nun, ich schätze, du kannst dich glücklich schätzen.«

Aurelio fuhr fort, die Spandrille abzuklopfen. Seine Brust schnürte sich zusammen. »Ja. Ich schätze, das kann ich.«

Sie hatten alle kritischen Stellen untersucht, besonders die schwer zu spachtelnden Pendentifs und Spandrillen.

»Was gefunden?«, fragte Piero.

»Nichts.«

»Und wem haben wir das zu danken?«

Aurelio zog die Brauen in die Höhe. Die Erinnerung an seinen Vater überdeckte zu viel, als dass er Piero in seinen Überlegungen hätte folgen können.

Piero lächelte. »Deinen begabten Händen natürlich.«

Aurelio besah seine gespreizten Finger. »Schätze, wir können uns glücklich schätzen.«

Pieros Lächeln weitete sich. »Nun, ich schätze, das können wir.«

XX

DIE ERSTEN MISSSTIMMUNGEN innerhalb der Bottega traten Ende August zutage. Aurelio war der Verzweiflung nahe, als er erkannte, dass er der Anlass dafür war. Niemandem war die Vorzugsbehandlung entgangen, die Michelangelo ihm angedeihen ließ. Solange Aurelio von morgens bis abends in der Kapelle gearbeitet hatte, war dies nicht weiter ins Gewicht gefallen. Jetzt jedoch, da alle darauf warteten, dass der Arriccio trocknete, und fünf Gehilfen vollauf damit beschäftigt waren, Michelangelos Ideen umzusetzen, nahm sein Verhalten groteske Züge an.

Regelmäßig schickte er Aurelio fort, um die Werkstatt in Ordnung zu bringen oder das Abendessen vorzubereiten, doch sobald Aurelio sich tatsächlich zum Gehen wandte, schrie er ihn an: »Wo willst du hin? Ich brauche dich hier!«

Hielten sie sich im selben Raum auf, wurde Michelangelo von einer seltsamen Befangenheit befallen, die sich zu einer Starre steigern konnte, die jede Unterhaltung mit ihm unmöglich machte. Erst wenn Aurelio den Raum verließ, fiel sie wieder von ihm ab.

Aurelio wusste, dass die anderen hinter seinem Rücken darüber redeten. Manchmal, wenn Michelangelo und er von einem Besorgungsgang zurückkehrten, wechselten sie das Thema, sobald sich die Tür zur Bottega öffnete. Einmal hatte Aurelio aus der Küche gehört, wie der leichtfertige Granacci mit Michelangelo über ihn sprach und fragte: »Warum tust du dir das an?«

Michelangelo war in einem Zwiespalt gefangen, und jeder konnte ihn sehen: Einerseits war es ihm unerträglich, Aurelio nicht in seiner Nähe zu wissen, andererseits durfte er ihm nicht zu nahe kommen. Besonders auffällig trat dieser Zwiespalt bei den gemeinsamen Essen zutage. Michelangelo verlangte, dass niemand zwischen Aurelio und ihm sitzen dürfe, schob jedoch Aurelios Stuhl jedes Mal so weit von sich weg, dass alle anderen zusammenrücken mussten. Räumte Aurelio nach dem Essen das Geschirr ab oder nahm den Besen zur Hand, befahl Michelangelo: »Lass das! Solche Arbeiten sind nichts für dich.«

Nach Aurelio war Bastiano der Jüngste in der Bottega, und so traf es am Ende meist ihn, wenn es darum ging, niedere Dienste zu verrichten. Bastiano war schwer gekränkt, und alle fühlten mit ihm. Niemanden hätte Michelangelos Herabwürdigung härter treffen können, denn niemand sah mehr zu ihm auf als Bastiano.

Der Neffe Giuliano da Sangallos hatte in Florenz in derselben Werkstatt gelernt wie die anderen, allerdings nicht mehr unter Ghirlandaio selbst, sondern unter dessen Sohn. Anschließend hatte er als Gehilfe bei Pietro Perugino angeheuert. Der inzwischen über sechzigjährige Perugino war damals, als Sixtus die Kapelle erbauen ließ, unter den Künstlern gewesen, die Lorenzo de' Medici nach Rom geschickt hatte, um deren Wände mit Fresken zu versehen. Von ihm stammten fünf Arbeiten in der Kapelle: die Geburt Christi, die Taufe Christi, die Schlüsselübergabe, die Auffindung des Mose und die Wanderung des Mose nach Ägypten.

Aurelio kannte Peruginos Fresken in- und auswendig. Die »Schlüsselübergabe«, die sich, wie alle Geschichten aus dem Leben Jesu, an der Nordwand befand, gefiel ihm am besten. Im Mittagslicht offenbarte sich ihre ganze Tiefe. Im Vordergrund war Jesus zu sehen, wie er dem vor ihm knienden Petrus die Schlüssel übergab. Das eigentlich Faszinierende aber war der Platz, auf dem sie sich befanden und der wie durch Zauberhand in die Länge gezogen wurde. Nach Vollendung dieses Freskos galt Perugino, bei dem später auch Raffael in die Lehre ging, lange als größter Maler Italiens. Bastiano allerdings blieb nur so lange sein Schüler, bis er in der Basilika Santa Maria Novella Michelangelos Karton für »Die Schlacht von Cascina« erblickte. Im Vergleich dazu erschien ihm alles, was Perugino je gemacht hatte, im »vorigen Jahrhundert steckengeblieben« zu sein.

Jetzt, da er Aufnahme in Michelangelos Bottega gefunden hatte, hätte er eigentlich überglücklich sein sollen. Doch wann immer Bastiano sich daranmachte, einen Entwurf seines Meisters für eine Lünette oder einen Spitzbogen auszuarbeiten, warf Michelangelo am Ende nur einen flüchtigen Blick darauf und sagte: »Ja, ja, ganz schön. Aber wir machen es anders.«

✢ ✢ ✢

Von Anfang an war Bastiano seinem Bettgenossen mit Argwohn begegnet. Doch für den ungelernten Gehilfen das Geschirr abwaschen zu müssen und darüber hinaus kaum beachtet zu werden, erfüllte ihn mit mehr Groll und Selbstzweifeln, als er ertragen konnte.

»Wer bist du, dass Michelangelo dich so hofiert?«, zischte Bastiano eines Abends im Bett.

»Ich bin ein einfacher Bauer von einem Hof bei Forlì.«

»Ein einfacher Bauer, soso. Und woher hast du dieses sündhaft teure Hemd, das du jeden Dienstag anziehst, wenn du zu deiner Hure gehst?«

»Maestro Buonarroti hat es mir gekauft. Und sie ist keine Hure.«

»Bei wem hast du gelernt?«, grummelte Bastiano.

»Ich ...« Aurelio war verärgert. Immer wieder ließ er sich von Bastiano das Gefühl geben, sich verteidigen zu müssen. »Ich hatte nie Gelegenheit, bei jemandem in die Lehre zu gehen.«

In Bastianos Blick flackerte Argwohn auf. »Und wofür hat er dich dann angestellt?«

»Ich …« *habe begabte Hände*, wollte Aurelio entgegnen, besann sich aber eines besseren. Damit hätte er sich in Bastianos Augen nur lächerlich gemacht. Doch er war nicht mehr der unbedarfte Junge, als der er vor vier Monaten nach Rom gekommen war. Und Bastiano war der Letzte in der Bottega, dem es zugestanden hätte, ihn mit Herablassung zu behandeln. »Maestro Rosselli hat mir den Umgang mit der Kelle beigebracht. Ich habe ihm geholfen, das Gewölbe zu verputzen. Außerdem …«

»Außerdem?«

»Maestro Buonarroti möchte, dass ich ihm Modell stehe.« Aurelio biss sich auf die Lippen.

Bastiano drehte ihm den Rücken zu. »Das erklärt natürlich einiges.«

»Das erklärt was?«, insistierte Aurelio.

»Na, weshalb er dich in teure Kleider steckt und dich behandelt wie … seine persönliche Kurtisane.« Bastiano beugte sich über den Bettrand und blies die Kerze aus. Die Dunkelheit umgab sie wie ein Käfig. »Die gekaufte Muse …« Bastianos Worte wurden vom Schwarz der Kammer geschluckt. »Gib nur schön acht auf dein edles Hemd. Nicht, dass es am Ende noch Schaden nimmt.«

Als Aurelio am darauffolgenden Dienstag sein sorgfältig gefaltetes Hemd aus dem verschnürten Beutel zog, war auf Brusthöhe ein faustgroßes Loch hineingebrannt.

Er packte den grinsenden Bastiano am Kragen und drückte ihn gegen die Wand. Michelangelos Skizze, die dort seit der Nacht lehnte, in der Aurelio seinen Traum, selbst Künstler zu werden, zu Grabe getragen hatte, flatterte aufgeregt davon.

»Warum tust du das?«, schrie Aurelio. »Was habe ich dir getan?«

Bastiano reagierte so schnell, dass Aurelio erst hinterher begriff, was geschehen war. Zweimal bohrte sich seine Faust in Aurelios Rippen, und als der daraufhin zusammenklappte, traf ihn Bastianos Knie im Gesicht. Noch bevor Aurelio seine Hand zum Mund führen konnte, war seine Lippe bereits geschwollen.

»Dass es dich gibt, reicht mir schon!«, schrie Bastiano den auf dem Boden kauernden Aurelio an.

Die Tür wurde aufgerissen: »Was ist hier los?«, rief Rosselli.

Bastiano rückte sich sein Hemd zurecht und spuckte aus: »Nichts.«

»Aurelio?«

Wortlos streckte Aurelio den Arm aus und zeigte sein Hemd vor.

Rosselli nahm es und untersuchte das Brandloch. »Kannst du aufstehen?«, fragte er.

Aurelio nickte.

»Gut, dann lass uns einen Moment alleine.«

Aurelio ging zum Waschtrog. Seine unteren Rippen schmerzten, doch es war nicht so schlimm wie damals, als er auf dem Marktplatz von einem Pferd getreten worden war. Zudem blutete er aus der Nase, und die Schwellung seiner Lippe war groß wie eine Traube. Doch auch da hatte Aurelio schon anderes einstecken müssen. Bastiano würde sich wundern, wenn er glaubte, dass eine kleine Rangelei ausreichte, um Aurelio Angst zu machen.

Die Kammertür öffnete sich, Bastiano kam heraus, raunte ihm »Hure« zu und ging zu den anderen in die Küche.

Kurz darauf legte sich Rossellis Hand auf Aurelios Schulter. Er reichte ihm ein Baumwolltuch: »Geht's?«

Aurelio hielt sich das Tuch gegen die Nase: »Halb so schlimm.«

Piero besah sich die Lippe: »Bastiano hat eigentlich nichts gegen dich. Es ist … Nun, ich denke, du weißt, was das Problem ist. Wenn du willst, dass er weiter in der Bottega bleiben kann, dann … Wenn Michelangelo nach Hause kommt und erfährt, was hier vorgefallen ist … Die Entscheidung liegt bei dir.«

»Ist gut.« Wieder nickte Aurelio. »Ich denk mir was aus.«

Rosselli überlegte noch einen Moment. »Ich weiß, dass dir nichts daran liegt, von Michelangelo wie ein … rohes Ei behandelt zu werden. Deshalb habe ich Bastiano in die Schranken gewiesen. Er hat mir versichert, dass so etwas nicht noch einmal vorkommt, doch ich will keine Feindseligkeiten in der Bottega, und sie werden nicht aufhören, wenn sich die Situation nicht ändert. Ich denke … Ich denke, du solltest …«

Aurelio besah sich das blutgetränkte Tuch. »… mit Maestro Buonarroti reden, ich weiß.«

✢ ✢ ✢

Aus dem Dunkel über ihm drangen die Schritte seines Meisters zu Aurelio. Wieder eine dieser Nächte, in denen er schlaflos seine Kammer durchwanderte. Die Schritte waren Aurelio inzwischen ebenso vertraut wie das Zischen seiner Nase oder die immergleiche Bewegung, mit der er den Rötelstift anleckte. Er wusste bereits im Voraus, in welche Richtung sein Meister gehen, wie lange er in der Ecke verharren, wann der Balken knirschen und wann er quietschen würde.

Seit zwei Nächten quälte sich Aurelio mit der Frage, wie er Michelangelo gegenübertreten sollte. Wäre es um seine Arbeit gegangen, die Unterbringung oder die Bezahlung … Es wäre Aurelio unangenehm genug gewesen. Aber nicht unmöglich. Doch wie konnte er vor ihn treten und sich anmaßen, eine Änderung in seinem Verhalten zu verlangen? Und hieße das nicht, eine Änderung seiner Gefühle zu verlangen? War so etwas überhaupt möglich? Aurelio hatte Gefühle immer als etwas erlebt, das ihn änderte. Nicht umgekehrt. Doch was war die Alternative?

Piero Rosselli hatte deutlich gemacht, dass er die momentane Situation nicht länger zu dulden bereit war. Das bedeutete, es musste sich etwas ändern. Andernfalls würde Aurelios bloße Anwesenheit den Fortbestand der gesamten Bottega gefährden. Etwas, das er unmöglich zulassen konnte. Und das wiederum bedeutete: Er selbst würde die Werkstatt verlassen müssen. Piero Rosselli würde ihn ungern gehen sehen, doch letztlich würde er die Entscheidung begrüßen. Bastiano wäre froh, ihn los zu sein, Jacopo war es vermutlich gleichgültig, Giuliano würde sein Bedauern äußern. Agnolo war so sehr mit seiner Sorgfalt beschäftigt, dass er

Aurelios Abwesenheit vermutlich gar nicht bemerken würde, und Granacci – nun, der würde ihm auf die Schulter klopfen und zum Abschied einen korsischen Wein empfehlen.

Bei dem Gedanken daran, die Bottega zu verlassen, schnürte sich Aurelio die Brust zusammen. Über ihm quietschte der Deckenbalken. Zwei Schritte noch, dann Pause. Lautlos stieg er aus dem Bett, schloss leise die Kammertür hinter sich und stieg die Stufen zu Michelangelos Kammer empor.

Zaghaft klopfte er an.

Nichts. Vier Schritte, ein Knirschen, Stille.

Aurelio holte Luft und klopfte erneut. »Maestro?«, flüsterte er.

Die Schritte näherten sich der Tür. »Wer ist da?«, drang die Stimme seines Meisters durch die geschlossene Tür.

Aurelio sah den Schatten seiner Füße unter dem Türspalt. »Aurelio.«

Schweigen. Michelangelos Schatten bewegte sich keinen Fingerbreit. »Geh ins Bett.«

»Ich muss mit Euch sprechen, Maestro. Bitte.«

Aurelio hörte, wie der Riegel angehoben wurde. Das Zischen von Michelangelos Nase. Sonst nichts. Endlich öffnete sich die Tür eine Handbreit.

Keiner der anderen hatte je Michelangelos Kammer betreten. Nicht einmal Granacci. Stattdessen kursierten Gerüchte. Guliano wollte von einem Laboratorium wissen, in dem Michelangelo nachts geheime Mixturen zusammenbraute und Pulver herstellte, die die Phantasie beflügelten. Jacopo hingegen vermutete hinter der stets verriegelten Tür ein prunkvolles Gemach, das mit golddurchwirkten Wandteppichen ausgekleidet war und dessen mit Seidentüchern verhülltes Bett selbst Chigi zufriedengestellt hätte. Nichts davon war der Fall. Michelangelos Kammer war ebenso kärglich eingerichtet wie der Rest des Hauses. Ein wackeliges Bett, ein kleiner Tisch mit einem schmucklosen Stuhl, ein alter Schrank mit einer Tür, deren Knarzen Aurelio wohlvertraut war.

Das einzig wahrhaft Überraschende war der Boden. Er war nicht zu sehen. Dutzende von Zeichnungen bedeckten ihn, vielleicht sogar Hunderte. Es war unmöglich, in die Kammer zu gehen, ohne die Blätter mit Füßen zu treten. Erst als Aurelio sich bückte, um einige von ihnen aus dem Weg zu räumen, begriff er, was er in Händen hielt. Das waren keine Propheten oder geflügelten Engel. Nichts davon hatte irgendetwas mit dem Entwurf für die Kapelle zu tun. Stattdessen war die Kammer gepflastert mit … Ungeheuern. Dämonische Fratzen streckten Aurelio pestverbeulte Zungen entgegen, Höhlen ohne Augen starrten ihn an, Monster, die er sich nicht einmal in den schlimmsten Träumen hätte ausdenken können, streckten schlangenartige Tentakel nach ihm aus. Körper, verstümmelt, entstellt, mit Krötenbeinen, Eutern statt Brüsten und gespaltenen Zungen als Warzen. Glatzköpfe mit Tiermäulern, Torsos mit abgezogener Haut … Das Schlafzimmer seines Meisters war eine Kammer des Schreckens.

»Bist du deshalb gekommen – um die Dämonen in Augenschein zu nehmen, die mich verfolgen?«

Vor Schreck ließ Aurelio sämtliche Blätter fallen. Michelangelo hatte den Stuhl in die Mitte des Raumes gestellt und kauerte darauf wie ein Sünder in Erwartung seiner Bestrafung. Aurelio war zugleich entsetzt und überwältigt.

»Schließ die Tür.«

Aurelio schloss die Tür.

»Weshalb wolltest du mich sprechen?«

Aurelio drehte sich um, wagte sich aber nicht von der Stelle. Was hätte er sagen könne, angesichts all dessen? Er war nichts, ein Niemand, er … Er sollte die Bottega verlassen, schoss es ihm durch den Kopf. Zurück nach Forlì, Ziegen melken, den Acker pflügen. Säen und ernten.

Michelangelo legte die Hände ineinander. »Also?«

»Ich bitte Euch, mich nicht länger so zu behandeln«, platzte Aurelio heraus.

Michelangelo verzog die Lippen. »Wie behandele ich dich denn?«

»Anders.«

»Wie anders?«

»Anders als die anderen.«

Michelangelo hob eine Zeichnung auf, betrachtete sie, als hielte er Zwiesprache mit ihr, und ließ sie wieder zu Boden gleiten. »Ich kann nicht.«

»Was könnt Ihr nicht?«

»Dich so behandeln wie die anderen.«

Aurelios Schläfen begannen zu pochen. »Maestro Buonarroti … Ich weiß, Ihr seht etwas in mir. Ich weiß nicht, was es ist, aber … Was immer es ist: Ich verdiene es nicht.«

Statt zu antworten, senkte Michelangelo nur seinen Blick.

Aurelio wusste nicht, wohin mit sich. Michelangelo Buonarroti vor sich zu haben, der ihm seinen Blick zu Füßen legte … Er wandte sich ab. Die Frage, die er seinem Meister jetzt zu stellen hatte, würde er ihm niemals offen ins Gesicht sagen können.

»Was seht Ihr in mir, Maestro?«

Lange Zeit war nur das leise Zischen seines Atems zu hören. Als Aurelio sich ihm wieder zuwandte, schien Michelangelo inmitten seiner Dämonen wie in einem Teich voll blühender Seerosen zu schwimmen. Seine Mundwinkel verzogen sich zu einem Lächeln. Er lächelte sehr selten, und wenn, dann wohnte diesem Lächeln stets eine Träne inne. Diesmal war es mehr als eine.

»Wenn ich dich ansehe, Aurelio …«, setzte er an. »Wenn ich dich ansehe, dann glaube ich jedes Mal, den ersten Menschen vor mir zu haben. Unverstellt. Und rein. Und frei von jeder Schuld. Ich sehe Adam vor mir, in dem Moment, da Gott ihm die Seele einhauchte. Bevor die Sünde geboren wurde. Und das Elend über die Welt kam.«

Das folgende Schweigen wog schwerer als Granit. Sein Gewicht presste Aurelio die Luft aus den Lungen. Er würde die Bottega verlassen. Nach dem, was sein Meister ihm soeben offenbart hatte, gab es keine andere Möglichkeit mehr. Solange er bliebe, könnte die Situation nur schlimmer werden.

»Ich werde nicht zulassen, dass du gehst«, sagte Michelangelo mit einer Stimme, die Aurelio einen Schauer über den Rücken jagte. Abwesend murmelte er: »Adam …«. Seine Finger begannen zu zucken. Er kratzte sich den Bart. Anschließend zupfte er seine Unterlippe. Am Pfeifen seiner Nase erkannte Aurelio, dass sich sein Atem beschleunigte. »In dem Moment, da Gott ihm die Seele einhaucht …« Den Blick ins Nichts gerichtet, erhob sich Michelangelo, ging zur Kammertür und veschwand in der Dunkelheit.

Aurelio fand ihn in der Küche. Die Arme seitlich aufgestützt stand er über den Tisch gebeugt und betrachtete die leere Fläche. Noch immer zuckten seine Finger.

Aurelio wagte sich nicht über die Schwelle. »Maestro?«

»Die Schöpfung …«

»Kann ich etwas für Euch tun?«

Die Finger seines Meisters begannen, auf dem Tisch umherzuwandern. »Für den Deckenspiegel …«

»Maestro?«

»Hm?«

»Kann ich etwas für Euch tun?«, wiederholte Aurelio.

Michelangelo sah ihn an, als habe er Aurelios Frage nicht verstanden. Hatte er auch nicht. »Was?«

»Kann ich etwas für Euch tun?«

Der Bildhauer blickte sich um. Erst jetzt schien er zu bemerken, dass er in der Küche stand. »Vier Kerzen, schwarze Kohle, alles, was du in der Werkstatt an großen Blättern finden kannst. Und dann lass mich allein.«

XXI

»HINAUS!« Michelangelos Ruf rüttelte das gesamte Haus wach.

Schlaftrunken stolperte Aurelio aus der Kammer und lief Giuliano in die Arme, der noch verstörter und nachdenklicher wirkte als sonst.

»Da solltest du besser nicht reingehen«, sagte er im Vorbeigehen und verschwand im Atelier.

Die zweite Kammertür öffnete sich, und Piero trat heraus. Aus der Werkstatt eilte Agnolo herbei. Schließlich kamen Bastiano und Jacopo hinzu. Am Ende stand die gesamte Bottega barfüßig und im Nachthemd im Zimmer, und jeder blickte den anderen an.

Als hätte Michelangelo gewartet, bis alle versammelt waren, öffnete sich die Tür. »Niemand kommt mir in die Küche«, verkündete er. Seine Haut war fahl, seine Augen blutunterlaufen. Er hatte weder gegessen noch getrunken, noch geschlafen. Die dünne Leinentunika hing ihm lose von den Schultern. Aurelio fürchtete, ihn jeden Moment auffangen zu müssen. »Wir treffen uns zur Mittagsstunde am großen Tisch.« Damit war der Tisch hinter der Kapelle gemeint. Er blinzelte aus verquollenen Augen. »Wo ist Francesco?«

»Wo wohl?« Es war Jacopo, der antwortete.

»Hm.« Michelangelo schien kaum einen klaren Gedanken fassen zu können. »Aristotele: Geh zu deinem Onkel und bitte ihn, ebenfalls zu kommen. Richte ihm aus, es sei wichtig. Zur Mittagsstunde. Am großen Tisch ...« Er griff sich an die Stirn, wo seine von Kohle geschwärzten Finger den bereits zahlreichen Striemen zwei weitere hinzufügten. »Und treibt Francesco auf ... Ich möchte, dass jeder von euch anwesend ist ... Danke, Aristotele.« Mit diesen Worten verzog er sich wieder in der Küche und schloss die Tür.

Aurelio und die anderen waren kein bisschen schlauer. Wortlos standen sie im Kreis und sahen sich an. Schließlich gingen sie nacheinander in ihre Kammern zurück und zogen sich an.

✣ ✣ ✣

Die Mittagshitze saß Aurelio im Nacken wie ein glühendes Eisen. Unter seinem Hemd sammelte sich der Schweiß. Wie von Michelangelo verlangt, waren alle erschienen, auch Sangallo und Granacci. Sie standen um den Tisch und warteten darauf, dass einer von ihnen das Schweigen brechen würde. Die Schweißperlen auf Bugiardinis Stirn glitzerten wie Edelsteine. Vor ihm, auf dem Rand von Michelangelos Entwurf, sammelten sich bereits dunkle Punkte. Einmal hatte Granacci durch die Zähne gepfiffen. Zwei streitende Buchfinken jagten zwischen den Platanen hin und her und stießen nervöse Klicklaute aus. Doch niemand hatte bislang das Wort ergriffen. Giuliano da Sangallo holte tief Luft, nahm aber nur sein Barett ab und ließ es langsam durch die Finger kreisen. Immer wieder legte er den Kopf von der einen Seite auf die andere.

Michelangelo blickte aus seinen noch immer geschwollenen Augen zwischen Granacci und Sangallo hin und her. Unter normalen Umständen hätte er seine Ungeduld niemals so lange bezähmen können, doch er war entweder zu erschöpft, oder es stand zu viel auf dem Spiel. Möglicherweise beides, ging es Aurelio durch den Kopf. Es kam ihm vor, als sei die Zeit letzte Nacht durch seinen Meister hindurchgegangen. Im senkrecht herabstürzenden Licht ähnelten Michelangelos zerfurchte Wangen und der wirre Bart eher dem Stamm und den Wurzeln einer Eiche als dem Gesicht eines Dreiunddreißigjährigen. Er wirkte, als würde er eine weitere Nacht dieser Art nicht überleben.

Immer, wenn einer der Buchfinken glaubte, den anderen endgültig vertrieben zu haben, kehrte der zurück, und das Gezänk begann aufs Neue. Von Bramantes Großbaustelle drangen Rufe, die sich in das Klopfen von Hämmern und das Rattern eisenbeschlagener Wagenräder mischten.

Sangallo wischte sich den Schweiß von der Stirn. »Niemals wird Julius das akzeptieren.«

Michelangelo reagierte nicht. Sangallos Einwand schien ihn nicht zu interessieren.

»Also ...«, unternahm der Architekt einen zweiten Versuch. »Ihr wollt ... einen künstlichen Raum schaffen, indem Ihr das gesamte Gewölbe durch gemalte Marmorgesimse aufgliedert.«

»Richtig«, antwortete Michelangelo.

»Das bedeutet: Nicht Euer Entwurf passt sich den Proportionen der Kapelle an, sondern ... Ihr zwingt der Kapelle Euren Willen auf.«

Michelangelo ersparte sich eine Antwort. Es war offensichtlich, dass sich sein Entwurf über die architektonischen Vorgaben des Gewölbes erhob. Bis auf Bugiardini, der noch immer nicht erfasst hatte, was er vor sich sah, erwachten die anderen langsam aus ihrer Starre.

»Das ist ...« Agnolo suchte nach geeigneten Worten.

»... großartig.« Es war Piero Rosselli, der den Satz beendete.

»Unglaublich«, flüsterte Bastiano. Es schien, als löse Michelangelos Entwurf für die Kapelle endgültig das Versprechen ein, das »die Schlacht von Cascina« ihm gegeben hatte.

Sangallo sah seinen Freund fragend an. »Auf jeden Fall ist es meines Wissens noch nie versucht worden.«

»Wenn es bereits versucht worden wäre, müsste ich es doch nicht machen«, sagte Michelangelo, als erkläre sich das von selbst.

Von der Baustelle drangen erregte Rufe herüber. Offenbar war ein Arbeiter verletzt worden. Wie auf ein Signal lösten sich auch die Zungen der anderen.

»Eins nach dem anderen«, sagte Granacci. »Also: Der Decken-spiegel soll in einzelne Felder aufgeteilt werden, eine Szenen-folge …«

»Die Schöpfungsgeschichte«, präzisierte Michelangelo.

»Gut, die Schöpfungsgeschichte. Eingeteilt in neun Szenen. An-gefangen bei der Scheidung von Licht und Finsternis, bis …«, Gra-naccis Hand wanderte vom einen Ende des Entwurfs zum anderen, »zur Sintflut und der Trunkenheit Noahs.«

»Was ist das?«, fragte Bastiano und deutete auf das dritte Feld von links.

»Die Scheidung von Land und Meer«, antwortete Michelangelo.

»Und das?« Agnolo deutete auf das danebenliegende Feld.

»Die Erschaffung von Sonne, Mond und Pflanzen.«

Da Sangallo ging in umgekehrter Reihenfolge die anderen Fel-der durch. »Noahs Opfer, der Sündenfall, in der Mitte die Erschaf-fung Evas und die Erschaffung Adams …«

Michelangelo senkte sein Haupt. »In dem Moment, da Gott ihm die Seele einhaucht …«

Aurelio blieb das Herz stehen: Adam, in dem Moment, da Gott ihm die Seele einhaucht? Er betrachtete die Skizze. Das Gesicht Adams war unverkennbar. Noch hatte es keiner bemerkt, weil alle von der Idee des Entwurfs in Anspruch genommen waren. Doch der nackte Adam, der im Zentrum des Freskos stehen sollte, war … er! Der Schweiß sammelte sich in Aurelios Nacken, kroch unter sein Hemd und lief in einem feinen Rinnsal den Rücken hinab.

»Das ist großartig!«, hörte er Piero sagen.

Selbst Jacopo war überwältigt: »Vollkommen neu.«

»Was ist mit den Zwickeln?«, fragte Bugiardini. »Das hier sind die Propheten, aber wer sind die?«

»Die Sibyllen, die das Christentum vorhergesagt haben«, ant-wortete Michelangelo.

»Du meinst heidnische Prophetinnen?«

»Nur ein dummer Christ würde sein heidnisches Erbe verleug-nen«, entgegnete Michelangelo.

Granacci runzelte die Stirn. »Gewagt.«

»Sehr gewagt«, bestätigte da Sangallo.

»Eine Provokation«, präzisierte Agnolo, dem der Entwurf langsam Angst einzuflößen schien.

»Und die Figuren auf den Lünetten?«, fragte Bugiardini.

»Die Vorfahren Christi«, gab Michelangelo Auskunft.

»Die Vorfahren Christi?«

Entschuldigend drehte Michelangelo die Handflächen nach oben.

Bugiardini wuchs die Angelegenheit über den Kopf. »Aber die sind doch noch nie dargestellt worden!«

Die Antwort Michelangelos war ein Schweigen.

Auch Agnolo hatte Probleme, alle Informationen zu verdauen: »Wie viele Figuren sind das überhaupt?« Seine Frage klang wie ein Vorwurf. »Ursprünglich wollte Julius die zwölf Apostel. Dazu bekommt er jetzt die Schöpfungsgeschichte samt Sündenfall und dem trunkenen Noah, die Sibyllen, die Vorfahren Christi … Wie viele sind das – sechs mal so viele?«

»Mit den Ignudi«, antwortete Michelangelo, »sollten es an die hundert werden, denke ich.«

»Ignudi?«, fragten Jacobo und Bugiardini aus einem Mund.

»Nackte Männer, ähnlich den Genien. Sie werden auf den Gesimsvorsprüngen sitzen. Durch sie wird das Fresko erst sein Leben, seine Vitalität erhalten. Das ist es, was ich anstrebe.« Er ballte die kraftlosen Hände zu Fäusten: »Ein Fresko, das vor Leben aus den Fugen platzt.«

Genien, das wusste Aurelio, waren persönliche Schutzgötter, die die Römer bereits vor vielen Jahrhunderten von den Griechen übernommen hatten. Unter den reichen Familien in Rom war es üblich, sich Büsten dieser Genien anfertigen zu lassen. Bei verschiedenen Gelegenheiten hatte Michelangelo ihm solche Büsten bereits gezeigt – wenn sie gemeinsam durch die Stadt gegangen waren und sich der Blick in den Innenhof eines Palazzo oder einer Vigna geboten hatte.

Erneut pfiff Granacci durch die Zähne. Anschließend kratzte er sich am Hals und bedachte seinen Freund mit einem bewundernden Kopfschütteln. »Ein Thema aus dem Alten Testament – die Schöpfungsgeschichte – und außerdem noch hundert überwiegend nackte Körper?«

Michelangelo stützte sich mit den Händen auf dem Tisch ab. Seine Beine drohten ihren Dienst zu versagen. Jedes Wort strengte ihn an. »Was steht im Mittelpunkt der Schöpfungsgeschichte?«

»Der Mensch!«, rief Bastiano aus.

Michelangelo machte ein Gesicht, als wolle er sagen: Na bitte!

Das folgende Schweigen war erfüllt von Zweifeln und Staunen.

»Was ist mit der Perspektive?«, hörte Aurelio jemanden fragen, und erst als sich die Blicke der anderen auf ihn richteten, wurde ihm klar, dass er selbst es gewesen war.

Granacci griff sich mit beiden Händen an die Stirn: »Es gibt keine Zentralperspektive!«

Das Staunen und die Zweifel in den Gesichtern steigerten sich zu Unglauben und Fassungslosigkeit.

Michelangelo zog seine mageren Schultern hoch. »Nein«, bestätigte er, »die gibt es nicht.«

»Oha!«, entfuhr es Agnolo.

Bugiardini war konsterniert. Wann immer er glaubte, das Konzept verstanden zu haben, tauchte ein neuer Aspekt auf, der ihn überforderte: »Aber … das ist gegen jede Regel!«

»Es wird polyzentrisch sein«, bemühte sich Michelangelo zu erklären. »Jede Figur, jede einzelne Fläche wird ihre eigene Zentralperpektive haben.«

»Aber das bedeutet …«

»… es wird keinen Punkt geben, von dem aus der Betrachter das gesamte Fresko erfassen kann«, nahm Granacci Bugiardini den Satz ab.

Michelangelo klang unendlich müde. »Der Betrachter wird umhergehen müssen. Die Architektur des Entwurfs zwingt ihn dazu.«

»Nur, um sicherzugehen, dass ich auch alles verstanden habe«, Granacci rieb sich den Schweiß von den Schläfen und begann, an seinen Fingern abzuzählen. »Du möchtest das Gewölbe mit Dutzenden nackter Männer bevölkern; zu den ursprünglich vorgesehenen Propheten werden sich Sibyllen, die Vorfahren Christi, Ignudi und wer weiß was noch gesellen, mit anderen Worten: Alles, was sich um die Bildererzählung im Zentrum gruppiert, wird eher heidnischen als christlichen Charakter haben; auf Kreuze, geflügelte Engel und dergleichen wird vollständig verzichtet ...«

»Um die kann sich Raffael kümmern«, warf Michelangelo ein.

»... und zu guter Letzt werden wir es mit einer – wie hast du es genannt – polyzentrischen Scheinarchitektur zu tun haben.« Er hatte aufgehört, seine Finger zu zählen, und rieb sich stattdessen erneut den Schweiß von den Schläfen. »Und das alles auf neuntausend Quadratfuß und ausgerechnet in der Kirche, in der der Papst gewählt wird.« Granacci ließ die Arme sinken und schüttelte den Kopf. »Das ist verrückt – *du* bist verrückt.«

»Spricht das gegen den Entwurf?«, fragte Michelangelo.

»Ihr wollt mit einem einzigen Fresko«, Sangallo sprach jedes Wort für sich aus, »die gesamten künstlerischen Konventionen der letzten hundert Jahre zum Einsturz bringen.«

»Ich will gar nichts zum Einsturz bringen«, sagte Michelangelo schwer atmend, »ich möchte nur dem, was existiert, etwas Neues hinzufügen. Und jetzt tut mir bitte endlich den Gefallen, vergesst für einen Moment die Konventionen und Julius und das Alte Testament und seht euch einfach nur den Entwurf an.«

Alle studierten ein weiteres Mal den Entwurf.

Am Ende war es Bastiano, der das Schweigen brach: »Revolutionär!«

»In jeder Hinsicht«, bestätigte Sangallo.

Granacci pfiff nur wieder durch die Zähne.

Agnolo war noch im Staunen gefangen. »So etwas hätte ich nie für möglich gehalten.«

Rosselli ging um den Tisch und klopfte Michelangelo auf die Schulter. Jeder sah, dass er sich nur mit Mühe davon abhalten konnte, ihn in die Arme zu schließen.

»Wenn dir das gelingt ...« Rosselli versagte die Stimme.

Bugiardini hatte die Dimension des Entwurfs noch immer nicht erfasst, doch er fühlte, was da vor ihm lag: »Es würde für sich stehen«, überlegte er laut. »Gänzlich für sich ...«

»Es wird Jahre dauern«, sagte Jacopo, »wenn es überhaupt gelingt.«

Agnolo konnte sich nur wiederholen: »Ich hätte so etwas nie für möglich gehalten.«

Sangallo enthielt sich einer Bewertung. Doch der Blick, den er seinem langjährigen Freund zuwarf, sprach ihm offene Bewunderung aus. Beinahe mitleidig legte er Michelangelo die Hand auf den Arm.

»Gesetzt den Fall, Ihr werdet Julius von diesem Entwurf überzeugen – was nicht geschehen wird –, habt Ihr eine Vorstellung davon, was das bedeutet?«

Michelangelo legte den Kopf schief, betrachtete den Entwurf und zwang sich zu einem Lächeln. »Arbeit.«

XXII

In dem halben Jahr, seit er nach Rom gekommen war, hatte Aurelio mehr gesehen als irgendjemand, den er in Forlì gekannt hatte, in seinem ganzen Leben. Er hatte erhabene Kirchen und prunkvolle Paläste gesehen, verschwiegene Innenhöfe, von Flüstern erfüllte Kreuzgänge, tosende Kolonnaden, schöne Frauen und reiche Männer. Allerdings auch aufgequollene Leichen, die sich in den angestauten Ästen vor den Brückenpfeilern des Ponte Sisto verfangen hatten. Einmal, auf dem Forum Romanum, wo sich nachts Wölfe herumtrieben und Wildschweine nach etwas Essbarem stöberten, war er Zeuge davon geworden, wie zwei Ratten den eiternden Beinstumpf eines an den Trümmern lehnenden Mannes abnagten, der noch am Leben war.

Michelangelo hatte Aurelio vom Mythos des Phönix berichtet, dem rotgoldenen Vogel, der alle fünfhundert Jahre verbrannte, um sich verjüngt aus seiner eigenen Asche zu erheben. So erschien ihm die Ewige Stadt. Während das alte Rom in Schutt und Unrat versank, spross ein neues aus der Erde und berauschte sich an sich selbst. Im Stadtbild erkannte man diese Entwicklung am deutlichsten an den Palazzi. Entlang der neuerbauten Via Giulia, die in direkter Linie die beiden Tiberbrücken miteinander verband, schossen sie wie Pilze aus dem Boden. Aurelio hatte nicht weniger als neun Großbaustellen gezählt. Kaum überquerte man dann den

Ponte Sisto und wagte sich nach Trastevere, wurde man von Bettlern belagert, bekam Arme entgegengestreckt, denen die Hände fehlten, wurde von zahnlosen Huren angeknurrt und sah dreibeinige Hunde durch die morastigen Gassen humpeln.

Aurelio mochte die Palazzi nicht. Sie wirkten feindlich, als müsste man damit rechnen, jeden Moment von ihnen verschluckt oder erschlagen zu werden. Wie groß konnte eine Familie sein, dass sie ein solches Heim für sich beanspruchte? Der seit Jahrzehnten im Bau befindliche Palazzo Doria Pamphili zum Beispiel barg Höfe in seinem Inneren, die groß genug gewesen wären, um ganze Kirchen hineinzustellen. Und der Palazzo della Cancelleria füllte einen kompletten Straßenzug – eine Festung aus Travertin. Die gesamte Front war mit dem wundervoll weichen Stein verkleidet, den man zuvor vom Kolosseum gebrochen hatte. Auch das war etwas, das Aurelio nicht verstand: das Kolosseum. Konnte sich ein größeres und eindrucksvolleres Bauwerk überhaupt denken lassen? Jetzt stand es bis zu den Knöcheln im Dreck, die Arena war ein Kampfplatz für Katzen, Ratten und Füchse, und in den Bögen hausten Diebe, die nur darauf warteten, einen zu überfallen.

Was den Palazzo della Cancelleria betraf: Das Geld dafür sollte Raffaele Riario in einer einzigen Nacht beim Glücksspiel gewonnen haben. Gut, es war Granacci gewesen, der Aurelio diese Geschichte erzählt hatte, und der neigte zu Übertreibungen. Doch Piero war dabei gewesen und hatte bestätigend mit dem Kopf genickt. Also schien es wahr zu sein. Ein Kardinal, beim Glücksspiel! Was würde Gott dazu sagen? Schließlich war Mäßigung eine der vier Kardinaltugenden und Habsucht eine Todsünde.

Anders ging es Aurelio mit den Villen. Viele der reichen Familien, die sich in der Altstadt einen Palazzo bauen ließen, besaßen außerhalb des Zentrums eine zusätzliche Villa, in der sie die heißen Sommermonate verbrachten. Diese Villen waren oft sehr viel schlanker und feingliedriger als die kraftstrotzenden Palazzi. Am besten gefiel Aurelio die von Il Magnifico, dem Bankier, in der die berühmte Kurtisane Imperia ein und aus ging – von der Aurelio inzwischen wusste, dass sie eine herrschaftliche Villa an der Piazza

Scossacavalli besaß, nur drei Straßen von Michelangelos ärmlichem Haus entfernt. Statt wie die Palazzi auf der anderen Tiberseite wollte Chigis Villa ihren Betrachter nicht in die Knie zwingen, sondern entzog sich seinen Blicken durch eine Mauer und war in Dimensionen gehalten, die, wie Michelangelo es nannte, das menschliche Maß respektierten.

✣ ✣ ✣

Vor allem aber hatte Aurelio Kirchen gesehen. Bevor Michelangelo selbst ans Werk ging, wollte er jedes Fresko und jedes Gewölbe der Stadt inspiziert haben. »Ich muss wissen, worauf ich mich einlasse«, sagte er. Aurelio kam aus dem Staunen nicht heraus. In Rom schien es mehr Kirchen zu geben, als der Apfelbaum auf ihrem Hof in Forlì Früchte trug. Er bestaunte goldene Mosaiken und verschlungene Fußbodenintarsien; die Ketten, in die man Petrus geschlagen hatte; die Kapelle, in der man Neros kriegerischen Geist eingefangen hatte, der bis dahin in einem nahen Baum hauste. Und natürlich Fresken.

Es hatte Tage gedauert, ehe Aurelio die wachsende Unruhe verstand, die seinen Meister jedes Mal ergriff, sobald sie sich einer neuen Kirche näherten. Michelangelo war in einem Zwiespalt aus Hoffen und Bangen gefangen. Einerseits verlangte es ihn geradezu nach einem Fresko, das ihn voranbringen und inspirieren würde. Immerhin wagte er sich mit seinem Unterfangen auf für ihn unbekanntes Land vor. Andererseits fürchtete er jedes noch nicht gesehene Werk wie einen eifersüchtigen Nebenbuhler, der ihn hinterrücks zu ermorden drohte.

Bald jedoch befreite sich Michelangelo von dieser Befangenheit. An ihre Stelle trat ein kindlich-trotziger Unmut. Kein Werk genügte seinen Ansprüchen. Stattdessen schien er sich von den Arbeiten seiner Vorgänger persönlich beleidigt zu fühlen. Als eines der ersten Fresken hatten sie sich das von Pinturicchio in Santa Maria in Aracoeli angesehen. Aurelio war von der Wirkung sehr angetan, wenngleich ihm die Fresken von Botticelli, Ghirlandaio und vor allem Perugino aus der Sixtinischen Kapelle lange vertraut waren. Michelangelo dagegen stieß nur geräuschvoll die Luft durch die Nase. »Solides Handwerk, nicht mehr und nicht weniger.«

Ein andermal, vor dem Fresko Filippino Lippis in Santa Maria sopra Minerva, stellte Michelangelo fest: »Keine zwei Ave Marias kann ich mir das ansehen, ohne dabei einzuschlafen.«

Aurelios Zunge war schneller als sein Kopf: »Dann solltet Ihr es mit nach Hause nehmen und in Eurer Kammer aufstellen.«

Michelangelo blickte mit hinter dem Rücken verschränkten Händen zu ihm auf. »Witzbold«, sagte er, drehte sich um und eilte in seinem gewohnten Laufschritt dem Ausgang entgegen.

»Was ist mit den Deckenfresken?«, fragte Aurelio, als sie auf den Vorplatz traten.

Sie waren denen der Sistina, die sie soeben in wochenlanger Arbeit abgeschlagen hatten, sehr ähnlich und in ihrer Farbwirkung stärker als alles, was Aurelio bis dahin gesehen hatte. Michelangelo aber hatte sie lediglich mit einem kurzen Blick gestreift.

»Was soll mit ihnen sein?«

»Dieses Blau … Es ist von einer Art, die die Farbe des Himmels verblassen lässt.«

»Wer es mag.«

Aurelio hatte keine andere Antwort erwartet.

Am Ende blieb nur ein einziger Künstler, den Michelangelo in der Ewigen Stadt auf dem Gebiet der Malerei als echten Konkurrenten ansah – und aus diesem Grund gleichermaßen bewunderte wie fürchtete und außerdem kein gutes Haar an ihm ließ: Raffaello Santi. Natürlich gab es noch Leonardo, der Pferde malte wie »niemand vor oder nach ihm«, doch der hatte ein Angebot als Hofmaler und leitender Ingenieur in Mailand angenommen und würde bis auf weiteres keine Gefahr mehr darstellen. Gut möglich sogar, dass ihre Wege sie auf Erden nie wieder an denselben Ort führten.

Mit Raffael jedoch verhielt es sich anders: Erst vor wenigen Wochen hatte Julius den Maler nach Rom beordert und ihm den Auftrag erteilt, die neuen Audienzzimmer im Papstpalast mit Fresken zu schmücken. Julius' Mundwinkel hatten getanzt vor Freude, als er Michelangelo davon in Kenntnis setzte. Nur einen Steinwurf von der Sixtinischen Kapelle entfernt bereitete der aufstrebende Künstler aus Urbino nun die Fresken für Julius' Gemächer vor, während Michelangelo mit seinen künstlerischen Ansprüchen und der Architektur eines Tonnengewölbes rang.

Es gab noch andere Gründe für die leidenschaftliche Abneigung, die Aurelios Meister dem acht Jahre jüngeren Künstler entgegenbrachte: sein geschmeidiges Auftreten, seine schmeichlerische Höflichkeit, seine Beliebtheit, seine vollendeten Umgangsformen, seine hilfsbedürftige Schönheit sowie der »hündische Blick, der jedes Frauenherz in Nougat verwandelt«, wie Michelangelo meinte. Der gewichtigste jedoch war Raffaels künstlerisches Vermögen. Zwar befand Michelangelo, Raffaels Madonnen seien »süß wie Mailänder Frangipane«, die Ausgewogenheit seiner Compositio jedoch zeuge von höchster Meisterschaft.

Wie Michelangelo hatte auch Raffael früh seinen Lehrmeister überflügelt und war inzwischen, mit gerade einmal fünfundzwanzig Jahren, auf dem Parnass angelangt. Und ausgerechnet diesen Künstler hatte Julius mit den Fresken für seine neuen Gemächer beauftragt. Hinter den Mauern des Vatikans tobte ein Künstlerkrieg, bei dem keiner der Kontrahenten wusste, mit welchen Waffen der Gegner kämpfte.

✢ ✢ ✢

Selbstverständlich hatte Michelangelo seinem Gehilfen auch die Statuen Roms gezeigt. Schließlich begegneten sie einem auf Schritt und Tritt. In ihnen bewahrte die Stadt ihre Geschichte und ihre Geschichten auf. Doch konnten die Bildhauer noch weniger auf ein mildes Urteil des Meisters hoffen als die Freskanten. Selbst gelungene Arbeiten waren Michelangelo kaum einen Kommentar wert. Stets war es dasselbe: Er stellte Aurelio vor eine Statue, trat zurück und wartete so lange, bis Aurelio seine Eindrücke in Worte fasste. Und ganz gleich, wie dessen Urteil ausfiel, am Ende verzog Michelangelo die Mundwinkel, ließ ein »hm« hören und ging weiter. Aurelio wagte kaum noch, überhaupt etwas zu sagen.

Schließlich führte Michelangelo ihn in den vorderen Teil der alten Petersbasilika, den Bramante noch nicht hatte abreißen lassen. Das Querhaus und die Apsis waren bereits dem Erdboden gleichgemacht worden, und so wirkte das dreigeteilte Kirchenschiff durch die fehlende Stirnseite seltsam verstümmelt. Ein endloser Zug aus Pferdekarren, Lastenträgern und Bauarbeitern stampfte durch das alte Gotteshaus wie über offenes Land. Alles war mit einer dicken Staubschicht überzogen und von Lärm erfüllt. Aurelio wollte gerade fragen, weshalb sein Meister ihn hierhergeführt hatte, als er sie entdeckte: eine Pietà aus weißem Marmor. Die Jungfrau Maria, sitzend, den toten Jesus auf den Knien. Sie stand zurückgezogen in einer noch intakten Kapelle, als suche sie dort Schutz. Unwillkürlich führte Aurelio eine Hand zum Mund.

Im Gegensatz zu vielen anderen Statuen, die er gesehen hatte, war die Pietà in Lebensgröße gehalten, was sie unsagbar verletzlich und zart erscheinen ließ. Dennoch war kein Schmerz in Marias Gesicht, nur Anmut. Eine Anmut, die sich auf ein tiefempfundenes Wissen gründete. Sie hatte die Unvermeidbarkeit ihres Schicksals erkannt und es angenommen. Ihr Sohn, den sie auf dem Schoß hielt, war noch im Tod von einer unerklärlichen Sanftheit umgeben, sein Körper gebrochen, doch sein Geist stark.

Aurelio wusste es in dem Moment, da sein Meister ihn fragte: »Sag mir, was du siehst.«

»Ihr seid es gewesen, der sie erschaffen hat.«

»Sag mir einfach, was du siehst.«

Aurelio musste an Tommaso denken. Und an seine Mutter. Auch in Antonias Gesicht hatte er es gesehen, damals, als der Söldner mit der Narbe sie aus dem Haus geführt hatte – das Schicksal, in das sie sich gefügt hatte. Das Leben war so vergänglich. Angesichts dieser Statue jedoch schien es noch einmal um ein Vielfaches zerbrechlicher.

»Woher habt Ihr die Idee genommen, Maria und ihren Sohn ausgerechnet in dieser Haltung darzustellen?«, wollte er wissen.

»Eine Idee lässt sich nicht backen wie Brot«, erklärte Michelangelo und schwieg eine ganze Weile, bevor er fortfuhr: »Manche liegen morgens in ihrer fertigen Gestalt auf der Türschwelle, andere benötigten Monate, um zu reifen. Bei der Pietà habe ich zum ersten Mal erkannt, dass eine Idee zu sich selbst finden muss und dass die Pflicht des Künstlers darin besteht, sich in einen Zustand zu versetzen, der genau das ermöglicht. Alles, was ich zuvor gemacht habe, war ein Tasten im Nebel – der Kandelaberengel, den du als Kind so bewundert hast, eingeschlossen. Also: Was siehst du?«

»Schönheit«, stammelte Aurelio.

»Noch mehr?«

Reinheit, dachte Aurelio, wagte aber nicht, es auszusprechen. Sein Pulsschlag stemmte sich gegen den Kragen. »Liebe«, brachte er schließlich hervor. Er schwebt, dachte er, Jesus schwebt. »Er ist so leicht, im Tod. Als wäre alle Last von ihm abgefallen.«

Nachdenklich betrachtete Michelangelo sein eigenes Werk. Zehn Jahre lag es zurück, dass er die Jungfrau und ihren Sohn aus dem Marmor gehöhlt und den Stein in wochenlanger Arbeit poliert hatte. Vierundzwanzig war er damals gewesen. Bereits da hätte jeder Dummkopf erkennen müssen, dass seine Bestimmung der Marmor war.

Schließlich tat er etwas, das er sich sonst nie gestattete. Er legte Aurelio väterlich den Arm um die Schulter. »Da ist mir ja ein rechter Schwärmer zugelaufen.«

✢ ✢ ✢

In dieser Kirche, der alten, verstümmelten, von Tumult erfüllten Petersbasilika, hörte Aurelio auf, für seine Eltern zu beten. Er fühlte sich schuldig. Bis jetzt hatte er in jeder Kirche ein Gebet für Tommaso zurückgelassen. So dachte er. Bis er in Marias schuldloses Gesicht geblickt hatte und ihm klargeworden war, dass er weder für Tommasos Seelenheil noch für Antonias gebetet hatte, sondern für sein eigenes. Dass sein Vater Einlass ins Himmelreich erhalten hatte, daran hegte Aurelio keinen Zweifel. Er war ein ehrlicher Mann gewesen, den Aurelio niemals eine Sünde hatte begehen sehen. Und für seine Mutter galt das Gleiche. Doch was war mit ihm, Aurelio selbst? Was war mit den Gedanken, die ihn verfolgten, seit er Aphrodite im Circus Agonalis gesehen hatte, was war mit den Bildern und Visionen, die er nicht einmal in Worte hätte fassen können? Und was war mit Margherita und ihren wöchentlichen Treffen? Rom hatte Begierden in Aurelio entfacht, die er nie zuvor gekannt hatte.

Er hatte begonnen, sein Geld zu zählen. Je mehr er davon besaß, umso häufiger zählte er es. War das Habgier? Hatte es ihm je an etwas gemangelt? Und dann diese unzüchtigen Gedanken. Den ganzen Tag wurde er von ihnen verfolgt, nachts dann holten sie ihn ein. Gut, bereits als Kind hatte er sich vorgestellt, wie Caterina Sforza auf der Mauer der Zitadelle ihre Röcke gehoben und ihre Scham entblößt hatte. Das war schlimm genug gewesen. Doch es war nichts im Vergleich zu dem, was Margherita mit ihm anstellte, und noch weniger im Vergleich zu dem, was er sich mit Aphrodite erträumte und was ihm so wirklich erschien, dass er nachts keuchend und schweißüberströmt mit pochendem Glied aufschreckte. Nein, Aurelios Gebete galten nicht seinem Vater. Er wusste, wenn Tommaso diese Stadt und seinen Sohn darin hätte sehen können – er wäre niemals einverstanden gewesen. In seinen Augen hätte nichts in Rom das menschliche Maß respektiert. Aus diesem Grund bat Aurelio ihn um Vergebung. Nicht Gott. Die Vergebung seines Vaters war ihm wichtiger als die von Gott.

XXIII

Von allen Plätzen, die er überquert, von allen Orten, die er gesehen hatte, war Aurelio die Mulde zwischen den Wurzeln der großen Platane im Garten des Vatikans der liebste. Den Rücken gegen den kühlen Stamm gelehnt, hatte er hier während der stickigen Sommermonate unbehelligt seine Pausen verträumt und sich dennoch im Mittelpunkt der Welt befunden. Seiner Welt. Er mochte die wechselnden Gerüche. Bei Südwind haftete der heißen Luft der Geschmack der Großbaustelle an: geschliffener Travertin, Marmor, frisch geschnittenes Holz und feuchter Kalk. Kam er von Norden, war er kälter und trug den Geruch von Pinien, Zedern, Orangen- und Zitronenbäumen mit sich.

An die Gerüche, die diese Stadt sonst beherrschten, würde sich Aurelio niemals gewöhnen. Auf ihrem Hof bei Forlì hatte es nur natürliche Gerüche gegeben. Mit ihnen war Aurelio aufgewachsen. Weizen, Äpfel, Stroh, Lehm, der grüne, fleischige Duft reifer Oliven, der Trog vor dem Haus, der im Sommer nach Feuerstein roch. Natürlich hatte es auch nach Pferdeäpfeln und Katzenpisse gerochen, niemals aber nach Eiter, Gedärm, verfaultem Fleisch, Krankheit, Elend und Tod. Manchmal kam es Aurelio vor, als würde diese Stadt vor allem das Schlechte im Menschen zum Vorschein bringen.

Mehr noch als die Gerüche mochte Aurelio das, was er von

hier aus sah: Veränderung. Sie gab ihm das Gefühl, am Lauf der Welt teilzuhaben. Von der kleinen Erhebung im Schatten der leoninischen Mauer aus, umgeben von sattem Grün, schattenspendenden Pinien, hochaufragenden Palmen und symmetrisch beschnittenen Zypressen, konnte er mit seinem Blick den gesamten Vatikan einfangen – vom höher gelegenen Belvedere-Palast, in dem Bramante residierte, bis hinüber zur Baustelle von Sankt Peter, über der die schreienden Möwen kreisten wie über der Ripa Grande.

Michelangelo und er hatten sich die Baustelle von Neu-St. Peter angesehen, als sein Meister ihm die Pietà gezeigt hatte. Ein Platz, so groß wie ein ganzes Dorf. Und mit jedem Tag verschlang er ein weiteres Stück des päpstlichen Gartens. Als Michelangelo ihm beschrieb, welchen Grundriss die künftige Kirche einmal haben sollte, scheiterte Aurelio an seiner Vorstellungskraft. Ein Raum von derartigen Dimensionen … Ein ungreifbares Unbehagen erfüllte ihn. Konnte es wirklich Gottes Wille sein, dass man ihm ein solches Monument schuf? Es war, als sollte der Mensch zu seinem Glauben gezwungen werden. Wollte Gott den Menschen unterwerfen? Oder ging es am Ende gar nicht um Gott?

Doch nicht nur an der Petersbasilika wurde gebaut. Die Arbeiten an den beiden langgestreckten Belvedere-Korridoren waren ebenfalls noch nicht abgeschlossen, und der Papstpalast wucherte wie eine Pflanze von innen heraus. Niemand schien vorhersagen zu können, welche Form er in den kommenden Jahren annehmen würde. Das einzige in sich ruhende Bauwerk, das von dem Trubel um sich herum unberührt und unbeeindruckt blieb, war die Sixtinische Kapelle. Was auch immer sich künftig auf dem Colle del Vaticano abspielte, welche Gestalt der Vatikan auch annahm – die Sistina würde keinen Fingerbreit weichen. Michelangelos Fresko hätte auf Jahrhunderte Bestand.

Am meisten zog der Papstpalast Aurelios Interesse auf sich. Das allerdings hatte weniger mit den Umbauarbeiten zu tun, als vielmehr damit, dass Aphrodite darin leben sollte. Margherita, die es als Teil ihrer Profession ansah, alles über jeden zu wissen und gesellschaftliche Informationen von potentiellem Wert wie Reliquien zu verwahren, hatte ihm während einer ihrer Liebesnächte anvertraut, dass »die, die nicht existiert, in den Räumen wohnt, die niemand bewohnt«. Offiziell freilich standen die Gemächer im ersten Stock leer. Von außen betrachtet deutete nichts darauf hin, dass dort jemand wohnte. Die Läden waren meist geschlossen, und sofern sie – in den frühen Morgen- und den späten Abendstunden – geöffnet wurden, waren die Fenster stets mit Stoffen verhangen, die jeden Blick ins Innere unmöglich machten.

✢ ✢ ✢

Bekannt war nur, dass Julius sich nach seiner Wahl zum Papst 1503 geweigert hatte, die Räume seines verhassten Vorgängers zu beziehen. Dafür hätte bereits der Umstand ausgereicht, dass Alexander dem Geschlecht der Borgias entstammte und Julius ein della Rovere war. Doch die Feindschaft dieser beiden war zudem eine persönliche Angelegenheit. Als Neffe von Papst Sixtus war Julius eine glanzvolle klerikale Karriere beschert gewesen. Es schien nur eine Frage der Zeit zu sein, bis er seinem Onkel auf den Papstthron folgen würde. Doch nach dessen Tod dauerte es fast zehn Jahre, bis sich bei dem Konklave 1492 endlich Alexander und Julius gegenüberstanden. Es gewann der, der sich aufgrund seines irdischen Reichtums mehr Stimmen sichern konnte: Alexander. Kaum war er gewählt, entließ er Julius, damals noch Giuliano della Rovere, aus sämtlichen Ämtern. Er versuchte sogar, ihn vergiften zu lassen. Darin war er geübt. Der Kardinal von Pavia allerdings, Francesco Alidosi, konnte den Anschlag vereiteln. Julius machte das Einzige, das ihn am Leben zu erhalten vermochte: Er exilierte nach Frankreich. Seine Laufbahn als Kleriker schien besiegelt.

Weitere zehn Jahre später bot sich die Chance auf Vergeltung. Am 18. August 1503, einem selbst für römische Verhältnisse ungewöhnlich heißen Tag, wurde Alexander endlich von seinen zahllosen Sünden heimgesucht, quoll innerhalb kürzester Zeit auf wie eine Unke, verfärbte sich schwarz und verbreitete einen Geruch, der dazu führte, dass sich jeder, der in seine Nähe kam, übergeben musste. Bevor der Tag vorüber war, hatte sich der Teufel seine Seele geholt. Endlich schlug die Stunde des Giuliano della Rovere. Die erforderlichen Stimmen kosteten ihn ein Vermögen, doch die Investition zahlte sich aus. Am 1. November, nach einem Konklave von nur einem Tag, war aus Giuliano della Rovere Papst Julius II. geworden. Zwar war er zu diesem Zeitpunkt bereits fast sechzig Jahre alt und litt, wie jeder wusste, an der Franzosenkrankheit, doch seine robuste Konstitution und sein unbeugsames Naturell schienen stärker als jede Krankheit.

Die späte Genugtuung, seinen Vorgänger überlebt zu haben, genoss Julius auf eine Weise, wie man es von einem Mann seines Temperaments erwarten durfte. Er löschte Alexander aus. Wo immer sein Name auftauchte, ließ er ihn beseitigen, so auch in sämtlichen Dokumenten. Paris de' Grassi, der pingelige Zeremonienmeister und Chronist, war über Wochen mit nichts anderem beschäftigt. Porträts, die Mitglieder der Borgias zeigten, wurden verhängt oder fortgeschafft. Um die Gemächer seines Vorgängers zu tilgen, hätte Julius jedoch den Palast abreißen lassen müssen. Folglich musste eine andere Lösung her.

Alexander hatte Pinturicchio damit beauftragt, die Appartamenti Borgia im Palast mit Fresken auszuschmücken, die den christlichen Glauben ebenso verherrlichen sollten wie den Pontifex. Entsprechend waren sie mit Bezügen auf Alexander und seine Sippe durchsetzt. Von überall stach einem das Familienwappen der Borgia ins Auge, auf jeder zweiten Wand hatte der Spanier unseligen Angedenkens sich selbst verewigen lassen, und die heilige Katharina von Alexandrien im Saal der Heiligenviten war niemand anderes als die von Alexander inzestuös geliebte Tochter Lucrezia.

De' Grassi schlug Julius vor, die Bilder übermalen und die Fresken abschlagen zu lassen, doch Julius' Respekt vor der Kunst war zu groß. Es war weder die Schuld der Kunst noch die Pinturicchios, dass Alexander zum Papst gewählt worden war. Julius ließ den ersten Stock kurzerhand verschließen und bezog selbst die Gemächer des zweiten Stocks. Hier waren die Decken noch höher, die Zimmer noch großzügiger, die Aussicht noch herrschaftlicher. Und nichts erinnerte an seinen Vorgänger – außer, dass Julius dessen Gemächern auf dem Kopf herumtrampelte. Wann immer er seinen Stock auf die Fliesen krachen ließ, stellte er sich vor, wie Alexander unter ihm zusammenzuckte. Damit konnte er leben.

✢ ✢ ✢

Was Aurelio über Aphrodite wusste, nahm sich dagegen sehr dürftig aus. Alles, was er mit Sicherheit sagen konnte, war, dass sie ihn verfolgte, seit er sie im Circus Agonalis die Stufen hatte emporsteigen und im Geschäft des Goldschmieds verschwinden sehen. Und je stärker er dieses Bild zu verdrängen versuchte, umso lebhafter trat es ihm vor Augen.

Er hatte versucht, möglichst viel über sie zu erfahren. Doch selbst Margherita, der selbsternannte »Brunnen des Stadtgeflüsters«, schien wenig zu wissen und noch weniger preiszugeben. Seit einiger Zeit reagierte sie sogar richtig gereizt, sobald Aurelio davon anfing. »Hör auf!«, hatte sie neulich ausgerufen und ihm den Rücken zugedreht. Ihr Unmut währte jedoch nie lange. Nach einer Weile des Schweigens schmiegte sie sich wieder an ihn. »Was reckst du den Kopf nach einem fliegenden Vogel? Kümmere dich lieber um die gebratenen Täublein, die dir in den Mund flattern.« Mit diesen Worten ließ sie ihren Körper auf seinen gleiten, spreizte die Beine und führte seine Hände auf ihren Po. Es funktionierte jedes Mal. »Na bitte«, flüsterte sie. »Ich sage es doch: Du gehörst mir, mein kleiner Prinz. Hast du das etwa vergessen?«

So viel hatte Aurelio ihr immerhin entlockt: Woher Aphrodite kam, wusste niemand. Sie war eine Waise. Vor zwei Jahren, bei seinem Feldzug gegen die abtrünnigen Lehensgebiete Perugia und Bologna, sollte sie Julius zufällig in die Hände gefallen sein. Sofern man bei einem Wesen wie ihr von Zufall sprechen konnte. Die eine Version besagte, Julius habe sie am Ufer des Lago Trasimeno entdeckt, als er während einer eintägigen Rast zum Angeln auf den See hinausgefahren war. Ein anderes Gerücht wollte wissen, dass er sie bei der Inspektion eines auf dem Weg liegenden Kastells in einem Verlies vorgefunden und niemand ihm Angaben über sie habe machen können. Wie auch immer: Julius hatte Rom ohne sie verlassen und war ein halbes Jahr später mit ihr zurückgekehrt – in einer geschlossenen, von seiner Leibgarde eskortierten Sänfte. Vom ersten Augenblick an soll er in ihr ein göttliches Zeichen erblickt haben. Mehr noch: Er war überzeugt davon, dass Gott ihm in Gestalt von Aphrodite eine Prüfung geschickt habe – dass in ihr Julius' eigenes Schicksal eingeschrieben war. Welches er nicht zu lesen verstand. Noch nicht. Sein Orakel. Sein gordischer Knoten. Alexander dem Großen war es nicht anders ergangen.

Fest stand, dass der Feldzug kein einziges Opfer forderte, nachdem Julius Aphrodite aufgegriffen hatte und in seinem Wagen beziehungsweise seinem Zelt unter Verschluss hielt. Ein Sekretär des Papstes, der inzwischen Margheritas Dienste als Kurtisane in Anspruch nahm, hatte ihr mit ungläubigem Kopfschütteln davon berichtet. Von dem Tag an, da der Papst seiner Schicksalsgöttin begegnet war, waren alle Zweifel und jedes Zögern von ihm gewichen. Es hieß, er habe Aphrodite befragt.

»Nehmt Euch, was Euch zusteht«, soll sie geantwortet haben.

Die Entschlossenheit, mit der Julius von da an sein Vorhaben vorantrieb, hatte nicht nur auf das eigene Heer, sondern auch auf jeden Gegner eine solche Wirkung, dass sich ihm niemand mehr in den Weg zu stellen wagte.

Gianpaolo Baglioni, dem sonst kein Massaker blutig genug sein konnte, um die Herrschaft über Perugia nicht aus der Hand zu geben, ergab sich Julius und öffnete ihm die Stadttore, noch ehe der Pontifex anklopfen konnte. Der Sieg über Bologna zwei Monate später war noch triumphaler. Julius errang ihn, lange bevor die Stadttore überhaupt in Sicht waren. Die päpstlichen Truppen machten Station in Forlì – fünf Tagesmärsche von Bologna entfernt –, als ihn die Nachricht erreichte, dass die gesamte Sippe der Bentivoglio, die seit Jahrzehnten die Stadt als ihr Eigentum betrachtete, vorsorglich nach Mailand geflohen war. Bis sie in Bologna Einzug hielten, war der Triumphbogen für Julius bereits in Arbeit. Von diesem Tag an kannte die Verehrung des Papstes für Aphrodite keine Grenzen mehr. Und wenn man den Worten seines Sekretärs Glauben schenken durfte, auch nicht sein Verlangen.

✢ ✢ ✢

Seit Aurelio erfahren hatte, dass Aphrodite den Nordflügel im ersten Stock des apostolischen Palastes bewohnen sollte, holte er das Wasser für die Arbeiten am Kapellengewölbe nicht mehr vom Brunnen auf dem Petersplatz, sondern nutzte den im Cortile del Belvedere – dem Innenhof der von Bramante neugebauten Korridore, die den Palazzo del Belvedere mit dem Papstpalast verbanden. Von hier aus hatte er die kleinen Bogenfenster der Appartamenti Borgia, die in den dicken Mauern wie Höhleneingänge anmuteten, genau im Blick. Jedes Mal, wenn er neues Wasser holte, sah Aurelio zu ihnen auf. Tag für Tag saß er auf dem Rand des noch unfertigen Brunnens und hoffte und bangte, ohne zu wissen, worauf oder wovor. Ein Zeichen? Unsinn. Nichts als die verdrehte Phantasie eines Herzkranken. Dennoch sah er zu den Fenstern auf und wartete.

Nach einem dieser sich endlos ziehenden Augusttage, an denen die Hitze unter dem Gewölbe ihm den Kopf von innen wie von außen verklebte, so dass er keinen klaren Gedanken mehr fassen konnte, geschah es: Eine weiß behandschuhte Hand schob sich vor den grünen Samtstoff, der das Fenster verhängte. Aurelio hatte die Kellen und Eimer gereinigt, sich das Arbeitshemd ausgezogen und die Mörtelspritzer von Armen und Hals gewaschen. Anschließend hatte er seinen Kopf in den Brunnen getaucht und Brust und Schultern abgerieben. Seine Erschöpfung ließ die Gedanken wie eine zähe Flüssigkeit in seinem Kopf kreisen. Er mochte diese träge Erschöpfung nach einem langen Tag. Piero war bereits vorgegangen und kümmerte sich um das Abendessen. Aurelio würde ein

205

gedeckter Tisch erwarten. Da erst begriff er, dass er die Hand längst bemerkt hatte. Aphrodites Hand. Aurelio richtete sich auf, ohne den Blick von der Fensteröffnung zu nehmen. Die Hand hatte den Vorhang so weit zur Seite geschoben, dass ein kleiner Spalt sichtbar wurde. Aurelio blickte sich um. Die Abendsonne tauchte das obere Stockwerk des östlichen Korridors in flammendes Licht. Über dem Cortile kreisten Möwen. Außer ihm und zwei mit sich selbst beschäftigten Wäscherinnen am anderen Ende des Hofes war niemand zu sehen.

Noch immer hielt die Hand den Vorhang leicht geöffnet. Es war also keine Einbildung gewesen. Im Halbdunkel des Gemachs meinte Aurelio, einen Schatten auszumachen. Jemand beobachtete ihn. Aurelio spürte es, wie man die Dunkelheit spürt, mit geschlossenen Augen. Reglos verharrte er auf dem Brunnenrand. Langsam verflüchtigten sich die Wassertropfen auf Brust und Schultern. Irgendwo wurde eine Tür geöffnet. Kurz darauf verstummte das Gespräch der beiden Wäscherinnen. Aurelio war allein, hilflos Aphrodites Blicken ausgeliefert. Er hörte Schritte im Seitenflügel.

Aus einem der Torbögen trat mit weichen Bewegungen eine gepunktete Katze auf den Hof. Sie war groß, riesig. Beim Gehen rieben ihre Schulterblätter gegeneinander. Im Gefolge des Tieres betraten zwei Männer den Hof. Sie trugen weiße Tuniken, die mit Lederbändern gegürtet waren. Der eine hatte seine Hand auf den Arm seines Begleiters gelegt. Der andere hielt etwas in der Hand, das Aurelio im ersten Moment für einen Zügel hielt. Es war jedoch eine Leine. Die Riesenkatze wurde an einer edelsteinverzierten Lederleine geführt. Die Katze machte ein Geräusch, als würde ihr etwas im Hals stecken. Aurelios Haut spannte sich, überall. Sie kamen zum Brunnen. Die Katze blieb vor ihm stehen. Sie war echt. Sie musste es sein. Sie roch, und Aurelio hörte sie atmen. So echt konnte sich keine Täuschung anfühlen. Auch ihr Halsband war mit Edelsteinen verziert. Sie beschnupperte seine Füße.

»Ist da jemand?«, fragte der Mann, der seine Hand auf den Arm des anderen gelegt hatte.

Der Mann mit der Leine knurrte etwas, das Aurelio lange im

Kopf herumging, bevor sich daraus das Wort »uomo« geformt hatte. Mann. Damit war er gemeint.

»Guten Tag«, sagte der, der gefragt hatte. Seine Augen starrten ins Nichts.

»Guten Tag«, antwortete Aurelio.

Die riesige Katze sprang mit einer geschmeidigen Bewegung auf den Brunnenrand, tauchte eine Pfote ins warme Wasser, zögerte einen Moment und watete dann ganz ins Becken.

»Was ist das für ein Tier?«, fragte Aurelio.

»Giaguaro«, antwortete der, der ins Nichts starrte. Ein Jaguar.

Der Mann war blind. Wahrscheinlich war er geblendet worden. Es gab eine Methode, bei der dem zu Blendenden ein glühendes Eisen vor die Augen gehalten wurde. Die Hitze zerstörte das Auge, ohne sichtbaren Schaden zu hinterlassen. Es hieß, die Schmerzen seien ein Vorgeschmack auf das Fegefeuer.

»Wem gehört er?«, fragte Aurelio.

Der Blinde schwieg. Der Sehende drehte seinen Kopf kaum merklich und deutete mit dem Kinn Richtung Papstpalast. Aphrodite. Der Jaguar gehörte Aphrodite. Wieder knurrte der Sehende etwas. Aurelio verstand es nicht, aber die Raubkatze stieg folgsam aus dem Brunnen, sprang vom Rand und schüttelte sich. Der Mann hat keine Zunge, ging es Aurelio durch den Kopf. Der eine war geblendet, dem anderen war die Zunge herausgeschnitten worden.

»Arrivederci«, sagte der Blinde.

»Arrivederci«, antwortete Aurelio.

Sie überquerten den Hof und verschwanden durch denselben Bogen, durch den sie den Cortile betreten hatten. Als Aurelio aufblickte, war die Hand verschwunden, und der Vorhang verdeckte wieder vollständig die Fensteröffnung. Und dennoch spürte Aurelio ihren Blick auf sich ruhen. Abwesend griff er nach seinem Hemd, das noch immer auf dem Rand des Brunnens lag, und streifte es über.

XXIV

NIEMALS HATTE AURELIO seinen Meister nervöser gesehen als am Morgen des vierten Oktober, dem Tag des ersten Pinselstrichs. Es war der Namenstag Franz von Assisis.

»Ein guter Tag«, wie Michelangelo hoffte, schließlich war der Heilige ein demütiger Mann gewesen. Und Demut würden auch sie brauchen.

Bereits am Vorabend, als die letzten Vorbereitungen getroffen wurden, hatte der Bildhauer mit seiner nicht mehr zu bezähmenden Erregung die gesamte Bottega angesteckt – sogar Rosselli und Granacci, der sich, wenn er nicht gerade Rotwein trank, mit einem Griffelstil unsichtbaren Dreck unter den Fingernägeln herausgekratzt hatte. Nur Tedesco, der in dem Fresko niemals etwas anderes erblicken würde als bezahlte Arbeit, blieb von Michelangelos Anspannung unberührt.

Die ganze Nacht hindurch hatte Aurelio seinen Meister über sich umhergehen hören. Bei Sonnenaufgang, pünktlich zu den Laudes, waren dann die ersten Schritte aus dem Vorraum zu vernehmen. Es waren jedoch nicht die Michelangelos, wie Aurelio am Gang erkannte, sondern die Rosselis. Die Haustür wurde geöffnet. Aurelio stand auf.

Piero war auf die Straße getreten. Wie Aurelio trug auch er nichts als sein Nachthemd. So stand er im Morgenlicht und beschnupperte die Luft. Die letzten Monate hatten ihn altern lassen. Seine Augen, die er beim Verputzen über Kopf ständig zusammenkneifen musste, waren um zwei tiefe Falten reicher geworden. Innerhalb von nur drei Monaten hatten sie ein riesiges Gerüst gebaut und angebracht, ein sechstausend Quadratfuß großes Fresko abgeschlagen und auf die gesamte Fläche einen neuen Arriccio aufgetragen. Piero war müde und erschöpft, bevor die eigentliche Arbeit begonnen hatte. Seine Augen jedoch funkelten den in der Tür stehenden Aurelio spitzbübisch an. Er winkte ihn zu sich.

Aurelio trat barfuß und im Nachthemd auf die Straße. Gemeinsam richteten sie ihre Blicke nach Osten, wo sich der Passetto zur Engelsburg hinüberschlängelte, über deren Zinnen soeben die Sonne aufging. Der Himmel war von einem makellosen, unverbrauchten Blau. Der erste Devotionalienhändler schloss seinen Laden auf. Pilger waren Frühaufsteher. Zwei sich misstrauisch beäugende Katzen durchstöberten einen Haufen Küchenabfälle. Aurelio spürte, dass es mehr als nur gegenseitiger Respekt war, der in den vergangenen Monaten zwischen Piero und ihm gewachsen war. Es war Freundschaft. Als Kind hatte sein Vater ihm erklärt, dass es nur zwei Dinge im Leben gab, die wirklich von Wert waren: Familie und Freundschaft. Auf seine Art, dachte Aurelio jetzt, war Tommaso ein weiser Mann gewesen.

»Und?« Piero riss ihn aus den Gedanken.

Aurelio schloss die Augen. »Ostwind.«

»Nicht zu warm und nicht zu kalt, nicht zu trocken und nicht zu feucht.«

Aurelio schmunzelte. »Ein guter Tag, um mit dem Fresko zu beginnen?«

Jetzt schmunzelte auch Piero. »Sagen wir so: Wenn etwas schiefgeht, lag es nicht am Wetter. Gott hat uns seinen Segen gegeben. Nun ist es an uns, ihn nicht zu enttäuschen.«

Als sie wieder hineingingen, stieg Michelangelo gerade die Stufen herab. Seiner Rastlosigkeit vom Vorabend hatte sich eine Gereiztheit hinzugesellt. »Piero: Haben wir alles?«

»Guten Morgen, *caro fratello.*« Piero besah sich den Handkarren, der in einer Ecke stand und in dem seit Tagen alles bereitlag, was sie für das Fresko benötigen würden – abgesehen von den Säcken mit Kalk und Vulkanasche, die sie bereits vorgestern mit den Seilwinden auf die Arbeitsbühne gezogen hatten. Piero wollte schon bejahen, besann sich jedoch anders. »Ich gehe die Liste noch mal durch.«

»Tu das.«

Bis die Bottega mit Michelangelo an der Spitze zum Vatikan aufbrach, wurde kaum ein Wort gewechselt. Selbst der sonst fröhlich-polternde Granacci schwieg beharrlich und knetete stattdessen seine Hände. Rosselli zog den Karren, Bastiano trug den zusammengerollten Karton, den er gestern in stundenlanger Arbeit mit einer Nadel perforiert hatte. Dabei umfasste er ihn mit beiden Händen und hielt ihn eng am Körper, als sei er aus Glas und drohe, bereits bei geringfügiger Erschütterung in tausend Teile zu zerspringen.

Der Karton war für einen Freskanten »der letzte Zufluchtsort«, wie Agnolo es ausgedrückt hatte. »Danach musst du entweder springen, oder du bleibst für immer in deiner Höhle.« Bei diesen Worten hatte sich Agnolos Blick verklärt.

Aurelio erinnerte sich daran, was Piero ihm erzählt hatte: dass Agnolo kaum jemals etwas zu Ende brachte, weil er beständig an seinen eigenen Ansprüchen scheiterte. Agnolo musste also wissen, wovon er sprach. Offenbar hatte er den größten Teil seines künstlerischen Lebens in Höhlen zugebracht.

War ein Entwurf so weit gereift, dass man die Ausführung des Freskos in Angriff nehmen konnte, wurde er in einzelne Giornate zerlegt – Tagewerke. Von jeder Giornata wurde dann ein Karton – eine Zeichnung in Originalgröße – erstellt, die als Vorlage für den an diesem Tag zu bewältigenden Malabschnitt diente. Sobald der Intonaco aufgetragen und angetrocknet war, wurde der Karton mit speziellen Nadeln auf dem Untergrund befestigt, und man übertrug die Linien der Zeichnung auf den Putz. Hierfür gab es zwei Methoden. Die einfachste und schnellste war, mit einem feinen Stift die Linien nachzuziehen, so dass im noch feuchten Putz winzige Rillen sichtbar blieben. Die exaktere, aber sehr viel aufwendigere Methode bestand darin, den Karton entlang der Linien mit Hunderten kleiner Nadelstiche zu perforieren und ihn dann zu »pudern«. Hierbei klopfte man mit Hilfe von mit Kohlenstaub gefüllten Säckchen die Zeichnung ab, so dass sich die Linien auf den Intonaco übertrugen.

Michelangelo, der mit der Freskenmalerei nicht vertraut war, wollte jedes vermeidbare Risiko ausschließen. Ein Durchdrücken der Vorzeichnung mit dem Stift kam nicht in Frage. Also hatte Bastiano den gesamten gestrigen Nachmittag damit zugebracht, den ersten Karton für die Sistina zu perforieren.

✢ ✢ ✢

Je näher sie den Mauern des Vatikans kamen, desto nervöser wurde Michelangelo. Er versuchte nicht einmal mehr, sein Unbehagen zu verbergen. Niemand sagte etwas. Jedes Wort wäre das falsche gewesen. Agnolo schien mit seinem Vergleich ins Schwarze getroffen zu haben: Monatelang hatte sich Michelangelo in die Höhle seiner Imagination zurückgezogen und Zuflucht in seinen Zeichnungen gesucht. Jetzt, heute, hier, musste er hinaus und den Sprung wagen.

Glücklicherweise bekam Michelangelos Überreiztheit Gelegenheit, sich zu entladen, bevor sie ans Werk gingen. Sie hatten soeben die Wachen der Schweizergarde passiert, als sie sahen, wie Morosina, eine stadtbekannte Kurtisane mit zweifelhaftem Ruf (sie galt als allen Neigungen gegenüber aufgeschlossen), eine im Schatten des Papstpalastes wartende Kutsche bestieg. Der Mann, der ihr dabei die Hand reichte und den seidengefütterten Umhang hielt, war kein Geringerer als Paris de' Grassi. Mit herablassender Geste drückte er dem Kutscher eine Münze in die Hand. Als sich der Wagen daraufhin in Bewegung setzte, vollführte de' Grassi eine Verbeugung, die so aussah, als versuche er, mit der Nase sein Knie zu berühren.

»Das nenn ich ›Demut vor der Schöpfung‹«, flüsterte Granacci.

Es waren die ersten Worte, die fielen, seit sie das Haus verlassen hatten.

Erst jetzt bemerkte de' Grassi Michelangelo und sein Gefolge. Er richtete sich auf, als habe er etwas vom Boden aufgelesen. »Maestro Buonarroti!« Sein Rückgrat war steifer denn je. »So früh unterwegs?«

Michelangelo warf der vorbeifahrenden Kutsche, in der Morosina saß wie in Wachs gegossen, einen ausgedehnten Blick nach. Erst dann wandte sich der Künstler wieder de' Grassi zu. »Ihr werdet doch nicht etwa das Morgengebet versäumt haben?«

Bei dem Versuch, seine Autorität als Zeremonienmeister zu wahren, reckte de' Grassi den Kopf wie ein Hahn. »Ihr solltet besser auf Eure Worte achten, Herr Buonarroti. Der Heilige Vater ...«

»Und Ihr solltet besser auf Eure Gedanken achten, Herr de' Grassi«, schnitt Michelangelo ihm das Wort ab. »Sie sind der Beginn Eurer Taten.«

De' Grassi war wie vom Donner gerührt. »Ich muss Euch warnen, Buonarroti. Steckt Eure Nase nicht in fremde Angelegenheiten.«

»In Eurem Fall«, entgegnete Michelangelo und bedeutete Rosselli, dass sie weitergehen würden, »ist es wohl kaum die Nase, um die Ihr Euch sorgen solltet.«

De' Grassi verschlug es die Sprache.

Michelangelo setzte seinen Weg zur Kapelle fort. Die anderen folgten ihm. Im Vorbeigehen fügte er hinzu: »Und vergesst nicht, den Gulden ordnungsgemäß zu verbuchen, mit dem Ihr den Kutscher zum Schweigen verpflichtet habt.«

Die Genugtuung, ausgerechnet de' Grassi in einer derart kompromittierenden Situation ertappt zu haben, währte nicht lange. Sobald sie die Kapelle betraten, schienen sich die Stoffbahnen, mit denen die Arbeitsbühnen abgehängt waren, wie riesige Leichentücher auf sie herabzusenken. Hatte Michelangelo einen Marmorblock vor sich und hielt Schlägel und Eisen in Händen, kehrten Ruhe und Klarheit in ihn ein wie bei einem Sedimentglas, wenn sich die Teilchen absetzten und reines Wasser zurückließen. Jetzt jedoch, da er das Gewölbe mit Pinsel und Farbe zum Leben erwecken sollte, kam er sich vor wie ein Esel bei einem Pferderennen. Während die anderen Pinsel, Eimer, Kellen und Pigmente hinaufbrachten und Rosselli den Intonaco vorbereitete, ging Michelangelo nachdenklich in der Kapelle umher. Immer wieder blieb er stehen und legte den Kopf in den Nacken.

»Gib mit Kraft, Herr«, flüsterte er. »Und Ausdauer.«

Dann ging er ins abgeteilte Sancta Sanctorum – den Teil der Kapelle, der den Mitgliedern des Sixtinischen Chores vorbehalten war –, kniete sich vor den Altar und begann zu beten. Die anderen hatten sich auf dem Gerüst versammelt, standen im Kreis und warteten. Irgendwann füllte Bastiano eine Handvoll Azurit-Pigmente in einen Mörser und fing an, sie vorsichtig mit dem Stößel zu zerreiben.

✛ ✛ ✛

Was Michelangelo dazu bewogen hatte, ausgerechnet die Sintflut als Erstes in Angriff zu nehmen, war allen ein Rätsel. Dass er sich nicht ungeübt an die stärker gewölbten Randbereiche heranwagte, sondern eines der für die Längsachse vorgesehenen Motive vorzog, war noch verständlich. Schließlich würden die Propheten und Sibyllen zwischen den Spandrillen in extremer perspektivischer Verkürzung ausgeführt werden müssen. Doch sich gleich zu Beginn an einer Szene zu versuchen, in der es von Menschen nur so wimmelte, erschien den anderen als immenses Wagnis – insbesondere, da nahezu alle Figuren nackt und in zum Teil komplizierten Haltungen darzustellen waren. Man wusste noch nicht einmal, welche Eigenschaften der Intonaco an den Tag legen und wie er auf die Farben reagieren würde.

»Anscheinend will er den Parnass von oben nach unten besteigen«, war Granaccis Kommentar. Doch nicht einmal er versuchte, Michelangelo umzustimmen. Seine Aufgabe bestand darin, Dinge von Michelangelo fernzuhalten, nicht sie an ihn heranzutragen. Der Bildhauer hatte seine Entscheidung getroffen, die Reise hatte begonnen. Für eine Umkehr war es zu spät.

Der fertige Entwurf für die Sintflut hatte alle tief bewegt. Er hatte der Bottega noch einmal vor Augen geführt, wie ernst Michelangelo seine Aufgabe nahm und dass er tatsächlich fest entschlossen war, mit sämtlichen Konventionen der Malkunst zu brechen. Ausdrucksstärker war der menschliche Körper noch nie dargestellt worden. In jedem Muskel würde die verzweifelte Anstrengung der Flüchtenden spürbar werden, jede Geste und jede Haltung spiegelten Gottes Zorn über seine eigene Schöpfung wider.

Im Vordergrund war ein Mann zu sehen, der sich, sein Kind auf dem Arm, vor der Flut zu retten versuchte. Damit würden sie beginnen. Als Bastiano das ausgearbeitete Motiv in Originalgröße auf dem Karton vor sich gesehen hatte, wäre ihm beinahe die Perforationsnadel aus der Hand gefallen. Der Tod von Vater und Sohn war bereits entschieden, alles Bemühen war vergeblich. Bastiano hatte ein gutes Auge, das Wesen von Michelangelos Kunst jedoch würde er stets mit dem Herzen erfassen.

»Gibt es keinen Trost?«, fragte er. »Keine Hoffnung?«

»Nur für Noah«, gab Michelangelo zur Antwort.

Entgegen Sangallos Vermutung hatten der Papst und sein Hoftheologe Giovanni Rafanelli den Entwurf für das Fresko gebilligt. Sangallo hatte Michelangelo halb mitleidig, halb wissend gemustert, als der ihm davon berichtete. Es konnte nicht sein. Papst Julius, gut, der würde über vieles hinwegsehen, sofern er sich für die Idee begeistern könnte. Giovanni Rafanelli jedoch, der zur Zeit das Amt als »Meister des geheiligten Palastes« innehatte, niemals. Gegen den Dominikanerpater war selbst Jesus ein Heide.

Rafanelli war klein, untersetzt und trug einen Bart, hinter dem sein Gesicht kaum zu erkennen war. Lediglich die schwarzen Augen blitzten von Zeit zu Zeit unter der Kutte hervor. Jeder, der in der Sixtinischen Kapelle predigen wollte, hatte seinen Text von ihm auf kritische Stellen untersuchen zu lassen. Er ging, als hätte er ein Holzbein, was aber nicht der Fall war. Von dem, was er sagte, blieb stets die Hälfte in seinem Bart hängen. Überhaupt bellte er mehr, als er sprach. Wenn man nachzufragen wagte, schnappte er nach seinem Gegenüber wie ein Hund. Insofern machte er dem Spitznamen der Dominikaner – *domini canes*, Hunde des Herren – alle Ehre. Niemand auf dem vatikanischen Hügel wachte schärfer über Gottes Wort als Rafanelli. Und ausgerechnet der sollte sich mit Dutzenden vollständig entblößter Leiber und den heidnischen Vorfahren Christi einverstanden erklärt haben?

»Gott hat mir seinen Segen gegeben«, erklärte Michelangelo, als er die Zweifel im Gesicht seines Freundes nicht länger ertragen konnte.

»Wollen wir hoffen«, erwiderte Sangallo, »dass Gott es bei dieser Gelegenheit nicht versäumt hat, auch seine Wachhunde davon in Kenntnis zu setzen.«

Aurelio spürte den Groll, den die Worte des Freundes bei seinem Meister hervorriefen. Sangallo wollte es immer allen recht machen. Als Architekt verstand er sich vor allem als Dienstleister. Darin sah er seine Aufgabe: andere zufriedenzustellen. Zugeständnisse hier, Zugeständnisse da, Hauptsache, die Auftraggeber waren zufrieden. Was am Ende blieb, war oft genug nur Mittelmaß. Ein schönes, ansehnliches Mittelmaß, aber dennoch ... Michelangelos Schultern spannten sich wie der Bogen einer Armbrust. Als Künstler, das war seine Überzeugung, konnte man es nicht jedem recht machen. Und sollte es gar nicht erst versuchen.

»Glaubt, was Ihr wollt«, sagte er.

Sangallos Blick war der eines Mannes, der aus der Erfahrung eines langen Lebens wusste, wann künftiges Unheil drohte. Und der aus derselben Erfahrung heraus wusste, wann es nicht mehr abzuwenden war.

Wenige Tage später erfuhr Aurelio, dass neben Sangallos Bedenken noch ein weiterer Grund Michelangelos Unmut hervorgerufen hatte. Sangallo hatte seinen Florentiner Freund durchschaut. Er kannte ihn einfach zu lange und zu gut. Niemand wusste es, außer Michelangelo selbst, Granacci und jetzt, da Michelangelo ihm den Entwurf gezeigt hatte, Aurelio: Der Entwurf, den der Künstler

Papst Julius und seinem Hoftheologen präsentiert hatte, hatte nur die halbe Wahrheit enthalten. Sangallo hatte den Betrug gewittert. Die zwanzig Ignudi sowie all die anderen nackten Gestalten, denen die künstlich geschaffene Architektur mit ihren Gesimsen, Streben, Pilastern und Nischen als Bühne dienen sollte, waren verschwunden. Außer bei der Sintflut, dem Sündenfall, der Erschaffung Evas und der Erschaffung Adams kamen keine nackten Körper mehr vor. Und dass Adam und Eva bei ihrer Erschaffung nackt gewesen waren, hatte nicht einmal Rafanelli bestreiten können.

»Aber was wird geschehen, wenn die Wahrheit ans Licht kommt?«, fragte Aurelio. »Wird der Heilige Vater Euch nicht … Ich weiß nicht …«

»Ich auch nicht, Aurelio. Am Ende ist es gleichgültig, wie er reagieren wird. Vielleicht lässt er mich in Festungshaft nehmen und alles wieder abschlagen oder, noch schlimmer, von Raffael mit Madonnen übermalen. Aber was hilft das: Ich muss tun, was ich tun muss. Niemand scheint das zu verstehen. Ich kann nicht einfach etwas anderes machen.«

Nicht erst seit diesem Tag wusste Aurelio, dass sein Meister besessen war – von nackten, muskulösen Männerkörpern. Er hatte den Karton der Schlacht von Cascina nie gesehen, doch das war auch nicht nötig. Nachdem Aurelio begonnen hatte, Michelangelo Modell zu stehen, war es ihm schnell klargeworden. Immer wieder hatte Michelangelo Griffel und Stift niedergelegt und war aus dem Atelier hinauf in seine Kammer geflohen, wo er stundenlang auf und ab ging. Er kämpfte verzweifelt gegen seine eigene »Obsession«, wie Bastiano es eines Abends nannte, als er mit seinem Bettgenossen über das Fresko sprach.

Aurelio empfand die Worte Bastianos als Herabwürdigung seines Meisters. »Ich dachte, du hättest in der Schlacht von Cascina die Zukunft der Malerei erblickt«, entgegnete er. Aurelio wusste, das Bastiano den Karton nicht nur kopiert hatte, sondern dass er ihm auch Anlass gewesen war, seinem Lehrmeister Perugino den Rücken zu kehren.

Nun war es Aurelio, dem Bastiano den Rücken zuwandte. Er

hatte ihm weder einen Friedensschluss angeboten, noch hatte er ihm nach dem Vorfall mit dem eingebrannten Loch ein neues Hemd gekauft. Dennoch hatte sich die Situation zwischen ihnen entspannt, seit Michelangelo bei der Planung der Scheinarchitektur, die das Fresko später gliedern sollte, verstärkt Bastiano hinzugezogen hatte. Zudem gehörte der Bottega seit einigen Wochen ein Laufbursche an, ein Fattorino, der jetzt die niederen Dienste verrichtete. Wie die anderen stammte auch er aus Florenz und hatte Aurelio als jüngstes Mitglied der Gemeinschaft abgelöst. Er hieß Beato und war nach eigenen Angaben dreizehn. Doch er war Waise. Niemand kannte seinen wahren Namen und sein wahres Alter.

»Wäre die Schlacht von Cascina zur Ausführung gelangt«, erklärte Bastiano mit dem Gesicht zur Wand, »hätte das für die Kunst eine neue Zeitrechnung bedeutet: vor und nach Cascina. Kein Künstler hätte weitermachen können wie bisher.« Er rückte sich das Kopfkissen zurecht. »Was nichts an Michelangelos Obsession ändert.«

»Was ist mit den Frauen?«, wollte Aurelio wissen.

»Bei der Schlacht von Cascina war keine dabei.«

»Ich meine die, die für das Fresko der Sistina vorgesehen sind.«

»Sieh dir die Entwürfe an: Es werden Männer sein, mit Brüsten.«

✢ ✢ ✢

Das wahre Ausmaß der Mühen, die der Bottega bevorstanden, begriff Aurelio erst am Morgen des vierten Oktober, als sie endlich das eigentliche Fresko in Angriff nahmen. Dabei hatte Piero ihm alles genau erklärt: Aus Kalk, Wasser und Sand wurde der Intonaco angemischt. Sobald der die richtige Konsistenz hatte, wurde die für diesen Tag vorgegebene Fläche damit verspachtelt. Anschließend übertrug man die Linien des Kartons auf den Putz. Schließlich musste man nur noch die zerriebenen Farbpigmente in Wasser auflösen, und der Künstler konnte mit der Arbeit beginnen. Das klang einerseits nach viel Arbeit, andererseits schienen Aufwand und Risiken überschaubar zu sein.

Jetzt, auf dem Gerüst, zeigte sich jedoch, das bereits die Herstellung des Intonaco sehr viel komplizierter war als von Aurelio angenommen. Die Kunst bestand darin, den Marmor erst zu Pulver zu machen, um das Pulver anschließend wieder in Marmor zu verwandeln. Und während das geschah – während der Putz trocknete und der Kalk wieder zu Stein wurde –, mussten die Farben eingebracht werden. Dann waren sie für immer darin eingeschlossen. Der Ätzkalk, der zu Pulver gebrannte Marmor, war also die Substanz, von der alles abhing. Sobald der Intonaco getrocknet war, nahm er keine Farben mehr an. Am folgenden Tag Korrekturen anzubringen, war unmöglich.

Piero behandelte die Säcke mit Ätzkalk, die auf der Arbeitsbühne standen, als enthielten sie lebende Skorpione. »Er zersetzt die Haut«, warnte er seinen Gehilfen. »Wenn du eine Leiche damit bestreust, sind schnell nur noch die Knochen übrig. Reibst du dir etwas davon in die Augen, wirst du das fertige Fresko niemals sehen.« Er maß zwei Sester ab und füllte sie in einen Eimer. »Und jetzt pass auf.« Vorsichtig goss er eine halbe Kanne Wasser hinzu. Sofort begann das Gemisch zu zischen und zu brodeln. Wie kochende Milch stieg es den Rand des Eimers empor. Nach einer Weile beruhigte es sich wieder. »Leg mal deine begabten Hände an den Eimer«, forderte Piero ihn auf.

Aurelio setzte ein Knie auf den Boden und legte seine Hände an den Eimer. Er war heiß!

Piero kniete sich ebenfalls auf die Bühne und begann, mit einer Setzschaufel das Gemisch umzurühren. »Es müssen sich alle Klumpen aufgelöst haben, bevor der gelöschte Kalk zur Ruhe kommt. Sonst kannst du von vorne anfangen.« Aurelio ahnte, welche Aufgabe Piero ihm und seinen »begabten Händen« zugedacht hatte. Bereits bei dem Arriccio hatte er großes Geschick bewiesen. Rosselli arbeitete sehr sorgfältig, bis sich die Masse abgekühlt und die Konsistenz von dünnflüssigem Teig angenommen hatte. »Ab jetzt kannst du ihn anfassen.« Piero zog einen zweiten Sack herbei, den er mit deutlich weniger Vorsicht handhabte. »In Florenz nehmen wir Marmorkalk und Arnosand«, sagte er, »hier in Rom verwendet man Travertinkalk und Pozzolana.« Er maß einen Sester der Vulkanasche ab, streute diese über die Masse und fuhr fort, sie durchzurühren. Schließlich wiederholte er den Vorgang und knetete alles mit der Hand durch. Dann ließ er etwas von der Masse auf eine Kelle tropfen und betrachtete, wie sie über das Metall lief. »Merkwürdig«, stellte Piero fest.

»Was?«, fragte Aurelio.

»Verläuft ziemlich schnell. Dabei habe ich die Mengen exakt bemessen. Wir müssen unbedingt darauf achten, immer die vorgeschriebenen Mengen zu verwenden. Keine Abweichungen, sonst bröckelt das Fresko auf uns herab, bevor wir die Bühne abgebaut haben. Dasselbe gilt für die Farben. Das Wetter wird uns noch genug Ärger bereiten. Umso wichtiger ist es, dass die Farben stets dieselbe Konsistenz haben. Sonst sieht man nachher die Nahtstellen der einzelnen Giornate.«

Der Auftrag des Intonaco war nicht weniger kompliziert als seine Herstellung. Er wurde dünner aufgebracht als der darunterliegende Spritzbewurf. Höchstens einen Fingerbreit durfte die Schicht stark sein, sonst würden sich nach dem Trocknen Risse bilden. Trotzdem sollte er noch gleichmäßiger als der Arriccio sein, was aufgrund seiner weichen Konsistenz besonders schwierig war. Insbesondere in den Außenbereichen neigte er dazu, während des Auftrags die Wände hinabzulaufen. War die Giornata endlich verputzt, wurden mit feuchten Flachstüchern die Spuren des Auftrags getilgt und der Untergrund etwas angeraut.

»Etwas!«, erklärte Piero und hob mahnend die Kelle auf Augenhöhe. »Und vor allem: gleichmäßig. So gleichmäßig, wie die Sonne über den Himmel zieht. Sonst nimmt der Intonaco die Farben nicht gleichmäßig auf, und wir haben am Ende kein Fresko, sondern ein sechstausend Quadratfuß großes Leopardenfell.«

Piero weiß von der Raubkatze, schoss es Aurelio durch den Kopf. Eindringlich blickte er seinen Lehrmeister an. Er hatte nie mit ihm über Aphrodite gesprochen, und Piero hatte nie ein Wort über das so sicher verwahrte Geheimnis verloren. Ihn interessierten solche Dinge nicht. Er schien immun gegen die Verlockungen des Fleisches zu sein. Durch den Vergleich mit dem Leoparden jedoch hatte er unbeabsichtigt ein kleines Geheimnis preisgegeben. Auch in Pieros Kopf gab es einen verborgenen Ort, an dem die Kurtisane des Papstes ihr Unwesen trieb. Wahrscheinlich gab es in ganz Rom niemanden, der nicht von ihr infiziert war. Ausgenommen vielleicht Michelangelo mit seiner Vorliebe für muskulöse Männer.

»Es ist kein Leopard«, gab sich Aurelio zu erkennen. »Es ist ein Jaguar.«

»Solche Dinge interessieren mich nicht«, antwortete Piero. Doch offenbar wusste er, wovon sein Gehilfe sprach. Er gab Aurelio ein weiteres Tuch.

»Seide«, stellte Aurelio fest.

»Sobald sich auf dem Intonaco ein Haut gebildet hat, werden damit die letzten Sandkörner entfernt.«

»Erst feuchter Flachs, dann trockene Seide.«

»Und niemals zu fest, sonst drückst du Dellen in den Putz.«

Mit jedem Satz Rossellis spürte Aurelio die Verantwortung schwerer auf seinen Schultern lasten. Überall lauerten Fehler. Und jeder neue Arbeitsschritt konnte alle vorangegangenen zunichtemachen. »Noch etwas?«, fragte er.

»Ja: An die Arbeit!«

Die Arbeitsbühne erwachte zum Leben. Piero trug den Intonaco auf, den Aurelio immer wieder umrührte, Bugiardini kümmerte sich um die Pinsel und die Werkzeuge, Bastiano zerrieb die Farben, und Granacci bereitete den Karton vor, den Tedesco und Agnolo auf den Putz übertragen würden. Michelangelo ging unten in der Kapelle auf und ab, die Hände auf dem Rücken verschränkt. Piero überließ es Aurelio, die Giornata erst mit dem Flachs- und später mit dem Seidentuch abzuwischen. Ein erdrückender Vertrauensbeweis. Alle sahen ihm dabei zu. Doch nach den letzten Monaten hatte Piero ein ausgeprägtes Gespür für die Fähigkeiten seines Lehrlings entwickelt. Er wusste, was er von ihm erwarten durfte. Am Ende standen alle auf der Bühne und erwarteten sein Urteil.

»Ich weiß nicht, was du in deinem Leben noch so vorhast«, sagte Piero gedehnt, während er den Intonaco gegen das schräg einfallende Licht auf Unregelmäßigkeiten prüfte, »wenn das hier vorbei ist, meine ich. Aber solange ich lebe und arbeite, werden du und deine begabten Hände immer ein Auskommen bei mir finden.«

Alle waren erleichtert. Sogar Bastiano klopfte Aurelio im Vorbeigehen auf die Schulter. Er hatte allen Grund, stolz auf sich zu sein. Und das würde er auch, später. Im Moment jedoch verlangte ein anderer Gedanke seine Aufmerksamkeit. Wenn das hier vorbei ist, hatte Piero gesagt. So weit hatte Aurelio noch nie gedacht. Er konnte sich nicht vorstellen, dass »das hier« je vorbei sein würde.

Die Erfüllung seines Lebenstraums hatte darin bestanden, nach Rom zu kommen, in Michelangelos Dienste zu treten und Bildhauer zu werden. Nun, der größte Wunsch – Bildhauer zu werden – würde für immer unerfüllt bleiben. Das hatte er gewusst, als Michelangelo ihm damals die Zeichnung geschenkt hatte. Und alle Versuche, die Aurelio danach noch unternommen hatte, um sich das Zeichenhandwerk anzueignen, hatten es bestätigt: Seine Hände waren begabt, doch vom Auge bis zur Hand war es ein langer Weg, und irgendwo auf diesem Weg gab es eine Kluft, die er niemals würde überbrücken können. Das galt für Stift und Papier, und noch mehr galt es für Stein und Eisen. Sicher ein Dutzend Mal hatte Michelangelo versucht, ihm die Figur zu zeigen, die in dem Marmorblock in seinem Atelier steckte, hatte sie ihm beschrieben und gezeichnet, hatte den Block, in dem sie eingeschlossen war, mit Linien angedeutet. Doch selbst mit der Zeichnung in der Hand vermochte Aurelio in der Säule nichts anderes zu erblicken als ein großes Stück Marmor.

Agnolo und Tedesco hatten die perforierte Linie des Kartons auf den Putz übertragen: der Mann mit dem Kind auf dem Arm. Vater und Sohn. Die ersten zwei von über hundert geplanten Figuren. Und bereits diese beiden waren von ungeheurer Ausdruckskraft. Es war der Beginn eines einmaligen Unterfangens. Alle hielten mit der Arbeit inne. Die erste Giornata umfasste eine Fläche von gerade einmal zehn Quadratfuß. Selbst wenn alles gutging und keine Komplikationen auftraten, würden sie bei der Größe tausend Tage lang Putz rühren, Kartons übertragen und Pigmente verreiben müssen. Doch am Ende würden sie reich belohnt werden. Michelangelo würde nicht nur die Schöpfungsgeschichte des Alten Testaments dargestellt haben. Das Fresko würde seine eigene Schöpfungsgeschichte sein.

»Wie geht es den Farben?«, fragte Granacci, der mehrmals nach Florenz gereist war, um bei den Mönchen im Kloster San Giusto alle Mura die Farben zu besorgen.

Bastiano, der gerade Azuritpigmente in Wasser gelöst hatte, tauchte vorsichtig einen Pinsel in die Flüssigkeit. Anschließend ließ er einen blauen Tropfen in den Tiegel zurückfallen. »Bereit für die Sintflut.«

Bugiardini nickte bestätigend.

»Also dann«, Granacci atmete zweimal tief durch und trat an den Rand der Bühne. »Michelangelo!«

»Was?«, tönte es von unten.

»Die Schöpfung wartet.«

XXV

AURELIO STAND AM UFER des Tiber und betrachtete den sich auf
dem Wasser spiegelnden Mond. In den letzten Tagen war der Fluss
merklich angeschwollen. Die Tramontana hatte erste Vorboten geschickt – kalte Böen, die plötzlich durch die Straßen jagten und die
Plätze erschauern ließen, ohne dass am Himmel eine Wolke zu sehen gewesen wäre. Die dunkle Jahreszeit kündigte sich an. Heute
Nacht jedoch kam der Wind noch einmal von Süden, hatte sich
lange an erhitzten Steinen gewärmt und sich am schwellenden Ab-
gesang des Sommers gesättigt.

Margherita hatte Aurelio ein neues Hemd nähen lassen. Bei
Tage schimmerte es in nicht bestimmbaren Blautönen, bei Nacht,
im Mondschein, nahm es die Farbe von flüssigem Silber an. Ein
Gemisch aus Seide und Wolle. Der Stoff fiel schwer und weich,
und dennoch spürte Aurelio ihn kaum. Jetzt kroch der warme
Wind die Ärmel hinauf und blähte sie wie Segel. Hier, an der
Flussbiegung, die Torre di Nona im Rücken, schräg gegenüber die
von Fackeln bekränzte Engelsburg, hatte Aurelio in den vergangenen Monaten viel Zeit verbracht. Immer dann nämlich, wenn er
darauf wartete, dass Margherita auf ihrem Balkon die zweite Fackel
aufsteckte – als Zeichen, dass ihr Besucher das Haus verlassen hatte.
So auch heute.

Es nagte an ihm. Und es wurde nicht besser dadurch, dass es sich wöchentlich wiederholte. Zu wissen, dass sich andere Männer seiner Geliebten bedienten, sie benutzten, wie man einen Griffel benutzte, war schmerzlich genug. Darauf warten zu müssen, bis Margherita mit ihnen fertig war, um danach selbst an die Reihe zu kommen, erniedrigte Aurelio jedoch in einer Weise, die einen Groll in ihm hervorrief, aus dem er sich kaum befreien konnte. Er ließ sich auf der Uferböschung nieder und lauschte dem Fluss. Die gurgelnden Strudel schienen seine flüchtigen Gedanken in die Tiefe zu ziehen, hinunter auf den Grund, wo sie von der Strömung erfasst, flussabwärts getrieben und schließlich ins Meer gespült wurden.

✢ ✢ ✢

Den Stoff für das Hemd hatte Margherita von einem ihrer Kunden erhalten, einem, wie sie sagte, »gutbetuchten Tuchhändler«, der sich, sofern man ihren Ausführungen Glauben schenkte, wie ein wandelndes Gemälde kleidete. Aurelio wollte kein Hemd, das aus dem Stoff eines ihrer Kunden geschneidert war. Er fühlte sich darin, als sei er Margherita etwas schuldig. Doch es war ein schönes Hemd, schöner noch als sein altes, und am Ende war es einfacher gewesen, es anzunehmen als abzulehnen.

Durch besagten Tuchhändler war Margherita dem Borgo Leonino entronnen, wo sie sich in den heißen Sommermonaten als gewöhnliche Hure verdingt hatte – harte Arbeit in einem Viertel, in dem jede dritte Frau von der Prostitution lebte und die anderen zwei Drittel nur deshalb nicht, weil niemand sie mehr haben wollte. Doch das hatte Margherita nicht abgeschreckt. Auch die göttliche Imperia hatte ihre Karriere als »Gewöhnliche« im Borgo Leonino begonnen.

Der Tuchhändler zahlte in Naturalien. Zu Beginn ihrer Beziehung hatte Margherita das gar nicht geschmeckt. Bis sie eines Tages mit den vielen Stoffbahnen zu dem Bekannten ihrer Cousine ging, der sofort ins Hinterzimmer eilte und den Ladenbesitzer holte. Dieser schlug beim Anblick der Stoffe die Hände zusammen: »Gebenedeit seist du, Maria!«, rief er aus. Sie trafen eine Abmachung. Für jede Stoffbahn, die der Ladenbesitzer von ihr erhielt, nähte seine Frau, die bei einem Edelschneider angestellt war, Margherita ein Kleid, das die Begierde eines jeden Mannes entfachen und jede Frau vor Neid erblassen lassen würde. Von nun an ging es bergauf. Im Borgo Leonino ließ sich Margherita nicht mehr blicken, stattdessen stolzierte sie mit den anderen Kurtisanen zwischen den Säulen des Kreuzgangs von Santa Maria della Pace umher. Und zwar jeden Tag in einem anderen Kleid, eines schöner als das andere. Nach wenigen Wochen kannte man sie nur noch als »die mit den schönen Kleidern«.

Ein zweiter Dauerkunde kam hinzu. Aus Diskretionsgründen behielt Margherita seinen Namen für sich. Möglicherweise war Aurelio ihm bereits im Vatikan begegnet. Er war bekannt, einigermaßen wenigstens. Ein Deutscher, der seit inzwischen zwanzig Jahren in Rom lebte und dessen Aufstieg innerhalb der Kurie sehr vielversprechend verlaufen war. So wie Margherita von ihm sprach, hätte man meinen können, es handele sich um ihr Rennpferd. Er bekleidete das Amt eines apostolischen Brevenschreibers. Erst kürzlich war ihm der Titel eines *familiaris papae* zugesprochen worden, er war also offizieller Tischgenosse des Heiligen Vaters – was immer das bedeutete. Er war furchtbar eitel, ein Geck, der fortwährend lateinische und griechische Verse zitierte und den Liebesakt nur im Stehen und vollständig bekleidet vollzog. Außerdem war er herrisch und eifersüchtig und verlangte von Margherita, keine anderen Kunden zu empfangen. Bei dem Gedanken daran, dass sie es mit einem anderen trieb, lief er rot an und stampfte mit dem Fuß auf. Gerade so wie Ceffo, der Mann aus ihrem letzten Leben. Offenbar zog sie solche Männer einfach an. Im Gegensatz zu Ceffo allerdings zahlte der Brevenschreiber in Golddukaten. Und er arbeitete für die Kurie. Durch ihn hatten sich Margherita die Pforten des Vatikans geöffnet.

In Ufernähe, kaum drei Armlängen von Aurelio entfernt, drehte sich seit einiger Zeit eine Holzkiste auf dem Wasser. Sie war in den

Sog eines Strudels geraten, der zu schwach war, um sie unter Wasser zu ziehen, aber zu stark, als dass sich die Kiste aus seiner Umklammerung hätte befreien können. So tanzte sie um ihr Leben. Der Mondschein verlieh dem nassen Holz einen gespenstischen Glanz. Ein ums andere Mal wollte der Strudel die Kiste hinabziehen, während sie immer wieder seinen Griff abzuschütteln versuchte.

Margherita hatte noch einen dritten festen Kunden, einen wohlhabenden Künstler. Er war keiner, der ihren Aufstieg vorantreiben würde – dafür war er weder reich noch bekannt genug. Doch gegen die anderen beiden bedeutete, ihn zu empfangen, ein reines Vergnügen. Eine Frohnatur. Selbst betrunken wurde er niemals unverschämt. Auch war er nicht beleidigt, wenn Margherita ihn bat zu gehen, weil sie noch einen anderen Kunden erwartete. Am liebsten mochte sie an ihm, was er alles nicht war: nicht eifersüchtig, nicht eingebildet, nicht verklemmt, nicht geizig, nicht gewalttätig. Er zahlte nicht so gut wie der Brevenschreiber, aber gut genug, um ihre Wohnung mit all dem auszustatten, was von einer erfolgreichen Kurtisane erwartet wurde. Ein französischer Wandteppich, silberne Kandelaber, silbernes Geschirr, Truhen mit Intarsienarbeiten, Schränke mit kunstvollen Beschlägen. Schließlich durften ihre Kunden nicht das Gefühl eines gesellschaftlichen Abstiegs haben, wenn sie zu ihr kamen.

Natürlich gehörte nichts davon wirklich ihr. Es gab in der Stadt einige sehr diskrete »Ausstatter«, die für Kurtisanen wie Margherita Wohnungen maßschneiderten. Da sich jedoch nur die allerwenigsten Kurtisanen erlesene Möbel tatsächlich kaufen konnten – und die, die es konnten, mussten es nicht, weil ihre Gönner ihnen Häuser mit angelegten Gärten samt Pergolen und Springbrunnen bauen ließen –, wurde ihnen die Ausstattung kurzerhand vermietet. Von den Damastvorhängen bis zu den griechischen Vasen auf dem Balkon war alles geliehen. Sogar die nackte Bronzenymphe, in deren Schale ätherische Öle erhitzt wurden, um die Räume mit stimulierenden Düften zu erfüllen. Und natürlich wusste auch das jeder. Doch es war unerheblich. Hauptsache, die Illusion war gelungen.

Aurelio hätte sich glücklich schätzen sollen. Eine Kurtisane wie Margherita, die sich einen Malergehilfen wie ihn auserkoren hatte. Doch auserkoren wozu? Was war er für sie, und weshalb konnte sie nicht von ihm lassen? Sie liebte ihn, jedenfalls sagte sie das. Doch Aurelio kam sich oft genug nicht geliebt, sondern eher adoptiert vor. Möglicherweise, dachte er, war das ja auch dasselbe. Und natürlich genoss er die Liebesnächte mit ihr. Das hieß: Genießen war nicht das richtige Wort. Es war mehr ein Hunger, der gestillt wurde, bis beide so satt waren, dass sie eng umschlungen in einen traumlosen Schlaf sanken. Und manchmal, bevor er einschlief, fühlte Aurelio sich … verkehrt. Wie ein Jucken, dessen Ursache man nicht kannte.

Immer wieder beschwor Margherita die Liebe, die sie für ihn zu empfinden vorgab. Sie legte sich ihm zu Füßen. Im Grunde aber wollte sie ihn beherrschen. Auch wenn sie alles für ihn tat – am Ende war er es, der alles mit sich machen lassen musste. Sie ließ Essen kommen, gebratene Spanferkel, erwies ihm die ausgefallensten Liebesdienste, verwöhnte ihn mit Mandeltörtchen und streichelte ihn in den Schlaf. Doch ob er das wollte, hatte sie nie gefragt. Als Aurelio ihr sagte, er möge keine Mandeln, fuhr sie ihm durch die Haare, griff seine Locken und schüttelte seinen Kopf wie den eines ungezogenen Jungen. »Wie du redest«, antwortete sie und bedeckte sein Gesicht mit Küssen.

Außerdem belächelte sie seine Arbeit. Wann immer er ihr vom Fortgang in der Kapelle berichtete und was sie an diesem Tag getan hatten, antwortete Margherita nur, er solle seine Begabungen lieber auf sie und ihren Körper verwenden. Jedes Verständnis für die Bedeutung von Kunst ging ihr völlig ab. »Ihr werdet Jahre brauchen, um eine Decke zu bemalen? Was für eine Zeitverschwendung! Wer bezahlt das alles – der Papst? Dreitausend Dukaten? Der Mann hat zu viel Geld.«

Für Margherita war Kunst ein notwendiges Übel. Man benötigte sie, um einer Wohnung den gewünschten Status zu verleihen. Noch ein Posten mehr bei den Ausgaben, und kein geringer. So nötig wie ein Kropf. Am schlimmsten aber waren Statuen. Für Gemälde konnte sie noch Verständnis aufbringen, manche waren ganz schön anzusehen, und Wandteppiche begünstigten die Akustik. Statuen aber waren eigentlich nur eins: unhandlich. Ach ja: und nutzlos. Sie beanspruchten Raum, der sich in jedem Falle sinnvoller verwenden ließ.

»Aber eine Statue ist wie …«, entgegnete Aurelio. »Sie ist größer als das Leben. In ihr kommt zum Ausdruck, was der Mensch sein könnte.« Er senkte den Kopf. »Und doch niemals sein wird.«

Margherita legte ihren Kopf schief. »Du meinst das wirklich ernst, nicht wahr?« Sie lächelte ihn an, als habe er etwas furchtbar Dummes gesagt. Wie eine Mutter ihren Sohn anlächelte: voller Nachsicht. Manchmal hatte Aurelio das Gefühl, am Ende brachten ihm Rosselli und die anderen mehr Respekt entgegen als Margherita.

Einmal hatte sie es sogar gesagt, das mit dem Sohn, in einer dieser vor Hitze starren Augustnächte, als sie mit schweißglänzenden Körpern nackt auf ihrem Bett lagen, das sie extra für ihn mit einem neuen Laken bezogen hatte. »Du bist alles, was ich mir immer erträumt habe.« Sie wickelte sich eine seiner Locken um den Finger. »Geliebter und Sohn in einem.«

»Ich bin nicht dein Sohn«, antwortete Aurelio und zog ihre Hand aus seinen Haaren. »Außerdem soll man seinen Sohn nicht lieben – nicht wie einen Geliebten. Das ist Sünde.«

Sie strich ihm über die Brust. Immer fummelte sie an ihm herum. Er wusste, was gleich folgen würde. Sie würde ihre Schenkel spreizen, sich über ihn beugen, er würde von sündhafter Gier durchströmt werden, sein Glied würde sich so sehr versteifen, dass das Blut darin pochte, Margherita würde ihn in sich aufnehmen und langsam und genüsslich über die Klippe stoßen. Seine Schwachheit beschämte Aurelio, und manchmal, in Momenten wie diesem, schlug diese Scham sogar in Verachtung um. Es war, wie Margherita gesagt hatte: Die Natur des Mannes war so eingerichtet, dass sein Geist dem Fleisch am Ende immer unterlag.

»Du bist so süß«, flüsterte sie und rieb ihr Becken an seiner Hüfte.

Der Geruch ihres Schoßes stieg ihm in die Nase. Im nächsten Augenblick hatte sein Geist bereits vor dem Fleisch kapituliert. »Und ich mag nicht, wenn du sagst, ich sei süß.«

Ihre Hand umschloss sein Glied. Sie beugte sich über ihn und ließ langsam ihre Zunge über seine Lippen gleiten. Als er ihren Po umfasste, presste sie ihren Oberkörper an seine Brust, ihre erigierten Brustwarzen drückten sich in seine Haut, und dann wusste er nur noch, dass er gleich kommen würde.

Margherita verzog ihren Mund zu einem schiefen Grinsen. So war es immer: Als sei es ein Kampf, bei dem sie jedes Mal triumphierte und er jedes Mal unterlag. »Aber du bist es«, sagte sie, während ihre Zunge mit seinem Ohr spielte. »So süß.«

✢ ✢ ✢

Die Nacht war vorangeschritten. Der Mond hatte seinen höchsten Punkt bereits passiert. Aurelio war von zwei Frauen angesprochen und von diversen Hunden beschnuppert worden, hatte den Wachwechsel an der Torre di Nona beobachtet und eine Reihe dunkler Gestalten im Halbdunkel an sich vorübergehen lassen. Irgendwann war ein herrenloses Boot den Fluss hinabgetrieben, das sich in den ansteigenden Wassern des Tiber losgemacht haben musste. Ein Stück flussaufwärts, hinter der Biegung, befand sich die Ripetta, ein Ort, der tagsüber so geschäftig war wie nachts gefährlich. Nach Sonnenuntergang suchte ihn niemand mehr freiwillig auf – nicht einmal die Sbirri, die eine Art polizeilicher Gendamerie darstellten und eigentlich zu jeder vollen Stunde auf ihren Wachgängen dort vorbeikommen sollten. Wer an der Ripetta seine Leichen entsorgte, wollte ungestört bleiben und hatte nicht selten einflussreiche Auftraggeber. Mischte sich ein Sbirro ein, riskierte er sein Leben. Folglich setzten sich die Polizisten diesem Risiko gar nicht erst aus. Es wäre ihnen ohnehin nichts anderes übriggeblieben, als unauffällig den Kopf abzuwenden.

Margheritas Besucher war hartnäckig. Noch immer hatte sie die zweite Fackel nicht aufgesteckt. Nächste Woche würde sie Aurelio Vorwürfe machen, sanfte, klebrige Vorwürfe, ob sie es nicht wert sei, länger auf sie zu warten. Doch wie immer würde sie ihm verziehen haben, bevor sie mit den Vorwürfen am Ende war. Es war Teil des Spiels, mehr nicht. Bedeutungslos im Grunde. Die Holzkiste war verschwunden. Entweder der Strudel hatte sie in die Tiefe gezogen, oder sie hatte sich losreißen können. Am Ende war auch das bedeutungslos. Aurelio ging, ohne sich noch einmal umzudrehen.

XXVI

MICHELANGELO HATTE ALLES GETAN, um Giovan Simone am Kommen zu hindern. Sicher ein halbes Dutzend Briefe hatte er verfasst, um seinen Bruder vor der römischen Luft zu warnen, der unerträglichen Hitze, die krank mache und ihm nicht bekomme, vor der Pest, dem furchtbaren Essen und von der Unmöglichkeit, ihm hier eine Stellung zu besorgen. Nichts davon hatte Wirkung gezeigt. Jetzt, da sein großer Bruder so erfolgreich war, im Vatikan arbeitete und sogar eine persönliche Beziehung zum Papst unterhielt, da musste es Michelangelo doch möglich sein, ihm, Giovan Simone Buonarroti, eine Stellung zu besorgen. Denn das war es, worauf er aus war. Er wollte keine Arbeit, er wollte eine Stellung. Geld ja, Arbeit nein.

Ein Jahr zuvor hatte Michelangelo seinen Brüdern Buonarroto und Giovan Simone bei einem Wollweber in Florenz Arbeit besorgt. Dort sollten sie das nötige Handwerk erlernen, um später ein eigenes Geschäft führen zu können. Doch nicht einmal die Aussicht darauf, dass Michelangelo ihnen mit seinem Geld den Grundstein für eine geschäftliche Existenz legte, konnte Giovan Simone in Florenz halten. Im Gegenteil: Ein eigenes Geschäft würde nur noch mehr Arbeit bedeuten. Noch dazu würde er Verantwortung übernehmen müssen.

»Und vor dieser Verantwortung fürchtet er sich«, folgerte Aurelio.

»Davor würde er sich fürchten«, entgegnete Michelangelo, »wenn er wüsste, was Verantwortung ist. Wovor er sich tatsächlich fürchtet, ist Arbeit. Die hat er nämlich kennengelernt – wenngleich nur flüchtig.«

Mit einem Wort: Giovan Simone war vollständig lebensuntüchtig. Und er war überzeugt davon, dass er nur nach Rom kommen müsste, damit sein großer Bruder ihm eine Stellung beschaffte, die ihn für den Rest seines Lebens davon abhielte, zu arbeiten oder Verantwortung zu übernehmen. Nichts und niemand hätte ihn davon abbringen können.

Er kam also. Noch dazu, als sie gerade die Arbeiten am Fresko aufgenommen und jeden Tag mit neuen Problemen zu kämpfen hatten. Die Stimmung innerhalb der Bottega war gespannt. Das Fresko ging quälend langsam voran. Bei dem Tempo würden sie Jahre brauchen. Es sei denn, Michelangelo würde den anderen gestatten, ebenfalls zum Pinsel zu greifen. Schließlich waren mit Ausnahme Granaccis alle erfahrene Freskanten. Doch Michelangelo ließ sie nicht einmal ein Gesims oder ein Stück Himmel malen. In dieser Situation stieß Giovan Simone zu ihnen, polterte ins Haus, als gehöre es ihm, und konnte nicht glauben, dass Michelangelo ihm nichts anderes zu bieten hatte, als mit Bugiardini, Agnolo und Granacci im Atelier zu schlafen. Überhaupt: Was war denn das für eine ärmliche Bleibe? Hatte der Mann, der die Kapelle, in der der Papst gewählt wurde, mit Fresken versah, nicht Anspruch auf etwas Besseres?

»Was kümmert dich das?«, wies ihn Granacci zurecht, der aus seiner Abneigung gegen Giovan Simone keinen Hehl machte. »Du hast Anspruch auf dieses Bett, alles andere geht dich nichts an.«

Giovan Simone wusste, wem aus der Bottega er besser aus dem Weg ging: Rosselli und Granacci. Die kannten ihn einfach zu gut und waren mit Michelangelo zu eng befreundet. Die anderen kümmerten sich kaum um ihn.

Dafür verbiss er sich in seinen Bruder wie eine Zecke. In Momenten, da keiner aus der Bottega den Bildhauer anzusprechen wagte, weil er etwa mit äußerster Konzentration an einem Entwurf arbeitete, konnte man sicher sein, dass Giovan Simone mit selbstsicherem Grinsen hereingeplatzt kam, seine blonden Locken schwungvoll über die Schulter drapierte und seinen Bruder mit einer absoluten Nichtigkeit behelligte. Wann er sich endlich neue Hemden zu kaufen gedenke, zum Beispiel. Wie konnte ein Buonarroti mit derart abgewetzten Leinenfetzen auf die Straße gehen? Wenn Ludovico, ihr Vater, das sehen könnte! Er, Giovan Simone, werde sich jedenfalls so nicht mit seinem Bruder in der Öffentlichkeit zeigen.

Michelangelo warf ihm einen Blick zu, der Marmor geschnitten hätte. »Du kommst nach Rom, weil du durch mich eine Stellung zu ergattern erhoffst, und wagst es, mir zu sagen, wie ich mich zu kleiden habe?«

»Reg dich nicht auf. Ich wollte dir lediglich einen Gefallen tun. In diesem Aufzug jedenfalls kannst du dich in der Öffentlichkeit nicht zeigen.«

Einen Moment lang war nur das Zischen von Michelangelos Nase zu hören. Seine Hände ballten sich zu Fäusten.

»Ich geh ja schon«, lenkte Giovan Simone ein und verließ die Küche. Doch spätestens zwei Stunden später biss die Zecke erneut zu.

»Er glaubt, seinem Bruder nur lange genug auf den Nerven herumtrampeln zu müssen, dann wird er ihm schon eine Stellung besorgen«, sagte Rosselli, »und wenn es nur ist, um ihn endlich loszuwerden.«

Nachts, in der Küche, stritten sie sich. Die ganze Bottega hörte mit: »Was kann es dich schon kosten?« Giovan Simone schwankte zwischen Entrüstung und Unterwerfung. »Schließlich bin ich dein Bruder, hast du das vergessen?«

»Wie könnte ich das«, schnappte Michelangelo zurück, »da du mich stündlich daran erinnerst?«

»Dann besorg mir einen Posten«, verlangte Giovan Simone trotzig.

»Als was?« Michelangelos Stimme donnerte durch das Haus. »In dieser Stadt gibt es Priester, Pilger und Prostituierte. Such dir was davon aus!«

»Aber ich brauche eine Arbeit.«

»Ach, Arbeit brauchst du! Die hab ich dir bereits besorgt! In Florenz, schon vergessen? Lorenzo Strozzi, der Wollweber? Das war Arbeit!«

Es folgte eine Pause, doch Giovan Simone ließ nicht locker. »Ich hab es ja versucht, Bruder, wirklich. Aber die Wollweberei ist nicht die richtige Arbeit für mich.«

»Dann sag mir, Bruder, welche Art von Arbeit wäre denn die richtige?«

So ging das Nacht für Nacht – bis Giovan Simone krank wurde. Ernstlich krank. Er bekam hohes Fieber. Am dritten Tag versteifte sich sein Nacken, ein alarmierendes Zeichen. Michelangelo machte sich Vorwürfe und schrieb seinem Vater nach Florenz, dass man sich um Giovan Simone sorgen müsse. Das Mitleid innerhalb der Bottega dagegen hielt sich stark in Grenzen.

»Giovan Simone ist der einzige Mensch«, erklärte Granacci, »der die Fähigkeit besitzt, aus Bequemlichkeit krank zu werden.«

Eine Woche dauerte das Fieber an, zwei weitere Wochen bewegte sich Giovan Simone kaum aus dem Bett. Alle hielten ihn längst für genesen, da raubte er mit seiner affektierten Husterei den anderen im Atelier noch immer die Nerven. Schließlich nahm Granacci seinen Freund beiseite und sagte ihm, dass sich etwas ändern müsse, wenn die Stimmung innerhalb der Bottega nicht engültig kippen sollte.

Am Abend trat Michelangelo vor das Bett seines Bruders. Die Bottega war vollständig anwesend. Jeder sollte es hören. Giovan Simone schien zu ahnen, was ihn erwartete. Er bekam einen nicht enden wollenden Hustenanfall.

Als es nichts mehr zu husten gab, sagte Michelangelo: »Ich habe dir Geld nach Florenz überwiesen. Unvernünftig viel Geld. Mehr, als gut für dich ist. Ich kann nicht zulassen, dass du weiterhin den Zusammenhalt dieser Bottega gefährdest. Und ich kann dir keine Stellung besorgen, Giovan Simone. Selbst, wenn ich es könnte, würde ich es nicht tun. Werde gesund, und fahre nach Florenz zurück.«

Am nächsten Morgen packte Giovan Simone seine Sachen und verließ Rom. Es ging ihm deutlich besser.

✝ ✝ ✝

Vor drei Tagen hatte ein von Nordwesten kommender Nebel über Nacht lautlos die Stadt eingenommen und seither nicht wieder freigegeben. Selbst an ihrem höchsten Punkt war die Sonne nicht mehr als ein weißlicher Fleck auf einem frisch mit Intonaco verputzten Gewölbe. Feuchte Luft zog durch die Ritzen der Häuser. Der Wehrgang der Sixtinischen Kapelle war vollständig verhüllt. Heute ließ die Morgensonne erstmals einzelne Schwaden als trübe Lichtschleier durch die Gassen wabern.

Michelangelo betrachtete das vor ihm liegende Brot und das eingetrocknete Stück Caciocavallo, als wolle Aurelio ihn vergiften.

»Ihr müsst essen«, sagte Aurelio streng.

Nur mit Mühe war sein Meister die Stufen aus dem Obergeschoss herabgestiegen, den zusammengerollten Karton für die heutige Giornata in der Hand.

»Schließ die Läden, Aurelio«, sagte er.

Aurelio entzündete eine Kerze, ging ans Fenster, schloss die Läden und setzte sich weder zu Michelangelo an den Tisch. Im Licht der Kerze wirkte sein Meister ausgezehrter denn je. Die Augen hatten sich in ihre Höhlen zurückgezogen. Eine fahle Hand strich nervös über die Tischplatte.

So ging das seit dem Tag, da sie die Arbeit am Fresko aufgenommen hatten. Tagsüber brachte Michelangelo bis zur völligen Erschöpfung die Farben in den Putz ein, den Arm über Kopf gestreckt, den Nacken verrenkt, den Oberkörper unnatürlich nach hinten gebogen. Und als sei das noch nicht genug, musste er dabei stets gegen den Intonaco arbeiten, der ihm unter den Händen wegtrocknete, jede nachträgliche Änderung verweigerte und jeden misslungenen Pinselstrich für immer in sich einschloss. In den vergangenen Tagen hatte Bugiardini, der immer dankbar war, wenn ihm jemand eine Aufgabe zuwies, Michelangelo häufiger als Stütze gedient, hatte sich, den Oberkörper leicht vorgebeugt, hinter ihn gestellt und es so Michelangelo ermöglicht, sich wenigstens für die Dauer einiger Pinselstriche anzulehnen.

Kaum hatten sie dann zu Abend gegessen und waren die Mitglieder der Bottega erschöpft in ihre Betten gefallen, begann Michelangelo, in seiner Kammer umherzugehen und den Karton für den folgenden Tag auszuarbeiten. Das dauerte nicht selten bis in die frühen Morgenstunden. Bei Tagesanbruch kam er die Stufen herab, drückte Bastiano den Karton in die Hand und schickte die Bottega in die Kapelle vor, um den Karton zu perforieren, den Intonaco aufzubringen und die Zeichnung mit Kohlestaub auf den Putz zu übertragen. War das geschehen, wurde Aurelio losgeschickt, um den Meister zu holen. Stets fand er ihn in der Küche vor, in einem ohnmachtsähnlichen Schlaf, sitzend, die Arme auf der Tischplatte gekreuzt, den Kopf auf die Arme gelegt, den Teller von sich weggeschoben. Nicht selten waren diese zwei Stunden die einzigen, in denen Michelangelo zuließ, dass der Schlaf die Oberhand über ihn gewann.

»Ihr müsst essen«, wiederholte Aurelio, »und schlafen.«

Heute war er gar nicht erst mit in die Kapelle gegangen. Michelangelos Zustand erlaubte es nicht, ihn allein zu lassen. Piero würde den Intonaco alleine anrühren und auftragen.

Michelangelo nahm das Brot, drehte es im Kerzenlicht hin und her und legte es auf das Brett zurück. »Es geht zu langsam.« Er schob das Brett von sich weg. »Bei dem Tempo erlebe ich noch meinen eigenen Tod da oben. Ich werde sterben mit einem Pinsel in der Hand.«

Gestern hatten sie die Sintflut fertiggestellt, endlich. Doch ein Anlass zum Feiern war ihnen das nicht gewesen. Vierunddreißig Giornate, nahezu zwei Monate Arbeit – für das erste von neun Paneelen, die insgesamt nur ein Drittel der Gesamtfläche ausmachten. Und die dunklen Monate lagen noch vor ihnen. Michelangelo hatte recht. Es ging zu langsam. Aber was sollten sie tun? Wenn er so weitermachte, würde bald gar nichts mehr gehen.

»Ihr *müsst* schlafen«, wiederholte Aurelio, »und Ihr müsst essen.« Nur die Sorge um seinen Meister gab ihm den Mut, so mit ihm zu sprechen. Er hielt ihm den Käse hin. »Ihr wart es, der mir gesagt hat, man solle alles in Maßen tun. Das hätten bereits die Griechen gewusst. In Eurer Arbeit aber seid Ihr selbst maßlos.« Da Michelangelo beim Anblick des Käses nur angewidert die Mundwinkel verzog, legte Aurelio ihn an seinen Platz zurück. »Ebenso wie in Eurer Weigerung, Essen zu Euch zu nehmen«, ergänzte er.

»Was meine Arbeit betrifft: Das ist etwas völlig anderes.« Michelangelo verscheuchte die Worte seines Gehilfen mit einer matten Handbewegung. »Ich lebe durch meine Arbeit, Aurelio. An dem Tag, an dem ich aufhöre zu arbeiten, höre ich auf zu existieren. Der Zweck meines Daseins ist meine Arbeit.«

»Und was ist mit dem Rest? Eure Freunde, Eure Familie …« Aurelio biss sich auf die Lippe. In Michelangelos Gegenwart seine Familie zu erwähnen war stets ein sensibles Unterfangen. Doch seit sein Bruder Giovan Simone ihn in Rom aufgesucht hatte, galt es, das Thema unbedingt zu vermeiden. Es konnte seinen Zustand nur verschlimmern.

»Meine Familie, lieber Aurelio, ist ein fortwährendes Ärgernis, das mich am Arbeiten hindert. Mein Leben besteht aus Arbeit und Ärger, und manchmal weiß ich nicht, was mich mehr quält.«

Michelangelo beugte sich über den Tisch, stützte sich auf die Hände und stand von seinem Schemel auf. Aurelio hatte ihn überzeugen können, sich noch einmal ins Bett zu legen, wenigstens für zwei Stunden. Er würde ihn rechtzeitig wecken. Doch dazu kam es nicht. In dem Moment, da sich Michelangelos Hände vom Tisch lösten, wurde die Haustür aufgestoßen. Der Bildhauer und sein Gehilfe hatten kaum Gelegenheit, sich einen fragenden Blick zuzuwerfen, da standen auch schon Rosselli und Granacci in der Küche. Sie sahen aus, als hätten sie in der Sixtinischen Kapelle das Jüngste Gericht erblickt. Keiner brachte ein Wort hervor. Einer der Männer ist vom Gerüst gestürzt, dachte Aurelio unwillkürlich.

Er sah Bastiano, wie er mit zerschmettertem Schädel auf dem Boden der Kapelle lag, während sich sein Blut über das Steinmosaik ergoss.

»*Caro fratello*«, setzte Rosselli an, doch statt fortzufahren, schlug er nur die Hände vors Gesicht.

»Da Ihr Euch so sehr beeilt habt, mir eine Nachricht zu überbringen, erscheint es wenig sinnvoll, sie ausgerechnet jetzt für Euch zu behalten«, sagte Michelangelo müde. »Granacci?«

Der Angesprochene blickte seinen Freund aus traurigen Augen an. »Schimmel.«

Langsam, sehr langsam, legte Michelangelo seine Hände zurück auf den Tisch. »Viel?«

»Fast alles«, gestand Granacci.

Michelangelos Kopf sank auf die Brust. »Gott stehe mir bei«, sagte er. Dann lief er aus dem Haus.

Aurelio suchte eilig die Schuhe und den Umhang seines Meisters zusammen.

Rosselli hatte sich nicht vom Fleck gerührt. »Ich verstehe das nicht«, sagte er und starrte auf seine Hände, als seien sie ihm eine Erklärung schuldig.

Bis auf die ersten drei oder vier Giornate – den Mann mit dem Kind und einige Flüchtende – war das gesamte Fresko befallen. Michelangelos Arbeit zerstörte sich selbst, der Putz zerfraß die Farben, der Intonaco verfaulte von innen heraus, als habe er die Pest.

Michelangelo saß auf der Arbeitsbühne und betrachtete das Desaster im milchigen Licht des anbrechenden Tages. Der Anblick hatte ihm buchstäblich die Beine weggezogen. Die anderen standen herum wie Krieger nach einer verlorenen Schlacht. Keiner wusste Rat.

»Warum?«, fragte Michelangelo in die Runde.

Als Antwort bekam er hochgezogene Schultern und nach oben gedrehte Handflächen zu sehen.

»Piero?«

»Es ist mir ein Rätsel«, gestand Rosselli und drehte den Kopf zur Decke. »Du kennst mich. Ich habe exakt nach Vorschrift gearbeitet.« Er ließ die Arme sinken. »Ich weiß nicht, wo der Fehler liegt. Klar ist nur, dass zu viel Feuchtigkeit im Intonaco eingeschlossen ist. Als würde sie von oben durch die Decke dringen.«

»Ist das eine mögliche Ursache?«

Rosselli schüttelte den Kopf. »Nein. Der Arriccio ist trocken wie Reisig. Ich verstehe es nicht.«

»Bastiano?«

»Ja, Maestro?« Außer Aurelio war er der Einzige, der Michelangelo mit Maestro anredete.

»Geh und bitte deinen Onkel zu kommen. Vielleicht kann er uns helfen.«

Als Giuliano da Sangallo gut eine Stunde später die Sprossen zur Arbeitsbühne hinaufstieg, bemerkte Michelangelo ihn nicht einmal. Er saß unverändert und war tief in Gedanken versunken. Die anderen hatten inzwischen die Bühne aufgeräumt und gefegt. Etwas anderes gab es nicht zu tun. Unbeabsichtigt verstärkte das Ergebnis die Trostlosigkeit noch. Der Arbeitsplatz der Bottega, der wochenlang nach Aufbruch gerochen und eine emsige Atmosphäre verströmt hatte, wirkte, als habe er kapituliert. Was noch brauchbar sein würde, stand gut verschnürt in einer Reihe und erwartete seinen Abtransport.

Sangallos Urteil schien das Schicksal des Freskos endgültig zu besiegeln. »Es ist nicht zu retten«, sagte er nach eingehender Prüfung.

Michelangelo antwortete nicht.

»Das bedeutet«, fuhr Sangallo fort, »Ihr werdet es abschlagen müssen, alles, bis auf den Mann mit dem Kind.«

»Ich weiß, was das bedeutet.« Es waren die ersten Worte des Bildhauers, seit er Bastiano losgeschickt hatte, um seinen Onkel zu holen.

Sangallos Befund schien alle Mitglieder der Bottega zwei Fingerbreit in die Bühne einsinken zu lassen. Die Arbeit von zwei Monaten, vierunddreißig Tagewerke. Alles vergebens. Lediglich der Mann mit dem Kind auf dem Arm würde übrig bleiben. Als wären ihm und Michelangelo dasselbe Schicksal bestimmt: Welche

Anstrengungen sie auch immer unternahmen, am Ende würden sie untergehen.

Auf die Idee, Aurelio zu befragen, kam niemand.

»Runter«, Michelangelo kam auf die Beine, »alle! Runter von der Bühne! Lasst mich allein und vergesst nicht, die Tür hinter euch zu schließen. Los!«

Sangallo ging als Erster, Aurelio als Letzter. Kaum hatte er festen Boden unter den Füßen, erfüllte ein dunkles Brüllen das Gewölbe.

»Maestro?«, rief Aurelio besorgt.

»Schließ die Tür, Aurelio! Von außen!«

Aurelio eilte dem Ausgang entgegen. Noch bevor er ihn erreicht hatte, hörte er, wie sich die Spitze eines Hammers in das Fresko bohrte.

✢ ✢ ✢

Bis auf Rosselli, Aurelio und Bugiardini waren alle Mitglieder der Bottega ausgeflogen. Niemand wollte miterleben, wie Michelangelo nach diesem Tag nach Hause kam. Granacci würde sich erst mit korsischem Wein und anschließend mit der sardischen Kurtisane trösten, die er neuerdings regelmäßig aufsuchte. Tedesco, Bastiano und sogar Agnolo, der sonst um Tavernen einen großen Bogen machte, beschlossen, nach Trastevere hinunterzugehen, um das Fresko »in Wein zu ertränken«, wie Tedesco sagte. Und damit Beato nicht schutzlos dem Zorn Michelangelos ausgesetzt wäre, nahmen sie den Fattorino kurzerhand mit. Rosselli zog sich in die Küche zurück und kochte, wie immer, wenn ihm etwas wirklich zu schaffen machte. Bugiardini ging früh zu Bett.

Wie sich herausstellte, hätten sie Michelangelos Zorn nicht fürchten müssen. Bis der Bildhauer den Riegel löste und die Haustür aufdrückte – die Sonne war längst untergegangen und der Passetto von Fackeln erleuchtet –, war sämtlicher Zorn aus ihm gewichen. Einen halben Tag hatte er benötigt, um die Arbeit der Bottega von zwei Monaten zu zerstören. All sein Zorn hatte sich in der Kapelle entladen. Was jetzt noch blieb, war eine unaussprechliche Niedergeschlagenheit, ein im Saft schwarzer Galle gelöschter Ätzkalk, der sich ausschließlich gegen ihn selbst richtete. Wie zu erwarten, verweigerte er jedes Essen. Aurelio beeilte sich, ihn zu stützen, als er die Stufen zu seiner Kammer emporstieg.

»Schließ die Tür«, bat Michelangelo, nachdem sein Gehilfe ihn in die Kammer geleitet, ihm die Stiefel ausgezogen, ihn von den gröbsten Brocken des Freskos befreit und ins Bett gesteckt hatte. »Von innen.«

Aurelio nahm sich den Schemel, schob die auf dem Boden liegenden Zeichnungen zusammen und setzte sich zu Michelangelo ans Bett. Er konnte zusehen, wie die Kraft aus seinem Meister wich. Seine Erschöpfung war übermächtig. Heute Nacht würde er schlafen, wenn auch unglücklich. Vor Ermüdung flatterten Michelangelos Augenlider, kurz darauf waren sie fest geschlossen. Er begann erst zu sprechen, als Aurelio glaubte, er sei bereits eingeschlafen.

»Es ist ein Strafe, Aurelio. Gott straft mich.« Seine Stimme klang wie ausgehöhlt. »Und ich weiß nicht einmal, wofür.« Das Schlucken strengte ihn so sehr an, dass er dabei das Gesicht verzog. »Ist meine Demut nicht groß genug? Habe ich nicht genug gelitten? Ist es nicht genug … Was immer ich erstrebe: Es ist immer zu viel und doch nie genug.«

Er öffnete die Augen, ließ seinen Kopf auf die Seite fallen und betrachtete seinen Gehilfen. Aurelio kannte diesen Blick – und fürchtete ihn. Er war die Tür zur vielleicht dunkelsten Kammer von Michelangelos Seele, und Aurelio war es, der sie aufstieß. Es war ein Teufelskreis. Aurelios Anblick salbte Michelangelo, zugleich infizierte er ihn mit einer quälenden Sehnsucht. Er war seinem Meister Gift und Gegengift zugleich.

»Ist das nicht verrückt?«, fuhr Michelangelo fort. »Ich nähre mich von dem, was mich zerstört.«

Nach diesen Worten schlief er ein.

XXVII

NICHT EINMAL SANGALLO WUSSTE, worin der Fehler lag. Jeder Erklärungsversuch war ein Stochern im Nebel. Vielleicht war das das Schlimmste. Es konnte alles sein: die Decke, die Feuchtigkeit, der Kalk, die Asche, die Mauern, die Fenster … Sie würden das Fresko einfach noch einmal von vorne beginnen und darauf hoffen müssen, dass es beim zweiten Mal gelang. Doch warum sollte es? Keiner glaubte mehr so richtig daran. Das war das eigentlich Tragische: Ihr Glauben war erschüttert.

In der Nacht wurde Michelangelo von einem plötzlichen Fieber befallen. Innerhalb weniger Stunden brannte sein Körper aus. Aurelio wagte nicht, ihn auch nur einen Augenblick allein zu lassen. Als könne seine bloße Anwesenheit Schlimmeres verhüten. Im Licht der Kerze schlängelte sich die Wärme, die von seinem Meister aufstieg, als Schatten über die Wand. Ein Schatten, der sichtbar machte, was mit bloßem Auge nicht zu erkennen war. Immer wieder wischte Aurelio dem wie tot daliegenden Michelangelo die Schweißperlen von Stirn und Oberlippe, während das Fieber ihn verzehrte und als leere Hülle zurückließ.

Am nächsten Tag, gegen Mittag, erschien ein Sekretär des Papstes. Granacci ärgerte sich, nicht vorbereitet zu sein. Sie hätten sich denken müssen, dass die Schimmelbildung am Gewölbe jemandem wie de' Grassi nicht verborgen bleiben würde – selbst wenn er nicht wagte, die Leiter zur Bühne zu erklimmen. Michelangelo wollte den Abgesandten nicht in seiner Kammer empfangen, doch es war ihm unmöglich aufzustehen. Also blieb ihm keine andere Wahl. Der Mann aus dem Vatikan, dessen Finger unter Goldringen verschwanden und der seinen pelzgefütterten Kapuzenumhang lässig über die Schultern geschwungen hatte, rümpfte ungläugbig die Nase, als er sich in der vor Krankheit erstarrten Kammer umsah. So lebte des Papstes hochgeschätzter Künstler? Er lehnte den herbeigetragenen Stuhl ab und hätte gerne mehr Abstand zum Bett eingenommen, als es die niedrige Kammer zuließ.

Der Heilige Vater sei in Sorge, so der Sekretär. Man habe vernommen, dass der Malermeister Buonarroti, der sich vertraglich an den Vatikan gebunden habe, seine Arbeiten an der Sixtinischen Kapelle abgebrochen …

»Ich bin Bildhauer!«, stieß Michelangelo hervor.

… die von ihm vertraglich zugesicherten Aufgaben abgebrochen habe.

Raffaels Arbeiten in den päpstlichen Privatgemächern gingen zügig voran und ließen Großes erwarten, sehr Großes. Sollte Michelangelo also tatsächlich vor seiner Aufgabe kapitulieren, müsse sich der Heilige Vater wohl mit den Fresken in seinen Gemächern trösten. So ging es weiter. Einerlei ob Bildhauer oder Maler, es müsse Herrn Buonarroti bewusst sein, dass jedwede Vertragsverletzung …

»Vertrag, Vertrag! Den einzigen Vertrag, den ich je geschlossen habe, habe ich mit Gott geschlossen. Und dieser Vertrag sieht vor, dass ich als Bildhauer arbeiten soll. Auf Lebenszeit. Papst Julius hat nichts weiter im Sinn, als mich ein ums andere Mal zum Bruch dieses Vertrages zu zwingen!«

Michelangelo sank auf sein Kissen zurück. Granacci, der vor der Tür gestanden hatte, eilte herbei und versuchte, die Situation irgendwie zu retten.

Der Sekretär starrte auf das Bett. Er rang um seine Fassung. »Wie es den Anschein hat, ist Euch nicht viel an Eurem Leben gelegen«, erklärte er schließlich.

Granacci schob ihn so diplomatisch Richtung Tür wie möglich. Noch zwei Wortwechsel dieser Art, und Michelangelo könnte sein Todesurteil unterschreiben. Andere waren schon für weit weniger blasphemische Äußerungen in die Engelsburg gesperrt oder gar gehenkt worden.

»Gehe er nur«, krächzte Michelangelo dem Abgesandten hinterher. »Richte er dem Heiligen Vater aus, er täte besser daran, für sein eigenes Seelenheil Sorge zu tragen. Noch hat sich jeder vor Gott verantworten müssen − früher oder später. Ein paar Ablasszettel werden den Allmächtigen kaum milde stimmen.«

Granacci drängte den Abgesandten sanft, aber bestimmt in den Flur, während Aurelio die Tür hinter ihnen schloss und sich dagegenlehnte, als könne er so verhindern, dass weitere Worte aus der Kammer entwichen. Einen Moment standen sich Granacci und der Sekretär wortlos gegenüber.

»Ich bitte Euch demütigst« − Granacci senkte sein Haupt und stieß die Spitzen seiner Finger gegeneinander −, »bedenkt, dass Maestro Buonarroti im Fieberwahn spricht. Er ist nicht Herr seiner Sinne, jedenfalls nicht im Moment.«

Der Sekretär blickte zur Kammer hinüber. »Im achten Höllenkreis ist bereits ein Ehrenplatz für ihn reserviert!«, drang Michelangelos Stimme durch die Tür.

Jeder Fingerbreit von Granaccis Gesicht bezeugte seine innere Zerknirschung. Der Sekretär klemmte seine Stirn zwischen Daumen und Mittelfinger. »Ist Euch bewusst, was Ihr da von mir verlangt?«

Natürlich war Granacci das bewusst. Der Papst würde sich genauestens über diesen Besuch Bericht erstatten lassen. Hielt sein Sekretär ihm Informationen vor, brachte er sich selbst in Gefahr. »Er ist nicht bei Sinnen«, wiederholte Granacci, »glaubt mir. Bitte.«

Der Sekretär löste die Finger von seiner Stirn. »Könnt Ihr Gewähr dafür übernehmen«, fragte er gedehnt, »dass keines der Worte, die in dieser Kammer gefallen sind, jemals dieses Haus verlässt?«

»Bei meiner Ehre«, antwortete Granancci.

Der Sekretär nickte kaum sichtbar. »Sei's drum. Ich werde Seiner

Heiligkeit berichten, dass Maestro Buonarroti erkrankt ist, sich jedoch auf dem Wege der Besserung befindet und in spätestens drei Tagen die Arbeit am Deckengewölbe wiederaufnehmen wird.«

»Fünf«, beeilte sich Granacci zu sagen.

»Verlangt nicht zu viel«, knurrte der Sekretär.

»Ihr selbst habt Euch davon überzeugen können, in welchem Zustand Maestro Buonarroti sich befindet. Fünf. Ich bitte Euch. Das ist nicht zu viel.«

Erneut deutete der Sekretär ein Nicken an. Dann stieg er umständlich die Stufen hinab und verließ das Haus, ohne die Tür zu schließen.

Aus Michelangelos Kammer drang ein Stöhnen. Granacci und Aurelio sahen sich an.

»Allora«, sagte Granacci, »der Papst wird ihn nicht umbringen. Vorerst. Jetzt müssen wir dafür sorgen, dass er es nicht selbst tut.«

✢ ✢ ✢

Wenige Stunden später erschien ein Arzt. Der Papst schien sich tatsächlich zu sorgen.

»Er will wissen, wie krank Michelangelo wirklich ist«, raunte Rosselli.

Der Arzt war so verschwiegen, dass er sich nicht einmal vorstellte, sondern zur Begrüßung nur ein Nicken andeutete. Der Rest war offenbar selbsterklärend. Er schien genauestens instruiert worden zu sein, jedenfalls stieg er ohne Umschweife die Stufen ins Obergeschoss hinauf, ohne dass ihm jemand erklärt hätte, wo Michelangelos Kammer zu finden war. Kurz lupfte er Michelangelos Augenlider an.

»Zwei Schüsseln«, sagte er, ohne dabei jemanden anzusehen. Diesem Satz sollten nur noch zwei weitere Worte folgen.

Kaum hatte Aurelio die Schüsseln herbeigetragen, holte der Arzt ein Lederetui aus seinem Umhang, zog ein Fliet mit Elfenbeingriff daraus hervor, schlug Michelangelos Decke zurück und öffnete die Venen an den Innenseiten seiner Waden. Der Bildhauer stöhnte auf. Kurz spannte sich sein Oberkörper, und die Schultern drückten sich in die Matratze. Dann lag er so reglos wie zuvor.

Ein feines, metallisches, beinahe unhörbares Geräusch war zu vernehmen. Der Arzt hatte die Haut tief eingeschnitten, dennoch floss das austretende Blut nur in schmalen Rinnsalen in die Schüsseln. Dies schien ihn in seiner Annahme zu bestätigen, dass das Gleichgewicht der Körpersäfte gestört war.

»Zu dick«, erklärte er.

Er wartete, bis sich die Schnitte von selbst geschlossen hatten, stellte die Schüsseln auf den Boden, schlug die Decke über Michelangelos Beine und verließ das Haus. Michelangelo war vor Entkräftung eingeschlafen. Aurelio trug die Schüsseln nach unten, konnte sich aber nicht überwinden, das Blut seines Meisters einfach auf die Straße zu kippen. Stattdessen trat er in den kleinen Hof, der sich auf der Rückseite des Hauses anschloss, und entleerte die Schüsseln zu Füßen des Feigenbaums, wo das Blut auf Stamm und Wurzeln bräunliche Flecken hinterließ.

✣ ✣ ✣

Aurelio schreckte aus dem Halbschlaf auf. Das leise Zischen, das sein Meister mit jedem Atemzug ausstieß, war verstummt. Die Kerze war erloschen. Das Haus war still. Ganz Rom schwieg. In der Schwärze der Nacht tastete Aurelio nach dem Bett. Erst seine Hand auf Michelangelos schmaler Brust brachte ihm die Gewissheit, dass die Luft nach wie vor ihren Weg in dessen Lungen fand. Seit dem Besuch des Arztes hatte sein Meister nicht mehr gesprochen. Lediglich ein fernes Stöhnen war hin und wieder zu vernehmen, das meist mit einem Schnaufen einherging. Michelangelo versuchte, der Dämonen Herr zu werden, die Aurelio in so vielen seiner Skizzen erblickt hatte. Vorsichtig zog er seine Hand zurück.

»Aurelio?«

Der Tag kündigte sich an. Michelangelos Augen waren geöffnet, sein Blick war starr zur Decke gerichtet. Immerhin konnte er Worte formen. Die Glocken zur Laudes schienen ihn geweckt zu haben. Im fahlen Licht wirkte seine Haut wie von Asche bedeckt.

»Ja, Maestro?«

Nach einer Weile: »Es ist gut.«

Es klang, als enthielte dieser Satz eine Aufforderung. Aurelio wartete.

»Geh und ruhe dich aus«, erklärte Michelangelo. »Es geht mir besser.«

Aurelio glaubte seinem Meister kein Wort. Er war ja nicht einmal in der Lage, seinen Kopf zu bewegen.

»Geh schon.«

»Ihr müsst etwas essen.«

Michelangelo versuchte zu lächeln, bekam aber nur ein Husten zustande. »Ihr und Euer Essen …«

»Ich werde Euch etwas bringen, und Ihr werdet …«

»Ich werde es nicht anrühren«, führte Michelangelo den Satz zu Ende. »Geh und ruh dich aus.«

Widerstrebend verließ Aurelio die Kammer.

Um die Mittagszeit erschien erneut der Arzt. Der Papst musste in großer Sorge sein. Wieder kein Wort der Begrüßung. Das Kopfnicken, das Fliet mit dem Elfenbeingriff, das Blut, das leise in die Schüsseln tröpfelte, neue Flecken auf den Wurzeln des Feigenbaums. Bevor er in den Schlaf sank, sagte Michelangelo Granacci und Aurelio, sie sollten endlich das Essen neben seinem Bett fortschaffen und die Tür schließen, von außen. Bitte. Bastiano saß in der Küche und kopierte Michelangelos Deckenentwurf, Rosselli beschäftigte sich mit Kochen. Sie sahen Granacci an, als könne nur er eine Lösung finden.

Granacci begann, den Brei auszulöffeln, den Michelangelo nicht angerührt hatte, und übte sich in Zuversicht: »Solange er noch genug Kraft besitzt, jegliches Essen zu verweigern …«

Als Aurelio das Abendessen hinauftrug, fand er die Tür seines Meisters verschlossen vor.

Er klopfte.

Keine Antwort.

»Maestro?«

Keine Antwort.

Panik stieg in ihm auf. Hatte Michelangelos selbstzerstörerischer Dämon endgültig von ihm Besitz ergriffen?

Aurelio schlug mit der Faust gegen die Tür. »Maestro!«

Aus der Kammer drang ein kaum vernehmbares Stöhnen. Wenigstens war er am Leben. Aurelio hätte ihn niemals alleine lassen dürfen. Er trommelte gegen die Tür. »Maestro, öffnet die Kammer!«, forderte er.

Auf der Treppe ertönten Schritte. Plötzlich war der kleine Flur von Menschen erfüllt. Bis auf Tedesco drängten sich alle vor der Kammer.

»Was ist?«, fragte Bugiardini.

Agnolo erklärte das Offensichtliche: »Er hat sich eingeschlossen.«

»Psst«, machte Rosselli, der sein Ohr an die Tür gelegt hatte.

Ein Quietschen, ein Scharren, unbestimmte Geräusche, die sich quälend langsam der Tür näherten.

»Aurelio?« Michelangelos flüsternde Stimme sprach direkt durch den Türspalt.

Rosselli winkte Aurelio herbei, der sein Ohr an den Spalt legte. »Maestro?«

»Sag den anderen, sie sollen verschwinden. Ich will nicht, dass mich jemand so sieht.«

Aurelio erklärte den anderen, was Michelangelo ihm aufgetragen hatte. Einer nach dem anderen stiegen sie die schmale Treppe ins Erdgeschoss hinab. Bugiardini als Letzter. »Und was jetzt?«, fragte er.

Als alle gegangen waren, wandte sich Aurelio wieder der Tür zu. »Maestro, macht auf.«

Auf allen vieren war Michelangelo vom Bett zur Tür gekrochen.

Jetzt kauerte er an der Wand. Da war Blut. An den Laken, dem Bett. Seine Hände hatten blutige Abdrücke auf dem Boden hinterlassen. Aurelio kniete sich vor seinen Meister, dessen Hände kraftlos in seinem Schoß ruhten, und drehte seine Handflächen nach außen. Sie waren voller Blut, ein Schnitt jedoch war nirgends zu erkennen. Mehr Blut. Das Nachthemd. Voller Blut. Aurelio schob seine Hände unter Michelangelos Körper hindurch, hob ihn hoch und erschrak. Ein Stapel Holzscheite wog schwerer als dieser Körper. Seine eigenen Worte kamen ihm in den Sinn, als er die Pietà gesehen hatte: *Er ist so leicht, im Tod.*

Aurelio trug Michelangelo in sein Bett zurück, schnürte das Nachthemd auf und traute seinen Augen nicht. Auf der Brust seines Meisters war eine gemalte Hand zu sehen – eine in Blut gemalte Hand, die sich nach etwas ausstreckte. Doch da war nichts. Die Hand griff ins Leere. Erst jetzt begriff Aurelio, dass die feinen Linien aus Hunderten kleiner Nadelstiche gebildet waren. Sein Meister war dabei, den Verstand zu verlieren.

Aurelios Fingernägel gruben sich in seine Handflächen. »Was habt Ihr getan?«

Michelangelo legte das Kinn auf die Brust und sah an sich herunter. »Ich habe mich selbst perforiert.«

Unter Aurelios Fingernägeln platzte die Haut auf. »Warum in Gottes Namen habt Ihr das getan?«

Michelangelo zwang sich zu einem Lächeln. Sei nicht traurig, schien es sagen zu wollen. »Ich weiß es nicht.«

✢ ✢ ✢

Nachdem Aurelio ihm erklärt hatte, dass Michelangelo die Nacht möglicherweise nicht überleben würde, rief Granacci die Bottega im Atelier zusammen. Es musste etwas geschehen. Doch was? Stumme Ratlosigkeit erfüllte den Raum und fand ihren Ausdruck in einer Zeichnung, die Bastiano von ihnen anfertigte, ohne sich dessen wirklich bewusst zu sein. Da standen und saßen sie, umrissen in groben Kohlestrichen, und die Haltung eines jeden von ihnen drückte die blanke Hilflosigkeit aus.

»Der Arzt«, schlug Tedesco schließlich vor. Das Schweigen im Raum verursachte ihnen physische Schmerzen. »Er muss wieder zur Ader gelassen werden.«

Bugiardini nickte.

Granacci blickte in die Runde. Als sich sein und Rossellis Blicke trafen, schüttelte dieser den Kopf.

»Was meinst du?«, fragte Granacci.

Erst als er die Blicke der anderen auf sich spürte, wurde Aurelio klar, dass die Frage an ihn gerichtet war. »Ich bin kein Arzt«, sagte er.

»Aber du hast eine Meinung«, vermutete Granacci.

Das stimmte. Granacci wirkte oft wenig feinfühlig. Doch sein Gespür für andere Menschen arbeitete erstaunlich präzise. Aurelio überlegte. Er hatte kein gutes Gefühl, was den Aderlass betraf. Sicher, Michelangelos Körpersäfte waren ein einziges Chaos, das war offensichtlich. Dennoch schien das eigentliche Problem woanders zu liegen.

»Er ist bereits zweimal zur Ader gelassen worden«, sagte Aurelio zögerlich. »Danach hat sich sein Zustand jedes Mal verschlechtert.«

»Man muss ihn eben häufiger zur Ader lassen«, meinte Tedesco.

Von Bugiardini kam erneut ein Nicken.

»Aurelio?«, sagte Granacci.

Aurelio nahm seinen Mut zusammen. »Ich fürchte, der nächste Aderlass könnte sein letzter sein.«

Rosselli nickte stumm. Tedesco stieß ein Schnaufen aus. Es war offensichtlich, dass er Aurelio für nicht kompetent hielt. Andererseits wollte er am Ende nicht als derjenige dastehen, der auf das falsche Pferd gesetzt hatte.

»Ich weiß ein Rezept für eine Suppe, die ihm helfen könnte«, sagte Beato unvermittelt.

Tedesco verdrehte die Augen. Was sollte das werden? Würden sie jetzt die Verantwortung für Michelangelos Leben in die Hände eines dreizehnjährigen Fattorino legen?

»Es ist aus dem Kloster, wo ich aufgewachsen bin«, fuhr Beato unsicher fort. »Ich selbst bin einmal damit gesund geworden, als keiner mehr daran geglaubt hat.«

Alle sahen Granacci an. Der wusste auch nicht weiter.

»Was braucht man dazu?«, fragte Rosselli.

Beato zählte auf: »Ein Huhn, Eier, Knoblauch, Weißwein, Rosmarin und Basilikum.«

»Das ist absurd«, knurrte Tedesco. »Selbst wenn sie helfen würde: Michelangelo wird sie nicht anrühren.«

»Hat jemand eine bessere Idee?«, fragte Granacci.

Als niemand antwortete, zog Granacci den Lederbeutel aus seinem Umhang, in dem er sein Geld verwahrte, zählte ein paar Münzen ab und drückte sie dem Fattorino in die Hand. »Beeil dich.«

✛ ✛ ✛

In der dritten Nacht hatte Michelangelo die Suppe noch immer nicht angerührt. Die Schale stand unangetastet auf dem Schemel neben dem Bett. Aurelio tauschte seinen Platz mit ihr – den Stuhl mit der Lehne für die Suppe, den Schemel ohne Lehne für sich selbst. Schon seit Stunden kämpfte er gegen den Schlaf an. Besser keine Lehne. Er durfte Michelangelo nicht unbewacht seinen Dämonen aussetzen. Sein Meister wäre zu keiner Gegenwehr mehr fähig.

Er legte seine Hände auf Michelangelos schweißnasse Brust. Die Todesdämonen kamen, mit großen Schritten, und streckten ihre Tentakel nach ihm aus. Aurelios Hände waren so sicher, wie sie nur sein konnten. Er entzündete eine weitere Kerze.

Michelangelos Augenlider begannen zu flattern, öffneten sich jedoch nicht.

»Maestro?«

Das Fieber verschleierte den Blick seines Meisters derart, dass Aurelio nicht sicher war, ob er ihn überhaupt wahrnahm. »Die Schönheit der Schöpfung«, flüsterte er.

»Maestro!«

»Was wird mich erwarten?« Michelangelo versuchte zu schlucken. »Ich habe Angst, Aurelio. Wie albern. Angst. Ich bin ein Sünder.« Aurelio sah das Blut in seinen Adern pochen. »Wenn ich wüsste, dass du … Sogar die Aussicht auf das Fegefeuer hätte etwas Erfreuliches.« Seine Augen schlossen sich.

Aurelio musste handeln. Jetzt. Solange sein Meister halbwegs bei Verstand war. Er beugte sich vor. »Maestro? Maestro, hört Ihr mich?«

»Glockenklar. Die Stimme aus dem Paradies. Dem Ort, der mir für immer verwehrt bleiben wird.« Er versuchte sich an einem Lächeln. »Am Ende wird es doch noch der Himmel. Was glaubst du, Aurelio? Wird es der Himmel?«

»Maestro, hört mich an!«

»Ich höre.« Jetzt erschien wirklich ein Lächeln auf seinem Gesicht. Als habe er den Tod bereits akzeptiert. Das wäre das Schlimmste. Wenn er aufgehört hätte zu kämpfen.

»Maestro!« Aurelio fasste ihn an den Schultern und schüttelte ihn. »Seht mich an!«

Michelangelos Augen öffneten sich. Seine Pupillen tasteten umher, ohne etwas zu finden.

»Hier!«, rief Aurelio.

Die Iris zog sich zusammen. »Ah!«

»Hört mich an!«, wiederholte Aurelio. Die Verzweiflung schnürte ihm die Kehle zu.

»Ich höre«, wiederholte Michelangelo friedlich. Die Pupillen weiteten sich bereits wieder.

»Seht mich an!«, schrie Aurelio.

Für einen Moment schüttelten Michelangelos Augen ihren Schleier ab. Dies war die vielleicht letzte Möglichkeit.

»Ihr könnt leben. Oder Ihr könnt sterben.« Heiße Tränen rannen Aurelios Wangen hinab. »Die Entscheidung liegt bei Euch. Aber wenn Ihr leben wollt …« Eine Handvoll Worte noch, danach brächte er keinen Laut mehr über die Lippen. »Wenn Ihr leben wollt, dann müsst Ihr das jetzt entscheiden. Jetzt, hört Ihr!«

Michelangelo tastete nach den Händen seines Gehilfen. Wie die von Tommaso, damals, auf dem Totenlager. Wie lange war das her? Noch kein Jahr, grotesk, erschien es ihm doch fern wie Indien. Aurelio stieß einen Fluch aus. Er verfluchte sich selbst, seine begabten Hände, den Tod. Nie war die Ohnmacht größer, die Verzweiflung übermächtiger als im Angesicht des Todes. Warum hatte Gott ihm Hände gegeben, die den Tod fühlen konnten, wenn es doch keine Möglichkeit gab, ihn abzuwenden? Was war das für ein teuflischer Gott, der den Menschen nach seinem Ebenbild erschuf, einzig um ihn die vernichtende Einsicht zu lehren, dass alles Streben am Ende vergebens war?

Michelangelos Hände hatten Aurelios gefunden und umklammerten sie. Zumindest versuchten sie es. Noch vor wenigen Tagen hatten diese Hände mit traumwandlerischer Leichtigkeit Schlägel und Eisen geführt. Jetzt hätten sie nicht einmal mehr einen Griffel halten können.

»Ich will leben, Aurelio«, flüsterte Michelangelo.

Durch den eigenen Tränenschleier sah Aurelio, dass auch sein Meister weinte. Wie konnte sich ein derart ausgetrockneter Körper noch feuchte Tränen abringen?

Vorsichtig zog er seine Hände unter denen Michelangelos hervor. Er nahm die Schale mit der Suppe vom Stuhl und tauchte mit zittriger Hand den Löffel in die Flüssigkeit. »Dann esst«, brachte er hervor und führte den Löffeln an den Mund seines Meisters.

✢ ✢ ✢

Bei Tagesanbruch stieg Aurelio die Stufen ins Erdgeschoss hinab. Die Bottega war vollständig im Atelier versammelt. Granacci und Rosselli unterhielten sich flüsternd in einer Ecke. Bastiano lehnte an der Wand und blickte in den Hof hinaus. Tedesco und Agnolo saßen auf Holzkisten und spielten Karten. Bugiardini schlief. Beato fegte den Boden, obgleich nirgends ein Staubkorn zu sehen war. Als Aurelio in die Tür trat, verstummte das Gespräch zwischen

Granacci und Rosselli. Bastiano drehte sich zu ihm um. Der Besen hielt inne. Agnolo sammelte wortlos die Karten ein und schob sie unter die Kiste in ihrer Mitte.

»Er hat entschieden zu leben«, sagte Aurelio. Dann schlurfte er in seine Kammer und ließ sich auf sein Lager fallen.

XXVIII

R<small>INGS UM IHN HERRSCHTE TIEFE</small> N<small>ACHT</small>. Er hörte Bastianos Atem neben sich. Ihre Kammer. Ihr Bett. Michelangelo hatte entschieden zu leben. Aurelio schien den ganzen Tag geschlafen zu haben. Doch warum war er erwacht? War es Hunger? Oder Durst? Nichts davon. Da war etwas gewesen. Im Traum. Aurelio setzte sich auf. In der formlosen Dunkelheit versuchte er, die Fäden seines letzten Traums zu greifen.

Piero. Er und Piero, auf der Arbeitsbühne. Piero, der ihm die Kelle wie ein Tablett darbot. *Verläuft ziemlich schnell.* Piero versuchte, den Intonaco auf der Kelle zu balancieren, doch der Putz war zu flüssig, lief an den Kanten herab, tropfte auf den Boden und benetzte seine Hand, wo er blutige Löcher hinterließ. Ein weiterer Faden: Er, Aurelio, wie er am Tiber saß und darauf wartete, dass Margherita die zweite Fackel aufsteckte. Die Holzkiste, die auf dem Fluss kreiste. Ein merkwürdiger Fluss. Plötzlich eine Gestalt hinter ihm. Ein Kapuzenumhang, das Gesicht verborgen. *Die Wasser des Tiber sind nicht dieselben wie die, die den Arno hinabfließen.* Aurelio kannte die Stimme, doch wusste er nicht, woher. Einen Moment später waren Kiste und Gestalt veschwunden.

»Zu flüssig.« Das Dunkel saugte seine Worte in sich auf wie ein Schwamm.

Aurelio ließ seinen Oberkörper ins Bett zurücksinken. An

Schlaf war nicht mehr zu denken. Er versuchte es gar nicht erst. *Verläuft ziemlich schnell*, hatte Piero gesagt. Gleich zu Anfang hatte er gemerkt, dass die Konsistenz des Intonaco nicht die richtige war. Seine Gewissenhaftigkeit jedoch hatte der Rezeptur mehr vertraut als seiner eigenen Intuition. Inzwischen war Piero davon überzeugt, dass der Ätzkalk die Schimmelbildung bewirkt hatte. In Rom wurde er, anders als in Florenz, aus Travertin statt aus Marmor gebrannt. Bei ihrem zweiten Versuch mit dem Fresko wollte er deshalb mit Marmorkalk arbeiten, den sie aus Florenz kommen lassen würden. Damit hatten sie Erfahrung.

Aurelio dachte nach. Möglich, dass der Travertinkalk eine andere Oberflächenstruktur bewirkte, aber die flüssige Konsistenz hatte er nicht zu verantworten, und weshalb ausgerechnet der weichere und porösere Stein die Feuchtigkeit stärker einschließen sollte als der viel härtere Marmor, leuchtete Aurelio nicht ein. Er wartete bis zum Morgengrauen. Vorher würden ihn die Wachen der Schweizergarde nicht in den Vatikan lassen. Er wollte in die Sistina. Allein. Bevor er mit Piero und den anderen sprach, mussten sich seine Hände Gewissheit verschaffen.

✠ ✠ ✠

»So früh?« Die Wachen erkannten ihn, hielten ihre Hellebarden jedoch gekreuzt.

»Wo sind die anderen?«, wollte die zweite Wache wissen. »Wo ist dein Meister, der Maler?«

»Er ist Bildhauer«, entgegnete Aurelio.

Die Wache verzog gelangweilt die Mundwinkel. Maler, Bildhauer, wo war der Unterschied? »Und, wo ist er?«

»Im Bett. Krank. Ich muss etwas für ihn holen, aus der Kapelle. Dringend.«

Die Wachen sahen einander an. Sie überlegten. Oder gaben vor, es zu tun. Einer ließ seinen Blick über den Petersplatz schweifen. Nebel. Seit Tagen das Gleiche. Nicht einmal bis zu den ersten

Häusern konnte man sehen. Als würde man blind werden. Die vielen Marmorblöcke, die nach wie vor auf dem Platz lagerten, schienen schlafend zu schweben.

»Pfff«, machte eine der Wachen.

Ihre Hellebarden gaben das Tor frei.

Auf leisen Sohlen ging Aurelio in die Kapelle. Auf keinen Fall wollte er die Aufmerksamkeit de' Grassis auf sich ziehen. Seit Michelangelo seine eigene Arbeit von der Decke geschlagen hatte, war die Bühne von niemandem mehr betreten worden. Versprengter Putz bedeckte die Bretter. Größere Brocken zeigten einzelne Hände, Finger, Augen. Aurelio nahm eine Scheibe von der Größe eines Doppeldukaten, auf der ein Stück alttestamentarischer Himmel zu sehen war, und zerrieb sie langsam zwischen den Fingern. Der Putz zerfiel wie nasse Kreide. Doch es war nicht der Kalk, der die Feuchtigkeit einschloss. Es war das Bindemittel. Aurelio hob ein weiteres Stück von der Bühne auf, brach es auseinander, beroch es und zerrieb es so lange zwischen den Fingern, bis nur noch Krümel übrig waren. Krümel, keine Körner. Was hatte Rosselli gesagt? In Florenz nahmen sie Marmorkalk und Arnosand, hier in Rom verwendete man Travertinkalk und Pozzolana. Pozzolana. Vulkanasche.

An der Seilwinde ließ er zwei Eimer hinab. Mit denen schlich er in den Cortile del Belvedere, schöpfte Wasser aus dem Brunnen, blickte zu den Gemächern Aphrodites empor, deren Fensterläden, wie immer um diese Zeit, verschlossen waren, und eilte zurück in die Kapelle. Er zog die wassergefüllten Eimer auf die Bühne, schnürte einen Sack mit Ätzkalk und einen mit Pozzolana auf, griff sich zwei zusätzliche Eimer und maß ab: zwei Sester Kalk. Daran würde er nicht rütteln. Den Rest mussten seine Hände herausfinden. Vorsichtig goss er Wasser auf den Kalk, wartete, bis das vertraute Zischen ertönte, und begann zu rühren.

✢ ✢ ✢

Als Aurelio hörte, wie die Tür geöffnet wurde, war die Kapelle von diffusem Licht erfüllt und die tiefstehende Herbstsonne kämpfte sich durch die Nebelschlieren. Seit Stunden war er auf der Bühne zugange. Er hielt inne und wartete auf de' Grassis herrische Stimme. Doch was zur Bühne empordrang, war ein halbes Flüstern.

»Aurelio?«

»Maestro Rosselli!«

»Was um alles in der Welt machst du da oben?«

»Kommt herauf, dann zeig ich es Euch.«

»Nein, du kommst herunter! Michelangelo will dich sehen.«

Aurelios Herz setzte einen Schlag aus. »Wie geht es ihm?«

»Gut genug, um niemanden außer dir in seine Kammer zu lassen.«

»Hat er gesagt, weshalb er mich sehen will?«

»Er sagt, er habe Hunger!«

Aurelio atmete auf. Sein Meister hatte Hunger. Wann war das jemals vorgekommen? Ein denkwürdiger Tag. »Das hat ihn sicher sehr überrascht«, sagte Aurelio.

Nach den in Furcht erstarrten Tagen an der Schwelle des Todes neben Michelangelos Bett fühlte sich Aurelio seltsam unbeschwert, beinahe heiter. Sein Meister hatte Hunger. Er würde nicht sterben, jedenfals nicht so bald. Und das Fresko … Nun, es würde eine zweite Chance bekommen.

»Wie ich sehe, bist du zu Scherzen aufgelegt«, sagte Piero in einem für ihn ungewöhnlich scharfen Ton. »Das freut mich für dich. Und jetzt komm.«

Aurelio konnte spüren, wie ihm der Leichtsinn zu Kopf stieg. »Kommt erst herauf, Maestro. Michelangelo wird auch später noch Hunger haben.«

Piero schnaubte etwas Unverständliches, doch dann begann die Leiter zu vibrieren. Er kannte seinen Gehilfen. Wenn der darauf bestand, dass er auf die Bühne stieg, hatte er einen guten Grund.

Oben erwartete Piero der Anblick einer grauen Masse auf einer Kelle. Aurelio hielt sie so, wie Rosselli es in seinem Traum getan hatte – wie ein Tablett. Mit dem Unterschied allerdings, dass Aurelio die Masse balancierte, ohne dass sie über den Rand quoll.

Rosselli rührte sich nicht. Er fixierte den Intonaco, als erwarte er, dass dieser zum Leben erwachte. Er blickte Aurelio an. Dann wieder den Intonaco. Schließlich sah er sich auf der Bühne um und betrachtete nachdenklich den losen Halbkreis aus Eimern, Säcken und Werkzeugen, den sein Gehilfe über die Bretter verteilt hatte.

»Ganz schönes Durcheinander«, stellte er fest.

Aurelio hielt die Kelle unverändert. Sein Blick ruhte auf Rosselli. »Keine Sorge«, sagte er und konnte ein Schmunzeln nicht unterdrücken, »ich bringe es wieder in Ordnung.«

Zögerlich tauchte Rosselli seinen Zeigefinger in die Masse, zog eine Rille hinein und beobachtete, wie sich die Furche schloss, aber eine Vertiefung zurückblieb.

»Hm.« Er prüfte er die Konsistenz zwischen Daumen und Zeigefinger. »Hmm.« Am Ende nahm er Aurelio die Kelle aus der Hand, hielt sie schräg und verfolgte, mit welcher Zähigkeit der Putz über die Kante lief und zu Boden klatschte. »Also schön, du Schlaumeier.« Seine Stimme hatte zu ihrem versöhnlichen Ton zurückgefunden. »Sag es mir – bevor dir deine vor Stolz geblähte Brust platzt.«

Aurelio konnte nicht aufhören zu schmunzeln. »Es ist nicht der Kalk«, brachte er hervor. »Es ist die Asche.«

Piero betrachtete die Putzschicht, die auf der Kelle zurückgeblieben war. Von allen Seiten. Endlich erlöste er seinen Gehilfen, indem er fragte: »Nämlich?«

»Ein Drittel weniger Wasser, ein Viertel mehr Pozzolana.«

Wieder ließ Rosselli sich Zeit. »Es wird die Trockenzeit verkürzen.«

»Das bedeutet mehr Schlaf für Michelangelo.«

Piero legte die Kelle in den Eimer. Als er sich wieder aufrichtete, erschien auch auf seinem Gesicht ein Lächeln. »Ich bin ein Schafskopf«, sagte er. »Und du hör endlich auf zu grinsen.«

Teil IV

XXIX

Februar 1509

»Sag mir, was du siehst.«

Aurelio richtete seinen Blick zum Gewölbe empor. Sie hatten zwei der Planen, mit denen die Bühnen abgehängt waren, zur Seite gezogen, um zwischen ihnen hindurch einen Blick auf das Fresko werfen zu können.

»Eine Gruppe von Flüchtenden«, antwortete Aurelio vorsichtig. In der Stimme seines Meisters schwelte schon wieder dieser Zorn, den ein unbedachtes Wort so plötzlich entfachen konnte.

»Wie viele?«

Aurelio kniff die Augen zusammen. Die Körper hingen aneinander wie Trauben. Er wünschte sich, sie vorher gezählt zu haben. Waren es dreißig oder gar vierzig? Er ahnte, dass der Zorn seines Meisters bereits entfacht war. »Es ist zu dunkel, um ...«

»Es sind zu viele!«, donnerte Michelangelo. »Wer soll das verstehen? Wenn ich so weitermache, werden am Ende mehr Menschen an der Decke kleben, als in dieser Kapelle Platz finden! Und diese Raumaufteilung!« Den Kopf noch immer zur Decke gerichtet, bedeckte er seine Augen. »Ich bin ein Stümper!«, rief er durch seine Hände hindurch.

Rosselli, Bastiano, Bugiardini und Agnolo, die auf der Bühne zugange waren, hielten inne.

»Piero!«

»*Caro fratello?*«, antwortete Rosselli.

»Morgen früh schlagt ihr mir den ganzen Dreck wieder ab!« Michelangelo zog den braunen Umhang enger. »Aber nicht bevor ich es mir noch einmal angesehen habe!« Er setzte die Kapuze auf. Beinahe verschwand er darin. Das Gewicht des gesamten Gewölbes schien auf seinen Schultern zu lasten. Mühsam zog er die Tür auf. Die Fackeln am Papstpalast waren noch nicht entzündet. Michelangelo stapfte in die Dämmerung hinaus und löste sich in ihr auf. Aurelio schloss leise die Tür.

✢ ✢ ✢

Tags zuvor hatte Michelangelo die Sintflut zum zweiten Mal vollendet. Nach zehn Wochen Arbeit unter den schlimmsten Bedingungen, ohne ausreichend natürliches Licht, bei Dauerregen, im Schein von Fackeln, deren Ruß nicht in den Intonaco eindringen durfte, mit vor Kälte starren Fingern. Oft hatten Michelangelos Hände abends kaum noch die Sprossen der Leiter umfassen können. Und all dies in der unnatürlich verrenkten, nach hinten gebogenen Körperhaltung und von der ständigen Angst begleitet, dass jeden Moment der Schimmel zurückkehren könnte. Doch er war nicht zurückgekommen. Kein Schimmel, kein Schwamm, keinerlei Salzausblühungen, die bedeutet hätten, den Intonaco wieder abzutragen, da sie das Fresko wie mit einen Fluch infizierten.

Inzwischen mussten sie keinen Schimmelbefall mehr fürchten. Jedenfalls nicht, wenn Rosselli recht behielt. Aurelios Vorschlag, beim Anmischen des Intonaco nicht auf Sand zurückzugreifen, sondern Pozzolana beizubehalten und stattdessen die Mengen an Wasser und Kalk zu ändern, hatte sich als das rettende Mittel erwiesen. Zwar trocknete der Intonaco durch das veränderte Mischungsverhältnis jetzt schneller, was die Zeit, in der die Farben eingebracht werden konnten, einschränkte. War er jedoch erst einmal durchgetrocknet, konnte er dank der Vulkanasche von Feuchtigkeit kaum noch angegriffen werden.

Die Bewältigung der Probleme mit dem Intonaco hatte jedoch nicht verhindern können, dass sich nach Michelangelos Zusammenbruch im November ein weiterer Schatten auf seine Seele gelegt hatte – ein dunkler Begleiter, der ihm noch treu blieb, nachdem er längst wieder genesen war. Seine Krankheit hatte die Harmonie seiner Körpersäfte so nachhaltig zerstört, hatte so viel schwarze und gelbe Galle in seine Bahnen gespült, dass ein Gleichklang unmöglicher denn je schien. Aurelio konnte die Veränderung mit Händen greifen. In der Umgebung seines Meisters nahm alles eine eigentümliche Schwere an, eine zusätzliche Gravitation. Das Gewicht eines Kruges veränderte sich ebenso wie die Löslichkeit der Farbpigmente. Selbst der im Licht schwebende Staub schien sich plötzlich anders zu bewegen.

Durch Michelangelos cholerisch-melancholischen Zustand befördert, war ein Riss durch die Bottega gegangen. Der Glaube an die Erreichbarkeit des gemeinsamen Ziels war erschüttert worden. Und ohne diesen Glauben verlor die Bottega ihren Zusammenhalt. Am deutlichsten zeigte es sich an Tedesco. Kein Mitglied der Bottega war frei von Zweifeln, doch was Jacopo betraf, schien er dem Unterfangen nicht einmal mehr eine zweite Chance geben zu *wollen*. Stattdessen lauerte er darauf, dass Michelangelo endgültig scheiterte. Jeden Morgen, sobald sie aus dem Haus traten, um im Schein ihrer beiden Laternen durch den eisigen Regen in den Vatikan hinüberzugehen, sagte er. »Bin gespannt, was uns heute erwartet.« Als sei es nur eine Frage der Zeit, bis der Schimmel das Fresko erneut befiel.

Tedescos Klagen über die karge Unterbringung in Michelangelos Haus waren ebenso beständig. So wie er jeden Morgen den Untergang des Freskos herbeiredete, so konnte er abends nicht ins Bett gehen, ohne vorher zu bemerken, dass keine Ziege sein Lager mit ihm teilen würde, da der blanke Boden bequemer sei. Am meisten aber beleidigte ihn die Arroganz Michelangelos, mit der dieser jeden Fingerbreit des Freskos gegen einen fremden Pinsel verteidigte. Wozu hatte Michelangelo ihn, Tedesco, nach Rom geholt – wenn er darauf bestand, alles alleine zu machen? Und das, wo doch Tedesco wie die anderen in Ghirlandaios Bottega gelernt hatte und seit über zehn Jahren als Freskant arbeitete. Alles, was er von der Sintflut hatte malen dürfen, erschöpfte sich in einem Flecken Wasser, etwas Himmel und zwei Ästen des Baumes.

An einem Montagmorgen Ende Januar hatte Tedesco nach einer neuerlichen Herabwürdigung durch Michelangelo gesagt: »Wenn ich gewusst hätte, dass du mich nach Rom holst, um dir beim Arbeiten zuzusehen …«

Michelangelo setzte den Pinsel ab. »Dann was – hättest du es vorgezogen, in Florenz zu bleiben? Ist es das, was du sagen willst?«

Tedesco ersparte sich die Antwort.

Michelangelo tauchte den Pinsel in die Farbe und setzte ihn da an, wo er ihn zuvor abgesetzt hatte. »Die Kutschen fahren ganzjährig«, sagte er.

Tedesco überlegte kurz, legte seinen Pinsel aus der Hand und stieg von der Bühne. Kurz darauf ging die Tür. Am nächsten Morgen verließ er die Bottega. Als er sich von den anderen verabschiedete, sagte er, »wir sehen uns in Florenz«, womit er seiner Überzeugung Ausdruck verlieh, dass er nicht als Einziger vorzeitig die Bottega verlassen würde. Er sollte recht behalten.

✣ ✣ ✣

Michelangelo verzichtete darauf, seine Arbeit ein zweites Mal zu zerstören. Es war Granacci, der ihn dazu bewog. Sie standen im Zentrum eines Steinmosaiks und blickten durch den Spalt zwischen den Planen. Das Gewölbe war von deutlich mehr Licht erfüllt als am Abend zuvor.

»Achtundfünfzig«, sagte Granacci.

»Das weißt du, weil du sie gestern noch gezählt hast.«

»Nichts anderes habe ich behauptet«, gab Granacci zu.

»Es sind zu viele. Und sie sind zu klein.«

Granacci holte tief Luft. Sollte Michelangelo tatsächlich darauf bestehen, den Intonaco noch einmal abzutragen, wäre die Bottega endgültig am Ende. »Sie sind großartig«, sagte er. »Sie leiden und sie kämpfen um ihr Leben. Jeder Fingerbreit von ihnen ist in Bewegung erstarrte Verzweiflung. Die Kardinäle werden sich beim Anblick der Szene heimlich die Tränen aus den Augen wischen.«

»Die Figuren sind zu klein«, beharrte Michelangelo. Es war, als suche er nach einem Grund, seine Arbeit erneut abschlagen zu können.

»Du hast recht. Sie sind zu klein.« Granacci legte dem neben ihm umso schmächtiger wirkenden Freund einen Arm um die Schulter und beschrieb mit dem anderen eine ausholende Geste. »Aber dir bleiben noch schätzungsweise achttausend Quadratfuß, um sie größer zu machen.«

Michelangelo faltete die Hände. Seine Finger rangen miteinander.

»Wenn du in diesem Leben«, fuhr Granacci fort, »noch einmal zu dem Marmor zurückkehren willst, der auf dem Petersplatz Patina ansetzt, wirst du nicht umhinkommen, Teile dieser Arbeit für abgeschlossen zu erklären und dich den nächsten zuzuwenden.«

Bei der Erwähnung des Marmors bohrten sich Michelangelos verschränkte Finger in seine Handrücken. Nur unter sichtbarer Willensaufbietung gelang es ihm, sie voneinander zu lösen. Sein Freund hatte ihm soeben nahegelegt, Verrat an seinen künstlerischen Idealen zu begehen. Etwas, das er sich geschworen hatte, niemals zuzulassen. Doch Granacci hatte recht: Wenn er jemals zu seinem Marmor zurückkehren wollte …

»Es ist das erste Zugeständnis, das ich mache«, sagte er, ohne den Blick von der Decke zu nehmen. »Und es wird das einzige bleiben.«

Granacci warf Rosselli einen Seitenblick zu, der sein früh gealtertes Gesicht wie das eines jugendlichen Gauklers aussehen ließ.

Rosselli neigte den Kopf zur Seite. »Aurelio«, flüsterte er seinem Gehilfen zu, »rühr' den Intonaco für die heutige Giornata an.«

XXX

MICHELANGELO HATTE DIE ANDEREN vorgeschickt. Nur Aurelio und er waren noch in der Kapelle. Bevor sie gingen, warf der Künstler einen letzten, von Trauer erfüllten Blick auf das, was er fortan nur noch die Strafe Gottes nennen würde. Als habe der Allmächtige persönlich ihm die Sintflut geschickt – in Gestalt dieses Gewölbes.

»Ich bezweifle«, setzte er an, und kleine Nebelwölkchen sprangen von seinen Lippen, »dass ich mit ein paar Schweineborsten in der Hand jemals die nötige Leidenschaft aufbringen werde. Und ohne Leidenschaft, mein lieber Aurelio, kann etwas niemals über den Stand des Handwerks hinauswachsen.«

Er rieb sich den schmerzenden Nacken und betrachtete mit müden Augen, wie die neugemalte Sintflut matt schimmernd in der Dämmerung versank.

Aurelio suchte nach einer Antwort. Er verfügte weder über die Worte noch über das Wissen, das Fresko so wie Granacci oder Rosselli zu beschreiben, doch die Wirkung spürte er wie alle anderen, vielleicht sogar noch stärker. Keine der Arbeiten der Florentiner Meister an den Seitenwänden war auch nur annähernd von so viel Leben und Dynamik erfüllt.

Während Aurelio versuchte, seine Gedanken in Worte zu fassen, hörte er eine sonderbar tonlose Srtimme: »Michelangelo Buonarroti?«

Verwundert blickten Michelangelo und sein Gehilfe einander an. Aurelios Augen suchten den Andachtsraum ab, konnten jedoch niemanden erblicken. Unterdessen wurde ihm bewusst, dass er die Stimme zu kennen glaubte. Aus dem Augenwinkel bemerkte er, wie zwei in schwarzen Kapuzenmänteln verborgene Gestalten aus dem Schatten des Seiteneingangs traten. Auch dieser Anblick war Aurelio auf seltsame Weise vertraut. Instinktiv wich er einen Schritt zurück. Sein Meister indessen bewegte sich keinen Fingerbreit.

Sechs Fuß vor Michelangelo blieben die beiden Gestalten stehen. »Maestro Buonarroti?«

Die zwei Männer aus dem Cortile. Jetzt wusste Aurelio, weshalb ihm der Anblick so vertraut war. Es waren die beiden Männer, die den Jaguar zum Brunnen geführt hatten – der eine geblendet, der andere ohne Zunge.

»Wer will das wissen?«, antwortete Michelangelo.

Der Blinde löste sich von seinem Begleiter und trat einen Schritt vor. Von unter der Kapuze erscholl eine heisere Stimme. »Man wünscht, Euch zu sehen.«

»Wer wünscht, mich zu sehen?«

Die Kapuze drehte sich ein wenig. Aurelio wurde von dem Blick eines blinden Auges getroffen. Er kann mich hören, ging es dem Gehilfen durch den Kopf – meinen Atem, meinen Herzschlag, womöglich meine Gedanken.

»Diese Information ist ausschließlich für die Ohren von Michelangelo Buonarroti bestimmt«, sagte der Blinde.

Erneut machte er einen Schritt auf Michelangelo zu, blieb direkt vor ihm stehen und beugte sich vor, bis seine Kapuze nur noch einen Fingerbreit von Michelangelos Stirn entfernt war. Aurelio sah Worte als Dampf aufsteigen, konnte sie jedoch nicht hören.

Plötzlich wich auch Michelangelo zurück. Sein Blick sprang zwischen den Männern hin und her. Ein Schauer durchlief seinen Körper. Langsam breitete er die Arme aus, die Hände zur Decke gerichtet: »Macht dieses Gewölbe den Eindruck, als mangele es mir an Arbeit?«

Wieder trat der Blinde an ihn heran und beugte sich hinab. Unter seiner Kapuze quoll neuerlicher Dampf hervor.

Es folgte ein langer Moment gespannter Stille, unterbrochen nur von dem unregelmäßigen Pfeifen aus Michelangelos Nase.

»Geh schon vor«, sagte er schließlich, ohne sich Aurelio zuzuwenden. »Ich komme später nach.«

✢ ✢ ✢

Aurelio drückte sich in die lichtlose Nische neben dem Tor, durch das man zum Petersplatz gelangte. Von hier aus hatte er den Eingang der Kapelle im Blick. Nicht einmal die beiden in ein Gespräch über die Vorzüge unterschiedlicher Tavernen vertieften Palastwachen bemerkten ihn. Mit klammen Fingern und vor Kälte starren Füßen wartete er darauf, dass sich die Tür öffnen und sein Meister in Begleitung der beiden Männer erscheinen würde. Doch er wartete vergebens. Auf der Baustelle von Sankt Peter war längst Ruhe eingekehrt.

Die Stunde des Nachtgebets war vorüber, von Michelangelo jedoch gab es noch immer kein Lebenszeichen. Aurelios brennende Neugier war einer diffusen Sorge gewichen. Was machten die beiden Männer so lange mit seinem Meister? Wer war es, der Michelangelo zu sehen wünschte? Und wo? Oder hatte die vermeintliche Einladung nur als Vorwand gedient? Und wenn ja: zu was? Im Schatten einer Gruppe von Ministranten, die die Kapelle für die Zeremonien anlässlich des Gedenktags zu Ehren der Jungfrau Agatha von Catania vorbereiten sollten, schlich Aurelio in die Kapelle zurück.

Sein Meister war nicht da. Nirgends. Aurelio spähte durch das Gitter, das den Altarbereich abtrennte. Nichts – abgesehen von dem leisen Gemurmel der Ministranten, die den Altar schmückten. Auf lautlosen Sohlen ging Aurelio zum Seiteneingang, durch den Papst Julius die Kapelle betreten hatte, nachdem er ihnen erstmals auf dem Balkon erschienen war. Denselben Eingang hatten vorhin die beiden Männer gewählt. Aurelio öffnete die Tür einen Spalt, schlüpfte hindurch und fand sich in einem niedrigen Durchgang wieder. An ihrer Basis waren die Mauern der Sistina zehn Fuß stark. Er musste sich also innerhalb der Kapellenmauer befinden. Das einzige Licht drang durch den Türspalt herein. In einer Nische fristete eine marmorne Figurine ihr karges Dasein, sonst gab es noch zwei weitere Ausgänge: einen, der in die Mauer hineinzuführen schien und offenbar die Verbindung zum Balkon darstellte, sowie einen, der dem Zugang zur Kapelle gegenüberlag. Dieser musste nach draußen führen. Aurelio spürte die feuchte Kälte, als er seine Hände auf die Bronzebeschläge legte. Doch die Tür war mit schweren Riegeln und Balken gesichert, und zwar von innen. Durch sie konnten die Männer das Gebäude nicht verlassen haben. Auch die Tür zum Balkon war von innen verriegelt.

Für einen Moment erhellte sich der Durchgang. »Mein Sohn, was tust du?«

Im Gegenlicht erkannte Aurelio lediglich die Umrisse des Priesters. Sein massiger Körper nahm die gesamte Türöffnung ein.

Aurelio begann, eine Antwort zu stammeln, doch der Priester kam ihm zuvor. »Ah – du gehörst der Bottega von Maestro Buonarroti an. Aurelio, nicht wahr?«

Aurelio nickte. »Er ist … Wir haben auf ihn gewartet, doch er ist nicht gekommen. Ich dachte, vielleicht ist ihm etwas zugestoßen.«

Mit schweren Schritten kam der Priester auf ihn zu. Seine Gestalt verdunkelte den Raum. Als er seinen fleischigen Arm um Aurelio legte, entstieg seinem Gewand ein Geruch nach saurem Schweiß.

»Nun«, sagte er, und sein Atem fügte dem stechenden Geruch die Würze schwarzen Kardamoms hinzu, »hier jedenfalls scheint er sich nicht aufzuhalten.«

»Nein«, brachte Aurelio hervor.

Die Hand des um ihn gelegten Arms begann, über Aurelios Schulter zu streichen.

»Nun«, begann der Priester von neuem, und Aurelio musste den Kopf abwenden, »wir könnten gemeinsam nach ihm suchen. Was meinst du?«

Mit einer schnellen Drehbewegung entwand sich Aurelio seinem Griff. »Ich glaube, das wird« – eilig ging er dem Licht entgegen – »nicht nötig sein. Danke.« Er lief durch die Kapelle und stolperte in die Nacht hinaus.

✛ ✛ ✛

Bis Aurelio in der Bottega eintraf, war er völlig außer Atem. Er war aus dem Vatikan geeilt, die Rampe zum Petersplatz hinunter und über die Piazza Rusticucci gerannt. Dabei hatte er die ganze Zeit nur einen Gedanken gehabt: Michelangelo war verschwunden. Gemeinsam mit den Männern. Vom Erdboden verschluckt. Inzwischen kamen andere Gedanken hinzu: Was hatte das zu bedeuten? Wohin hatten sie ihn verschleppt? Bis Aurelio die Tür aufstieß, wurde er von einer Vision verfolgt, sah den leblosen Körper seines Meisters auf dem nackten Steinboden einer Zelle liegen, über ihm der Jaguar, die Vorderpfoten auf Michelangelos Brust, das Maul blutverschmiert.

»Er ist weg!«, rief Aurelio.

Die anderen blickten verwundert zu ihm auf.

»Wer?«, fragte Bugiardini.

»Maestro Buonarroti«, keuchte Aurelio, »er ist verschwunden!«

Die anderen warfen sich fragende Blicke zu, dann sagte Agnolo: »Er ist in seiner Kammer, wie jeden Abend.«

Aurelio glaubte, den Boden unter den Füßen zu verlieren. Alles schien plötzlich in Bewegung zu sein.

»Er ist oben«, erklärte Bastiano.

»Aber das ist unmöglich!«, entgegnete Aurelio.

Rosselli trat an ihn heran und klopfte ihm freundschaftlich auf die Schulter. »Komm«, sagte er, »es gibt noch Essen.«

XXXI

IN DIESER NACHT MUSSTE SICH, unsichtbar und lautlos, in Michelangelos Kammer ein Wunder ereignet haben. Denn als der Morgen graute und der Künstler die Stufen herabgestiegen kam, war er nicht länger der Mann der letzten Monate. Aurelio spürte es, noch bevor sein Meister das erste Wort an ihn richtete. Alle spürten es. Außer vielleicht Bugiardini. Aber der spürte selten mehr als Hunger und Müdigkeit.

Diesmal war es Aurelio gewesen, der die ganze Nacht kein Auge zugetan hatte, während sein Meister zu schlafen schien wie ein Säugling. Nicht ein Schritt war aus seiner Kammer zu vernehmen, nicht einmal das Knacken seines Bettes oder das Knarzen seines Stuhls. Aurelio lag auf dem Rücken und starrte in das geräuschlose Nichts über ihm. Immer wieder zweifelte er an seinem Verstand. Oder an dem der anderen. Wie hatte sein Meister aus der Sistina verschwinden und in seinem Haus wieder auftauchen können? Oder hatten sich Rosselli und die anderen täuschen lassen? Waren sie einer Illusion erlegen, einem Trick? War ihnen Michelangelos Geist erschienen? Aurelio spitzte die Ohren. Kein Laut. Nicht einmal das Pfeifen seiner Nase.

Endlich stand er auf. Die Ungewissheit bohrte sich ihm wie ein Stachel ins Fleisch. Barfuß schlich er aus der Tür, über die Steinfliesen des Vorraums, die Stufen zu Michelangelos Kammer hinauf.

Vor der Tür hielt er inne. Er hörte das Blut in seinen Ohren rauschen, sonst nichts. Kein Licht, kein Laut. Aurelio legte sein Ohr an die Tür.

»Geh zurück ins Bett, Aurelio.«

Aurelio biss sich derart fest auf die Zunge, dass sein Mund einen Augenblick später von dem metallischen Geschmack seines Blutes erfüllt war.

»Ich muss nachdenken.« Michelangelo sprach im Flüsterton. »Doch solange ich dich vor meiner Tür weiß, kann ich das nicht.«

Aurelio schluckte sein Blut hinunter und kehrte in seine Kammer zurück. Wenn in Michelangelos Bett ein Geist lag, so war es ein sehr lebendiger.

✢ ✢ ✢

Die Mitglieder der Bottega saßen um den Küchentisch, Schalen mit Weizenschleim vor sich. Sie hatten einen Tag erwartet, der sich durch nichts von den letzten hundert unterscheiden würde: kalt, feucht, düster. Mit einem Michelangelo, der an sich selbst und seiner Arbeit litt und dies auf Jahre hinaus tun würde. Doch heute war etwas anders. Einer nach dem anderen hörte auf zu essen. Verunsicherte Blicke wechselten die Seiten.

»Was glotzt ihr so?« Michelangelos Stimme hatte sich über Nacht um zehn Jahre verjüngt. »*Andiamo!*«

Verwundert standen alle vom Tisch auf, ließen ihre halb leergegessenen Schalen zurück und eilten in den Vorraum.

Er wollte von innen nach außen arbeiten. Nach jeder der neun Szenen auf der Zentralachse sollte sich das Fresko zunächst die dazugehörigen Außenbereiche erschließen. Heute also würden sie die beiden nackten Männer in Angriff nehmen, die später, wenn die Scheinarchitektur Gestalt angenommen hätte, auf den Schenkeln der an die Sintflut angrenzenden Spandrille liegen würden.

Kaum hatten sie das Gerüst bestiegen, wies Michelangelo die

Bottega an, eine Giornata von zwei Dutzend Quadratfuß vorzubereiten.

»Das ist das Dreifache der bisherigen Giornate«, gab Rosselli zu bedenken.

Michelangelo lupfte eine buschige Augenbraue. »Wenn du es sagst.« Er wandte sich an Bugiardini. »Ich werde eine Menge Terra di Siena benötigen.«

Bugiardini nahm den großen Bronzemörser und begann, die aus Tonerde gewonnenen Pigmente zu zerreiben.

Als Bastiano den Karton entrollte, stockten seine Hände in der Bewegung. Die Vorzeichnung war nur eine Skizze, die Position der Liegefigur lediglich angedeutet. Nicht einmal das Gesicht war detailliert ausgeführt.

Michelangelo kam Bastianos Frage zuvor: »Mehr werden wir nicht brauchen.«

Bastiano setzte zu einer Erwiderung an, griff aber stattdessen zur Nadel und perforierte den Karton.

Als Michelangelo das sah, sagte er: »Lass gut sein. Wir drücken die Linien einfach mit dem Stift durch.«

So folgte an diesem Tag eine Verwunderung auf die nächste. Kaum war der Intonaco aufgetragen und Bastiano hatte die Linien der Vorzeichnung in den Putz durchgedrückt, tauchte Michelangelo den Pinsel in die angerührte Farbe. So begierig war er, endlich die Giornata in Angriff zu nehmen, dass er nicht einmal abwartete, bis sich die Haut auf dem Intonaco gebildet hatte. Gleich an mehreren Stellen ritzten die Borsten die Oberfläche an. Die Geschwindigkeit, mit der sein Pinsel auf dem fertiggestellten Hintergrund erst die Figur entstehen ließ, um ihren Körper anschließend mit Haut zu bedecken und mit Leben zu füllen, trieb Agnolo Sorgenfalten auf die Stirn. Bugiardini bekam bereits vom Zuschauen Kopfschmerzen. Zwei Stunden vor der Zeit war die Giornata fertiggestellt. Eine Fläche, dreimal so groß wie die bisherigen. Die Figur war gelungen. Mehr als gelungen. Sie war, trotz der komplizierten Haltung, ohne jeden Makel.

»Morgen will ich eine Fläche von dreißig Quadratfuß«, sagte

Michelangelo, während er sein Handgelenk ausschüttelte und langsam seinen Nacken kreisen ließ. Da begriff es sogar Bugiardini: Die Krise war überwunden.

✢ ✢ ✢

Der Rausch, in den sich Michelangelo an diesem Tag hineingesteigert hatte, hielt nicht an. Er verstärkte sich. Sein Furor war zurückgekehrt, seine Leidenschaft, die er noch wenige Tage zuvor verloren geglaubt hatte. Aurelio konnte nicht aufhören, sich zu fragen, was in jener Nacht mit seinem Meister geschehen war. Gerne hätte er mit jemandem darüber geredet, sich anvertraut. Doch wem? Granacci? Der würde die Angelegenheit mit einem Becher Wein hinunterspülen: War es nicht gleichgültig, wodurch Michelangelo seinen Willen zurückbekommen hatte? Und was war mit Margherita? Die verstand Aurelio doch nie wirklich. Piero? Der noch am ehesten. Doch außer Aurelio hatte niemand die beiden Männer aus dem Belvedere gesehen. Was, wenn Piero ihm nicht glaubte? Und was, *wenn* er ihm glaubte? Hinzu kam, dass Aurelio das unbestimmte Gefühl hatte, sein Geheimnis besser nicht preiszugeben. Dieser Nacht wohnte eine diffuse Bedrohung inne, und sie würde nicht geringer werden, indem man sie ans Licht zu zerren versuchte.

Es zeigte sich, dass es auch sein Gutes gehabt hatte, das Fresko noch einmal von neuem zu beginnen. Michelangelo hatte in den vergangenen Monaten im Umgang mit Farbe und Pinsel so viel an Erfahrung hinzugewonnen, dass er jetzt, nachdem er seine Zweifel domestiziert hatte, mit einer Sicherheit die Farben in den Intonaco einbrachte, die insbesondere Bastiano oft vergessen ließ, was er gerade zu tun im Begriff war. Außerdem hatte Michelangelo eigene, neue Maltechniken entwickelt: Gelegentlich verzichtete er darauf, das Wasser aus dem Pinsel zu drücken, und trug die Farben absichtlich verdünnt auf. Dann umgab die Figuren später ein geheimnisvoller Schleier. Und um die Schatten beispielsweise eines

276

Faltenwurfs darzustellen, verwendete er nicht, wie es übliche Praxis war, dasselbe Pigment in einem anderen Mischungsverhältnis, sondern er wechselte die Farben, ohne dass sich an den Nahtstellen Brüche zeigten. Für die tiefen Falten eines orangefarbenen Gewandes beispielsweise verwendete er ein dunkles Grün.

All dies war der Ausdruck einer Befreiung, die niemand verstand. Als streife Michelangelo jeden Tag neuen Ballast ab, um noch weiter in die Lüfte zu steigen, noch unabhängiger zu werden. Bramante, der ihn so sehr sehr verfolgt hatte: Wann hatte Aurelio seinen Meister das letzte Mal über ihn reden hören? Raffael, der, nur durch zwei Mauern getrennt Julius' Gemächer mit Fresken versah: Was hatte Michelangelo von ihm schon zu fürchten? Julius selbst, dessen bloße Gegenwart ihm oftmals körperliche Pein verursacht hatte: Erst vor wenigen Tagen war er in die Kapelle gekommen, um sich über den Fortgang des Freskos zu erkundigen, und hatte von Michelangelo nichts als freundliche Herablassung erhalten.

»Wie geht die Arbeit voran?«, hatte Julius gefragt.

»Sie geht voran, Heiliger Vater.«

»Ja, aber *wie* geht sie voran?«, insistierte der Papst.

»Sie geht so voran, wie sie vorangeht«, sagte Michelangelo seelenruhig. Und bevor Julius Gelegenheit hatte, seinen gefürchteten Stock auf das Steinmosaik krachen zu lassen, fuhr er fort: »Entschuldigt mich, Heiliger Vater, das Fresko verlangt nach mir«, verbeugte sich und stieg mit einem Lächeln die Leiter zum Gerüst empor.

Je weiter Michelangelo sich von der Sintflut entfernte und zu den Wandstreifen vorarbeitete, umso größer die Freiheit, mit der er zu Werke ging, und umso größer die Giornate, die er auftragen ließ. Hatte die erste Schöpfungsszene noch gut zwei Monate beansprucht, so benötigte er für die beiden stark gewölbten Spandrillen rechts und links der Sintflut lediglich zwei Wochen. Für manche Giornate drückte er Bastiano statt eines fertig ausgearbeiteten Kartons lediglich einen Primo Pensiero in die Hand, einen nachlässig hingeworfenen ersten Gedanken, der zuweilen so grob skizzenhaft ausgeführt war, dass Bastiano gar nicht wusste, was er davon in den Putz übertragen sollte.

Ähnlich verhielt es sich mit den Farben. Michelangelo hatte für Künstler, die, wie er sagte, ihren Mangel an Begabung durch die Leuchtkraft der Farben zu überdecken versuchten, nur Verachtung übrig. Kräftige Farben waren mit äußerster Zurückhaltung zu verwenden, und nur, solange sie die Aufmerksamkeit des Betrachters nicht in falsche Bahnen lenkten. Entsprechend waren bei der Sintflut neben Azurit vor allem erdige und fleischfarbene Pigmente zum Einsatz gekommen. Doch auch hier galt: Je näher sie den Wandstreifen kamen, desto freier und kühner die Farbwahl, desto williger ließ Michelangelo sich verführen. Bis sie die erste Lünette in Angriff nahmen, hatte er sich die gesamte Palette untertan gemacht: Gelb, Orange, Rot, Rosa, Grün … Die strahlendsten Farben, die zu bekommen waren. Und manchmal vermischte er sie sogar.

✢ ✢ ✢

Michelangelo hatte damit gerechnet, dass Julius sein Konterfei an der Kapellendecke verewigt sehen wollte. Zacharias, der Prophet, der den Einzug Christi in Jerusalem vorhergesagt hatte, schien ihm dafür wie geschaffen. Ein alttestamentarischer Titan, der zwischen zwei Pendentifs thronen würde, direkt oberhalb des Haupteingangs, gegenüber der Altarwand. Jeder, der die Kapelle verließ, würde zuletzt in sein Gesicht blicken. Ein Papst, der sich als zweiten Julius Caesar bezeichnete und seinen triumphalen Einzug in die Stadt nach der erfolgreichen Rückeroberung Bolognas extra auf den Palmsonntag gelegt hatte, hätte kein anderes als sein eigenes Antlitz an solch prominenter Stelle erdulden können. Noch dazu, wo sein Onkel Sixtus das Familienwappen der Rovere über dem Eingang hatte anbringen lassen.

Zacharias war einer der Propheten, die gemeinsam mit den Sibyllen für die Bereiche zwischen den Spandrillen vorgesehen waren. Nie zuvor war eine einzelne Figur solchen Ausmaßes *in fresco buono* gemalt worden. Und niemand aus der Bottega war ernstlich überrascht, als Bastiano den ersten Karton der Zachariasfigur entrollte und ihm die prominente Nase und die energisch zerfurchte Stirn des Papstes entgegenstach. Was hingegen alle – mit Ausnahme von Michelangelo selbst – überraschte, war der Umstand, dass die Vorzeichnung lediglich aus dem Umriss des Profils, einem ausgearbeiteten Auge, dem angedeuteten Kinn und einer Ohrmuschel bestand. Der größte Teil des Kartons war leer.

Ungläubig blickte Bastiano auf.

»Die Augenpartie und die Nase sollten wir perforieren«, sagte Michelangelo, als erkläre das die leere Fläche. »Zur Sicherheit.«

»Was ist mit dem Rest?«, fragte Bastiano.

Michelangelo legte den Kopf schief und betrachtete den Karton. »Welchem Rest?«

»Davon spreche ich ja.« Inzwischen hatten sich die anderen in einem Halbkreis um den auf dem Gerüst ausgebreiteten Karton versammelt. »Wo ist der Rest?«

»Für den brauche ich keinen Karton.«

Während Bugiardini noch grübelte, wie diese Antwort zu verstehen sei, blickten sich Rosselli und Bastiano fragend an. Hatte Michelangelo nach den letzten wie in Trance verbrachten Wochen den Kontakt zur Wirklichkeit nun vollends verloren?

»Was …?« Weiter kam Rosselli nicht.

»Ich werde frei Hand malen«, erklärte Michelangelo.

Bastiano rang nach Luft. »Wenn der Körper die Proportionen des Kopfes weiterführen soll, dann wird die Figur selbst sitzend noch« – sein Kopf schwankte ungläubig hin und her – »zwölf Fuß groß sein?«

»Ich dachte an vierzehn.«

Inzwischen gab es niemanden mehr auf der Arbeitsbühne, der nicht ratlos gewesen wäre. Vierzehn Fuß. Mehr als doppelte Lebensgröße.

»Zacharias wird sich seinen Raum schon schaffen«, versuchte Michelangelo seine Mitarbeiter zu beruhigen.

»Ohne Vorzeichnung?«

Michelangelos Stimme nahm einen entschuldigenden Ton an. »Die würde mich nur behindern.«

Rosselli wandte den Kopf ab. Bugiardini schlug sich mit der flachen Hand gegen die Stirn.

»Was ist mit der Wölbung?«, insistierte Bastiano.

»Was ist mit ihr?«

»Der Wandstreifen ist viel stärker gewölbt als der Deckenspiegel. Ihr werdet *di sotto in sù* malen müssen.«

»Und du glaubst, das wüsste ich nicht?«

✢ ✢ ✢

Wie in einem atemlosen Traum brachte Michelangelo die Farben in den Intonaco ein. Innerhalb eines halben Jahres hatte er eine Meisterschaft erlangt, die Agnolo in ungläubiges Erstaunen versetzte, Bastiano in einen Abgrund aus Wollen und Verzweifeln stürzte und Rosselli jeden Tag zu neuen Bewunderungsausbrüchen hinriss. Inzwischen waren die Giornate sechsmal größer als noch bei der Sintflut. Es schien, als male er aufs Geratewohl, ohne einen Augenblick nachzudenken. Seine Fähigkeit, Dinge zu sehen, die noch gar nicht existierten – diese einmalige Gabe, die ihn eine Statue wie ein Geschenk aus ihrer marmornen Verpackung schälen ließ –, er hatte es verstanden, sie sich ganz für seine Arbeit an der Sistina zunutze zu machen.

Jeden Tag trug Michelangelo einen neuen Wettstreit mit sich selbst aus, wurden die Figuren noch größer, noch plastischer, die Positionen noch schwieriger, die Farbwahl noch kühner, die Wirkung noch überwältigender. Endlich verstand Aurelio, was sein Meister gemeint hatte, als er davon sprach, dass der Parnass ein einsamer Ort sei, an dem der Künstler die Meisterschaft nur noch aus sich selbst heraus vorantreiben könne.

Granacci nahm den Gehilfen beiseite. »Schau dir den Faltenwurf an. Man kann fühlen, wie mit jeder Lage das Gewicht der Stoffe zunimmt.« Er berührte den orangefarbenen Ärmel Zacharias', als müsse er seine Finger davon überzeugen, dass er nur gemalt war. »Wenn er so weitermacht«, fuhr Granacci fort, »wird von dem, was in der Malerei vor ihm exisitiert hat, nicht viel übrig bleiben.«

Rosselli trat hinzu: »Ich begreife es nicht: Er hat in seinem ganzen Leben noch nie *di sotto in sù* gemalt. Und jetzt stellt er sich hin und malt freihändig Figuren von doppelter Lebensgröße in perspektischer Verkürzung? Wann hat er das gelernt – im Schlaf?«

»Dafür schläft er zu wenig.« Granacci ging unter dem nahezu fertigen Zacharias auf und ab. Tatsächlich hatte Michelangelo die Krümmung des Tonnengewölbes vollständig aufgehoben. Zacharias wirkte, als sei er auf eine flache Wand gemalt worden. »Er war immer besser als die anderen«, überlegte Granacci, »schneller. Aber das hier kann einem Angst machen.« Er blieb stehen und betrachtete den Faltenwurf des Gewandes. »Perugino hat Jahre gebraucht, um *di sotto in sù* zu lernen – *mit* Karton. Niemand kann das ohne Vorlage.«

✣ ✣ ✣

Für die Bottega bedeutete Michelangelos wachsende Eigenständigkeit einen schrittweisen Verlust der eigenen Notwendigkeit. Je mehr er über den Umgang mit Farben lernte, je sicherer sein Pinselstrich wurde, je stärker die anfänglichen Probleme mit dem Intonaco in Vergessenheit gerieten, desto entbehrlicher wurde die Hilfe seiner Mitarbeiter. Und seine Besessenheit verschärfte diese Entwicklung noch. Wenigstens die Vorfahren Christi, die für die Lünetten oberhalb der Fenster vorgesehen waren – ein Thema, das zuvor noch nie dargestellt worden war –, hätte er Bastiano, Rosselli und Agnolo anvertrauen können. Doch sobald es um den menschlichen Körper ging, konnte er nicht ertragen, jemand anderem die Ausführung zu überlassen. Jeder einzelnen Figur musste und durfte ausschließlich von seiner Hand Leben eingehaucht werden. So waren Bastiano und die anderen hauptsächlich damit beschäftigt, Hintergründe, Namenstafeln und die künstliche Architektur mit ihren Streben, Pilastern und Gesimsen zu malen.

Am Morgen nach der Fertigstellung des Zacharias versammelte Michelangelo die Bottega im Atelier. Er trat vor seine Helfer, wich jedoch ihren Blicken aus. Irgendwann förderte er aus den Falten seines Umhangs umständlich einen Geldbeutel zutage und setzte ihn auf der Tischplatte ab. Jede weitere Erklärug erübrigte sich.

»Wer?« Es war Agnolo, der das Wort ergriff.

Seit Wochen rechnete er damit, aus Michelangelos Diensten entlassen zu werden. Sein Bruder und er führten in Florenz eine Auftragswerkstatt. Er wusste, wie die Kosten für Angestellte den Gewinn auffraßen. Und er machte sich keine Illusionen über die Entbehrlichkeit seiner Mitarbeit. Bei Michelangelos Geiz war es verwunderlich, dass er Agnolo nicht bereits vor zwei Monaten ausbezahlt hatte. Und da Michelangelo wild entschlossen schien, sämtliche Figuren des Freskos von eigener Hand auszuführen, hatte die Arbeit hier das meiste von ihrem Reiz eingebüßt.

»Giuliano und du«, antwortete Michelangelo.

Jeder konnte sehen, wie unwohl ihm dabei war. Nachdem Tedesco die Bottega im Streit verlassen hatte, war ihm sehr daran gelegen, nicht noch mehr Unfrieden zu stiften. Auch sorgte er sich um seinen Ruf in Florenz. Tedesco, so hieß es, versäume keine Gelegenheit, ihn dort in Misskredit zu bringen. Doch nüchtern betrachtet gab es keinen Grund, an Bugiardini und Agnolo länger festzuhalten. Aurelios begabte Hände hatten Bugiardinis im Umgang mit den Pigmenten längst übertroffen, und Agnolo würde nichts mehr zum Gelingen des Freskos beitragen, das nicht Bastiano oder Rosselli ebenso gut ausführen könnten. Zumindest Agnolo, dessen war sich Michelangelo sicher, würde nicht allzu traurig sein. In Florenz warteten sein Bruder, seine Freunde, seine Bottega. Er hätte genügend zu tun. Und Bugiardini? Nun, dem genügten ein Kanten Brot und ein Platz zum Schlafen, um nicht unglücklich zu sein.

Bastiano erhob keine Einwände. Das stand ihm nicht zu. Doch Aurelio sah ihm an, dass er mit Michelangelos Entscheidung, Agnolo und Bugiardini ziehen zu lassen, nicht einverstanden war. Vor allem Agnolo war ihm über die Zeit ein guter Freund geworden. Bastiano mochte seine unaufgeregte Gewissenhaftigkeit, seine ruhige und bescheidene Art. Zudem würde es in der Bottega ohne ihn weniger gesellig zugehen. Kein Kartenspiel mehr auf umgedrehten Kisten, keine leise, niemals verletzende Ironie, wenn Bugiardini die falsche Karte legte. In den Monaten ihrer Zusammenarbeit war die Bottega zu einer Familie zusammengewachsen, mit Rosselli als Mutter und Granacci als oft abwesendem, aber respektiertem Vater. Jetzt war es, als verließen die Söhne das Haus, manche im Streit, manche in Frieden. Die Familie brach auseinander. Nur die beiden Jüngsten waren noch da – Bastiano und Aurelio. Und Beato, der Fattorino.

Agnolo erhob sich, ging um den Tisch herum und schloss Michelangelo in die Arme. Die Erleichterung stand dem Bildhauer ins Gesicht geschrieben. Gemeinsam hatten sie die Katastrophe des Freskos und die Entbehrungen des Winters überstanden. Was den späteren Triumph anging … Man konnte eben nicht alles haben.

»Immerhin kann ich sagen, ich war dabei«, sagte Agnolo.

Auch Bugiardini schloss Michelangelo ungelenk in die Arme. Und auch er wollte etwas sagen. Doch offenbar fand er nicht die passenden Worte.

»Schon gut«, winkte Michelangelo ab.

Während er die Münzen abzählte, verabschiedeten sich Agnolo und Bugiardini reihum von den anderen. Noch am selben Tag kehrten sie dem Haupt der Welt den Rücken und traten ihren Heimweg an. Sie verließen die Bottega ohne Groll. Das fertige Fresko sollte keiner von ihnen jemals zu Gesicht bekommen.

XXXII

Statt gemeinsam mit den anderen die Kapelle zu verlassen, hatte sich Aurelio unter eine der Steinbänke gekauert, die den Altarbereich von der übrigen Kapelle abtrennten. Das machte ihn nicht unsichtbar, doch man hätte schon nach ihm suchen müssen, um ihn zu entdecken. Und eine andere Möglichkeit, sich innerhalb der Kapelle zu verstecken, gab es nicht. Die Wange auf dem kalten Steinboden, lauschte er den Geräuschen der Sistina. Eine Zeitlang waren aus dem Altarbereich geflüsterte Worte zu vernehmen, Schritte, das Rascheln einer Soutane, die direkt vor seinen Augen an der Bank vorbeiglitt. Er hörte die Stimme Paris de' Grassis, der einen Messdiener zurechtwies. Dann wurde es still. Leise rauschten die Fackeln, deren unruhige Schatten die Mauern der Kapelle zu bewegen schienen.

Am Morgen waren wieder die beiden geheimnisvollen Männer aus dem Papstpalast erschienen. Anschließend hatte sich Michelangelo mit einer Giornata von zwanzig Quadratfuß begnügt, die sie fertigstellten, bevor die Dämmerung ihren milchigen Schleier über den Vatikan breitete. Aurelio ahnte den Grund. Dazu brauchte es nicht viel.

Er war dabei, die Pinsel auszuwaschen, als Michelangelo sagte: »Geht euch amüsieren!« Er selbst gab vor, noch bleiben zu wollen, um, wie er erklärte, die Giornata für den kommenden Tag zu überdenken.

Aurelio glaubte ihm kein Wort. Michelangelo mochte seine Unsicherheit überwunden und sich seiner künstlerischen Fesseln entledigt haben, doch wenn er die anderen aufforderte, sich zu amüsieren, stimmte etwas nicht. Also wartete er ab.

Es war nicht nur die Neugier, die Aurelio umtrieb. Es war Sorge. Michelangelo war in Gefahr. Aurelio spürte es. Es ging um mehr als nur um sein Verschwinden. Da war diese seltsame Veränderung in seinem Wesen. Zunächst hatte Aurelio nur den zurückgekehrten Furor gesehen. Inzwischen jedoch war ihm klargeworden, dass es mehr war: Hochmut. Als könne nichts und niemand auf der Welt ihm etwas anhaben – kein Kunstwerk, kein Konkurrent, keine Tramontana. Nicht einmal der Papst, dem gegenüber er eine Respektlosigkeit an den Tag legte, die viele andere längst ihren Auftrag, wenn nicht gar ihren Kopf gekostet hätte. Und die Art, wie er neuerdings malte, war eine Beleidigung für jeden gewissenhaften Freskanten. Die eigentliche Arbeit am Fresko war für ihn zur Nebensache geworden. Als benutze er den lästigen Pinsel lediglich, um sichtbar zu machen, was in seinem Kopf längst Gestalt angenommen hatte, während sein Geist in Gefilden unterwegs war, die keiner der anderen auch nur erahnen konnte. Nun, Aurelio würde herausfinden, welche Gefilde das waren.

Das Gefühl der Kälte in seiner Wange war bereits erstorben, als Michelangelo endlich die Leiter vom Gerüst herabstieg. Offenbar hatte er auf der Bühne ausgeharrt, bis er sicher war, dass de' Grassi sich in seine Gemächer zurückgezogen hatte. Aurelio hielt den Atem an. Er sah Michelangelos ausgetretene Stiefel, die untere Hälfte seines braunen Umhangs. Lange verweilten die Stiefel reglos am Fuß der Leiter, bevor sie bedächtig die Kapelle abschritten. Ahnte er etwas? Spürte er, dass er nicht allein war? Dass er beobachtet wurde? Aurelio ließ seinen Atem so langsam entweichen, dass kein verräterischer Hauch unter der Bank hervorkam. Schließlich ging Michelangelo zum Seiteneingang hinüber und zog die schwere Holztür auf. Seine Stiefel verschwanden in der Mauer. Die Tür schloss sich.

Aurelio schlich sich heran und legte sein Ohr an die Tür. Als er sicher war, dass sich dahinter nichts regte, löste er eine der Fackeln aus ihrer Halterung, zog die Tür drei Handbreit auf und schlüpfte in den Durchgang. Wie beim ersten Mal waren sowohl die Tür, die aus der Mauer herausführte, als auch die zum Balkon von innen verriegelt. Doch wie war das möglich? Wie konnte Michelangelo sich innerhalb der Kapellenmauer in Luft auflösen?

Aurelio leuchtete die Wände und den Boden ab. Es musste eine Erklärung geben. Die marmorne Figurine in der Nische, deren Helm, Schild und Lanze sie als Athene auswiesen, beobachtete ihn mit undurchdringlichem Blick. Die Göttin der Weisheit. Kannte sie die Antwort? Aurelio leuchtete ihr direkt ins Gesicht. Keine Regung. Wenn Athene die Antwort kannte, würde sie sie nicht ohne weiteres preisgeben. Erneut überprüfte er die Türen. Gab es eine Möglichkeit, von außen den Riegel auf der Innenseite vorzulegen? Nein, unmöglich. Aurelios Zähne mahlten aufeinander, dass sein Unterkiefer knirschte.

Die Göttin der Weisheit. Was, wenn sie die Antwort nicht kannte, sondern die Antwort *war*? Er drehte sich um. Die Nische lag gegenüber der Tür, die zum Balkon führte. Aurelio suchte die Statue mit der Fackel ab – ihren Helm, das Gewand, den Schild, die Lanze, ihre Sandalen, die kräftigen Arme, die schlanken Finger. Nichts. Was auch immer er zu finden gehofft hatte: Die Figurine barg kein Geheimnis in sich. Gleiches galt für ihren Sockel, der sie so weit emporhob, dass sich ihres und Aurelios Gesicht auf gleicher Höhe befanden. Er befühlte die Kanten und Vorsprünge und klopfte die Flächen ab. Kein Hohlraum, keine Klappe, nichts. Dann drängte er sich seitlich in die Nische und suchte die Rückseite der Statue ab. Nichts. Natürlich nicht. Und der Sockel: ein solider, marmorverkleideter Klotz, ohne … Moment. Aurelio zog seine Hand zurück. Wartete. Schob sie hinter die Figurine, zog sie wieder zurück. Noch einmal, um ganz sicherzugehen.

Er war kaum spürbar, doch er war da: ein Luftzug. Wenn Aurelio seine Hand vorstreckte, glitt sie hindurch. Mit den Fingern spürte er dem Luftzug nach und ertastete einen kaum sichtbaren Spalt in der Wand – schmal wie ein Fingernagel –, den er für einen

Riss im Mauerwerk gehalten hätte. Verborgen in der Nische, geschützt von der Göttin der Weisheit, befand sich … Ja, was eigentlich? Aurelio quetschte sich hinter die Figurine und stemmte sich gegen die Wand. Entlang der Wölbung begann sich ein feiner Schatten abzuzeichnen, kurz darauf klaffte eine Öffnung in der Nische. Er hatte eine Geheimtür aufgedrückt, etwa zwei Fuß breit und vier Fuß hoch. Ein Kind hätte aufrecht hindurchgehen können. Oder auch die Göttin der Weisheit, sofern sie ihren Helm abgesetzt und die Lanze aus der Hand gelegt hätte. Ein Schwall erdiger, abgestandener Luft quoll aus der Öffnung. Aurelio bückte sich, hielt die Fackel wie ein Schwert von sich gestreckt, zwängte sich durch den Spalt und schloss behutsam die Tür.

Der vor ihm liegende Tunnel war so schmal, dass keine zwei Personen aneinander vorbeigepasst hätten, und so niedrig, dass Aurelio den Kopf einziehen musste. Nach etwa zwanzig Fuß endete er an einer weiteren Tür, die von Aurelios Seite verriegelt werden konnte, jetzt jedoch nur angelehnt war. Aurelio zog sie auf und streckte die Fackel vor. Stufen. Zwei Dutzend ins Erdreich führende, in den Stein gehauene Stufen. Aurelios Füße ertasteten eine nach der anderen. Je tiefer er hinabstieg, umso rutschiger wurden sie. Die Luft schmeckte lehmig, Feuchtigkeit drang aus den Wänden. Unten angekommen, schloss sich rechts ein bogenförmiger Durchgang an. Dahinter weitete sich überraschend der Raum. Vor ihm lag, so weit seine Fackel die Stätte zu erhellen vermochte, ein aus alten römischen Ziegeln gemauerter Gang, in dem er bequem stehen konnte und von dem seitlich Räume abgingen. Zwanzig Fuß unterhalb der Sistina. Was um alles in der Welt war das? Mit schweißnassen Handflächen und in den Ohren dröhnendem Herzschlag schritt Aurelio unter dem Bogen hindurch.

Es war nicht *ein* Gang, es waren mehrere. An den Kreuzungspunkten erreichte die Decke eine Höhe von zwölf oder gar fünfzehn Fuß und wuchs sich zu kleinen Gewölben aus. Die Luft verklebte Aurelio die Atemwege und benetzte seine Haut. Vorsichtig tasteten sich seine Füße über den gestampften Boden. Manche Wände waren mit Ziegeln verkleidet, andere einfach in den

Fels geschlagen. Scheinbar wahllos waren Schlitze aus dem Stein gehöhlt worden, oftmals drei oder vier übereinander, manche versetzt oder einfach an Stellen, die genug Platz geboten hatten. Sie waren etwa anderthalb Fuß hoch und etwa fünf Fuß breit. Kleine Kavernen, gerade groß genug, um … menschliche Körper in sich aufzunehmen! Aurelio erschauerte, als er mit seiner Fackel in die erste Kammer leuchtete und ihn aus einem der vielen Schlitze die schwarzen Höhlen eines Totenschädels anstarrten.

Eine Katakombe! Ein unterirdisches Gräbersystem, mitten im Vatikan! Mit Hunderten von Leichnamen, die hier ihre letzte Ruhestätte gefunden hatten. Und so, wie es den Anschein hatte, bereits vor vielen hundert Jahren. Aurelio griff sich an die Schläfen. Ihm schwirrte der Kopf. Was hatte das zu bedeuten? Jede gefundene Antwort schien drei neue Fragen aufzuwerfen. Wo befand er sich? Und warum? Und wenn Michelangelo durch die Geheimtür hinter der Athene-Statue verschwunden war – wo war er jetzt?

Aurelio zwang sich zum Nachdenken: Durch einen anderen als den Geheimgang konnte Michelangelo nicht verschwunden sein. Das bedeutete, sofern es keinen anderen Ausgang gab, musste er sich innerhalb dieser Katakombe befinden. Aurelio straffte seinen Körper, stieß einige Male seinen Atem aus und begann, den Hauptgang abzuschreiten. Vor jeder Kammer, in die er seine Fackel streckte, hielt er kurz inne und versuchte, auf alles gefasst zu sein. Er sah Knochen, Gebeine, umgestürzte Säulen, Schädel, zerborstene Namensplatten. Er glaubte, Geräusche zu hören, doch wann immer er seine Ohren spitzte, war da nichts als das Zischen seiner Fackel. Der Hauptgang beschrieb einen leichten Bogen. Auch war er etwas geneigt, so dass Aurelio das Gefühl hatte, wie in einer Spirale immer tiefer in den Fels zu dringen.

Nach etwa sechzig oder siebzig Schritten endete der Stollen abrupt vor einer gemauerten Wand. Doch wieder gab es einen niedrigen Bogen, der zur Rechten von dem Gang abzweigte. In die Travertinquader, die den Durchgang bildeten, war ein Gittertor eingelassen, das unverschlossen war. Es öffnete sich nach innen, zur Katakombe hin.

Wieder Stufen. Ein schulterbreiter, grob in den Stein geschlagener Schacht, der im Zickzack nach oben führte. Es gab also einen weiteren Ausgang. Aurelios Herz fing an zu galoppieren, sein Hals schwoll an. Wenn ihm jemand folgte, säße er in diesem Schacht gefangen wie ein Fisch in der Reuse. Nervös klammerte er sich an die Fackel. Nach dem sechsten oder siebten Podest spürte er eine plötzliche Veränderung. Von hier an waren die Wände gemauert, auch fühlte sich die Luft weniger feucht und zäh an. Er legte eine Hand an die Stirnseite des Schachtes und spürte an der feuchten Kälte des Steins, dass diese Seite der Tramontana ausgesetzt war. Er musste sich wieder über der Erde befinden. Doch wo? Der Aufgang hatte weder Fenster noch Lüftungsschlitze, einen Ausgang schien es ebenfalls nicht zu geben. Aurelio befühlte die Wände. Drei waren trocken, nur die vierte war dem Wind ausgesetzt. Der Schacht musste sich innerhalb eines Gebäudes befinden.

Er setzte seinen Weg fort. Etwas anderes blieb ihm nicht übrig. Nach zwei weiteren Podesten gelangte er an eine Tür. Sie war größer als die Geheimtür in der Sistina, eine Blindtüre mit aufgesetzter Verdoppelung und massiven, kompliziert arbeitenden Scharnieren. Möglich, dass auch sie auf der Vorderseite verspachtelt und nicht von der Wand zu unterscheiden war. Aurelio versuchte, das Rauschen in seinen Ohren zu betäuben. Kein Laut drang durch die Tür. Seine Hand umschloss den eisernen Haken, der aus dem Holz ragte, doch die Tür ließ sich nicht öffnen. Sie musste von innen verriegelt sein.

Inzwischen war Aurelios Mund ausgetrocknet, und der Schweiß rann ihm den Nacken hinab. Er stieg weiter die Treppe empor. Zwei Podeste später war sie zu Ende. Die Decke war vermauert. Doch es gab eine Tür, an der gleichen Stelle wie im darunterliegenden Stockwerk, und mit dem gleichen Haken, der aus dem Blatt ragte. Es war nicht nötig, zu überprüfen, ob Aurelio sie öffnen könnte. Sie war bereits geöffnet. Zwischen Blatt und Einfassung klaffte ein handbreiter Spalt. Aurelio steckte die Fackel in eine Fuge zwischen den Steinquadern und näherte sich der Tür. Diesmal hörte er etwas. Geräusche. Eine Stimme. Atemlos und so vorsichtig seine unstete Hand es vermochte, zog er die Tür auf. Die Stimme wurde lauter, aber nicht deutlicher. Er trat in den Durchgang. Dunkel umfing ihn. Und Wärme. Das Knacken eines Kaminfeuers war zu hören. Vorsichtig tasteten seine Hände die Wände ab. Die Stimme war ganz nah und doch ganz leise. Gedämpft. Etwas trennte ihn von dem Raum, doch es war keine Tür. Seine Hand stieß auf ein knotiges Gewebe und zuckte reflexartig zurück – ein Wandteppich! Aurelio befand sich hinter einer mächtigen, auf den Boden hinabreichenden Bildwirkerei. Mit pochenden Schläfen legte er sein Ohr an den Stoff.

Die Stimme war dunkel, doch sie gehörte einer Frau. Wie Zimt und Leder. Einmal mehr hielt Aurelio den Atem an.

»Sagt mir also, mein lieber Michelangelo«, sie sprach seinen Namen aus, als schmecke sie ihn auf der Zunge, »seid Ihr also zu einer Entscheidung gelangt?«

»Das bin ich.«

Die Stimme seines Meisters! Eine Armlänge von Aurelio entfernt. Direkt hinter dem Wandteppich! Aurelios Gedanken überschlugen sich: vier Podeste von da an, wo der Schacht gemauert war. Zwei Stockwerke. Der Gang durch die Katakombe mit der leichten Rechtskrümmung. Etwa siebzig Schritte vom Seiteneingang der Kapelle. Der Papstpalast. Aurelio befand sich im zweiten Stock des Papstpalastes, in den Räumen, die nicht existierten. Und die Stimme gehörte der Frau, die es nicht gab.

»Und wie lautet sie?«

»Ich werde den Auftrag nicht annehmen.«

Eine gespannte Stille trat ein.

»Darf ich Euch nach dem Grund fragen?«

Michelangelo zögerte: »Ich kann Euch nicht geben, wonach Ihr verlangt.«

Aurelio hörte Schritte. Sie schien durch den Raum zu gehen. »Wein?«, fragte sie. Ihre Stimme war jetzt sehr nah bei Aurelio. Er hörte, wie sie seinem Meister einschenkte, ohne seine Antwort abzuwarten. »Das ist der berühmte schwarze Wein von Cahors. Passt zu mir, findet Ihr nicht?«

Michelangelo schwieg.

»Eure Antwort ist Eurer nicht würdig«, fuhr Aphrodite fort. »Und das wisst Ihr ebenso gut wie ich. In Wirklichkeit verhält es sich andersherum: *Nur* Ihr seid in der Lage, mir zu geben, wonach ich verlange.«

»Unsterblichkeit«, sagte Michelangelo.

»Den Sieg über die Zeit. Nicht mehr und nicht weniger.« Aphrodite betonte Wort für Wort. Dabei ging sie offenbar in ihrem Gemach umher. Sie schien ihrer Vision Raum geben zu wollen. »Unsterblichkeit, für mich und meine Schönheit – ja. Und Ihr seid der einzige Mensch, der mir dazu verhelfen kann.«

»Aber Ihr genießt bereits einen Ruhm, der seinesgleichen sucht«, gab Michelangelo zur Antwort. »Wenngleich es ein Ruhm ist, der ausschließlich im Verborgenen gedeiht.«

»Wo er auch sterben wird«, entgegnete Aphrodite. »Bereits jetzt, zu Lebzeiten, bin ich ein Mythos. Seht mich an, Michelangelo! Bin ich vielleicht nicht aus Fleisch und Blut? Sobald der nächste Papst den Thron besteigt, werden die Menschen glauben, die Kurtisane Julius' des Zweiten sei nie etwas anderes gewesen als eine erfundene Geschichte.«

Michelangelo versuchte, unbeteiligt zu klingen: »Die meisten Frauen würden Euch um dieses Schicksal beneiden.«

»Die meisten Menschen interessieren mich nicht!« Die Erregung in Aphrodites Stimme steigerte sich zu einer heiseren Bedrohung. »Die Menschen sollen wissen, dass ich gelebt habe. Und gelitten. Und dass meine Schönheit von einer Art war, dass der Papst jeden blenden ließ, der ihrer ansichtig wurde.«

»Dann lasst Euch von Raffael porträtieren. Er beherrscht sein Handwerk wie kein Zweiter. Seine Frauenporträts sind von solchem Liebreiz, dass selbst …«

»Farben verblassen!«, schnitt Aphrodite ihm das Wort ab. »Darüber hinaus: Ich habe seine Frauen gesehen. Liebreiz … Raffael würde niemals verstehen, wer ich bin. Er würde mich nicht erkennen. Weder meine Sehnsucht noch mein Schicksal, noch meine Schönheit.«

Michelangelo schwieg. Aurelio ahnte den Grund. Aphrodites Urteil über Raffael musste Balsam für seine Seele sein.

Sie entkräftete den nächsten Einwand, bevor Michelangelo ihn vorbringen konnte. »Warum Ihr?«, sagte sie. »Ihr kennt die Antwort. Im Schatten des Papstes werde ich niemals Unsterblichkeit erlangen. Julius ist vergänglich, meine Schönheit ebenfalls. Es gibt nur eine Möglichkeit, den Sieg über die Zeit davonzutragen.«

»Indem Ihr Euch in Marmor meißeln lasst.«

»Und zwar von dem Bildhauer, der nirgends seinesgleichen hat.«

Michelangelo schwieg.

»Ich habe Eure Arbeiten gesehen«, beschwor sie ihn. »Die Pietà. Den David. Und ich habe sie verstanden. Ich habe den Schmerz darin gefühlt wie meinen eigenen. Es gibt niemanden außer Euch, der solches vermag.«

Bis Aurelio gewahr wurde, dass Michelangelo und Aphrodite nicht allein in dem Gemach waren, war es beinahe zu spät. Reflexartig zog er seine Füße eine Handbreit zurück und hielt die Luft an. Die Präsenz des Dritten war unmittelbar. Plötzlich durchlief den Teppich ein Schauer. Es folgte ein Schnaufen. Auf Kniehöhe. Aurelio erstarrte. Der Jaguar. Drei-, viermal stieß er mit seiner Schnauze träge gegen den Teppich und schickte jedem Stoß ein unmissverständliches Fauchen hinterher.

»Gib Ruhe«, fuhr Aphrodite ihn an. Sie schien zu glauben, dass Michelangelo der Grund für sein merkwürdiges Verhalten war. »Vor dir steht der größte Künstler der Gegenwart.«

Ihr Haustier gab ein renitentes Knurren zur Antwort und stieß erneut seine Schnauze in den Teppich.

Aphrodite durchschritt den Raum und schien sich zu ihrem Haustier hinabzubeugen. »Beruhig dich, mein großer, starker, schöner Beschützer«, raunte sie. »Er wird mich unsterblich machen, weißt du?«

Mit einem letzten Schnaufen ließ sich der Jaguar vor dem Teppich nieder – direkt zu Aurelios Füßen.

Aphrodite richtete sich auf. Ihre Stimme war jetzt ganz nah bei Michelangelo – und Aurelio. »Glaubt Ihr, ich wüsste nicht, wie sehr Julius Euch erniedrigt, indem er Euch zwingt, den Marmor auf dem Petersplatz aufzugeben? Er genießt es, Euch daran vorbeigehen zu sehen – von seinem Fenster aus. Er sagt, Euer morgendlicher Gang in die Sistina sei sein täglicher Triumphzug.«

Michelangelos Schweigen brannte heißer als das Kaminfeuer. Es durchdrang sogar den Teppich. Der Jaguar fauchte, sprang auf die Beine, als habe man ihm Salmiak unter die Nase gehalten, und suchte sich einen anderen Platz.

»Wie fühlt sich das an, Michelangelo«, flüsterte Aphrodite, »die Vorstellung, mich, Julius' Kurtisane, in Marmor zu meißeln? Unter seinen Augen? Er hat Euch um Euer Lebenswerk betrogen?« Ihr Lachen hätte ein Fauchen des Jaguars sein können. »Ich gebe Euch ein neues: mich! Welche Genugtuung könnte größer sein?«

Michelangelo schwieg beharrlich. Aphrodites Fragen erforderten keine Antworten. Mehr noch: Sie hätten aus jeder Antwort ein Eingeständnis gemacht.

Als erneut ihre rauchige Stimme erklang, war es Aurelio, als flüstere sie *ihm* ins Ohr. »Nennt mir Euren Preis.«

Aurelio wich zurück. Sein Versuch zu schlucken, endete in einem lautlosen Erstickungsanfall. Um sich nicht zu verraten, verschloss er seinen Mund mit der eigenen Hand.

Endlich ergriff Michelangelo das Wort. »Was würde aus der fertigen Statue werden? Wie Ihr, könnte auch sie nur im Verborgenen existieren. Sie wäre verdammt zu einem Dasein in Einsamkeit und Dunkelheit.«

»Sie wird das tun, was ich nicht zu tun vermag: geduldig warten, bis ihre Zeit gekommen ist. Und dann wird nichts und niemand mehr ihren Siegeszug aufhalten. Denkt nur an die Laokoon-Gruppe: Über Jahrhunderte wurde der Schrei des Laokoon vom Erdreich erstickt – bis vor drei Jahren seine ausgestreckte Hand den Boden durchbrach. Ihr selbst ward bei seiner Bergung zugegen, soweit ich weiß. Und heute strahlt kein Stern im Skulpturengarten des Belvedere heller als er. Tag für Tag leidet er Todesqualen, um der Welt von der künstlerischen Meisterschaft eines vergangenen Zeitalters zu künden. Und noch in tausend Jahren wird sein

Schmerz nicht nachgelassen haben.« Die folgenden Worte versickerten gleichsam im Wandteppich. Aurelio hörte sie nur noch als Hauch. »*Das* ist mein Schicksal.«

Michelangelos Antwort ließ nicht lange auf sich warten. Ihm war klar, dass er diesen Auftrag auf keinen Fall annehmen durfte. Ebenso wie er wusste, dass er ihn trotzdem nicht ablehnen würde. »Ihr wisst, dass ich mein Leben riskiere, wenn ich diesen Auftrag annehme.«

»Ihr habt Euer Leben bereits riskiert, indem Ihr meine Gemächer betreten habt.«

Sie wusste es so gut wie Michelangelo: Die Entscheidung war längst gefallen.

»Wann ist mit Julius' Rückkehr zu rechnen?«, fragte Michelangelo. Der Papst hatte die Vorboten des Frühlings zum Anlass genommen, seiner in Bracciano lebenden Tochter Felice einen Kurzbesuch abzustatten.

»Übermorgen.«

»Dann komme ich morgen, zur Vesperstunde – mit Stift und Papier.«

»Ich werde bereit sein.«

»Und ich verlange zehntausend Dukaten – sofern die Statue jemals zur Ausführung gelangt.«

»Eine geringere Summe hätte mich beleidigt.«

Aurelio stolperte rückwärts durch die Tür, riss die Fackel aus dem Boden und hastete die Stufen hinab. Als er den Gang durch die Katakombe entlangrannte, wäre um ein Haar die Flamme erloschen. Einen Moment später stahl er sich aus der Kapelle und eilte im Laufschritt aus dem Vatikan.

Bastiano empfing ihn mit einem Grinsen: »Das ging aber schnell heute.«

Aurelio starrte ihn mit aufgerissenen Augen an. Bastiano wiederum blickte Piero an, der ebenfalls zu schmunzeln begann. Hatte Michelangelo sie ins Vertrauen gezogen? Aurelios Finger und Zehen brannten wie von unzähligen Nadelstichen. Waren alle eingeweiht, nur *er* nicht?

»Ist heute nicht Dienstag?«, fragte Bastiano.

Aurelio sah seinen Bettgenossen an, als kröchen Schlangen statt Worte aus dessen Mund. Trieben sie ein Spiel mit ihm?

»Deine Geliebte?«, fragte Rosselli besorgt. »Dienstag?«

Dienstag. Margherita. Statt zu antworten, lief Aurelio in die Küche, leerte einen halben Krug mit Wasser, stürzte in seine Kammer und schlug die Tür hinter sich zu. Gegen die Wand gelehnt, ließ er sich zu Boden gleiten und presste seine Hände gegen die Schläfen. Kurz darauf hörte er, wie Michelangelo nach Hause kam und Rosselli fragte, ob noch etwas zu essen übrig sei.

XXXIII

OHNE ZU AHNEN, was er damit vorhatte, steckte Aurelio am Morgen sein Messer ein. Er brannte vor Verlangen, sie zu sehen. Aphrodite. Die Frau hinter dem Mythos, das Gesicht hinter dem Schleier, die Sünde hinter der Keuschheit. Im Stillen ihren Namen auszusprechen, versetzte ihn bereits in einen Rausch. Ihre verhüllte Gestalt wich keinen Augenblick mehr von seiner Seite.

Michelangelo bemühte sich, während der Arbeit am Fresko nichts von seiner Erregung nach außen dringen zu lassen. Aurelio jedoch spürte seine wachsende Ungeduld in kleinen Gesten auf: Wenn sein Meister mit den bloßen Fingern eine Borste vom Intonaco entfernte, die sich aus dem Pinsel gelöst hatte, oder wenn er warten musste, bis eine neue Farbe angerührt war. Die heutige Giornata – Gesicht und Schulterpartie eines Ignudo, der dem Betrachter sein Profil zugewandt hatte und vor sich zu Boden blickte – verlangte Michelangelo weder körperliche noch geistige Anstrengungen ab. Geradezu beiläufig formte er die Schulter, die den Betrachter glauben machte, sie wölbe sich aus dem Putz. Nachdem er den letzten Pinselstrich angebracht hatte, war dem Ignudo, ob beabsichtigt oder nicht, ein sonderbarer Gesichtsausdruck eigen, hinter dem sich ein Geheimnis zu verbergen schien.

Aurelio folgte seinem Meister, kaum dass dieser im Seiteneingang der Kapelle verschwunden war. Unten, in der modrigen

Feuchtigkeit der Katakombe, zwischen den in den Stein gehauenen Mauern und den Gebeinen längst vergangener Jahrhunderte, rang die Laterne, die er diesmal bei sich führte, nach Luft.

Als Aurelio mit Michelangelo über die Baustelle von Sankt Peter gegangen war, hatte dieser ihm erklärt, dass, nachdem man Petrus beigesetzt hatte, auf dem Abhang des vatikanischen Hügels im Laufe der Jahrhunderte eine Nekropole, eine Totenstadt, entstanden war. Als Kaiser Konstantin dann die erste Basilika über dem Grab des Apostelfürsten errichten ließ, wurden Teile dieser Nekropole abgerissen, andere, unterirdische, über denen die Kirche erbaut werden sollte, zugeschüttet und aufgefüllt. Offenbar war diese Katakombe dabei in Vergessenheit geraten, womöglich sogar bewusst ausgespart worden. Es gab keinen Grund, weshalb Konstantin mehr hätte zuschütten lassen sollen, als für den Bau der Basilika erforderlich gewesen war. Vermutlich war dieser Ort erst beim Bau der Sixtinischen Kapelle wiederentdeckt worden. Möglich sogar, dass bis heute nicht mehr als eine Handvoll Menschen von seiner Existenz wussten.

Aurelio stieg den schmalen Schacht zum Papstpalast empor, passierte die erste Tür, stellte vor der zweiten die Laterne ab und schlich sich gerade rechtzeitig genug hinter den Wandteppich, um seinen Meister sagen zu hören: »Mit Schleier werde ich Euch kaum zeichnen können, verehrte Aphrodite.«

Nur zu hören, wie Michelangelo ihren Namen aussprach, bewirkte bei Aurelio, dass jede einzelne seiner Haarwurzeln zu jucken begann. Am liebsten hätte er den Teppich von der Wand gerissen und gerufen: Seht her, hier bin ich! Das Schweigen schnürte ihm die Luft ab.

Endlich hörte er ihre dunkle Stimme: »Was ist?«

Michelangelo, der offenbar mit dem Rücken zu Aurelio saß, antwortete: »Ich hatte daran gedacht, zunächst Euer Gesicht zu zeichnen.«

»Und ich dachte, Ihr würdet das Gesicht nur verstehen, wenn Ihr auch den Rest kennt.«

Aurelio bemerkte erst, dass er das Messer hervorgeholt hatte, als seine Hand es aus dem ledernen Futteral zog. Vom Kamin her ertönte das schläfrige Knurren des Jaguars. Mit unendlicher Vorsicht ertastete er eine Stelle zwischen zwei Webreihen und begann, die Fasern aufzutrennen.

»Nun?«, fragte Aphrodite.

Eine nach der anderen sprangen die Seidenfäden unter Aurelios Klinge auf. Als der Schnitt groß genug war, um ihn zu einem winzigen Spalt zu öffnen, führte Aurelio sein Auge an den Schlitz.

»Nun verstehe ich«, antwortete Michelangelo.

Das Gemach war vom Schein zahlloser Kerzen erfüllt. In ihrem Licht badete die schönste Frau, die Aurelio jemals zu Gesicht bekommen hatte. Der Kerzenschein verwandelte ihre Brüste in flüssiges Gold und die Rundung ihrer Hüfte in eine Mondsichel. Aurelio glaubte sich in einem Traum. Er wusste nicht mehr zu sagen, wo die Wirklichkeit endete und die Phantasie begann. Langsam, sehr langsam zog er die Klinge seines Messers über die Kuppe seines linken Daumens. Es schmerzte nicht, doch er fühlte, wie die Haut aufplatzte und das Blut seinen Daumen hinablief, und als er ihn ableckte, schmeckte er sein Blut. Dies war kein Traum.

Aurelio versuchte zu begreifen, was an Aphrodite so anders war. Niemand kannte ihre Herkunft. War sie eine Mulattin? Oder eine Mestizin? Ihre Haut war dunkel, ihre sich bis auf die vollen Brüste herabwellenden Haare schwarz, doch ihre Augen hatten die Farbe von Lapislazuli, und ihre Beine waren lang und schlank wie die der Frauen von jenseits der Alpen. Sie war stark und geschmeidig wie ihr Jaguar, zugleich jedoch war sie fragil, ihr Körper feingliedrig.

Es tat weh, sie anzusehen. Ihre Nacktheit entfesselte in Aurelio eine Begierde, für die er keine größere Scham hätte empfinden können. Augenblicklich verstand er, weshalb der Papst ihr zu Füßen lag, wortwörtlich, weshalb er sich vor sie hinwarf und ihr die Zehen leckte. Sie war alles, was man sich von ihr erzählte, mehr als das: Sie war ein lebender Traum und ein Kompendium der menschlichen Abgründe. Ihre Macht war von einer Art, die Julius gar keine andere Wahl ließ, als sie unter Verschluss zu halten. Aphrodite war die Erfüllung aller Sehnsüchte, die ein Mann haben konnte.

»*Was* versteht Ihr?«, fragte sie.

Alles, dachte Aurelio.

»Ich verstehe …« Michelangelo saß auf einem lederbezogenen Stuhl, der von goldenen Tigerpranken getragen wurde. Behutsam nahm er ein unbenutztes Skizzenbuch aus seiner Ledermappe und schlug es auf. »Julius liebt Euch. Mehr als alles andere – so man den Gerüchten Glauben schenkt.«

»Julius ist mir verfallen. Das ist wohl kaum dasselbe.« Aphrodite überlegte einen Moment. »Um zu lieben, müsste er etwas empfinden, das größer ist als er. Doch da er davon überzeugt ist, dass es auf Erden nichts Größeres geben könne als ihn selbst … Ich sollte Euch das nicht sagen.«

»Ich sollte nicht hier sitzen«, hielt Michelangelo ihr entgegen.

Aphrodite lächelte selbstvergessen.

»Wenn Ihr nicht von Julius sprechen wollt«, fuhr Michelangelo fort und feuchtete einen Rötelstift an, »so sprecht von etwas anderem.«

Aurelio kannte den Grund dieser Aufforderung. Wenn er seinem Meister Modell stand, forderte der ihn oft dazu auf, ihm von seiner Kindheit zu berichten, seiner Familie, dem Leben auf dem Hof. Während man redete und seine Erinnerungen durchstreifte, dachte man nicht darüber nach, wie nackt man gerade war und was der Körper machte.

»Er kennt nur den Kampf«, überlegte Aphrodite. »Eroberung. Sieg und Niederlage. Im Bett führt er sich auf wie ein Feldherr. Nach einem Sieg will er gedemütigt werden, nach einer Niederlage verlangt er Unterwerfung von mir. Nichts könnte langweiliger sein.« Kurz wurde sie sich der Situation bewusst und warf Michelangelo einen überraschten Blick zu. Gleich darauf war sie jedoch wieder in ihre eigene Gedankenwelt versunken. »Darüber hinaus ist Julius ein alter Mann, der gegen sein nahendes Ende ankämpft und glaubt, sich von meiner Jugend nähren zu können.« Sie versuchte, sich des Gedankens an Julius zu entledigen, und wandte sich Michelangelo zu: »Was soll ich tun?«

»Bleibt einfach nur stehen.« Michelangelos Stift tastete sich vorsichtig über das Papier. »Ihr tut genug, wenn Ihr nichts tut. Mehr als genug.«

✝ ✝ ✝

Zwei Skizzen hatte Michelangelo angefertigt, als Aurelio erstmals den Raum wahrnahm: die marmorne Kamineinfassung, die einem griechischen Tempel nachempfunden war; die Säulen aus Elfenbein mit den goldenen Kapitellen; die mit Fresken geschmückten Wände; die Kupferschale von vier Fuß Durchmesser, in der die Blüten schwarzer Rosen schwammen. Für die dritte Skizze erlaubte Michelangelo Aphrodite, sich zu setzen. Er war unzufrieden mit dem Ergebnis der letzten Stunden. Aurelio erkannte es daran, wie der Stift über das Papier kratzte. Schließlich brach er die Zeichnung ab, trennte die Skizzen aus seinem Buch und schob sie in ein verborgenes Fach seiner Ledermappe.

»Ihr könnt Euch anziehen.«

»Ihr habt bereits genug?«

»Nein. Doch ich finde nicht, was ich suche. Noch nicht. Es wird wachsen müssen.«

Mit einer Bewegung, die sich Aurelio ins Gedächtnis brannte, bückte sich Aphrodite, hob ihr weißes Kleid vom Boden auf und ließ es ihren Körper hinabgleiten.

»Was geht in Euch vor, wenn Ihr mich anseht?«, wollte sie wissen.

Michelangelo verstaute seine Zeichenutensilien: »Selbst, wenn ich Worte dafür hätte, zöge ich es vor, sie für mich zu behalten.«

»Auch Ihr begehrt mich also?«

»Davon habe ich nichts gesagt.«

»Ihr begehrt mich also nicht?«

»Ich werde jetzt gehen.«

»Michelangelo!« Sie trat an ihn heran. Aurelio musste schlucken. »Lasst mich teilhaben, ich bitte Euch. Ich will verstehen, will fühlen, was in Euch vorgeht.«

»Nein. Das wollt Ihr nicht.«

✠ ✠ ✠

Aurelio erwartete seinen Meister im Vorraum der Bottega, im Schein seiner Laterne, eingehüllt in eine Decke. Nirgends im Haus war es kälter. Der eisige Luftzug, der durch die Gassen strich, ließ die Flamme zittern, und von dem, was die Feuerstelle in der Küche und die Kohlenpfanne im Atelier an Wärme spendeten, drang nichts bis hierher. Es schien, als zöge die Kälte das letzte Leben aus den Steinen, als käme alles zum Stillstand.

Er musste mit Michelangelo reden, sich ihm offenbaren. Das Geheimnis teilen. Alleine konnte er es nicht schultern. Und wen sonst hätte er ins Vertrauen ziehen können? Piero? Nein. Granacci? Auf keinen Fall. Bastiano? Erst recht nicht. Und Margherita, den Brunnen des Stadtgeflüsters, wie sie sich selbst nannte? Sicherer konnte ein Todesurteil kaum sein. Hinzu kam, dass niemand außer Michelangelo ihn verstehen würde. Keiner der anderen hatte sie zu Gesicht bekommen.

Aurelio erinnerte sich an den Biss einer Höllenotter, den er als Kind erlitten hatte. Das Gift hatte überall zugleich gebrannt. Als Tommaso ihn endlich fand, im Feld liegend und fast vollständig gelähmt, wusste Aurelio nicht einmal, wo sie ihn gebissen hatte. Niemals hatte die Sonne heller geschienen als an jenem Tag – ein weißglühendes Licht, das die Ähren um ihn herum in leuchtende Striche verwandelte und die Silhouette seines Vaters in eine blendende Traumgestalt.

Das Klirren von Michelangelos Schlüsselbund brachte Aurelio in den Vorraum zurück. Sein Meister hielt eine Laterne in der Hand und sein ledernes Skizzenbuch unter den Arm geklemmt. Statt eine Frage an seinen Gehilfen zu richten, blieb er stehen, schloss die Tür, schüttelte die Kälte aus Gliedern und Umhang und richtete einen Blick auf Aurelio, der jede Frage seinerseits überflüssig machte und jedes Wort Aurelios unmöglich. Hatte Michelangelo sich in Aphrodite gespiegelt gesehen? In ihr seine eigene Tragik erkannt? Jetzt, nachdem Aurelio sie mit eigenen Augen erblickt hatte, begann er die Übermacht des Gefühls zu verstehen, das von seinem Meister manchmal Besitz ergriff. Es war ein Kampf auf Leben und Tod. Seine Kunst, seine Begierden, seine Sehnsüchte, seine Entsagungen – alles in Michelangelo war so stark, dass es ihn zugrunde zu richten drohte. Und doch suchte er den eigenen Abgrund jeden Tag aufs Neue.

»Tu das nicht.« Michelangelos Stimme erstarrte in der Luft wie alles andere. »Warte nicht auf mich. Niemals.«

Er ging um Aurelio herum und stieg die Treppe hinauf. Seine Kammertür wurde geöffnet und geschlossen. Danach trat Stille ein. Aurelio hatte es nicht über sich gebracht, auch nur ein Wort an seinen Meister zu richten. Mit steifen Gliedern erhob er sich von seinem Schemel, nahm die Laterne und ging zu seiner Kammer hinüber. Einmal noch drehte er sich um, hielt die Laterne von sich gestreckt und leuchtete in den Vorraum. Merkwürdig. Als laure etwas auf ihn. Ungreifbar. Und dennoch war es da.

Er lag neben dem schlafenden Bastiano, den Blick auf die Zeichnung gerichtet, die Michelangelo ihm damals geschenkt hatte und die seither an der Wand lehnte. Endlich beugte er sich über den Bettrand und löschte die Kerze. Und dann, als ihm im Dunkel der letzte Rauch der erstickten Flamme in die Nase stieg, begriff Aurelio, was es gewesen war, im Vorraum: der Duft von Rosenblüten – schwarzen, wie Aurelio jetzt wusste.

XXXIV

DIE ENGELSBURG, von deren Mauern Fahnen und bunte Bänder
wehten, war in den Schein so vieler Fackeln getaucht, dass, wer
vom Petersplatz kommend zum Ponte Sant'Angelo hinunterging,
glauben konnte, die Burg selbst stehe in Flammen. Den Tag über
hatten Männer mit langstieligen Keschern den Burggraben von
Unrat, verwesendem Getier sowie verfaultem Laub befreit. Dabei
war auch eine steinbeschwerte Leiche ans Licht gekommen, die
auf dem Grund des Grabens überwintert hatte, nicht mehr iden-
tifiziert werden konnte und offenbar nicht vermisst worden war.
Anschließend hatte man drei Fässer Lavendelöl – ein Geschenk
Ludwigs XII. – in den Graben entleert. Mit dem Erfolg, dass sich
der süßlich beißende Gestank verwesenden Fleisches mit dem süßlich stechenden Geruch destillierten Lavendels vermischt hatte.

Gemeinsam mit Granacci, Rosselli und Bastiano hatte sich Aurelio nach der Arbeit zur Piazza Ponte Sant'Angelo begeben und
unter die Schaulustigen gemischt. Erwartungsgemäß war ihnen
Granacci sehr bald abhandengekommen. Kaum hatten sie den
Tiber überquert, verfing er sich in den Armen einer Kurtisane und
verabschiedete sich mit der Bemerkung, bis das Spektakel seinen
Anfang nähme, sei ja noch Zeit. Kein Bürger, kein Pilger und kein
Reisender wollte sich das für Mitternacht angekündigte Feuerwerk
entgehen lassen. Tausende drängten sich vor der Burg und säumten

den Flusslauf von der Torre di Nona bis hinunter zum Spital Santo Spirito.

Lediglich Michelangelo hatte es vorgezogen, zu Hause zu bleiben. »Jeder gute Tag für Rom ist ein schlechter für Florenz.« Mit diesen Worten war er demonstrativ in seine Kammer hinaufgestapft und hatte die Tür hinter sich zugeknallt.

Venedig war geschlagen worden, vernichtend geschlagen, endlich. Es hatte der Liga von Cambrai bedurft – einer Allianz zwischen König Ludwig und Kaiser Maximilian, der sich später noch weitere Machthaber, unter ihnen Papst Julius, anschlossen –, um den Venezianern erstmals seit über tausend Jahren auf dem Festland eine Niederlage zuzufügen. Und zwar von einer Art, die den Lauf der Geschichte bestimmen würde. Fünftausend Tote, Verwundete und Gefangene hatten die Venezianer zu beklagen, ein Viertel der gesamten Truppe. In Rom sprach man sogar von zehn- bis fünfzehntausend. Auf ihrem Weg von Agnadello in die Heilige Stadt hatte sich die Zahl der Getöteten auf geheimnisvolle Weise verdreifacht. Doch wie viele es auch sein mochten: In jedem Fall würde die machthungrige Republik Venedig ihre Vorherrschaft im Mittelmeerraum künftig mit anderen teilen, wenn nicht gar an sie abtreten müssen. Rom strebte zu einstiger Größe empor, der Stadt und ihren Bewohnern erwuchs ein neues Selbstbewusstsein. Was seine persönlichen Verfehlungen betraf, so war Julius ebenso streitbar wie seine Vorgänger; eines jedoch stand fest: Er war ein Mann der Tat, Gottes unbarmherziges Werkzeug. Wenn jemand dazu ausersehen war, ganz Italien unter dem Haupt der römischen Kirche zu vereinen, dann er: Julius Caesar Pontifex II.

Selbstverständlich fand das neuerwachte Selbstbewusstsein seinen Ausdruck zuerst und vor allem in einer kolossalen Feier. Die Ewige Stadt feierte ihren Sieg, ihren Papst, ihre Zukunft und ihre Vergangenheit, berauschte sich an sich selbst und wartete auf das versprochene Feuerwerk.

Rosselli, Bastiano und Aurelio hatten wenige Schritte flussaufwärts der Brücke einen befestigten Platz am Tiberufer ergattern können, von dem aus sie freien Blick auf die Engelsburg hatten. Aus diesem Grund war Aurelio schließlich hergekommen – der Blick auf die Engelsburg. Genauer: die Terrasse. Das Feuerwerk selbst interessierte ihn nicht sonderlich. Sie saßen auf einem Travertinquader, die Füße im Wasser, ließen eine Kanne Rotwein kreisen und aßen Focaccie mit Zwiebeln. Der Strom der Menschen zog ebenso lautstark wie träge hinter ihnen vorbei. Es herrschte Hochstimmung. Keiner hatte das Gemetzel auf dem Schlachtfeld miterleben müssen, dennoch durfte sich jeder als Sieger fühlen.

Noch keine Nacht in diesem Jahr war so warm gewesen wie diese. Eine Erlösung nach dem nicht enden wollenden Winter, der die Römer, die ihr Leben so gerne auf die Straße trugen, wie Eidechsen in ihren Häusern gefangen gehalten hatte. Die Luft hing als zähes graues Band über dem Tiber und trug den Geruch von Rauch, gebratenem Schweinefleisch, Zwiebeln und Rotwein flussabwärts. Am Brückenkopf hatten sich vier Musikanten eingefunden, die Villanelle – Volksweisen – zum Besten gaben, wobei der Flötenspieler sich jedes Mal, wenn eine Kurtisane auf die Brücke stolzierte oder sich einer der herrschaftlichen Wagen in den Strom der Passanten zwängte, absichtlich verspielte, was bei den Umstehenden große Heiterkeit auslöste.

»Sag mal«, setzte Bastiano an, als er Aurelio den Krug weiterreichte. »Michelangelo und du …« Er schnippte einen Kiesel in den Tiber. »Ich meine: Was ist denn das?«

Aurelio hatte es geahnt. Michelangelo und er – es ließ Bastiano keine Ruhe. Augenblicklich versteifte sich sein Nacken. Sobald das Gespräch auf Michelangelo und ihn kam, spürte er einen nicht abzuschüttelnden Drang, sich zu rechtfertigen. Er nahm einen Schluck, der größer ausfiel, als er beabsichtigt hatte. Bereits seit einiger Zeit spürte er den Wein warm in seinen Adern kreisen.

Piero kam ihm mit der Antwort zuvor: »Ich glaube nicht, dass dich das etwas angeht.«

»Und ich glaube, Aurelio kann für sich selbst sprechen«, entgegnete Bastiano.

Piero schwieg. Er war die Mutter der Bottega, doch auch eine

Mutter musste von Zeit zu Zeit einsehen, dass die Söhne etwas unter sich auszumachen hatten.

Aurelio nahm einen weiteren Schluck aus dem Krug und versuchte, seine Gedanken zu ordnen. Von der Brücke schwappte eine Woge respektvollen Gelächters. Eine Kurtisane in einem glänzenden, perlmuttfarbenen Kleid hatte die Brücke betreten, und der Flötenspieler ließ die Töne wie ein Rudel junger Hunde übereinanderpurzeln.

»Ich weiß es nicht«, antwortete Aurelio schließlich. »Da ist nichts Körperliches zwischen uns – wenn es das ist, worauf du hinauswillst. Er sieht etwas in mir. Aber immer, wenn ich glaube, es zu verstehen, verstehe ich es wieder nicht. Inzwischen denke ich, es wäre besser, es gar nicht verstehen zu wollen.«

»Und was siehst du in ihm?«

Warum nur interessiert dich das so sehr, dachte Aurelio. Noch einmal ließ er sich den Krug reichen. Vielleicht, wenn er Bastiano einmal offen und ehrlich Auskunft gab, würde dieser ihn endlich damit in Ruhe lassen. »Mein Vater hat mir auf dem Sterbebett gesagt, ich solle nie vergessen, wer ich bin und wo ich herkomme …«

»Und?«

»Ich glaube, Michelangelo ist für mich der Mensch, der ich niemals sein werde, und der Ort, den ich niemals erreichen kann.« Er fühlte sich wie auf einem schmaler werdenden Steg. »Du hast mich einmal als seine Muse beschimpft. Nun, vielleicht bin ich das. Es würde ausreichen, um mich ein Leben lang mit Stolz zu erfüllen. Ich fürchte jedoch, mehr für ihn zu sein als das.«

»Ach ja?«

»Ja.« Aurelio versuchte, die Worte in der richtigen Reihenfolge aufzufädeln. Ein leichter Schwindel befiel ihn. Der schmaler werdende Steg schien kein Geländer zu haben. »In den Momenten, da ich glaube, es zu verstehen, meine ich, der Mensch zu sein, der *er* niemals sein wird, und der Ort, den *er* niemals erreichen kann. Und bevor du die nächste Frage stellst: Ja – ich wünschte, es wäre nicht so. Und noch einmal ja – ich bin trotzdem stolz darauf.«

»Was für ein Geschwafel«, stellte Bastiano fest.

Dennoch schien er sich vorerst damit zufriedenzugeben. Vielleicht war er auch nur zu betrunken oder ging sich mit seiner verworrenen Eifersucht selbst auf die Nerven und hatte eingesehen, dass er lieber über seinen eigenen Argwohn nachdenken sollte, als sich den Kopf über das Verhältnis von Aurelio und seinem Meister zu zerbrechen.

Er stand auf. »Noch jemand ein Stück Focaccia?«

✢ ✢ ✢

Entlang des Ufers breitete sich ein plötzliches Schweigen aus. Wie auf ein Zeichen blickten Rosselli und Aurelio zur prächtig geschmückten Terrasse empor. War der weiße Schleier, der da so gemächlich die Brüstung abschritt, ihr weißer Schleier? War das dort oben Aphrodite? Es hieß, die Frau, die nicht existierte, habe sich bereits am Nachmittag durch den Passetto vom Vatikan in die Burg bringen lassen, um dort, auf der Terrasse, aus einer mit weißem Damast bespannten Sänfte heraus das mitternächtliche Feuerwerk auf sich niederregnen zu lassen.

Aurelio spürte Groll in sich aufsteigen. Hier saß er, darauf hoffend, ein Stück weißer Seide zu erhaschen – wo er doch mit eigenen Augen aus nächster Nähe gesehen hatte, was sich darunter verbarg. Die Silhouette verweilte einen Augenblick. Dann hob sie die Arme, als erteile sie der Stadt und ihren Bewohnern ihren Segen. Andächtiges Gemurmel erhob sich, vereinzelt waren Rufe zu hören, niemand jedoch sprach Aphrodites Namen aus. Schließlich trat die Gestalt hinter die Brüstung zurück. Einen Moment noch konnte die erwartungsvolle Stille dem Drängen der Menschen standhalten, dann jedoch setzte erneut die Musik ein, und die siegreichen Römer waren sich wieder selbst genug.

Nicht so Aurelio. Der war sich schon lange nicht mehr selbst genug. In den vergangenen Wochen hatte er oft geglaubt, vor Verlangen den Verstand zu verlieren. Nicht eine weitere Chance hatte es gegeben, sich an Aphrodites Anblick zu weiden – nachdem sie vor seinen Augen ihren Körper und, wie er glaubte, ihre Seele entblößt hatte. Nicht eine Gelegenheit hatte sich seinem Meister eröffnet, weitere Zeichnungen anzufertigen.

Seit Julius sich der Liga von Cambrai angeschlossen hatte – das jedenfalls besagten die Gerüchte, die durch die Flure des Vatikans getragen wurden –, klammerte sich der Papst an seine Kurtisane wie ein Ertrinkender. Es wurde von Verfolgungswahn gesprochen, von Albträumen, panischen Zuständen. Und auch, wenn über den Seelenzustand des Papstes vor allem spekuliert wurde, so wusste man doch, dass er nur noch selten und ohne Vorankündigung den Palast verließ, ständig unangemeldet in Aphrodites Gemächern auftauchte und von ihr verlangte, keine Nacht auch nur einen Moment von seiner Seite zu weichen.

Da nicht zu erwarten war, dass Michelangelo unter diesen Umständen so bald mit seinen Studien würde fortfahren können, war Aurelio wiederholt das Risiko eingegangen, sich auf eigene Faust aus der Kapelle zu stehlen und heimlich durch die Katakombe in den Papstpalast zu schleichen. Die verborgene Tür zu Aphrodites Gemach jedoch konnte nur von innen entriegelt werden. Und Aurelio fand sie stets verschlossen vor. Statt die Flamme seines Verlangens zu ersticken, hatte sie nach jedem missglückten Versuch nur umso heißer gebrannt.

Sein Meister indessen hatte zu ungewohnter Gelassenheit gefunden. Auf die nächste Szene des Freskos, die »Trunkenheit Noahs«, verwendete er beinahe so viele Tagewerke wie auf die Sintflut. Als wolle er den ungeduldigen Julius mit seiner Langsamkeit herausfordern.

»Wann wird es fertig sein?«, hatte der Papst erst vor zwei Tagen wieder zu wissen verlangt.

»Es wird fertig sein, wenn es mich als Künstler zufriedenstellt«, hatte Michelangelo vom Gerüst aus gerufen.

Danach war nur noch das Krachen von Julius' Stock auf dem Mosaik zu hören gewesen.

Bastiano und Rosselli gegenüber begründete Michelangelo die plötzliche Langsamkeit mit Unsicherheiten in der Bildkomposition. Ein Gedränge wie bei der Sintflut durfte ihm keinesfalls noch einmal unterlaufen. Auch musste er eine ausgewogenere Raumaufteilung erreichen. Die Kartons jedoch, die er morgens der Bottega präsentierte, konnten ihm nicht mehr als ein oder zwei Stunden seiner Zeit abverlangt haben. Oft befand er erst endgültig über den Malabschnitt, nachdem der Intonaco bereits aufgetragen war, und manchmal änderte er sogar noch während der Arbeit das Motiv. Den Rest seiner schlaflosen Nächte – Aurelio war so sicher, wie er nur sein konnte – verbrachte Michelangelo damit, die Idee für die Statue heranreifen zu lassen. Es war, wie Aphrodite gesagt hatte: Sie hatte ihm ein neues Lebenswerk gegeben. Und diesmal würde Julius es ihm nicht entreißen können. Denn er würde nichts wissen von Michelangelos heimlicher Rückkehr zum Marmor. Auch wenn es noch Monate dauerte: Früher oder später würde Michelangelo seine Studien fortsetzen, Aphrodite zeichnen, in all ihrer Nacktheit – bis die Statue in seiner Vorstellung die eine Gestalt angenommen hätte, die all das zum Ausdruck brächte, was Michelangelo ihr eingeben wollte.

✢ ✢ ✢

Plötzlich mischte sich in die Gerüche dieser Nacht der eines honigsüßen Parfüms, das Aurelio allzu bekannt vorkam. Er fuhr herum und sprang gleichzeitig auf: »Margherita!«

Das perlmuttfarbene Kleid, das vorhin über den Ponte Sant'Angelo stolziert war – es war ihres gewesen.

Mit geübter Beiläufigkeit zog sie sich eine Locke aus ihrer Steckfrisur. »Seit wann so schreckhaft?«

Kein Wunder, dass der Flötenspieler seinem Instrument nie gekannte Töne entlockt hatte. Im Umkreis von fünfzig Fuß gab es niemanden, der an Margherita und ihrem Kleid hätte vorbeisehen können. Dabei war es … lächerlich, wie Aurelio befand. Auf dem Rücken waren Applikationen aufgesetzt, die vermutlich an Engelsflügel erinnern sollten. Tatsächlich aber sah Margherita aus wie eine pummelige Libelle mit einer roten Perrücke. Die Brüste purzelten ihr beinahe von selbst aus dem Dekolleté. Das war kein Kleid, das war eine Verkleidung. Und dazu der viele Schmuck und die übertriebene Schminke. Wenn sie die Augen schloss, traten zwei grüne Kreise an ihre Stelle. Es bedurfte schon großer Anstrengungen, um unter all der Maskerade noch die fröhlich-hungrige Margherita zu entdecken, mit der er Arm in Arm auf der Ladefläche ihres Wagens übernachtet hatte.

»Ich habe nur …«, stotterte Aurelio.

Ihr Blick besagte unmissverständlich, dass sie mehr von ihm erwartete. Dringend. Ein Zeichen der Ehrerbietung – wo sie sich schon dazu herabließ, einem Malergehilfen mit Bauernschuhen in aller Öffentlichkeit ihre Gunst zu erweisen. Auch wenn er noch so schön sein mochte.

Aurelio versuchte ein Lächeln: »Hallo.«

An Margheritas Flügeln vorbei sah er, dass Bastiano hinter ihr stand und das Kunststück fertigbrachte, gleichzeitig ein halbes Dutzend Focaccie zu balancieren, auf einer von ihnen zu kauen und dabei breit zu grinsen. Wie von einer Schnur gezogen, stand auch Piero auf. Bis jetzt hatten sie geglaubt, Aurelio treffe sich jede Woche mit einer armen, hübschen Hure, die ihr Herz an den schönen Jüngling verloren hatte. Jetzt aber stand da plötzlich diese stolze Cortigiana und brachte den Bauernsohn aus Forlì in Verlegenheit, in dem sie ihm Blicke zuwarf, die eindeutiger nicht hätten sein können.

Aurelios Brust hätte vor Stolz schwellen sollen, doch er konnte hinter der Perlmuttfassade nur die Frau sehen, die alles dafür geopfert hätte, als jemand zu gelten, der sie nicht war – und deren Liebe für ihn am Ende doch nur Eigenliebe war. Aurelios wahre Sehnsucht indessen saß dort oben, unerreichbar, auf dem Balkon der Engelsburg, umweht von weißem Damast.

»Das sind Meister Rosselli und Meister Sangallo«, stellte er Piero und Bastiano vor.

Die beiden verbeugten sich, wobei Bastiano geschickt die Focaccie hinter seinem Rücken verbarg. Margherita deutete ein Nicken an, das hochmütiger erschien, als es gemeint war, aber Aurelio dennoch einen Stich versetzte. Er hatte ihr von seinen Kollegen erzählt. Sie musste wissen, dass vor ihr zwei erfahrene Freskanten standen, die bereits einiges geleistet hatten. Sie erwartete Ehrerbietung? Etwas Respekt von ihrer Seite hätte auch nicht geschadet.

Margherita lächelte ihr überlegenes Lächeln, trat an Aurelio heran, streckte sich und flüsterte ihm ins Ohr: »Wo bist du gewesen, letzten Dienstag – und den Dienstag davor? Eine Frau wie mich lässt man nicht warten. Das solltest du wissen, mein kleiner Prinz.«

Aber einen Bauern wie mich, dachte Aurelio, den kann man schon warten lassen. »Ich …« Wie zufällig streiften ihre Brüste seinen Arm – eine Berührung, die ihre Wirkung nicht verfehlte. »Ich konnte nicht«, entschuldigte er sich.

In diesem Moment krachte der erste von vierzehn Donnerschlägen durch die Nacht.

✢ ✢ ✢

Außer Michelangelo gab es noch jemanden, der es vorzog, an den Feierlichkeiten nicht teilzunehmen: Papst Julius. Der Mann, der in sich selbst den zweiten Julius Caesar erblickte, verfolgte das Schauspiel vom Eckzimmers seines Palastes aus. Dabei hätte er allen Grund gehabt, sich feiern zu lassen, den Sieg gegen Venedig auszukosten, der ihm die Herrschaft über Faenza, Rimini und Ravenna zurückgewinnen würde. Stattdessen war er besorgt. Mehr als das: Er war gefangen in seiner eigenen Angst. Ein absolut nicht zu tolerierender Zustand für jemanden, der Angst nur Schwächlingen und Tieren zugestand, und selbst das nur widerwillig.

Vom ersten Tag an hatte Julius der Liga von Cambrai mit äußerstem Argwohn gegenübergestanden. Sein eigener Beitritt war aus der Not geboren. Ein Bündnis zwischen Ludwig und Maximilian konnte mittelbar nur eine Bedrohung zur Folge haben. Man hätte ein *grullo*, ein Schafskopf, sein müssen, um der Sache zu trauen.

Bereits die Idee zur Bildung der Liga war eine Täuschung gewesen. Offiziell hatte sich das Bündnis zum Ziel gesetzt, gemeinsam einen Feldzug gegen die Türken zu unternehmen. Das wahre Ziel jedoch war ein anderes: Venedig. Seit Jahren fraß sich die Republik wie eine hungrige Raupe durch Oberitalien. Erst im März und April hatte sie sich unter Führung ihres Condottiere d'Alviano die Städte Triest und Fiume einverleibt. Julius hatte sogar das Interdikt über die Stadt verhängt und so die Republik formal aus der christlichen Gemeinschaft ausgeschlossen. Die Venezianer jedoch hatten sich unbeeindruckt gezeigt. Höchste Zeit also, ihre Macht zu brechen.

Als es schließlich zur Schlacht kam, fiel d'Alviano seinem venezianischen Hochmut zum Opfer. Zwei Angriffe des zahlenmäßig überlegenen Heeres der Liga von Cambrai konnten seine Artillerie und die Fußsoldaten zurückschlagen. Dann allerdings missachtete er alle Befehle und zog sich weder zurück, noch wartete er die Verstärkung ab, sondern setzte den Franzosen bis in die Ebene nach, wo sein Heer von vierzehntausend Reitern empfangen wurde, denen es nichts entgegenzusetzen hatte.

Ein großer Sieg. Das Problem war: Das Heer der Liga von Cambrai bestand in der Mehrzahl aus Franzosen. Dass Julius' Neffe Francesco Maria jetzt als Kommandeur der päpstlichen Truppen durch die Romagna zog und die Region wieder für den Kirchenstaat in Besitz nahm, änderte nichts an der Tatsache, dass er im Schatten Ludwigs des XII. agierte und vollständig auf dessen Billigung angewiesen war. Der Franzosenkönig saß derweil mit seinen vierzigtausend Soldaten in Oberitalien und überlegte, wohin er als Nächstes seine Schritte lenken sollte. Nur ein Dummkopf hätte in dieser Situation seinen Blick nicht nach Rom gerichtet.

Den Franzosen war grundsätzlich nicht zu trauen, und was für die Franzosen im Allgemeinen galt, galt für Ludwig XII. im Besonderen. Seinen Hochmut trug er wie einen Strahlenkranz zur Schau, auch konnte er nicht oft genug seine adelige Herkunft erwähnen. Die änderte jedoch nichts daran, dass er ein hageres, blutleeres Männlein war, das permanent seine Stirn in Falten legte, ohne dass in seinem Schädel dadurch irgendetwas in Gang gesetzt worden wäre. Dem Papst gegenüber gab er sich huldvoll, doch Julius wusste, dass er ihn hinter seinem Rücken als Bauern verspottete und seine Ehrerbietung abrupt ihr Ende finden würde, sobald Julius ihm nicht mehr von Nutzen wäre. Der Traum von der einstigen Größe des Kirchenstaates könnte also schnell ausgeträumt sein.

Gerade einmal fünfzehn Jahre war es her, dass Ludwigs Vorgänger Karl in Italien einmarschiert war. Florenz hatte er praktisch überrannt, zwei Monate später hatte er Rom eingenommen, weitere zwei Monate später kapitulierte Neapel. Papst Alexander hatte sich in die Engelsburg geflüchtet wie ein Kaninchen in seinen Bau. Nach Karls Abzug hatte das Haupt der Welt ausgesehen wie nach einem Erdbeben. Was von Wert und irgendwie transportierbar gewesen war, hatten die Franzosen aus der Stadt getragen. Das Einzige, was sie dafür gebracht hatten, war die vermaledeite *mal francese*, die Franzosenkrankheit, die niemand besser kannte als Julius selbst.

Jetzt war Julius das Kaninchen. Wenn Ludwig dieselben Ziele verfolgte wie sein Vorgänger – und die Franzosen vererbten seit Generationen ihren Anspruch auf den neapolitanischen Thron –, dann würde sich das Lavendelöl im Graben der Engelsburg womöglich sehr bald in römisches Blut verwandeln. Wie er es hasste, das Kaninchen zu sein! Es gab keine Worte, die stark genug gewesen wären, seinem Ingrimm angesichts der drohenden Schmähung Ausdruck zu verleihen.

✣ ✣ ✣

Kaum war der vierzehnte Donnerschlag verhallt – am vierzehnten Mai hatte die Liga bei Agnadello den entscheidenden Sieg errungen –, verwandelte sich der Balkon der Engelsburg in einen Wasserfall aus unzähligen Funken, die an den Mauern herab in die Tiefe stürzten und die Burg in ein Gewebe aus lebendigem Licht hüllten. An den Ecken des Balkons schossen Leuchtfontänen in die Höhe. Kurz darauf sah man etliche Feuerschweife in den Nachthimmel steigen, die in gewaltiger Höhe explodierten und sich in bunte Funkenbälle von solch grandioser Helligkeit verwandelten, dass der gesamte Borgo bis hinauf zum Vatikan in eine Lichtglocke getaucht wurde und sich der Tiber in ein tanzendes Sternenmeer aus tausend Farben verwandelte.

Eine Weile verfolgten Margherita und Aurelio gemeinsam das Spektakel. Doch spürte er vom ersten Moment an ihre Begierde und wusste, dass sie nicht lange die Bereitschaft aufbringen würde, sie zu unterdrücken.

Sanft, aber bestimmt drückte sie sich an ihren Liebhaber. »Komm«, flüsterte sie, »ich zeig' dir, was du letzten Dienstag versäumt hast.«

Ich weiß, was ich letzten Dienstag versäumt habe, dachte Aurelio. »Aber das Feuerwerk …«

Sie stellte sich neben ihn, nahm unauffällig seine Hand und führte sie zwischen ihre Schenkel. Ihre Wärme umfing ihn durch den Stoff ihres Kleides hindurch. »Willst du mir sagen, du ziehst dieses Feuerwerk dem meinen vor?«

»Nein, ich …« Aurelio warf einen letzten Blick zum Balkon empor. »Ich komme.«

»Was ist mit den Focaccie?«, rief Bastiano ihm nach.

Aurelio drehte sich nicht einmal um.

XXXV

Seit gut einer Stunde kniete Aurelio nackt vor seinem Meister, den Oberkörper nach hinten gedreht, die Hände von sich gestreckt. Inzwischen hatten seine Arme das Gewicht antiker Säulen angenommen. Aurelios Schultern brannten, seine Oberschenkel waren hart wie Granit, seine Knie spröde wie vertrocknetes Holz. Und dazu diese Hitze! Erst hatte die Tramontana die Stadt monatelang in ihren eisigen Klauen gehalten, anschließend war in nur zwei Wochen der Frühling wie ein eiliger Geschäftsreisender durch die Stadt gezogen, und jetzt zwängte sich die Luft plötzlich wieder heiß und schwer in die Gassen, füllte die kleinsten Ritzen und gab einen Vorgeschmack auf die stickigen, stinkenden Monate, in denen das Haupt der Welt vor sich hin gären würde und Pest und Malaria wie Wegelagerer nächtens durch die Stadtmauer schlüpften.

Der Schweiß lief Aurelio die Brust hinab und versickerte in seinem Schoß. Zu Füßen Michelangelos lag das halbe Dutzend Zeichnungen verstreut, das er bereits angefertigt hatte. Längst schon hätte Aurelio um eine Pause gebeten, doch er spürte die wachsende Anspannung Michelangelos – ein verlässliches Zeichen dafür, dass sein Meister der Lösung eines künstlerischen Problems auf der Spur war. In diesem Fall: dem Problem der dritten Szene. Noahs Opfer.

Die Trunkenheit Noahs war Michelangelo geglückt. Er hatte nicht nur die Anzahl der Personen radikal reduziert, auch für andere Aspekte der Bildgestaltung, die bei der Sintflut noch zu unbefriedigenden Resultaten geführt hatten, war er zu überzeugenden Lösungen gelangt. Dennoch konnte die Trunkenheit nur eine Station auf dem Weg zu noch größerer Meisterschaft sein. Das begriff auch Aurelio, nachdem sein Meister es ihm erklärt hatte: Anatomisch übertrafen Noah und seine Söhne alles, was Michelangelos Zeitgenossen hervorbrachten. Dennoch wirkte die Szene insgesamt statisch, wie eingefroren, als seien auf dem Bild vier Statuen zueinander arrangiert worden. Das konnte Leonardo besser. Und Raffael ebenfalls. Dessen Figuren waren biegsamer, weicher, feiner im Ausdruck. Und das durfte, das konnte nicht sein. Raffael, dieser gefallsüchtige Schmeichler, sollte sich bei der Enthüllung seiner – Michelangelos – Fresken wünschen, mit Julius' Gemächern niemals begonnen zu haben. Und das bedeutete: Michelangelo musste es besser machen.

»Die Figuren müssen sich stärker aufeinander beziehen«, überlegte er, während er das nächste Blatt zu Boden segeln ließ. »Die Szene sollte eine Geschiche erzählen.«

Aurelio schwieg. Schon lange war er mit nichts anderem mehr beschäftigt, als seinen Schmerz zu besiegen. Die hochstehende Junisonne flutete das Atelier mit blendendem Licht. Aurelios Schatten war wie mit einem Fliet in den Stein geritzt.

»Ich kann nicht mehr«, flüsterte er.

»Du bringst ein Opfer«, entgegnete Michelangelo ungerührt. Er schloss ein Auge und fixierte Aurelios brennende Schulter über die Stiftspitze hinweg. »Um nichts anderes geht es.« Je stärker Aurelios Muskeln gegen ihr eigenes Gewicht ankämpften, umso näher schien Michelangelo der Lösung zu kommen. Er ließ den Stift sinken. »Stell dir vor, du hieltest einen Vogel in der Hand, einen lebenden. Fühle die Federn, den warmen Körper.«

Aurelio versuchte es. »Und jetzt?«

»Gleich wirst du ihn töten, mit den eigenen Händen, ihn zum Opfer bringen.«

Die Vorstellung löste etwas in Aurelio aus, das er nicht hätte beschreiben können.

»Das ist es.« Michelangelos Miene hellte sich schlagartig auf. »Mitgefühl.«

Sein Stift kratzte über das Papier. Nach einer kleinen Ewigkeit löste er sich vom Skizzenblock. Aurelio wusste es, ohne einen Blick auf die Zeichnung geworfen zu haben: Michelangelo hatte die Lösung.

»Du kannst dich anziehen.«

Nein, dachte Aurelio, kann ich nicht. Mit einem Stöhnen ließ er sich auf die Seite fallen. Langsam, einen Fingerbreit nach dem anderen, streckte er die Beine von sich. So lag er vor seinem Meister. Nackt. Hingestreckt. Den warmen Stein unter sich. Michelangelo raffte seine Zeichnungen zusammen und eilte aus dem Atelier.

✤ ✤ ✤

Am selben Abend entließ er Bastiano. Rosselli würde später davon sprechen, dass der letzte Tag der Bottega ihr traurigster gewesen sei. Nach Bastiano, so sah er es, gab es keine Bottega mehr. Aurelio und er waren die einzigen Verbliebenen – von Granacci einmal abgesehen, der jedoch die meiste Zeit auf Reisen oder in Florenz war. Ein Duo. Das konnte sich schwerlich nach einer Bottega anfühlen. Die Familie war endgültig zerbrochen.

Sie saßen um den Küchentisch. Rosselli hatte Fischsuppe gekocht. Michelangelo hatte sie nicht angerührt.

»Bastiano«, sagte er, und gerade weil er es sehr leise sagte, hörten sofort alle auf zu essen.

Bastiano blickte ihn an. »Du entlässt mich«, sagte er in einer Mischung aus Trauer und Fassungslosigkeit.

Lange Zeit herrschte Schweigen. Irgendwann schluckte Granacci den Fisch herunter, auf dem er gekaut hatte.

»Dieses Fresko ist mein Fluch«, erklärte Michelangelo. Er schob die Schüssel von sich weg. »Du weißt, wie sehr ich deine Arbeit schätze, Bastiano. Du bist ein guter Architekt und ein hervorragender Zeichner ... Es muss furchtbar unbefriedigend für dich sein, dass ich es nicht einmal richtig erklären kann – aber ich muss dieses Werk alleine vollbringen.«

»Ich weiß«, antwortete Bastiano und brach zur Überraschung aller in Tränen aus.

Er versuchte nicht einmal, sie zurückzuhalten oder sein Gesicht abzuwenden. Ein Mann von fast dreißig Jahren und weinte wie ein Kind. Die Tränen sammelten sich an seiner Kinnspitze und tropften auf sein Leinenhemd, wo sie nach kurzer Zeit ein dunkles Oval bildeten. Alle anderen sahen ohnmächtig dabei zu. Aurelio konnte es seinem Zimmergenossen nachfühlen. Niemand bewunderte Michelangelos Arbeiten mehr als Bastiano. Er liebte sie mit derselben Bedingungslosigkeit, mit der man seine Eltern liebte. Oder seine Kinder. So, wie Aurelio seinen Vater geliebt hatte und von ihm geliebt worden war. Keinem hätte der Verlust von Michelangelos Gunst tiefere Wunden schlagen können.

»Verzeih mir«, bat Michelangelo.

Aurelio konnte sich nicht erinnern, dass Michelangelo jemals jemanden um Verzeihung gebeten hätte. Nicht einmal den Papst. Bastiano biss sich auf die Lippen. Granacci wandte den Blick ab und goss sich Wein nach. Schließlich stand Bastiano auf und erlöste sich selbst sowie die anderen, indem er in seine Kammer ging.

✢ ✢ ✢

Noahs »Opfer« war um ein Vielfaches beredter und lebendiger als die »Trunkenheit«. Sie enthielt das Mehr an Lebendigkeit, das Michelangelo von sich eingefordert hatte. Entsprechend zügig schritt die Arbeit voran. Papst Julius allerdings konnte in diesem Sommer nichts schnell genug gehen. Je drohender sich die Gefahr eines französischen Feldzugs gegen Rom abzeichnete, desto stärker setzte er die Menschen unter Druck, die seinem direkten Einfluss unterstanden. Im Falle von Bramante und Raffael hatte er damit

durchaus Erfolg. Die Materialien für den noch im Bau befindlichen Belvedere-Korridor beispielsweise wurden neuerdings auch
nachts angeliefert. Der päpstliche Hofarchitekt ließ die frischen
Ziegel im Schein von Fackeln aufmauern. Und Raffael, der ohnehin unter Julius' ständiger Aufsicht stand, da das Fresko, an dem er
gerade arbeitete, nur durch zwei Türen vom päpstlichen Schlafgemach getrennt war, durfte seinem Auftraggeber jeden Abend die
noch feuchte Giornata des Tages präsentieren.

Michelangelo hingegen zeigte sich dem zunehmenden Druck
des Papstes gegenüber gleichgültig. Je stärker Julius insistierte, am
Fortgang der Arbeiten teilhaben zu wollen, desto stoischer bedachte Michelangelo ihn mit ausweichenden Antworten. Rosselli
und Aurelio ahnten, dass das nicht ohne Folgen bleiben würde. Julius war kein Mann, der sich immer wieder aufs Neue vertrösten
ließ. In ihm sammelten sich die erlittenen Respektlosigkeiten wie
in einem Gefäß, und es war eine Frage der Zeit, bis die schwelende
Schwüle des Sommers dieses brodelnde Gemisch zum Überlaufen
bringen würde.

Was Julius bis jetzt von dem Fresko zu sehen bekommen hatte,
erschöpfte sich in den Wandstreifen und Teilen der Pendentifs, die
für jedermann in der Kapelle sichtbar waren, da die Planen unter
den Arbeitsbühnen zu den Seitenwänden hin einen etwa sechs Fuß
breiten Spalt ließen. Abgesehen von Teilen des Zacharias, der Delphischen Sibylle sowie des Propheten Joel, hatte er also nicht viel
mehr als die Lünetten in Augenschein nehmen können, auf denen
die Vorfahren Christi dargestellt waren.

Julius ahnte nicht, dass Michelangelo allen Grund hatte, seinem
Auftraggeber den Deckenspiegel so lange wie möglich vorzuent-
halten. Schließlich hatte das Fresko mit dem Entwurf, den Julius
abgesegnet hatte, nicht mehr viel gemein. Nie zuvor waren derartig viele Figuren derartig nackt dargestellt worden – und schon gar
nicht in der Kirche, in der die Papstwahl stattfand. Da Aurelio seinem Meister praktisch für sämtliche der jüngeren Figuren – auch
der weiblichen – Modell stand, war Michelangelo seiner Besessenheit von nackten Männerkörpern inzwischen vollständig erlegen.

Sogar die Söhne Noahs in der Trunkenheit hatte er ebenso nackt gemalt wie ihren Vater. Folglich durfte der Papst den Deckenspiegel erst zu Gesicht bekommen, wenn das Fresko ihn vor vollendete Tatsachen stellen würde.

Mehrmals hatte Julius seine Bewunderung und sein Erstaunen für die züchtig bekleideten Vorfahren Christi auf den Lünetten zum Ausdruck gebracht. Sie bestärkten ihn in dem Glauben, den richtigen Mann für diese herkulische Aufgabe ausgewählt zu haben. Doch auch die schmeichelndsten Worte des Papstes konnten Michelangelo nicht dazu bewegen, die Planen unter den Gerüsten abzunehmen und noch mehr von seiner Arbeit preiszugeben. Zudem hatte Julius, trotz aller Bewunderung für die Figuren auf den Lünetten, konzeptionelle Änderungswünsche.

»Sie sind in ganz alltäglichen Situationen dargestellt«, beschwerte er sich und deutete mit der Stockspitze zur Josias-Lünette empor, auf der der unbeugsame König des Alten Testaments mit einem Säugling auf dem Schoß zu sehen war. »Wie ganz gewöhnliche Menschen!«

»Es waren sicher keine gewöhnlichen Menschen«, hielt Michelangelo ihm entgegen, »doch sie hatten gewiss sehr gewöhnliche Probleme.«

»Giotto hat sie in königliche Gewänder gehüllt und ihnen Heiligenscheine aufgesetzt.«

»Die sie im wirklichen Leben kaum gehabt haben dürften.«

Das Klicken von Julius' Stockspitze auf den Steinfliesen wurde deutlicher. »Sie waren die Vorfahren Jesu!«

»Genau so sehe ich es auch, Heiliger Vater. Sie haben nicht für sich gelebt, sondern für das, was nach ihnen kam. Sie standen im Dienst Gottes. Wie wir alle.« Er machte eine Pause, um sicherzugehen, dass Julius die Anspielung auf seine eigene Person nicht entging. »Wir sollten sie in Situationen sehen, die von Demut und Bescheidenheit zeugen.«

Julius' Brustkorb blähte sich. »Gibt es irgendetwas, dem Ihr nicht zwangsläufig widersprecht?«

Michelangelo ließ sich einen Moment Zeit. »Heiliger Vater«,

sagte er. »Ist es in Eurem Sinne, dass das Gewölbe der päpstlichen Kapelle künftig ein Fresko zieren wird, welches nirgends auf der Welt seinesgleichen hat?«

»Was soll diese Frage? Natürlich ist das in meinem Sinne.«

»Nun, dem würde ich nicht widersprechen.«

Julius' Stock krachte auf die Fliesen. »Also«, setzte er an, und jeder wusste, welche Frage nun folgen würde. »Wie lange soll ich mich noch gedulden?«

»Wie lange wird Bramante noch für Sankt Peter benötigen?«, fragte Michelangelo zurück.

»Die Basilika? Das wird Jahre dauern, Jahrzehnte womöglich. Ich werde mich glücklich schätzen können, sie noch zu Lebzeiten vollendet zu sehen.«

»Nun«, entgegnete Michelangelo, »ich plane, das Fresko noch zu Euren Lebzeiten fertigzustellen.«

»Sprecht nicht wie ein aufsässiger Schüler mit mir, Buonarroti!« Julius' Stimme grollte wie Donner unter dem Gewölbe. »Bramante ist im Begriff, die bedeutendste Kirche der Christenheit zu bauen!«

»Und ich bin im Begriff, das bedeutendste Fresko der Christenheit zu erschaffen. Und zwar mit zwei Gehilfen, nicht mit zweitausend.«

Dies war der Moment, in dem Julius' ohnehin brodelnde Galle überschäumte. »Ich verlange, es zu sehen!«

»Das Fresko?«

»Was denn sonst?«

»Heiliger Vater. Zum jetzigen Zeitpunkt kann ich unmöglich erlauben, dass jemand außer mir und meinen Mitarbeitern es in Augenschein nimmt.«

»Ihr verwehrt mir den Blick auf mein Werk?«

»Ich versichere Euch: Wenn das Fresko so weit gediehen ist, dass es gesehen zu werden wünscht, werdet Ihr der Erste sein, der es sehen darf. Und, mit Verlaub« – Michelangelo deutete eine Verbeugung an –, »es ist mein Werk.«

»Das ist meine Kirche!«

»Es ist Gottes Kirche.«

»Ich verfüge darüber!«

»Dennoch ist es mein Fresko.«

»Für das ich bezahlt habe.«

»Für das Ihr bezahlt haben werdet – wenn es fertig ist.«

Zum zweiten Mal krachte Julius' Stock auf die Fliesen. »Ich weigere mich, diese Unterhaltung mit Euch fortzuführen!«

»Dann lasst es.«

»Ihr habt bereits tausend Dukaten von mir erhalten.«

»Ihr sprecht von dem Geld, mit dem arme Sünder sich von ihren Sünden freizukaufen glauben.«

»Und welches zum Wohle und zur Ehre Gottes verwandt wird – und welches Ihr von mir erhalten habt!«

Michelangelo legte die Hände ineinander und sprach mit einem Gleichklang in der Stimme, der seine Beleidigung noch steigerte: »Nun denn: Für die Summe, die ich bereits von Euch erhalten habe, dürft ihr die Wandstreifen und die Pendentifs in Augenschein nehmen.«

Julius' Stock schnellte vom Boden auf und wirbelte einen Moment schwerelos in der Luft, bevor der Papst mit geübtem Griff die goldene Spitze ergriff und einen Schwung ausführte, der die Luft surren ließ. Michelangelo schien auf den Schlag vorbereitet zu sein. Ruckartig bog er seinen Körper nach hinten und wandte den Kopf ab. Julius allerdings hatte mehr Übung darin, Schläge auszuteilen, als Michelangelo, ihnen auszuweichen. Der Knauf streifte den Künstler am Kinn, seine Zähne schlugen aufeinander, und seine Unterlippe platzte auf.

Julius ließ den Stock durch die Finger gleiten, bis er wieder den Griff in der Hand hielt, fuhr mit dem Daumen über den Knauf – da, wo Michelangelos Kinn das Gold beschmutzt hatte – und setzte mit einem feinen Klick die Spitze auf den Boden. Einen Augenblick lang herrschte völlige Reglosigkeit. Beide warteten auf eine Reaktion ihres Gegenübers. Das Blut, das von Michelangelos Lippe rann, begann, auf den Boden zu tropfen.

Mehr als Michelangelo war dem Papst selbst der Schreck über seine Unbeherrschtheit anzumerken. Michelangelo mit dem Stock zu schlagen hatte eine Grenze verletzt, die Julius sich zu respektieren geschworen hatte. Seine innere Zerknischung fand ihren äußeren Ausdruck in einer zerfurchten Stirn. Immer wieder gab es Momente, in denen ihm die Gewalt über seinen Stock entglitt. Doch Michelangelo Buonarroti zu schlagen war etwas anderes. Am Ende brachte er keinem Künstler mehr Achtung entgegen als dem halsstarrigen Bildhauer. Nicht einmal Bramante oder Raffael, auch wenn die alles getan hätten, um ihn zufriedenzustellen. Sowenig er Michelangelo mochte, so sehr bewunderte er seine Arbeit. Und jetzt hatte er sich an ihm vergangen, weil … weil Michelangelo es zu weit getrieben hatte. Sie nannten ihn »il papa terribile«, den Papst mit dem galligen Temperament. Nun, das mochte so sein, und in schwachen Momenten gestand Julius sich ein, dass dieser Name seiner Eitelkeit durchaus schmeichelte. Doch die *terribilità* Michelangelos stand der seinen in nichts nach.

Auf dem Gesicht des Künstlers deutete sich ein schiefes Lächeln an, das den Riss in seiner Lippe auseinanderklaffen und noch mehr Blut aus der Wunde treten ließ. Julius erschrak, als er erkannte, dass selbst aus diesem schmerzhaften Lächeln noch Überlegenheit sprach. Ist das alles, schien es zu sagen. Torrigiani, der Lehrling in Ghirlandaios Bottega, durfte mir die Nase zertrümmern und mich für den Rest meines Lebens entstellen. Und Ihr, Papst Julius Caesar II., seid nicht imstande, mir mehr zuzufügen als einen Riss in der Lippe? Es war Hochmut, der aus Michelangelo sprach, und der Künstler war sich dessen bewusst. Derselbe Hochmut wie damals. Aber jetzt und hier genoss er ihn.

»Wischt mir das weg«, sagte Julius und deutete mit der Stockspitze auf die Blutflecken zu Michelangelos Füßen. Es war ein Ringen um Autorität, doch es konnte nicht verhehlen, dass sich der Papst Michelangelos Überlegenheit gefügt hatte – dieses eine Mal wenigstens.

XXXVI

»Ihr liebt mich nicht!«

Vergeblich versuchte Aphrodite, ihre Erregung zu unterdrücken. Seit einer Woche kratzte Michelangelo nun mit seinen Kohle-, Kreide- und Rötelstiften in diesem Skizzenbuch herum. Inzwischen hatte sie das Gefühl, sein Stift ziehe ihr die Haut ab. Sie lieferte sich ihm aus, drehte ihr Innerstes nach außen. Von ihm jedoch kam nichts zurück als ein in sich gekehrtes Schweigen. Als ginge es um ihn, Michelangelo. Dabei sollte es doch um sie gehen!

Es erregte sie, hatte sie vom ersten Moment an erregt. Diese Nacktheit. Das Gefühl, erkannt zu werden, zu sein, zu entstehen, die Gewissheit, tatsächlich zu existieren, eine eigene Seele zu besitzen. Sie hatte sich niemals nackter gefühlt, doch sie hatte sich auch niemals lebendiger gefühlt. Eine pulsierende Befreiung. Michelangelo würde sie nicht nur unsterblich machen, er hatte sie überhaupt erst zum Leben erweckt!

»Ich liebe Euch, wie kein anderer Euch jemals lieben könnte«, grummelte Michelangelo unter seinem Bart hervor, »denn niemand liebt die Schönheit so wie ich.«

✢ ✢ ✢

Aphrodites Verlangen, durch Michelangelo und seinen Rötelstift hindurchzufließen und auf dem Papier wieder Gestalt anzunehmen, war größer gewesen als ihre Vernunft. Also hatte sie den Bildhauer in ihr Gemach kommen lassen, obgleich der Papst im Vatikan weilte. An einem Samstag fing es an. Bramante veranstaltete im Belvedere-Palast eines seiner Bankette, bei denen er die Gäste gewohnheitsmäßig mit Julius' Leibspeisen überhäufte: Kaviar, Krabben und Spanferkel. Selbstverständlich war auch Raffael geladen. Michelangelo selbstverständlich nicht. Er hätte all denen, die sich so gerne in ihrem eigenen Licht sonnten, zu viel Schatten gespendet. Hätte sich Julius entschlossen, die Feier vorzeitig zu verlassen, um sich der Ergebenheit seiner Kurtisane zu versichern, hätte er hundertfünfzig Schritte durch den vatikanischen Garten oder den bereits fertiggestellten Belvedere-Korridor zurücklegen müssen. Zeit genug, sich von einer der Aphrodite treu ergebenen Dienerinnen vorwarnen zu lassen.

Bereits an diesem ersten Samstag hatte der hinter dem Teppich verborgene Aurelio Aphrodites Sehnsucht gespürt, Michelangelo nahe zu sein, sich in seinem Begehren zu spiegeln. Michelangelos Interesse an der Kurtisane dagegen war rein professioneller Natur. Er würde sie benutzen. Für ihn war sie Mittel zum Zweck – für seine, Michelangelos Statue. Die Genugtuung jedoch, in einem der Gemächer Alexanders mit dem Skizzenbuch in der Hand Julius' nackte Kurtisane zu umkreisen, jeden Fingerbreit ihres Körpers zu erforschen, während der nichtsahnende Papst sich keine hundertfünfzig Schritte entfernt der Völlerei und dem Rausch hingab, war dem Bildhauer deutlich anzumerken. Hin und wieder, wenn er sich den Stuhl an eine neue Position rückte und sein Skizzenbuch aufschlug, befühlte er seine Lippe, dort, wo der Riss, den Julius ihm zugefügt hatte, geklafft hatte. Die Stelle war verheilt, doch Aurelio wusste, dass sie taub geblieben war.

Wann immer Michelangelo die gefühllose Stelle seiner Lippe betastete, verzogen sich seine Mundwinkel kaum merklich zu einem Lächeln. Aphrodite hatte recht behalten: Kein Unterfangen hätte reizvoller sein können, keine Genugtuung größer, als die tägliche Demütigung unter der Kapellendecke und den erlittenen Stockschlag nächtens in einen heimlichen Sieg über Julius zu verwandeln, indem er dessen vergötterte Kurtisane in ihrer sündigen Sinnlichkeit aus dem Marmor meißelte. Rache, so lautete ein römisches Sprichwort, war ein Mahl, das kalt gegessen am besten schmeckte. Nun, Michelangelo würde seine Rache bekommen, und er würde sie kalt genießen.

Die Statue sollte nicht nur Aphrodite, sondern auch Michelangelo unsterblich machen. Die Zeit würde über sie richten. Wie sie am Ende über alles richtete. Wer würde in hundert oder gar fünfhundert Jahren noch wissen, wer Papst Julius gewesen war? Die Statue allerdings würde weiterhin von der unbezwingbaren Macht Aphrodites künden – und der unerreichten Meisterschaft ihres Schöpfers.

✢ ✢ ✢

»Ich gebe mich Euch hin«, fuhr Aphrodite fort, »Nacht für Nacht. Doch Euch interessieren einzig Eure Skizzen!«

Das Leben, das pulsierende Leben, es wollte aus ihr heraus, um jeden Preis, seine eigenen Grenzen sprengen.

Durch seinen winzigen Sehschlitz verfolgte Aurelio, wie sein Meister mit dem kleinen Finger die Wölbung ihrer Hüfte nachzog, die er soeben skizziert hatte.

»Ich habe bereits mehr von Eurer Schönheit gekostet, als Seine Heiligkeit jemals könnte«, stellte er fest. »Und dabei habe ich mit der Arbeit am Marmor noch nicht einmal begonnen.«

Aurelio hielt den Atem an. Auch seine Erregung war kaum noch steigerbar. Der Jaguar patrouillierte vor dem Wandteppich auf und ab wie eine Palastwache.

»Ihr sagtet, niemand liebe die Schönheit so wie Ihr.«

Michelangelo hatte Aphrodite ihre Position ändern lassen: das Standbein leicht gebeugt, das Spielbein ausgestellt, die rechte Hand auf der linken Brust, die linke Hand im Nacken. Keuschheit gepaart mit Sünde. Die Wirkung war derart, dass Aurelio um Haaresbreite in den Teppich gestolpert wäre. Jede andere Frau hätte instinktiv ihren Schoß bedeckt, Aphrodite jedoch verbarg ihr Herz.

Michelangelo war ganz in seine Zeichnung vertieft, er hörte sie kaum. »So ist es«, murmelte er.

»Und warum ist das so? Weil Ihr selbst so unansehnlich seid?«

Sein Stift hielt inne. Nur das leise Pfeifen seiner Nase verriet den inneren Aufruhr. Er blickte von seinem Buch auf und studierte Aphrodites linkes Schlüsselbein, über dem sich katzengleich ihre Haut spannte. Dann fuhr er mit seiner Arbeit fort. Aphrodite hatte seine verwundbarste Stelle getroffen. Und sie wusste es.

✢ ✢ ✢

Vier Abende lang hatte Michelangelo unter größten Risiken seine Studien fortgesetzt, Aphrodites Körper belauert und nach der einen Position gesucht, die seinen gesamten Empfindungskosmos einfangen würde, als Aurelio eine Veränderung verspürt hatte. Etwas war nicht so wie an den Abenden zuvor. Aphrodite. Sie bewegte sich nicht wie sonst, stand nicht wie sonst, sprach nicht wie sonst. Sie war nicht bei sich, heute.

»Ihr seid abgelenkt«, stellte Michelangelo fest.

»Es ist wahr«, antwortete Aphrodite. »Es ist … Ich weiß nicht.« Sie klang hilfesuchend, wie ein Mädchen.

Es erregte stets Michelangelos Unmut, wenn sie kokettierte – wenn sie versuchte, Spielchen zu spielen. Er war kein Mann für Spielchen. Dafür war Julius zuständig.

»Geht umher«, sagte er unwirsch, »lockert Eure Glieder, denkt an … Stellt Euch das Paradies vor. Stellt Euch vor, Ihr lebtet in Freiheit.«

Mit geschmeidigen Bewegungen durchquerte ihr biegsamer Körper das Gemach und entglitt Aurelios Blickfeld.

»Wie ist das«, ertönte ihre Stimme aus der Ecke neben dem Kamin, »ein Leben in Freiheit?«

Michelangelo saß in dem lederbespannten Lehnstuhl und studierte seine Skizzen. »Woher soll ich das wissen? Mein Leben ist so unfrei wie Eures.«

Lautlos verließ Aphrodite die Ecke und glitt direkt vor Aurelios Auge am Wandbehang vorbei. Dabei zog sie eine träge Hand hinter sich her, mit der sie über den Teppich strich. Ein knisterndes Rauschen zog von einem Ohr Aurelios zum anderen.

»Glaubt Ihr wirklich?«, fragte sie.

Michelangelo ließ ihre Frage unbeantwortet.

In diesem Moment bemerkte Aurelio, dass auch mit dem Teppich etwas anders war. Unsicher führte er seine Hand an den Riss, den er mit seinem Messer in den Wandbehang geritzt hatte. Er war so schmal gewesen, dass Aurelio nicht einmal seinen kleinen Finger hätte hindurchzwängen können. Jedenfalls hatte er ihn so in Erinnerung. Jetzt allerdings schien er ihm vergrößert.

»Ihr und ich«, kam Aphrodites Stimme aus der gegenüberliegenden Zimmerecke, »wir sind seelenverwandt.«

Auch dieser Satz blieb ohne Erwiderung.

Aurelio versuchte noch, sich den vergrößerten Riss zu erklären, als Aphrodite aus der Zimmerecke zurückkehrte, sich mit leicht gespreizten Beinen vor den Teppich stellte und rechts und links seines Sehschlitzes mit den flachen Händen über das Gewebe strich. Aurelios gesamter Körper schien aus nichts anderem mehr zu bestehen als panisch kreisenden Körpersäften.

»Was für eine Pracht!« Aphrodite seufzte auf. »Diese Farben! Alles, was die Natur hervorzubringen imstande ist.« Mit ihrer ganzen Nacktheit lehnte sie sich gegen den Teppich, drückte ihre Brüste und ihre Hüfte in das Gewebe. Der Abstand zwischen ihrem und Aurelios Körper schnurrte auf eine Handbreit zusammen. »Ich wünschte nur«, fuhr sie fort, während sie sich langsam von der Vorder- auf die Rückseite drehte, »Alexander hätte nicht sich selbst darin porträtieren lassen, sondern« – ihre Rundungen schmiegten sich noch tiefer in das Gewebe – »einen schönen Jüngling. Mit schwarzen Locken, unergründlichen Augen und dem Körper eines Adonis.«

Allmächtiger! Sie wusste es, musste es wissen. Aphrodite wusste, dass sie beobachtete wurde und dass Aurelio es war, der sich hinter dem Wandbehang verbarg. Atemlos wich er zurück.

»Zeitverschwendung«, hörte er Michelangelo sagen, der sein Skizzenbuch zusammenklappte. »Heute kommen wir nicht weiter.«

Im nächsten Augenblick klopfte es an der Verbindungstür zum Nachbargemach. Eine gedämpfte Stimme war zu vernehmen: »Herrin!«

Aurelio erstarrte vollends.

Aphrodite löste sich vom Wandbehang: »Was gibt es?«, fragte sie durch die Tür.

»Der Heilige Vater!«

»Was ist mit ihm?«

»Er ist hier!«

»Schnell«, zischte Aphrodite, doch Michelangelo war bereits aufgesprungen.

Aurelio konnte im allerletzten Augenblick seine Laterne löschen und sich hinter der halbgeöffneten Tür gegen die Steinmauer drücken, als hastig der Teppich bewegt wurde, sein Meister mit einer Fackel in der einen und seinem Skizzenbuch in der anderen Hand im Laufschritt an ihm vorbeihastete und die Stufen zur Katakombe hinabeilte. Einen Moment lang hörte er noch Michelangelos Schuhe auf den Stufen, und der Aufgang wurde vom Widerschein der Fackel erhellt, dann waren die Tritte verhallt und das Licht erloschen.

Dunkel umfing Aurelio. Lediglich ein spärlicher Lichtstreifen glomm unter dem Teppich. Sein Atem ging wie der eines gehetzten Hundes.

Die Tür zu Aphrodites Gemach wurde unsanft aufgestoßen. Ein warmer Luftzug kroch unter dem Teppich hindurch.

»Geliebter Gebieter!« Aphrodites Überraschung war wenig glaubhaft.

»Du bist ja nackt!«, rief Julius.

»Wie sehr ich Euren Scharfsinn bewundere«, antwortete Aphrodite mit zärtlicher Herausforderung in der Stimme.

»Mir ist nicht nach Scherzen«, stellte Julius fest. »Weshalb läufst du nackt in deinem Gemach herum?«

»Ich habe an Euch gedacht und mich gefragt, wann Ihr endlich kommen werdet, und da ... ist es passiert.«

»Was ist passiert?«

Aurelios Füße tasteten sich an den Teppich heran. Nur der Wandbehang trennte ihn noch von dem sicheren Tod. Er führte sein Auge an die Öffnung. Julius trug einen nachtblauen, mit Goldfäden durchwirkten Umhang aus schwerem Samt. Die Ränder waren mit einem Hermelinbesatz verbrämt. Sein Gesicht, sein gesamter Körper war von Sorge zerfurcht. Aphrodite bewegte sich schwerelos über das Steinmosaik, bis sie vor dem Papst stand. So wie sie eben ihre Hände auf den Teppich gelegt hatte, legte sie sie nun auf Julius' Brust.

»Meine Kleider ... Plötzlich lagen sie auf dem Boden.« Sie ließ eine Hand unter Julius' Umhang gleiten.

Mit einer Bewegung, die von außerhalb seines Körper in ihn hineinzufahren schien, stieß Julius sie von sich weg. »Zieht Euch an«, befahl er. »Ich habe andere Sorgen.«

Durch seine Abweisung wuchs Aphrodite erst zu völler Größe. Mit jedem Fingerbreit ihres Körpers forderte sie ihn heraus. »Welcher Art?«, fragte sie, ohne irgendwelche Anstalten zu machen, sich anzuziehen.

Julius wandte sich ab, als müsse er sich vor ihrem Anblick schützen. »Ludwig«, grollte er, »die Barbaren.«

Aurelio sah, was der Papst nicht sah: wie Aphrodite die Augen verdrehte und den Blick gelangweilt zur Decke richtete. »Gibt es Neuigkeiten?«, fragte sie mit geheucheltem Interesse.

»Das ist es ja, was mich beunruhigt: nichts. Keine Nachrichten. Die Ruhe vor dem Sturm. Wenn ich nachts aus meinem Gemach über die Stadt blicke, dann spüre ich, wie dieser Popanz näher kommt. Ich kann ihn fühlen – wie einen Fluch.«

Katzenartig trat Aphrodite erneut an Julius heran, schlang von hinten ihre Arme um seine Taille, schmiegte sich an ihn und legte ihr Kinn auf seine Schulter. Sie überragte den Papst um etwa einen

Fingerbreit, wie Aurelio bemerkte. Diesmal stieß er sie nicht von sich weg.

»Ist es Gottes Wille, dass ich Italien vom Joch der Franzosen befreie?«, überlegte er, den Blick zur Wand gerichtet.

»Das fragt Ihr mich?«

Langsam drehte er sich um, ergriff sie bei den Schultern und schob sie eine Armeslänge von sich weg. »Sag mir, was ich tun soll!«

Behutsam streifte sie seine Arme ab. »Was hat Alexander getan, um Karl aus Italien zu vertreiben?«

»Alexander?«, Julius spuckte den Namen seines Vorgängers förmlich aus. »Er hat das Reich der Kirche vor die Hunde gehen lassen!«

»Aber hat er nicht auch eine Allianz geschmiedet, die Karl aus dem Land gejagt hat?«

Julius wischte den Einwand mit einer brüsken Handbewegung beiseite. »Er hat mehr Sünden begangen, als in der Bibel aufgezählt sind.«

»Dennoch war er ein kluger Mann.«

Der Papst schnaufte verächtlich. Aber er erhob keine Einwände.

Aphrodite sprach mit der Überlegenheit eines kühlen Kopfes. »Schlau genug jedenfalls, um Euch das Pontifikat abzujagen. War es nicht so?«

»Du meinst, auch ich sollte eine Allianz bilden?«

»Was meint Ihr?«, gab Aphrodite zurück.

»Alexanders Allianz hat nicht verhindern können, dass Karl in Rom einmarschierte und sich der spanische Fettsack in der Engelsburg verkriechen musste.«

»Wann hat er seine Allianz gebildet?«

»Nachdem Karl Neapel erobert hatte«, gestand Julius ein.

Aphrodite schwieg. Sie wusste, wann sie hinter ihrem Herrscher zurückzustehen hatte, um ihm die Illusion seiner göttlichen Auserwähltheit zu erhalten.

»Ich sollte sofort darangehen, eine eigene Allianz zu bilden«, schloss Julius.

Aphrodite schmiegte sich an ihn. »Eine heilige Allianz.«

Aurelio fuhr ein glühendes Messer in die Brust, als er sah, wie die fleischigen, golderstickten Finger des Papstes sich in die seidigen Pobacken Aphrodites gruben.

»Eine heilige Allianz«, wiederholte er.

Aphrodites Arme waren inzwischen vollständig in Julius' Umhang verschwunden. »Zuvor könnten wir beide eine unheilige Allianz bilden«, flüsterte sie.

Julius deutete mit dem Kinn in Richtung des Wandbehangs. »Aber nicht unter den Augen meines unseligen Vorgängers.«

»Kommt«, hauchte Aphrodite.

Mit einem letzten, funkelnden Blick zurück schob sie den Papst vor sich her aus dem Gemach.

✣ ✣ ✣

Langsam drehte Aphrodite ihr Spielbein nach außen, ließ die Hand, die ihre Brust bedeckte, ihren Bauch hinab und entlang der Leiste zu ihrer Scham gleiten. Aurelio glaubte, der Jaguar auf der anderen Seite des Wandbehangs müsse das Blut in seinen Bahnen kreisen hören, so laut pochte es ihm in den Ohren. Aphrodites Brüste hoben und senkten sich in unterdrückter Wollust, ihre Nüstern bebten.

Der Vorfall mit Julius hatte weder sie noch Michelangelo davon abhalten können, die Zeichenstudien fortzusetzen. Statt ihnen eine Warnung zu sein, schien er sie in ihrem Vorhaben noch bestärkt zu haben. Als wären sie sakrosankt, ihre Mission größer als der Machtbereich des Papstes. Aphrodites Hunger danach, von Michelangelo begehrt zu werden, hatte sich im Verlauf der letzten Tage zu einer Obsession gesteigert. Der Papst mochte der mächtigste weltliche Herrscher sein, doch Michelangelo war der Beherrscher der Kunst. Und dass der Bildhauer sich an nichts anderem interessiert zeigte, als sie für seine Skizzen zu gebrauchen, stachelte sie nur umso mehr an. Kein Mann hätte ihr widerstanden. Nur Michelangelo, ausgerechnet er, zeigte sich gegen ihre Verlockungen immun.

»Ich sehe Eure wahre Schönheit.« Aphrodites dunkle Stimme

raspelte wie eine Feile über Marmor. »Julius darf nur glauben, mich zu besitzen. Euch jedoch würde ich mich selbstlos hingeben.«

»Ihr würdet niemals etwas ohne Berechnung tun«, entgegnete Michelangelo.

»Wie grausam das sein muss«, überlegte Aphrodite, »sich aus Angst vor den eigenen Gefühlen zur Kaltherzigkeit zu zwingen. Ihr würdet Euch niemals gestatten, mich zu lieben, nicht wahr? Stattdessen sucht Ihr Zuflucht in Eurer Kunst. Ihr liebt nur das, was Ihr in mir seht.«

Michelangelo blieb scheinbar gelassen: »Wir lieben am anderen immer nur, was wir in ihn hineinsehen. Alles andere ist eine Lüge.«

Jede Zurückweisung von seiner Seite goss zusätzliches Öl in Aphrodites Feuer. »Aber dadurch entgeht Euch das Beste. Wollt Ihr nicht kosten, wovon Julius gekostet hat, nicht in Besitz nehmen, was nur er zu besitzen sich einbildet? Wie könnt Ihr glauben, meinen Körper zu verstehen, wenn Ihr ihn niemals berührt habt?«

»Jeder Tropfen Fleischlichkeit, den ich Euch opferte, würde der Statue später fehlen.«

»Ihr würdet es als Opfer betrachten?«

Michelangelo antwortete nicht. Er war mit Zeichnen beschäftigt. Das Gespräch lenkte ihn nur ab. »Diese Unterhaltung führt nirgendwohin«, sagte er schließlich.

Vor Erregung begann Aphrodites Körper zu vibrieren. Im Schein der Kerzen flammten ihre langen, schwarzen Haare auf. Ein glänzender Film trat aus ihren Poren auf die matt schimmernde Haut. Aurelio meinte, ihren Geruch wahrzunehmen, der ihm süß und bitter zugleich in die Nase stieg und sich von dort wie ein Lauffeuer über seinen Körper ausbreitete und alles verschlang, was einen Augenblick zuvor noch existiert hatte. In diesem Moment verbrannte sich Aurelio an ihr, für immer.

Aphrodite rang mit ihrem Stolz. »Wie könnt Ihr nicht das Leben in mir spüren wollen?«

»Ich spüre es, wenn ich Euch ansehe«, entgegnete Michelangelo, ohne dass sein Stift die Arbeit unterbrach.

»Hier!« Sie führte ihre Hand zurück zu ihrer Brust. »Mein Herz! Das kann Euch doch nicht gleichgültig sein!«

Ihr Spielbein öffnete sich noch weiter, kapitulierte, ihr Körper drängte nach vorne, streckte sich Michelangelo entgegen – wie eine Orchidee, die sich nach dem Licht reckte. In einer letzten Willensanstrengung bogen sich ihre Schultern zurück, ihre Brüste richteten sich auf, aus dem seidigen Fleisch stachen die Brustwarzen hervor und warfen lange Schatten über ihre Höfe.

»Michelangelo!« In einem köstlichen Zustand zwischen Erregung, Empörung und Bewunderung war Aphrodite im Begriff, an ihrer eigenen Begierde zu zerbrechen. Sie balancierte auf dem Rand des Abgrunds, ein Bein über dem Nichts.

In diesen Moment völliger Hingabe hinein rief der Bildhauer plötzlich: »Nicht bewegen!« Hektisch nahm er ein neues Blatt vor.

»Was?« Entsetzt sah Aphrodite ihn an.

»So bleiben!« Michelangelos Rötelstift tastete suchend über das Papier.

»Michelangelo!«, ihre Stimme schmolz zu einem Flehen.

»Nicht einen Fingerbreit!«, mahnte der Bildhauer. Nie hatte Aurelio seine Hand schneller über das Papier hasten sehen. »Endlich …«

XXXVII

»Wann darf ich Euch das nächste Mal erwarten?«, hatte Aphrodite bei ihrem letzten Treffen gefragt – als Michelangelo sie in dieser einzigartigen Haltung eingefangen hatte, die der fleischlichen Begierde ebenso zu entspringen schien wie dem Wunsch nach Erlösung.

»Ich weiß jetzt, wie die Statue aussehen wird«, antwortete der Bildhauer gelassen, »heute habe ich sie zum ersten Mal vor mir gesehen.«

»Und wann werde ich Euch wiedersehen?«, wiederholte die Kurtisane ihre Frage. Noch immer fieberte ihr nackter Körper dem Bildhauer entgegen.

Michelangelo löste sich kurz von der Zeichnung, der er mit weißer Kreide die letzten Glanzpunkte aufsetzte. »Ich habe alles, was ich für die Statue benötige.«

»Was wollt Ihr damit sagen?« Michelangelos Worte hatten ihr einen unsichtbaren Stoß versetzt.

»Ich brauche Euch nicht mehr.«

Selbst der hinter dem Wandbehang verborgene Aurelio musste bei diesen Worten schlucken. Michelangelo hatte Aphrodite zum Leben erweckt, ihr Seele eingegeben, sie aus dem Verlies ihrer Einsamkeit befreit. Jetzt, da sie ihm nicht mehr von Nutzen war, stieß er sie umstandslos in die Dunkelheit zurück.

»Ihr braucht mich nicht mehr?«

Michelangelo hatte die Zeichnung vervollständigt und schob sie vorsichtig in das Geheimfach seiner Mappe. Er blickte Aphrodite an, als habe er ein bockiges Mädchen vor sich. »Von nun an werde ich Eure kostbare Zeit nicht länger in Anspruch nehmen.«

Aphrodites ebenmäßige Gesichtszüge gerieten aus dem Gleichgewicht. Noch immer gab es dieses Leuchten in ihren blauen Augen – die Hoffnung, dass nicht sein konnte, was nicht sein durfte. In ihrem Körper jedoch war die Botschaft bereits angekommen.

»Ihr sprecht von mir, als sei ich bereits vergangen. Dabei will ich spüren, dass ich lebe«, flehte sie. »Lasst mich meine Schönheit spüren!«

»Für derlei Dinge ist Julius zuständig. Mein Auftrag besteht darin, eine Statue zu erschaffen.«

»Julius lässt mich nur spüren, dass ich sterben muss.«

Michelangelo erhob sich: »Ich werde Euch unsterblich machen – wie viel mehr Leben könnt Ihr wollen?«

✢ ✢ ✢

Jedem weiteren Treffen mit Aphrodite widersetzte sich der Bildhauer hartnäckig. Wann immer der Geblendete und der Sprachlose im Seiteneingang der Sistina auftauchten, um ihm die Bitte für ein neuerliches Treffen anzutragen, wies er sie ab. Einmal erschienen sie sogar spätabends bei ihm zu Hause – und das, wo die ganze Stadt wusste, dass Julius' Informanten hinter jedem zweiten Mauervorsprung lauerten. Michelangelo war außer sich. Er reckte seinen Kopf vor und vergewisserte sich, dass niemand in Hörweite war.

»Richtet wem-auch-immer aus, dass sie das fertige Werk in Augenschein nehmen kann, wenn ich es für vollendet erkläre«, zischte er, »keinen Tag früher. Und richtet ihr ebenfalls aus, dass, wenn ihr beide noch einmal die Schwelle dieses Hause betretet, es kein Werk geben wird.«

Die Arbeit am Fresko indessen ging zügig voran – trotz der heißen Monate, in denen bereits das Atmen unter dem Gewölbe zum Kraftakt wurde, sich die Pigmente von selbst verflüssigten und die Farben ständig ineinanderzulaufen drohten. Gelegentlich ließ Michelangelo die Arbeit in der Kapelle für einen Tag ruhen, um sich mit Aurelio im Atelier einzuschließen. Dann stand ihm sein Gehilfe gleich für drei oder vier Figuren Modell, auf Vorrat.

Sein Meister skizzierte alle Figuren, auch die Bekleideten, zunächst nackt. Erst in einem zweiten Arbeitsgang hüllte er sie in Kleider. Anfangs hatte Aurelio sich über diese umständliche Praxis gewundert, doch Michelangelo hatte ihm erklärt, dass die Figuren nur so später von wirklichem Leben erfüllt sein würden. Nachdem Aurelio ihm einige Male dabei zugesehen hatte, verstand er es: Nur dann spürte man den Körper unter dem Gewand, wenn sich tatsächlich einer darunter verbarg.

Auch für die weiblichen Figuren stand Aurelio seinem Meister Modell. Michelangelo wollte keine Frauen in seinem Atelier. Sollte Raffael sich mit ihnen herumschlagen. Diese Fleischlichkeit, diese gebärende Weichheit – wer um alles in der Welt konnte das schön finden? Lieber sollten die für das Fresko vorgesehenen Sibyllen später wie in einem fremden Körper gefangen wirken, als dass Michelangelo ihnen die teigige Schwere des weiblichen Körpers zugemutet hätte. Wenn, wie im Falle der Eva, kein Weg daran vorbeiführte, auch Studien am weiblichen Körper vorzunehmen, oder er einen gealterten Mann brauchte, dann begab sich Michelangelo abends heimlich in die Unterwelt, die Badehäuser der Stadt. Hier fand er alles, was Aurelio nicht war.

Natürlich wurden einige der unterirdischen Dampfbäder nach wie vor zu medizinischen Zwecken betrieben. Die meisten von ihnen hatten sich jedoch längst in Treffpunkte für Huren verwandelt, und nicht selten wurden die Freier direkt an Ort und Stelle bedient. Vor einiger Zeit hatte Michelangelo seinen Gehilfen auf eine seiner »anatomischen Exkursionen« mitgenommen, ihm schwitzende alte Männer gezeigt, die mit vor Anstrengung entstellten Gesichtern in nebeligen Ecken mit gebückt stehenden Frauen kopulierten.

Nichts von dem, was Aurelio bei ihrem Rundgang zu Gesicht bekam, hatte etwas Vergnügliches oder Zärtliches an sich gehabt. Für die meisten schien es einfach nur harte Arbeit zu sein. Am Ende war Aurelio vor allem erschöpft und etwas angewidert gewesen. Michelangelo indessen war von dem tierischen Ringen fasziniert. Auch ihn ekelte der Anblick, zugleich jedoch bereitete ihm sein eigener Ekel einen sonderbaren Genuss.

✢ ✢ ✢

Knapp ein Drittel des Gewölbes war fertiggestellt, als Michelangelo zum ersten Mal einem Außenstehenden einen Blick auf das Fresko gewährte. Mehr noch: Er lud ihn ein, auf das Gerüst zu steigen. Dieser Mann nannte sich Desiderius Erasmus und stammte aus Rotterdam. Michelangelo war ihm bereits in Bologna begegnet, als er dort nach Julius' Feldzug in fünfzehnmonatiger Arbeit die riesige Bronzefigur fertigte, die seither über dem Portal der Basilica di San Petronio thronte und jeden Kirchgänger daran erinnerte, wem die Herrschaft über diese Stadt gebührte.

Erasmus weilte als Gast im Palast des Kardinals Riario, der ihm davon berichtet hatte, dass die Fresken Michelangelos bereits jetzt, da sie erst im Entstehen begriffen waren und niemand ihrer bislang ansichtig geworden war, als neues Wunder Roms gehandelt wurden. Also suchte Erasmus den Künstler kurzerhand in der Kapelle auf. Aus der Begrüßung Michelangelos sprach höchster Respekt, wenn nicht gar Verehrung für den Gelehrten.

»Vielen gilt er als der klügste Kopf Europas«, raunte Piero Aurelio zu, »und er missbilligt den Papst.«

Da sein Meister ihn so ungern von seiner Seite ließ, hatte Aurelio in den anderthalb Jahren, die er jetzt in Rom war, reichlich Gelegenheit gehabt, hochstehende Persönlichkeiten aus nächster Nähe zu erleben. Nach seiner Erfahrung teilten sie sich alle in zwei Arten von Menschen: Die einen ließen sich durch Ruhm, Macht, und Reichtum zu Übermut und Eitelkeit verführen. Zu ihnen zählten Papst Julius und Bramante. Die anderen, unter ihnen Sangallo, hatte ihr Erfolg Demut und Bescheidenheit gelehrt.

Inzwischen hatte Aurelio Übung darin zu erkennen, welchem der beiden Lager eine Person zuzurechnen war. Bei Erasmus von Rotterdam genügte ihm ein flüchtiger Blick: Demut und Bescheidenheit. Seine Haltung, die mitfühlenden Augen, der dezente Aufzug – alles an ihm zeugte davon. Selbst seine überaus prominente und spitz zulaufende Nase, die in einem anderen Gesicht arrogant gewirkt hätte, unterstrich bei ihm nur seine Nachdenklichkeit.

Plötzlich sagte Michelangelo: »Es wäre mir eine Ehre, Euch meine Arbeit zu zeigen.«

Rosselli und Aurelio sahen sich verwundert an, und auch Erasmus war offensichtlich überrascht. Wie Papst Julius, so hatte auch sein Neffe, Kardinal Riario, Michelangelo bereits mehrfach zu überreden versucht, ihm einen Blick auf die unfertigen Fresken zu gewähren. Zweifellos hatte er Erasmus dahingehend instruiert, dass auch er sich keinerlei Hoffnung darauf machen dürfe, die Arbeiten des Künstlers gezeigt zu bekommen.

»Und mir wäre es eine Ehre, sie in Augenschein zu nehmen«, antwortete Erasmus und folgte Michelangelo behände die Sprossen hinauf.

Michelangelo, Rosselli und Aurelio standen auf der Arbeitsbühne und verfolgten gebannt, wie Erasmus mit in den Nacken gelegtem Kopf unter dem Gewölbe umherging. Es war das erste Mal, dass ein Außenstehender sein Urteil abgeben würde. Michelangelo kratzte mit dem rechten Daumen über die linke Handfläche, dann mit zwei Fingern über die rechte Handfläche, dann mit vier Fingern über den linken Handrücken.

Erasmus jedoch war weit davon entfernt, ein Urteil abzugeben. Unter der Delphischen Sibylle mit ihrem jugendlichen Gesicht und den angstgeweiteten Augen setzte er ein Knie auf den Boden und bekreuzigte sich.

Zum Abschied nahm er er Michelangelos Hände in seine: »Ich danke Euch, Maestro Buonarroti. Und ich bete zu Gott, dass er mir die Gnade gewähren möge, eines Tages das vollendete Fresko in Augenschein zu nehmen.«

Michelangelo tat etwas, das er in Gegenwart des Papstes noch nie gemacht hatte: Er verneigte sich ehrfürchtig. Soeben hatte er von höchster Stelle den Segen für sein Werk erhalten.

Später entrollte er auf Erasmus' Wunsch hin den Gesamtentwurf und erklärte ihm, welche Szenen er für den Deckenspiegel und welche Propheten und Sibyllen er für die Flächen zwischen den Spandrillen vorgesehen hatte. Dort, wo die Cumäische Sibylle ihren Platz finden sollte – als Dritte in der Reihe nach der Delphischen Sibylle und Jesaja –, war bislang nur der grobe Umriss einer Figur zu sehen.

»Sie scheint Euch Rätsel aufzugeben«, stellte Erasmus fest.

Es stimmte. Je weiter Michelangelo sich mit dem Fresko zu der Stelle vorarbeitete, an der die Cumäische Sibylle ihren Platz finden sollte, desto drängender wurde die Frage, wie er sie gestalten sollte.

Egidio da Viterbo, führender Hoftheologe des Papstes, hatte Michelangelo gedrängt, die Cumäische Sibylle mit allen einem Künstler seines Ranges zur Verfügung stehenden Mitteln zu verherrlichen. Der Betrachter, so forderte es da Viterbo, solle bei ihrem Anblick sofort daran erinnert werden, dass sie es gewesen sei, die die Geburt Julius II. vorausgesehen habe und mit ihr den Beginn eines neuen, goldenen Zeitalters. Damit bezog sich der Theologe auf eine Weissagung der Sibylle, wonach ein Kind geboren werde, dass der Welt Frieden bringen und sie in ein goldenes Zeitalter zurückführen werde.

Michelangelo konnte da Viterbo ebensowenig ausstehen wie de' Grassi. Wenn man die beiden in einen Sack stecken und mit einem Knüppel darauf einschlagen würde, träfe es nie den falschen. Und wie der Theologe auf die Idee verfallen konnte, dass es sich bei dem Kind aus der Prophezeihung ausgerechnet um Julius handeln müsse, war dem Künstler gänzlich unbegreiflich.

»Da Viterbo möchte die Cumäische Sibylle in äußerster Verherrlichung dargestellt wissen«, erklärte Michelangelo. Sein Tonfall ließ durchklingen, wie unwohl ihm dabei war. »Er ist davon überzeugt, dass sie Julius' Geburt vorausgesagt hat und das Schicksal des Heiligen Vaters als Heilsbringer der Menschheit auf das Engste mit ihr verknüpft ist.«

»Und über die Erde leuchte das goldene Zeitalter …‹«, zitierte Erasmus nachdenklich. »Da Viterbos Deutung dieser Prohezeihung ist mir bekannt.« Er lächelte milde.

Michelangelo wähnte den Gelehrten auf seiner Seite. »Was glaubt Ihr?«, fragte er. »Hatte sie bei ihrer Weissagung tatsächlich Julius im Sinn?«

Erasmus legte die Hände ineinander. »Ich glaube, dass der Geist vieler Menschen von Eitelkeiten verstellt ist und sie nur erkennen können, was sie zu sehen begehren.« Das Lächeln verschwand aus seinem Gesicht. »Die Cumäische Sibylle hat auch noch anderes geweissagt: ›Krieg, schreckliche Kriege, seh ich voraus und wallen vom vielen Blute den Thybris.‹ Mir scheint, Ihr selbst müsst entscheiden, welche Prohezeihung Euch im Bezug auf den Heiligen Vater als die treffendere erscheint.«

Erasmus' Worte arbeiteten in Michelangelo. Es war keine Frage, welche Weissagung die treffendere war: Julius war ein Kriegstreiber, kein Heilsbringer. Doch was bedeutete das für die Darstellung der Cumäischen Sibylle? Erst, als Rosselli, Aurelio und er gemeinsam den Vatikan verließen und an zwei versteinert stehenden Wachen der Schweizergarde vorbeigingen, denen der Schweiß unter den schrägsitzenden Baretten hervorrann, stieß er plötzlich hervor: »Die hässliche Fratze des Krieges.« Sie hatten den Petersplatz bereits zur Hälfte hinter sich gelassen, als er hinzufügte: »Zeit für eine anatomische Exkursion.«

Zwei Tage später war dem Umriss der Cumäischen Sibylle das hässlichste Gesicht gewachsen, das Michelangelo in den Dampfbädern des Borgo Leonino auftreiben konnte, und eines der nackten Kinder, die mit der Sibylle in dasselbe Buch blickten, streckte seinen Daumen zwischen Mittel- und Zeigefinger hindurch.

»Bitte sag mir …« Rosselli deutete auf die ordinäre Geste, seine Stimme hatte einen ungewohnt ernsten Ton angenommen, »… dass du nicht ernstlich beabsichtigst, eine *mano in fica* auf die Decke der Sixtinischen Kapelle zu malen.«

Michelangelo kratzte sich verlegen unter dem Kinn: »Von unten wird es nicht zu erkennen sein«, erklärte er.

»Das ist nicht nur unsittlich«, sagte Rosselli strenger denn je, »es ist in höchstem Maße gefährlich.«

Sein heimtückischer Scherz war Michelangelo sichtlich peinlich. Doch das änderte nichts. »Ich weiß.«

»Das heißt, du tust es dennoch?«

Der Bildhauer verzog entschuldigend die Lippen.

»Sich auf solche Weise zu rächen ist kindisch«, sagte Rosselli.

»Ich räche mich nicht«, erwiderte Michelangelo.

Das wusste Aurelio besser. Die »Feigenhand« konnte gar nichts anderes sein als Michelangelos heimliche Botschaft an Papst Julius, seinen Peiniger. Im Verborgenen und dennoch direkt unter seinen Augen würde er ihn zum Narren halten und seine vergötterte Kurtisane aus dem Marmor meißeln. Sieh her, sagte die Geste: Ich strecke dir den Daumen zwischen Zeige- und Mittelfinger hindurch direkt in dein Gesicht. Und du siehst es nicht einmal!

XXXVIII

So leer hatte Aurelio den Petersplatz noch nie erlebt. Gespenstisch. Vergangene Woche war die Piazza noch rund um die Uhr bevölkert gewesen. Dann allerdings hatte Julius einsehen müssen, dass es inzwischen zu kalt geworden war, um die Arbeiten an Sankt Peter und dem Belvedere-Korridor auch nachts weiterzuführen, und er hatte die nächtlichen Lieferungen einstellen lassen. Seitdem kehrte nach Sonnenuntergang Ruhe ein.

Doch nicht so wie heute. Heute war es, als sei Gott mit unsichtbarer Hand über die Piazza hinweggefegt. Lediglich zwei Hunde lungerten am Brunnen herum, von denen einer schlief und der andere erwartungsvoll auf Aurelio zutrottete, nachdem er dessen Schritte in seinem Rücken gehört hatte.

»Ich hab nichts«, flüsterte Aurelio und ging die Rampe zum Tor hinauf, durch das sich tagsüber der Tross aus Arbeitern, Lieferanten und Pferdefuhrwerken in den Vatikan schob.

Aurelio hoffte, Trost zu finden, Zuversicht, eine Antwort. Oder auch nur Klarheit. Auch damit wäre bereits viel gewonnen. Über sich, Margherita und Aphrodite, über diese widerstreitenden Gefühle, die seine Brust jeden Tag aufs Neue in eine Schlangengrube verwandelten. Aus diesem Grund war er hergekommen. Das wusste er jetzt. Erst war er auf der anderen Tiberseite von der Torre di Nona bis hinunter zum Ponte Sisto gelaufen, anschließend war er so lange durch den Borgo geirrt, bis er schließlich den Petersplatz erreicht hatte. Erst hier war ihm klargeworden, dass seine nächtliche Wanderung ein Ziel gehabt hatte: die Pietà.

Seit Michelangelo ihm damals die Statue der Maria mit dem toten Jesus auf dem Schoß gezeigt hatte, war Aurelio nicht wieder in die kleine Kapelle gegangen. So schön die Statue auch war, sosehr ihn ihr Anblick ergriffen hatte: Die Bereitschaft der Mutter Gottes, sich in ihr Schicksal zu fügen, hatte Aurelio zu sehr an die seiner eigenen Mutter erinnert, damals, als sie ihn das letzte Mal angeblickt hatte. Die Statue hätte Aurelio zwangsläufig auf seine eigene Schuld zurückgeworfen, und dem hatte er sich nicht gewachsen gefühlt – bis jetzt. Heute jedoch würde er sich allem stellen: seiner Schuld, seinen Begierden, Missgunst, Eifersucht, Habgier … All den Gefühlen, die er nie gekannt hatte – bis er nach Rom gekommen war.

Das Tor war verschlossen. Nicht einmal Wachen hatte man davor postiert. Bei dem kleineren Tor, das direkt zu dem kolonnadenumsäumten Kirchenvorplatz führte, war es dasselbe. Auf sein Klopfen hin wurde eine Luke geöffnet.

Das mürrische Gesicht eines Schweizergardisten schob sich hinter die Öffnung: »Was willst du?«

»Ich gehöre der Bottega von Michelangelo Buon…«

»Ich weiß, wer du bist«, schnitt ihm die Wache das Wort ab. »Was willst du?«

»In die Kirche«, antwortete Aurelio.

»In die käme heute Nacht nicht einmal Petrus persönlich hinein. Der Papst hat Anweisung gegeben, alle Pforten zum Vatikan geschlossen zu halten und niemanden einzulassen.«

»Aber weshalb?«

»König Ludwig.«

Aurelio erschrak: »Die Franzosen kommen?«

»Nicht, dass ich wüsste. Aber Julius hatte eine Vision – eine göttliche Eingebung.«

»Er hatte die Eingebung, den Vatikan verriegeln zu lassen?«

»Er hatte eine Eingebung. Mehr weiß auch ich nicht. Komm morgen wieder.«

Mit diesen Worten schloss sich die Luke.

Aurelio stieg die Stufen zum Platz hinab und sog die kühle Nachtluft ein. Er würde seine Antworten ohne den Beistand der Mutter Gottes suchen müssen. Mitten auf den Stufen hielt er inne und ließ seinen Blick über den menschenleeren Platz schweifen. Hier hatte er zum ersten Mal mit seinem Meister gesprochen. Am selben Tag noch hatte ihn Michelangelo in seine Dienste aufgenommen. Vom Tiber kommend, schob sich ein dichter Nebel die Gassen zum Vatikan hinauf. Die Engelsburg war bereits vollständig eingehüllt. Keine Stunde, und man würde vom einen Ende des Platzes das andere nicht mehr sehen. Dem Nebel ging ein feuchter Wind voraus, der, aus verschiedenen Richtungen kommend, sich auf dem Platz vereinigte und die Stufen zu Sankt Peter hinaufblies. Aurelio fror. Doch er wollte nicht nach Hause, nicht in seine Kammer. Dort würde er nicht zur Ruhe kommen.

Der Platz schien ihm verändert. Vielleicht war es nur die Kälte oder der Umstand, dass er so verlassen vor ihm lag. Noch immer beherrschten die Dutzende weißer Marmorblöcke, aus denen Michelangelo das Julius-Grabmal hatte erschaffen wollen, das Zentrum. Und noch immer erweckte ihr Anblick bei Aurelio die Vorstellung, es seien die Zähne Gottes. Er stieg die restlichen Stufen hinab und ging zu den Steinquadern hinüber. Der Regen und die Sonne hatten den Marmor stumpf werden lassen und trüb – wie Tommasos Augen, bevor er gestorben war. Stück für Stück holte sich die Erde zurück, was Michelangelo ihr entrissen hatte. Bald würde der nächste Winter Einzug halten, und auch diesem wären die Blöcke schutzlos ausgeliefert. Aurelio setzte sich auf einen der äußeren Quader. Er spürte die Kälte des Steins durch den Stoff seiner Hose hindurch.

Kaum hatte er sich niedergelassen, trottete erneut der Hund heran. »Ich habe noch immer nichts für dich«, sagte Aurelio.

Der Hund, dem ein halbes Ohr fehlte und dessen Haut auf dem Rücken durch das Fell schimmerte, beschnupperte kurz Aurelios Bauernschuhe, kreiste zweimal um sich selbst und rollte sich schließlich neben ihm zusammen.

»Du hast es gut«, überlegte Aurelio, »bis du aufwachst, hast du mich für immer vergessen.«

✢ ✢ ✢

So plötzlich der Sommer gekommen war, so schnell war er gegangen. Wochen-, ja monatelang hatte Aurelio auf ein Zeichen gelauert, durch das sein Meister sich verraten würde. Doch er hatte sich durch nichts zu erkennen gegeben. Natürlich ahnte Aurelio, dass Michelangelo insgeheim des Nachts an den Entwürfen für die Statue arbeitete, aber wirklich sicher sein konnte er sich nicht. Gelegentlich befiel ihn der Gedanke, sein Meister könne das Projekt aufgegeben haben. Dann musste er sich erst wieder die Nächte hinter dem Wandbehang in Erinnerung rufen, die Leidenschaft und Besessenheit seines Meisters spüren, um zu wissen: Nichts würde ihn von diesem Vorhaben abbringen.

Nicht ein Tag verging, ohne dass er an Aphrodite gedacht hätte, ihren köstlichen, bittersüßen Geruch in der Nase hatte, sie vor sich sah, ihre sich aufrichtenden Brüste, ihre Lapislazuliaugen, an denen er sich für alle Zeit verbrannt hatte. Doch sie begann, sich von ihm zu entfernen, und das erfüllte Aurelio mit wachsender Unruhe. In manchen Nächten gelang es ihm nur noch unter körperlicher Anstrengung, ihre Gegenwart heraufzubeschwören, ihren Körper, die Hände, die über den Teppich geglitten waren, hinter dem sie ihn, Aurelio, gewusst hatte. Seit einigen Tagen kam es vor, dass Aurelio keuchend und mit ausgetrocknetem Mund aus dem Schlaf hochschreckte, sich zu Hause wähnte, auf dem Hof seiner Familie bei Forlì, und einen panischen Moment lang glaubte, dass alles nur ein Traum gewesen war: Antonia, die brennende Scheune, Rom, Margherita, die Sistina, Michelangelo, Aphrodite, einfach alles. Dann nahm die Kammer um ihn herum wieder Gestalt an, und er wusste nicht, was ihm lieber gewesen wäre: die Realität oder dass sich alles als Traum entpuppt hätte.

Was Margherita betraf, so war Aurelio inzwischen so weit, sich zu wünschen, sie möge sich als Traum entpuppen. Er schämte sich seiner Gefühle für sie – dafür, dass sie sich wandelten. Wenn er daran zurückdachte, wie sehr er sie begehrt hatte, gegen seinen Willen, ihren üppigen Körper, ihre Weiblichkeit, wie er erfüllt gewesen war von dem Wunsch, sie zu besitzen … Lange war er im Kreis gelaufen vor Eifersucht, wenn er sich vorstellte, wie sie andere Männer empfing, mit ihnen ihr Bett bestieg. Es hatte ihn wütend gemacht, wie sie über sich und ihren Körper sprach – als sei er lediglich ein Werkzeug, das man bei Bedarf benutzte, um es anschließend achtlos beiseitezulegen. Noch wütender hatte es ihn gemacht, dass es sie nicht zu stören schien, auf diese Weise benutzt zu werden.

Inzwischen waren seine Gefühle im Begriff, sich zu verkehren. Sie wollte sich benutzen lassen? Bitte sehr. Wenn Aurelio ehrlich war: Auf eine heimtückische Weise erleichterte es ihn. Es lieferte ihm einen Vorwand, sich von ihr abzuwenden. Auch dafür schämte er sich. Die Begegnung vorhin, so peinlich sie gewesen war, stellte im Grunde nur den vorläufigen Schlusspunkt einer Entwicklung dar.

Was war geschehen? Nun, Aurelio hatte den Weg genommen, den er jede Woche nahm: an Imperias Villa und der Piazza Scossacavalli vorbei hinunter zur Engelsburg und über die Engelsbrücke, die bereits in Nebel gehüllt war, weshalb die Gespräche und die Geräusche der Nacht wie in Wolle gebettet umhergeisterten. Anschließend hatte er den Weg flussaufwärts zur Torre di Nona eingeschlagen und war schließlich vor Margheritas Haus angelangt, die soeben ihren Balkon wie eine Bühne betreten und die zweite Fackel aufgesteckt hatte, zum Zeichen, dass sie bereit war, Aurelio zu empfangen.

Ihr Kleid war aus nachtblauem Samt, mit einem modischen, eingewebten Muster, das rote Blumenvasen zeigte. Die meisten Vorbeigehenden legten ihre Köpfe in den Nacken, zwei blieben stehen. »Die mit den schönen Kleidern«, flüsterte der eine dem anderen zu.

Sie erkannte Aurelio, lehnte sich leicht gegen die Brüstung, ließ ihr Dekolleté aufleuchten und lächelte auf ihn herab: »Gerade zur rechten Zeit«, sagte sie, und die beiden Stehengebliebenen drehten sich neiderfüllt nach ihm um.

Aurelio versuchte, ihr Lächeln zu erwidern, glitt unter dem Balkon hindurch und wollte gerade die Tür aufdrücken, als sie von innen geöffnet wurde und Granacci vor ihm erschien, edel, aber nachlässig gekleidet und offensichtlich zufrieden mit sich und der Welt. Einen Moment standen sie einander gegenüber, und Aurelio wünschte sich eine Falltür, um im Boden zu versinken.

Granacci schmunzelte. »Lass mich raten«, sagte er, »du wolltest deine kranke Großmutter besuchen.«

Aurelio versank im Boden, ganz ohne Falltür.

Da er unfähig zu einer Antwort war, ergänzte Granacci nach einer Weile: »Na, dann grüß sie schön von mir.«

»Wen?«

»Deine Großmutter«, antwortete Granacci im Hinausgehen. Er hatte getrunken, korsischen Wein. Der Geruch folge ihm auf die Straße.

Die Tür schloss sich. Aurelio stand verloren im spärlich erleuchteten Durchgang. Wusste Granacci von seiner Beziehung zu Margherita? Hatte er am Ende die ganze Zeit über gewusst, dass sie sich dieselbe Kurtisane teilten? Und wenn ja: Was bedeutete das für ihn? Nichts, ging es Aurelio durch den Kopf. Wahrscheinlich würde es Granacci sogar belustigen. Aurelio erging es da ganz anders. Bei der Vorstellung, jetzt mit Margherita in das Bett zu steigen, dass sie eben noch mit Granacci besudelt hatte, kam er sich furchtbar schäbig vor. Alles zwischen Margherita und ihm – wie immer man es nennen mochte – war verlogen. Er war verlogen. Diese ganze Stadt war verlogen! Und jeder schien das normal zu finden.

Im ersten Stock wurde eine Tür göffnet. Margheritas geflüsterte Stimme rauschte die steinernen Stufen hinab. »Geliebter – wo bleibst du?«

Das Parfüm, das Granacci sich großzügig auftupfte, bevor er seine nächtlichen Streifzüge unternahm, hing noch im Raum.

Margheritas Hand kreiste vor seinem Gesicht. Sie hielt etwas zwischen den Fingern. »Nimm«, sie führte die Frucht an seine Lippen, eine getrocknete Feige.

Aurelio wandte den Kopf ab. »Ich will nicht.«

»Sie sind köstlich, glaub mir! Hat mir der apostolische Breven-schreiber …«

»Ich will nicht!«

»Nanu?« Margherita steckte sich die Feige selbst in den Mund und leckte sich die zuckrigen Fingerspitzen ab. »So missgelaunt?«

Aurelio trat an das Fenster und blickte auf den nebelumwa-berten Tiber. »Der Mann, der eben bei dir war, dein letzter … Wer war das?«

Margheritas Kleid raschelte heran. Sie legte eine Wange zwi-schen seine Schulterblätter. Das machte sie immer, wenn er bockig war und sie ihn für sich einzunehmen versuchte. Eine Demuts-geste, mit der sie sich ihre Macht über ihn sicherte. Sich unterwer-fen, um zu beherrschen – niemand verstand sich so gut auf diese Kunst wie Margherita.

»Du bist doch nicht etwa eifersüchtig?« Sie klang, als könne es nichts Schöneres für sie geben.

»Sag mir einfach, wer es war.«

Margherita steckte sich eine weitere Feige in den Mund. »Nicht halb so süß wie du«, stellte sie fest. Endlich löste sie sich von ihm. »Der Künstler, ich hab dir von ihm erzählt. Netter Kerl. Reist stän-dig nach Florenz und bringt mir hübsche, kleine Geschenke mit.«

»Hat er dir nie erzählt, woran er arbeitet?«

»Interessiert mich so etwas?« Sie dachte kurz nach. »Kennst du ihn etwa?«

Aurelio überlegte, ob er ihr sagen sollte, dass Granacci Michel-angelos engster Freund und Vertrauter war und er ihn seit andert-halb Jahren aus der Bottega kannte. Dass sie sogar eine Art Freund-schaft verband, sie gemeinsam teilhatten an der Entstehung des größten Kunstwerks der Menschheit. Doch es hätte Margherita nichts bedeutet. Und wenn schon, hätte sie geantwortet und bei nächster Gelegenheit Granacci davon berichtet, der Aurelio bis zum Ende ihrer gemeinsamen Arbeit mit einem wissenden Grin-sen begrüßt oder, schlimmer noch, vor Michelangelo und Piero bloßgestellt hätte. Andere in Verlegenheit zu bringen war etwas, das Granacci großes Vergnügen bereitete. Aurelio hörte im Geiste bereits seine Stimme: »Wie geht es unserer Kurtisane?« »Hat sie sich von deinem gestrigen Besuch schon erholt?« »Wer ist heute dran, du oder ich? Lass uns würfeln!«

»Nein, ich kenne ihn nicht.«

Margherita wand sich gekonnt um Aurelios Körper und tauchte plötzlich zwischen ihm und dem Fenster auf. »Was immer es da draußen zu sehen gibt: Es kann nicht halb so spannend sein wie das, was dich nebenan erwartet.« Mit diesen Worten zog sie ihn ins Schlafgemach.

Krampfhaft versuchte Aurelio, das Bild von Granacci abzuschütteln, der keine Stunde zuvor an derselben Stelle auf derselben Frau gelegen hatte. Jedenfalls in seiner Vorstellung. Alles fühlte sich falsch an: die Matratze, in die er einsank wie in den Schlamm am Tiberufer, der säuerliche Geruch seines Vorgängers, der Wein, den Granacci nicht ausgetrunken und den Margherita jetzt ihm vorgesetzt hatte, sogar ihr Körper, der sich weich und warm an ihn schmiegte. Zu weich und zu warm. Fühlte er sich bei dem Gedanken an Aphrodite wie ein Ertinkender, so glaubte er, zwischen den Decken Margheritas ersticken zu müssen.

Vergeblich versuchte Margherita, die Leidenschaft ihres Geliebten zu wecken. Doch es regte sich nichts. Je beherzter sie zu Werke ging, desto unmöglicher erschien es Aurelio, sich heute noch so weit zu bringen, dass er in sie eindringen könnte. Nicht einmal der Gedanke an Aphrodite half: Er machte nur, dass Aurelio zugleich ertrank und erstickte.

Margherita, die zwischen seinen Beinen kniete, blickte zu ihm auf, als habe sie Aurelio ein grausames Geständnis entrissen. So etwas war ihr noch nie vorgekommen.

»Es tut mir leid. Es ist …« Aurelio japste nach Luft. Sein Herz schlug in Panik gegen die Brust.

Er musste aus diesem Bett heraus, augenblicklich. Fluchtartig warf er die Beine über den Rand, entstieg dem Bett und ging nervös im Zimmer auf und ab. Sein Herzrasen ließ nach. Schließlich kam es so weit zur Ruhe, dass er wenigstens stehenbleiben konnte.

Margherita hatte sich auf die Seite gedreht, den Ellenbogen aufgestützt, ein Bein aufgestellt, das andere angewinkelt. Ein Jahr zuvor hatte sie mit dieser herausfordernden Haltung noch blinde Gier in ihm entfacht. Ihre Scham glänzte wie schwarzes Moos. Aurelio wusste, dass es sinnlos wäre, Margherita etwas vorzuspielen. Nichts war ihr vertrauter als die Sprache des Mannes. Dennoch versuchte er es. Schließlich war diese Stadt eine einzige große Lüge – und jeder schien das normal zu finden.

»Zu viel Arbeit«, entschuldigte er sich, hob seine Hosen vom Boden auf und drehte sie von links auf rechts.

Margherita antwortete nicht. Misstrauisch verfolgte sie jede seiner Bewegungen. Nachdem er sich angezogen hatte, stand Aurelio unschlüssig vor ihrem Bett. Margherita rührte sich nicht. Sie wartete auf das, was er tun würde.

Aurelio sagte, was offensichtlich war: »Ich gehe jetzt.«

»Du gehörst mir«, antwortete Margherita. »Vergiss das nicht.«

✢ ✢ ✢

Aurelios Fuß war eingeschlafen. Das Kribbeln arbeitete sich langsam den Unterschenkel hinauf. Noch immer saß er auf dem Marmorblock. Der Hund zu seinen Füßen war ebenfalls eingeschlafen. Über dem Gianicolo war der Mond aufgezogen und ließ die Umrisse des Klosters und der Kirche hervortreten. Die Luft selbst schien von einem fernen Leuchten erfüllt, unfassbar wie ein Traum. Die nahezu hundert Marmorblöcke, eigentlich schwer genug, um das Pantheon zum Einsturz zu bringen, hatten all ihr Gewicht abgestreift und wirkten in dem diffusen Licht, als könnten sie sich jederzeit vom Boden lösen und lautlos zum Himmel aufsteigen.

Aurelio betrachtete den lehmigen Platz, der sich in stumpfem Glanz um ihn herum ausbreitete. Bald würde der Regen ihn wieder in eine riesige Schlammgrube verwandeln, in der die Karren feststecken und die Pferde bis zu den Knien einsinken würden. Aus drei Gassen zugleich wallte der Nebel auf den Platz und schloss ihn langsam ein. Er sollte gehen, sich in sein Bett legen und schlafen.

Morgen wartete ein langer Tag in der Kapelle auf ihn. Und Antworten würde er auf diesem Platz kaum finden, jedenfalls nicht heute. Worauf auch? Was gab es schon für Fragen? Aphrodite hatte ihre teuflischen Zähne in sein Herz geschlagen und ihm ihr paradiesisches Gift eingespritzt. Darauf gab es keine Antwort.

Plötzlich vernahm Aurelio das Schlagen von herannahenden Hufen. Noch während er versuchte, die Richtung zu bestimmen, brach ein schwarzes, reiterloses Pferd durch den Nebel und sprengte auf den Platz. Eine Silberdecke aus Mondlicht über den Rücken gebreitet, galoppierte es in wilder Hast an Aurelio und den Marmorblöcken vorbei und tauchte in Richtung Engelsburg wieder in den Nebel ein. Kurz darauf verklang das Klappern der Hufe. Aurelio erwartete, einen abgeworfenen Reiter aus dem Nebel treten zu sehen, doch es geschah nichts. Die sich ausbreitende Stille war vollkommen.

Endlich gelang es ihm, sich zu erheben und den Schlaf aus seinem Bein zu schütteln. Der Hund regte sich nicht. Er würde irgendwann aufwachen und keine Erinnerung mehr daran haben, dass er neben jemandem eingeschlafen war. Aurelio richtete einen letzten Blick zurück auf die schwerelos gewordenen Marmorquader.

Der Schauer durchfuhr ihn, noch ehe er begriff, was der Auslöser dafür war. Ein Erstaunen, das wie ein eisiges Rinnsal sein Rückgrat hinablief. Jetzt wusste er, warum ihm der Platz vorhin verändert erschienen war: Der Marmorblock für die Julius-Statue, die Säule von fünf Ellen Länge, der Block, den Michelangelo eigenhändig aus dem Berg gebrochen hatte, neben dem er geschlafen und den er im aufgehenden Sonnenlicht auf mögliche Adern untersucht, den er berochen und in den er hineingehorcht hatte – er war verschwunden. Aurelio stieß einen unbestimmten Laut aus. Der fehlende Block konnte nur eines bedeuten: Sein Meister musste die Arbeit an der Statue aufgenommen haben. Irgendwo an einem geheimen Ort in dieser Stadt hatte er damit begonnen, Aphrodite aus einem makellosen Marmorblock zu befreien. Und er hatte für sein Vorhaben den Stein ausgewählt, den er ursprünglich für die zentrale Figur des Julius-Grabmals vorgesehen hatte.

Teil V

XXXIX

MICHELANGELO PRESSTE DIE HANDFLÄCHEN gegen die Schläfen.
»Zieh dir ruhig die Kohlenpfanne heran.«

Er kam nicht weiter. Der Druck war zu groß. Er stand auf, legte
das Skizzenbuch auf den Stuhl und begann, mit nach vorne ge-
neigtem Kopf das Atelier abzuschreiten, das richtige Licht zu suchen, die eine Linie zu finden, die Bewegung, die alles in sich einschließen würde: Sehnsucht, Hingabe, das Wissen um die eigene
Vergänglichkeit.

Aurelio ging in die Ecke hinüber. Unter lautem Quietschen zog
er das dreibeinige, schmiedeeiserne Gestell mit der Pfanne in die
Mitte des Raumes. Dankbar rieb er die Hände über der Glut. Seit
zwei Tagen schon hatte er kaum noch Gefühl in den Fingern.

»Kann ich mir etwas anziehen?«, bat er.

»Nein«, antwortete Michelangelo, in den Anblick seines nackten
Gehilfen versunken.

In dieser Stadt war kein Künstler, den Michelangelo als echten
Konkurrenten angesehen hätte. Mit Ausnahme von Raffael. Und
der hatte soeben das Erste der vier geplanten Fresken in Julius' Stu-
dierzimmer vollendet: die Disputa. Der Papst war entzückt, und
Giuliano da Sangallo, der eingeladen worden war, einen Blick darauf zu werfen, hatte eine Skizze der Komposition für Michelangelo
angefertigt. Er sprach von einer »ganz außergewöhnlichen Arbeit«.

Auch Michelangelo war eingeladen worden, Raffaels Werk in Augenschein zu nehmen, was der Bildhauer selbstredend abgelehnt hatte. Einer solchen Einladung zu folgen, noch dazu in aller Öffentlichkeit, wäre einem Eingeständnis gleichgekommen.

Michelangelo kannte seinen Freund Sangallo gut genug, um zu wissen, was es bedeutete, wenn der die Disputa als eine »ganz außergewöhnliche Arbeit« bezeichnete: Raffaels Fresko war überragend, einzigartig, neu. Michelangelo würde sich steigern, sich selbst übertreffen müssen, noch überzeugendere Lösungen finden, noch eindrucksvollere Figuren schaffen müssen. Die wichtigste von allen: der Adam. Noch trennte ihn eine weiße Fläche von zweihundertfünfzig Quadratfuß von dem Paneel, das die Erschaffung des ersten Menschen zeigen sollte, doch bereits jetzt ließ ihm das Motiv keine Ruhe mehr. Also hatte er Aurelio in den letzten Tagen alle nur denkbaren Verrenkungen vollführen lassen.

Er ging zu dem Bett hinüber, das nicht mehr benutzt worden war, seit Giuliano und Agnolo die Bottega verlassen hatten, nahm die zusammengefaltete Decke aus Pferdehaar und breitete sie zu Füßen Aurelios aus. »Versuchen wir es im Liegen«, sagte er.

Aurelio rieb sich mit den angewärmten Handflächen über die Unterarme und setzte sich auf die Decke, die, wenn es kalt und die Luft feucht war, immer ein bisschen nach Stall roch und ihn an zu Hause erinnerte – an den Tag, als er ihren Stall in Forlì niedergebrannt hatte, vor zwei Jahren, in einem anderen Leben, weit, weit weg von Rom.

Michelangelo hielt inne, betrachtete nachdenklich den in Gedanken versunkenen Gehilfen, ging vorsichtig zu seinem Stuhl und trug ihn zu Aurelio hinüber. Lautlos nahm er ein neues Skizzenblatt vor. »Wenigstens das Gesicht hab ich schon«, flüsterte er.

Aurelio hörte ihn nicht einmal.

✣ ✣ ✣

Für Michelangelo war das Jahr mit den üblichen Sorgen und Nöten zu Ende gegangen. Fortwährenden Verdruss bereitete ihm seine Familie. Und die tat ihr Bestes, seinen Sorgenfluss nicht abreißen zu lassen. Wann immer Michelangelo einen Brief von seiner Bank mitbrachte, wo die Post aus Florenz für ihn hinterlegt wurde, ging eine Anspannung durch seinen Körper. Doch kaum hatte er ihn gelesen, sank er in sich zusammen.

Sein Vater Lodovico, der ihn verstoßen hatte, nachdem er hatte einsehen müssen, dass keine Macht der Welt Michelangelo davon abhalten würde, Künstler zu werden (Bildhauer noch dazu!), um sich selbst sowie das Ansehen der Familie mit Marmorstaub zu besudeln – jetzt stürzte er sich plötzlich auf ihn und legte das Schicksal der gesamten Familie in seine Hände. Ebenso erging es Michelangelo mit seinen Brüdern. Alle verließen sich darauf, dass er es für sie richten würde. Am schlimmsten war Giovan Simone. Je erfolgreicher und berühmter Michelangelo wurde, je mehr Arbeit er sich aufhalste, umso untätiger wurde sein kleiner Bruder.

Aurelio wurde das Herz schwer, seinen Meister unter der Last der eigenen Familie in die Knie sinken zu sehen. Er hatte Familie immer als etwas erlebt, das einen aufrichtete und einem Halt gab. Sicher hätte sein Meister ohne diesen Vater und diese Brüder, die sich wie Blutegel in ihn verbissen hatten, weniger geizig und missgünstig werden müssen. In seiner, Aurelios, Familie war immer alles geteilt worden. Und am Ende war es immer genug gewesen. Aber es hatte eben auch jeder seinen Teil dazu beigetragen.

Nachdem sie letztes Jahr so mühsam Giovan Simone wieder losgeworden waren, der sich bei seinem Aufenthalt wie ein osmanischer Pascha aufgeführt hatte, hatten erst Buonarroto und dann Michelangelos jüngster Bruder Sigismondo angekündigt, nach Rom kommen zu wollen, um sich durch ihn eine Stelle verschaffen zu lassen. Buonarroto, den vernünftigsten von ihnen, hatte Michelangelo nach vielen Briefen endlich davon überzeugen können, sein Vorhaben wenigstens vorläufig aufzugeben. Sigismondo allerdings, der zwar weniger unverschämt war als Giovan Simone, dafür aber ebenso faul, schien wild entschlossen zu sein.

Immerhin war Michelangelo diesen Winter über seinen Familienkummer nicht krank geworden. Dafür hatte sich ein anderes Leiden eingestellt. Das Fresko hatte gute Fortschritte gemacht, durch die monatelange Arbeit mit nach hinten gebeugtem Rücken und einem unablässig verrenkten Hals jedoch hatte sich bei Michelangelo eine Sehstörung manifestiert: Seit einiger Zeit konnte er nur noch klar erkennen, was sich über seinem Kopf befand. Um beispielsweise einen Brief zu lesen, musste er ihn mit ausgestreckten Armen nach oben halten, und beim Anfertigen von Skizzen nahm er das Kinn auf die Brust und beugte sich so weit vor, dass seine Nase praktisch das Papier berührte. Manchmal geriet er darüber in rasenden Zorn, bei anderer Gelegenheit machte er sich über sich selbst lustig. In letzter Zeit hatte sich sein Zustand wieder etwas gebessert, doch sie hatten auch seit zwei Monaten das Gerüst in der Kapelle nicht mehr betreten.

Kurz vor dem Jahreswechsel war es so kalt geworden, dass sich der Intonaco nicht mehr hatte verarbeiten lassen. Die Herstellung hatte Aurelio noch erzwingen können, indem er das Wasser künstlich erwärmte, doch spätestens beim Auftragen der Paste auf die Decke hatte der Putz ein Eigenleben entwickelt, das jeden Farbauftrag unmöglich machte. Sie waren nicht die einzigen Leidtragenden. Sogar der Gesang der päpstlichen Kapelle, der die Sistina regelmäßig mit göttlicher Versenkung erfüllte, erstarrte in der eisigen Luft. Statt wohlklingender Töne stießen die Sänger unter Krächzen weiße Dampfwolken aus, was von oben ziemlich lustig aussah.

Julius hatte sich angesichts der Arbeitsverzögerung weniger erbost gezeigt, als zu erwarten gewesen war. Natürlich hatte er nicht wahrhaben wollen, wie äußere Umstände dafür verantwortlich sein konnten, dass man nicht in der Lage war, eine Wand zu bemalen. Seit Bramante ihm die Pläne für den neuen Petersdom vorgelegt hatte, schien er überzeugt davon, dass man sogar den Lauf der Sonne beeinflussen konnte, sofern man sich nur genug anstrengte. Dennoch hatte er es bei einigen Ermahnungen belassen, da er, wie stets, sehr damit beschäftigt war, Krieg zu führen. Sofern er nicht gerade in einen verwickelt wurde, brach er selbst einen vom Zaun. Ohne das Klirren von Schwertern und das Rasseln von Rüstungen in den Ohren schien er sich unvollständig zu fühlen. Jedenfalls verstrich kein Tag, ohne dass er sich dem Gedanken an einen möglichen bewaffneten Konflikt hingegeben hätte wie andere dem Liebesakt. Das Gefühl ständiger Bedrohung erregte ihn. Glücklicherweise musste er sich kaum darum sorgen, dass ihm die Konflikte ausgehen könnten, schließlich gab es neben Ludwig, der wie ein Damoklesschwert über Italien schwebte, noch die Venezianer, die, solange sie noch ein Dutzend halbwegs aufrecht stehender Männer zusammenbrächten, keine Ruhe geben würden.

Noch bevor die Republik Venedig die Niederlage bei Agnadello richtig verdaut hatte, war ihr territorialer Hunger bereits wieder so groß gewesen, dass sie sich Mantua und Padua einverleibt, ihren Blick nach Ferrara gerichtet und sich dabei gierig die Lippen geleckt hatte. Ende des Jahres war es dann so weit gewesen: Im peitschenden Dezemberregen steuerten die Venezianer ihre Galeeren den Po flussaufwärts. Julius schäumte angesichts solcher Vermessenheit. Doch er sollte seine Genugtuung bekommen. Die Venezianer hatten ihre Rechnung ohne den Regenten von Ferrara gemacht, den knurrigen Alfonso d'Este, Kommandeur der päpstlichen Truppen in der Liga von Cambrai und für nichts auf der Welt mehr zu begeistern als für seine Kanonen. Anders als Julius rieb sich Alfonso die Hände, als er von dem Vorhaben der Venezianer erfuhr, ließ seine geliebten Geschütze in Stellung bringen und wartete geduldig, bis die republikanische Flotte sich in ihr eigenes Verderben manövriert hatte. Dann ließ er die so ruhmreichen Galeeren zu Kleinholz zerschießen, ehe die Venezianer Gelegenheit hatten, zweimal tief Luft zu holen.

Gestern, zwei Monate später und nicht zufällig mitten während der Karnevalsfeiern, hielt Julius den Zeitpunkt für gekommen, seine Genugtuung öffentlich zu zelebrieren und die venezianische Abordnung im wahrsten Sinne des Wortes zu Kreuze kriechen zu lassen. Während die Bürger Roms Stiere durch die Gassen trieben und man Krüppel, Pferde und kostümierte Juden auf der Via del

Corso Wettrennen austragen ließ, sprach Julius die venezianische Republik feierlich von ihren Sünden gegen die Kirche frei.

Rosselli, Michelangelo und Aurelio waren bei der Zeremonie zugegen. Der Petersplatz barst vor Schaulustigen, die angetrunken und in zum Teil aberwitzigen Kostümen das heilige Ritual verfolgten. Viele stampften sich die Kälte aus den Beinen, und als die fünf in Scharlachrot gekleideten Venezianer erst Julius' Fuß küssen und sich anschließend vor ihn niederknien mussten, grölte ein Harlekin »tiefer, tiefer!« und erntete mehr Gelächter als während eines ganzen Wochenendes im Circus Agonalis.

Michelangelo grollte die ganze Zeit über, zum einen, weil mehrere Dutzend Zuschauer seine Marmorblöcke als Tribüne nutzten, zum anderen wegen der Art, wie sich der Papst in Szene setzte. Er thronte am Kopf der Freitreppe, Bibel und Kreuzstab für jedermann sichtbar in Händen, hinter sich die Reste der alten Petersbasilika. Der päpstliche Chor hatte im Halbkreis um ihn Aufstellung genommen. Das Verlesen der Klauseln ging vollständig im Gemurmel der Menge unter, anschließend hob der Chor zu singen an: *Miserere mei Deus secundum magnam misericordiam tuam …*

»Popanz«, knurrte Michelangelo nur, als sich Julius endlich von seinem Thron erhob und den Bannstrahl löste, der Venedig aus der kirchlichen Gemeinschaft ausgeschlossen hatte, indem er jedem der Abgesandten einmal seinen Kreuzstab auf die Schulter legte.

Der Preis Venedigs für die Aussöhnung war, neben der zu erduldenden Schmach, die Aufgabe sämtlicher Ansprüche auf die Romagna sowie die Abtretung aller Besitzungen auf dem Festland.

Michelangelo wandte sich ab und verschwand in der Menge, während die Sorge um den nächsten Krieg lustvoll in Julius' Adern zu kreisen begann. Der Friedensschluss zwischen dem Kirchenstaat und Venedig würde Ludwigs Gallensäfte zum Kochen bringen.

✠ ✠ ✠

»Stütz dich auf den Ellenbogen und streck den anderen Arm in die Luft«, riss Michelangelo seinen Gehilfen aus den Gedanken.

Aurelio blickte bittend zu ihm auf. »Meine Glieder sind steif wie Holz.«

»Dann stell dir vor, durch deine Finger würde göttliche Kraft in dich einfließen und deinen gesamten Körper mit Wärme erfüllen.«

Aurelio versuchte es.

Michelangelo stand auf, ging im Kreis um Aurelio herum, hockte sich hin und neigte seinen Kopf, um ihn richtig sehen zu können. »Hm«, machte er, wandte seinem Gehilfen den Rücken zu und kehrte zu seinem Schemel zurück. »Hm.«

»Mein Arm«, sagte Aurelio.

Michelangelo rückte den Sitz etwas nach rechts, setzte sich, senkte seinen Kopf, stand auf, rückte den Schemel nach links, setzte sich wieder. »Ist es das?«, überlegte er laut.

»Ich kann ihn nicht mehr halten«, sagte Aurelio.

»Möglicherweise.« Er zog den Schemel eine Handbreit nach vorne und leckte abwesend den Rötelstift an. »Möglicherweise ist es das.«

»Meister!«

»Was?«

»Ich kann den Arm nicht mehr halten!«

»Dann stell von mir aus das hintere Bein auf und leg den Arm auf dem Knie ab. Und unterbrich mich nicht dauernd!«

Für lange Zeit war nur noch das Pfeifen seiner Nase und das Kratzen des Stiftes auf dem Papier zu hören, während Aurelio, eingehüllt in den Geruch der Decke, in seiner Vergangenheit versank, die so seltsam fern war und doch so verzweifelt nah und die erfüllt war vom leisen Rauschen goldener Ähren, dem warmen Glanz eines sich im Wind wiegenden Weizenfeldes und von der bedingungslosen Liebe seiner Eltern.

Irgendwann fanden auch fremde Gerüche Eingang in seine Erinnerungen – Fisch, Kartoffeln –, und noch bevor Aurelio Gelegenheit hatte, ihnen auf die Spur zu kommen, sagte eine Stimme: »Adam?«

Vor Schreck schnellte Michelangelos Oberkörper zurück. Weder er noch Aurelio hatten bemerkt, dass Rosselli hereingekommen war. Ein warmer Lufthauch trug die Gerüche aus der Küche in die Werkstatt.

»Was willst du?«, herrschte Michelangelo den hinter ihm Stehenden an.

»Ich habe Essen gemacht«, sagte Rosselli entschuldigend.

»Ihr immer mit Eurem Essen!«

Rosselli legte den Kopf auf die Seite und betrachtete über die Schulter seines Freundes hinweg die Zeichnung. »Ist das der Adam?«

Michelangelo knurrte etwas Unverständliches, erhob sich, sagte, »Schluss für heute, Aurelio«, klemmte sich seine Skizzenmappe unter den Arm und eilte aus dem Atelier, wobei er mit der Schulter gegen den Türstock stieß, weil er vergaß, den Kopf zu senken.

Aurelio war aufgestanden und hatte einen fragenden Blick mit Rosselli gewechselt, als Michelangelo, in seinen braunen Kapuzenmantel gehüllt, zurückkehrte. »Also schön, Piero«, knurrte er, ohne ihn dabei anzusehen. »Jetzt, da du die Zeichnung gesehen hast: Was denkst du?«

»Kann ich ihn noch einmal sehen?«, antwortete Rosselli.

Widerwillig klappte Michelangelo die Skizzenmappe auf.

»Es ist der Adam, nicht wahr?«, fragte Rosselli.

»Hm.«

Aurelio, der sich die Decke umgelegt hatte, trat ebenfalls hinzu. Beim Anblick der Zeichnung kam es ihm vor, als habe sein Meister ihm den Brustkorb geöffnet und sein Herz bloßgelegt. Oder war es umgekehrt? Hatte Michelangelo sich selbst die Brust aufgeschnitten und ihm, Aurelio, sein Herz bloßgelegt? Es war nicht zu sagen. Ist es das?, hatte sein Meister sich selbst gefragt. Nun, wenn es nach Aurelio ginge, dann war es das. Die Art, wie Adam seinem Schöpfer den Kopf zuwandte, die Bewegung, mit der er ihm die Hand entgegenstreckte … Es war, als ahne er bereits, dass der göttliche Atem ein unumkehrbares Schicksal über ihn bringen würde, ohne es jedoch ermessen zu können – dass eine Seele zu besitzen Leid bedeutete und eine ewige, unstillbare Sehnsucht. Und dennoch reckte er den Arm, um dieses Schicksal zu empfangen.

Ein trauriges Lächeln warf einen flüchtigen Schatten auf Rossellis Gesicht. Lange schon hatte er zu akzeptieren gelernt, dass Michelangelos Meisterschaft unerreichbar für ihn bleiben würde. In seltenen Momenten jedoch konnte ihm diese Erkenntnis noch immer einen Stich versetzen.

»Willst du wirklich wissen, was ich denke?«, fragte Rosselli seinen Freund.

»Hätte ich sonst gefragt?«

Rosselli warf einen letzten Blick auf die Zeichnung. »Dahin«, er deutete mit dem Kinn auf das Blatt, »wird dir niemand mehr folgen.«

»Gut«, sagte Michelangelo und klappte die Mappe zu.

Er verließ das Atelier, einen Augenblick später ging die Haustür.

Die Vigil war bereits vergangen, als Michelangelo zurückkehrte. Er bemühte sich, möglichst leise zu sein. Aurelio hörte ihn dennoch. Im Gegensatz zu Rosselli, den nicht einmal ein Trupp Geharnischter geweckt hätte, wurde Aurelio immer wach, sobald jemand den Riegel an der Haustür bewegte. Und während Michelangelo die Stufen zu seiner Kammer hinaufstieg, sein Bett knarrte, um kurz darauf für den Rest der Nacht zu verstummen, wälzte sich Aurelio auf seinem Lager und konnte keinen Schlaf mehr finden.

✢ ✢ ✢

Seit sie die Arbeiten in der Sistina unterbrochen hatten, ging das schon so. Wann immer seine Geduld mit der Komposition des Freskos erschöpft war, schlich Michelangelo sich wie ein Dieb aus dem Haus, um erst bei Tagesanbruch zurückzukehren, drei, manchmal vier Stunden zu schlafen und mit neuer Kraft und gereinigtem Geist die Zeichenstudien mit Aurelio fortzusetzen.

Aurelio fühlte sich betrogen. Er wusste, wohin es Michelangelo in diesen Nächten zog: Er flüchtete sich in den Marmor. Die Statue, Aphrodite – sie war sein Lebenselixier. Für das Fresko war ihm sein Gehilfe unentbehrlich, seine eigentliche Bestimmung aber hielt er vor ihm geheim. Aurelio gestand es sich nur widerwillig ein, doch er war eifersüchtig – wie eine Frau, die ahnte, dass ihr Mann eine Geliebte hatte. Wie Margherita, die spürte, dass Aurelio sie nur noch benutzte, um seine Begierden und Sehnsüchte zu stillen, während seine wahre Leidenschaft einer anderen galt. Hinzu kam die Eifersucht auf Michelangelo, der von Aphrodite begehrt worden war wie kein anderer Mann vor ihm und der sie jetzt in Marmor meißeln würde, als gehöre sie ihm allein.

Piero, der von alldem nichts wusste, hätte zumindest einen Verdacht haben können. Schließlich gab es nur eine Sache auf der Welt, die Michelangelo so sehr zu sich selbst finden ließ. Die einzige Erklärung jedoch, mit der Piero aufwartete, war, dass auch Michelangelo neuerdings Gefallen an käuflicher Liebe gefunden haben könnte. Die war schließlich jedermann in dieser Stadt zugänglich, unabhängig von seiner Neigung.

Oft verspürte Aurelio den Impuls, seinem Meister heimlich zu folgen. Doch er wagte es nicht. Michelangelo fühlte sich permanent bedroht und witterte an jeder Straßenecke jemanden, der ihm nachstellte. Und dann würde er ihn womöglich zurückstoßen – in ein Leben voller einfacher, ehrlicher Arbeit, voller genügsamer Zufriedenheit, voller Gleichförmig- und Bedeutungslosigkeit. Ihm zu folgen und dabei unbemerkt zu bleiben war praktisch unmöglich. So blieb Aurelio nichts anderes übrig, als sich auf seinem Lager zu wälzen und mit seiner Eifersucht zu ringen, mit seinen Sehnsüchten und Begierden, seiner gleichermaßen verzweifelten wie hoffnungslosen Liebe. Im Grunde erging es ihm wie seinem Meister – mit dem Unterschied, dass Michelangelo die Möglichkeit hatte, den Empfindungen, die ihn zu ersticken drohten, einen Ausdruck zu verleihen, einen Sinn zu geben, sie unsterblich zu machen.

XL

MIT GESPREIZTEN BEINEN stand Aphrodite über ihm und wollte gerade ihr zu einer Schnecke gewundenes Haar lösen, als zwei dumpfe Schläge und das Krachen von berstendem Holz Aurelio aus dem Schlaf rissen. Die Erschütterung ließ die Wände erzittern. Er spürte einen Körper neben sich. Margherita. Nicht Aphrodite. Ihr Bett. Ihr Schlafzimmer. Auch sie war aufgeschreckt. Dumpfes Gepolter durchdrang die Wände. Die Wohnungstür, jemand hatte die Wohnungstür eingeschlagen! Weiter kam Aurelio nicht, denn in diesem Moment wurde mit solcher Wucht die Schlafzimmertür aufgestoßen, dass das obere Band aus der Verankerung platzte. Drei maskierte Männer in schwarzen Umhängen stürmten herein.

»Nein!«, schrie Margherita, ohne zu wissen, was vor sich ging, »nicht, bitte!«

Zu mehr hatte sie keine Gelegenheit. Einer der Männer – ein riesiger Schatten – riss sie aus dem Bett und schleifte sie an einem Arm hinter sich her über den Fußboden. Aurelio sprang auf, hatte aber nur noch Gelegenheit, einen eisenbewehrten Söldnerstiefel aufblitzen zu sehen, bevor der ihn in den Magen traf und mit dem Hinterkopf gegen die Wand taumeln ließ. Innerhalb eines Augenblicks wich sämtliche Luft aus ihm. Nur die kalte Wand, gegen die sein nackter Körper geschleudert wurde, stützte ihn noch. Auf der anderen Seite des Zimmers trat der kleinste der drei Männer, der sich bis dahin nicht gerührt hatte, vor Margherita, während der Hüne ihr scheinbar mühelos die Arme auf den Rücken drehte und ihren Oberkörper aufrichtete.

»Nicht das Gesicht!«, schrie sie und wandte den Kopf ab.

Aurelio spürte die Ohnmacht wie eine Furie in sich aufsteigen. Nie wieder, so hatte er sich damals geschworen, nie wieder würde er zulassen, dass dieses Gefühl von ihm Besitz ergriff. Und jetzt fraß es sich durch Mark und Bein wie ein Lauffeuer. Derjenige, der ihm seinen Stiefel in den Bauch gerammt hatte, hielt inzwischen einen Katzbalger auf ihn gerichtet, dessen Parier sich wie eine Schlange um seine schwarz behandschuhte Hand wand. Aus dem Augenwinkel sah Aurelio, wie der Kleine seine Finger um Margheritas Kinn legte und ihr Gesicht nach vorne zwang, während seine freie Hand einen Gegenstand aus seinem Umhang zutage förderte, der nach einer beiläufigen Drehung des Handgelenks gefährlich zu schimmern begann.

»Ich flehe Euch an«, presste Margherita heraus, der bereits Tränen über die Wangen liefen, »nicht mein Gesicht!«

Ein Rasiermesser. Der Kleine hielt ein Rasiermesser in der Hand.

»Nein!«, brüllte Aurelio aus voller Kehle, schlug den Arm mit dem Katzbalger aus dem Weg und drängte vorwärts, doch bevor sein Aufschrei verklungen war, bohrte sich bereits der kugelförmige Knauf des Kurzschwertes in seine Brust und schleuderte ihn erneut gegen die Wand. Der Schmerz durchdrang ihn wie eine glühende Lanze und brannte sich in sein Rückgrat. Er sah noch die zwei schnellen, unscheinbaren Bewegungen des Kleinen, wie um etwas aufzufangen, und hörte, wie Margheritas Schreie in einem Gurgeln untergingen, dann sackte er in sich zusammen. Das Letzte, was er wahrnahm, bevor er sein Bewusstsein verlor, war der Geschmack seines Erbrochenen.

✣ ✣ ✣

Als Aurelio wieder zu sich kam, stand Margherita mit vor Entsetzen geweiteten Augen vor ihm und presste sich die Hände auf die Wangen. Unaufhörlich sickerte das Blut zwischen den Fingern hindurch, lief in breiten Bändern ihre Arme hinab, über ihren Hals, ihre Brüste, ihren Bauch, rann ihre Schenkel hinab und tropfte von ihrer Scham. Nachbarn stürmten herein, hektische Fackeln tanzten durch den Raum. Margherita wurde in einen Mantel gehüllt, ihr Gesicht mit einer Stoffbahn umwickelt. Aurelio glaubte das Wort Sfregia zu hören, unten, auf der Straße, wurde nach einer Kutsche gerufen. Zwei Frauen stützten Margherita und drängten sie aus der Wohnung.

Eine ältere Frau, die Aurelio als Ruffiana, als Kupplerin, bekannt war, stand vor ihm und schwenkte etwas Schwarzes in ihrer Hand. Eine Trikothose. *Seine* Trikothose. Er täte besser daran, sich schleunigst zu verdrücken, bevor die Sbirri auftauchten. Niemand wolle gerne mit einer Sfregia in Verbindung gebracht werden. Also stimmte es. Abwesend nahm Aurelio die Hose entgegen, stand auf, suchte seine Kleidungsstücke zusammen, folgte der blutigen Spur, die Margheritas Füße hinterlassen hatten, stolperte benommen die Stufen hinab und trat schließlich halbnackt auf die Straße.

Der Regen warf sich gegen sein Gesicht und seinen Oberkörper. Auf dem Tiber kräuselte sich das Wasser, im Schein der Fackeln an der Engelsburg folgte eine Regenwelle auf die nächste. Dort, wo Margherita in die Kutsche gesetzt worden war, glänzte der Umriss einer Blutlache auf dem Pflaster. Der eisige Regen jedoch, der seit zwei Tagen auf die Stadt niederging, löste ihn bereits auf. In wenigen Augenblicken würde nichts mehr auf das Unglück hindeuten, das sich hier ereignet hatte. Umständlich streifte sich Aurelio sein Hemd über, setzte sein Barett auf und hüllte sich in seinen Umhang. Noch immer fuhr ihm mit jedem Atemzug ein stechender Schmerz in die Brust.

Eine Sfregia, das war allgemein bekannt, bedeutete zwangsläufig das Ende einer jeden Kurtisanenlaufbahn. Sämtliche Träume und Pläne Margheritas waren heute Abend durch zwei kurze Bewegungen zerstört worden. Eine Sfregia. Auf diese Weise rächten sich abgewiesene Freier oder eifersüchtige Liebhaber an den Frauen, die sie begehrten. Wenn ich sie nicht besitzen kann, so die Aussage, dann darf auch kein anderer sie sein Eigen nennen. Zwei Schnitte quer über die Wangen der Frau, und ihr Leben als Kurtisane gehörte unwiderruflich der Vergangenheit an. Manche Freier rächten sich selber, andere – wie dieser – ließen sich rächen.

Und wieder hatte Aurelio tatenlos zugesehen. Erst hatte er seine Mutter nicht beschützt, jetzt seine Geliebte. Wann immer ihm Gott eine entscheidende Prüfung auferlegte, versagte er. Warum? Was Margherita anging: Sie hatte ihren Mann betrogen, ihn in seinem eigenen Haus eingesperrt, zigfachen Ehebruch begangen. Vielleicht hatte Gott sie für ihre Sünden gestraft. Doch es konnte unmöglich Gottes Wille gewesen sein, dass seiner Mutter das Schicksal widerfuhr, das ihr widerfahren war. Warum also? Gott! Warum?

Was würde aus Margherita werden? Mit Glück könnte sie in den Borgo Leonino zurück, um sich als einfache Hure zu verdingen. Vielleicht fand sich ein Puttaniere, ein Zuhälter, der sie halbwegs anständig behandelte und sie besser vor eifersüchtigen Freiern schützte, als Aurelio es getan hatte. Nach einer Sfregia jedoch war selbst das unwahrscheinlich. »Heilige Mutter Gottes«, flüsterte Aurelio, »bitte hilf ihr.«

Bis Aurelio das Geklapper der heransprengenden Pferde wahrnahm, schossen sie bereits aus den Gassen. Sbirri, zu Pferde. Eine nackte, stadtbekannte Kurtisane, die einer Sfregia unterzogen worden war – das ließ man sich nicht entgehen. Gleich würde es hier von Sbirri nur so wimmeln. Aurelio stolperte vorwärts, bog in die erste unscheinbare Gasse ein und verschwand in der Nacht.

Auf dem Weg zum Ponte Sant'Angelo wurde Aurelio im Vorbeigehen von einem Mann angerempelt, der im Laufschritt und mit gesenktem Kopf durch den Regen eilte. Doch statt sich zu entschuldigen, zog der Mann die Kapuze nur noch tiefer in die Stirn. Aurelio, der noch in den Ereignissen der vergangenen Stunde gefangen war, begriff erst, wer da soeben an ihm vorbeigegangen war, als der Mann bereits die Torre di Nona erreicht hatte. Und das, wo Aurelio doch den gehetzten, abgehackten Gang und den nach vorne geneigten Oberkörper mühelos unter Tausenden erkannt hätte.

Ihr werdet Margherita nicht antreffen, dachte Aurelio. Sie ist nicht zu Hause und wird so bald auch nicht wiederkommen. Und erst, als Aurelio die Widersinnigkeit dieses Gedankens erkannt hatte, wurde ihm klar: Michelangelo war nicht auf dem Weg zu Margherita. Natürlich nicht. Was hätte er schließlich mit einer Kurtisane anfangen sollen, außer sie zu zeichnen? Vielmehr musste er sich auf dem Weg zu seiner geheimen Werkstatt befinden!

Sein Meister war bereits in eine Seitengasse eingebogen, als Aurelio ihm endlich nachlief. Er erreichte die Ecke des Wehrturms gerade noch rechtzeitig, um zu verfolgen, wie Michelangelo in die nächste namenlose Gasse eintauchte. Kaum hatte Aurelio diese erreicht, war sein Meister verschwunden. Er spitzte die Ohren. Außer dem Pochen seines Herzschlags war noch ein weiteres Pochen zu vernehmen – die kurzen, schnellen Schritte Michelangelos. Aus einem Torbogen. Sollte sein Meister hier seine geheime Werkstatt betreiben? Das hätte niemals unbemerkt bleiben können. Aurelios Nackenhaare stellten sich auf, als er den Torbogen durchschritt.

Er fand sich auf einem unerwartet großen Innenhof wieder, in dessen Zentrum sich ein palmenumstandener Brunnen befand. Das hatte Aurelio über diese Stadt gelernt: Die Schönheit traf einen oft unerwartet. Doch wo war sein Meister? Auf den nassen Travertinplatten waren noch die Abdrücke seiner Stiefel zu erkennen. Sie führten zur einen Seite in den Hof hinein und zur anderen wieder hinaus. Offenbar hatte er den Weg nur gewählt, um in eine Parallelgasse zu gelangen. Aurelio folgte den Stiefelspuren, die ihn in eine gespenstische Gasse führten, und erblickte den Umriss von Michelangelos wallendem Kapuzenumhang, der sich in Richtung der Ripetta, des Hafens, entfernte.

Von jetzt an war es einfacher, Michelangelo zu folgen. Der aufgeweichte Lehmboden hielt die Stiefelabdrücke fest. Je näher sie der Ripetta kamen, der gefährlichsten Gegend zwischen dem Tiber und der Via del Corso, desto weniger Menschen begegneten Aurelio und desto weniger Stiefelabdrücke musste er auseinanderhalten. In diese Gegend wagte sich nach Anbruch der Dunkelheit nur noch, wer nichts zu verlieren oder nichts zu fürchten hatte. Oder wer unerkannt bleiben wollte. Aurelio passierte die ausladende Freitreppe, die zur Anlegestelle hinunterführte, dahinter gurgelte, in schwarzes Nichts gehüllt, der Tiber. Auf der anderen Uferseite hatte die Bebauung längst aufgehört. Dort befand man sich außerhalb der Stadtmauern.

Oberhalb des Hafens zog sich eine lange Reihe gemauerter Schuppen entlang des Tiber nach Norden. Die meisten dieser Verschläge hatten bereits etliche Hochwasser überstanden, ohne dass sich jemand die Mühe gemacht hätte, die Schäden anschließend auszubessern. Doch sie waren mit massiven Türen und schweren Schlössern versehen. Viele Händler, deren Waren auf dem Seeweg nach Rom kamen, nutzten sie als Lager. Ein idealer Ort, wie Aurelio erkannte. Tagsüber belebt, nachts jedoch menschenleer. Gut gesichert. Und Michelangelo konnte die ganze Nacht hindurch den Schlägel schwingen, ohne dass jemand Anstoß daran nahm. Mitten in der Stadt und dennoch völlig im Verborgenen.

Die Ränder eines der Fensterverschläge begannen zu glimmen. Es war vergittert, die daumendicken Eisenstangen im Mauerwerk eingelassen. Aurelio hörte das Knacken von Kohlen. Der feine, stechend-klare Geruch des Marmors, der ihm aus der Bottega vertraut war, kitzelte ihn in der Nase. Er schlich zur Tür und legte sein Ohr an das kalte, taubeschlagene Holz. Kein menschliches Geräusch. Nur das Knacken der Kohlen. Der Wind wehte den Regen direkt in den Kragen seines Umhangs. Aurelio begann, die Kälte zu spüren, den Wind, die Müdigkeit, das Gewicht der letzten Stunden, die Enttäuschung.

Margherita – was sollte aus ihr werden? Und was machte er hier, im Regen, vor dieser Tür? Sein Umhang wurde schwerer und schwerer. Er bemerkte eine Ratte, die zwischen seinen Füßen Schutz vor dem Regen suchte. Hier am Tiber gehörte die Stadt ihnen. Sie waren eine unliebsame Tatsache, gegen die aufzubegehren die Römer längst aufgegeben hatten. Irgendwer hatte behauptet, sie brächten die Pest. Doch das war Gassengeschwätz, wie es die Waschweiber so gerne verbreiteten. Genauso wie die Sache mit den Juden. Früher hatte man geglaubt, die Juden seien schuld an der Pest, weil sie heimlich die Brunnen vergifteten. Inzwischen wusste man längst, dass auch das nicht stimmte. Aurelio stieß dem Nager seinen Bauernschuh in die Seite und erschrak über sich selbst. Seit wann fügte er den Geschöpfen Gottes grundlos Leid zu?

Der Tritt fiel heftiger aus als beabsichtigt, riss die Ratte von den Beinen und schleuderte sie gegen die Tür. Mit einem empörten Fiepen verschwand sie Richtung Fluss – so wie Aurelio, der ihr eilig folgte, als er die raschen Schritte seines Meisters im Schuppen vernahm. Gerade noch rechtzeitig, bevor die Tür geöffnet wurde, hastete er auf schmatzenden Sohlen um die Ecke und drückte sich gegen die Rückwand. Der Tiber war angeschwollen und leckte an Aurelios ohnehin durchnässten Schuhen. Der schloss die Augen und flehte zu Gott, dass sein Meister ihn nicht gehört hatte.

Das Prasseln des Regens auf dem Windschutz kündigte die Laterne an, die sich an der Mauer vorbeischob. Michelangelo hatte sich mit einem Fäustel bewaffnet. Als er seinen Gehilfen erblickte, der mit zusammengekniffenen Augen im Regen stand wie ein Kind, das glaubt, nicht gesehen zu werden, solange es die Augen geschlossen hält, ließ er beides sinken. Aurelio kniff weiter die Augen zusammen und wartete auf Michelangelos Wutausbruch, der unweigerlich kommen musste. Doch er kam nicht.

»Ich sehe dich«, sagte Michelangelo nur, als Aurelio keinerlei Anstalten machte, sich zu regen.

Sein Gehilfe ließ die Schultern sinken und blickte ihn an, als erwarte er, zur Schlachtbank geführt zu werden. Überall tropfte Wasser von ihm herab. Er unternahm nicht einmal den Versuch einer Erklärung.

»Gut«, entschied Michelangelo, dem die schwarzen Haare bereits in Striemen auf der Stirn klebten, »erspare uns deine Ausflüchte.« Seine Augen lagen so tief in den Höhlen verborgen, dass Aurelio nur zwei schwach glänzende Punkte sah. »Geh nach Hause, leg dich schlafen und vergiss, dass du je hier warst.«

Die tropfende Trauergestalt entgegnete trotzig: »Aber Ihr schlaft doch auch nicht.«

»Schlaf ist für die anderen, Aurelio. Das solltest du inzwischen gelernt haben. Geh nach Hause, leg dich ins Bett und kehre nie wieder an diesen Ort zurück.«

»Ich … Ich kann nicht.«

»Du kannst nicht?«

Aurelio blickte zu Boden, wo seine Schuhe langsam im schlammigen Ufer versanken. Stumm schüttelte er den Kopf.

»Darf ich erfahren, warum?«

»Ich habe sie gesehen«, brachte Aurelio hervor.

Michelangelo vergewisserte sich, dass niemand außer den Ratten, die sich gegen die Rückwand kauerten, in Hörweite war. »Wen genau willst du gesehen haben?«

»Julius' Kurti … Die Frau, die niemand …« Aurelio schien ganz und gar im Boden versinken zu wollen. »Aphrodite«, sagte er schließlich.

Michelangelo hielt die Laterne näher an Aurelios Gesicht. »Was meinst du, wenn du sagst, du habest sie gesehen?«

»Ich habe sie gesehen, wie Gott sie geschaffen hat.«

»Wie Gott sie geschaffen hat?«

Aurelio nickte. »Wie nur Gott sie geschaffen haben kann. Oder Ihr, Maestro Buonarroti.«

»Sprich nicht so lästerlich! Ich bin nur Gottes Werkzeug, nichts weiter.«

»Ich bin Euch gefolgt.«

Nach den vielen Monaten des Schweigens war es eine Erleichterung, endlich sein Geheimnis zu teilen. Selbst wenn es zur Folge haben würde, dass sein Meister ihn verstieß. Es spielte keine Rolle mehr. Indem Michelangelo ihn enttarnt hatte, war alles andere sinnlos geworden.

»In den Palast«, fuhr Aurelio fort. »Der Geheimgang, die Katakomben ... Ich habe Euch zugesehen, wie Ihr die Zeichnungen angefertigt habt – hinter dem Wandbehang.« Er senkte seinen Blick. »Und ich habe Aphrodite gesehen. Ich weiß, dass Ihr den Marmorblock, den Ihr für die Julius-Statue vorgesehen hattet, hierhergeschafft habt, um sie unsterblich zu machen. Auch wenn ich mir nicht erklären kann, wie Ihr das bewerkstelligt habt.«

Inzwischen sammelte sich das Wasser in Aurelios Schuhen, lief ihm den Rücken hinab, benetzte jeden Fingerbreit seines Körpers. Eine der Ratten wurde vom Tiber erfasst, stieß ein kurzes Fiepen aus und war verschwunden. Die verbliebenen drei oder vier drängten sich auf dem letzten Flecken Erde. Der Fluss hatte sie eingeschlossen.

»Ich habe ihn stehlen lassen«, sagte Michelangelo plötzlich, und sein Gehilfe glaubte tatsächlich, unter seinem Bart ein Lächeln aufblitzen zu sehen.

Aurelio kam sich vor wie ein Gefäß, das immer noch mehr Flüssigkeit in sich aufnehmen sollte, obgleich es längst überlief. »Ihr habt Euren eigenen Marmorblock stehlen lassen?«

»Hat mich vier Dukaten gekostet.« Die Laterne drohte zu erlöschen. Heute fand der Regen seinen Weg überallhin. Schließlich stieß Michelangelo einen Seufzer aus. »Komm rein.«

XLI

Durch dich erst kenn' ich mich und aus der Ferne
Streb' ich dem Himmel zu, von dem wir kamen,
Und wie der Fisch geködert wird vom Hamen,
Reichst du mir Speise, und ich komme gerne.
Nur schwach kann ein geteiltes Herze schlagen,
Drum gab ich dir das meine ganz und gar:
Was von mir bleibt, du weißt es, der mich kennt!
Ans Beste nur soll sich die Seele wagen,
Drum muss ich heiß dich lieben, will ich leben!
Denn ich bin Holz nur, du bist Holz, das brennt.

Michelangelo Buonarroti

ALS MICHELANGELO DAS SCHWARZE TUCH von der Säule zog und Aurelio seine begabten Hände an den Marmorblock legte, spürte er erstmals die Tragweite dessen, was in diesem heruntergekommenen, nach Schimmel und Katzenpisse stinkenden Schuppen geschehen würde. Die Säule überragte ihn um gut zwei Fuß. Bereits jetzt, ohne eine erkennbare Gestalt angenommen zu haben, dominierte sie den Raum, hätte sie am liebsten die Wände zum Einsturz gebracht und das Dach durchbrochen. Sie wollte Licht, Bewunderung, einen Platz, so groß wie die Piazza Scossacavalli, mindestens.

Das wäre ein guter Ort, ging es Aurelio durch den Kopf. Der Platz, an dem sowohl die göttliche Imperia ihren Palazzo bewohnte als auch Raffael seinen Wohnsitz hatte. Und vom Eckzimmer seines Palastes aus müsste Julius jeden Morgen mit ansehen, wie die Statue seiner angebeteten Kurtisane in der aufgehenden Sonne zu leuchten begann. Jeder, der von der Engelsburg kommend in den Vatikan hinaufging, würde sich demütig vor ihr verneigen.

»Wenn Julius von Eurem Vorhaben Kenntnis erhielte«, setzte Aurelio an, »würde er Euch augenblicklich zum Campo de' Fiori schleifen und aufknüpfen lassen.«

»Den Papst bräuchte es gar nicht, Aurelio. De' Grassi genügte bereits oder Egidio da Viterbo oder irgendeiner der tausend päpstlichen Spitzel, die an jeder Ecke herumlungern.« Seine Nase stieß ein verächtliches Pfeifen aus. »Mein Leben hängt an einem seidenen Faden«, schloss er, nicht ohne eine gewisse Genugtuung, wie sein Gehilfe bemerkte.

Während Aurelio sich an der Kohlenpfanne wärmte, breitete sein Meister dessen Kleidung auf der Bank aus, der einzigen Sitzgelegenheit, abgesehen von zwei morschen Holzschemeln. Sonst gab es nur einen kleinen Tisch, auf dem verschiedene Werkzeuge aufgereiht lagen.

»Habt Ihr keine Angst, es könnte Euch jemand auf die Schliche kommen?«, fragte Aurelio. »Selbst mir ist es gelungen, Euer Versteck zu entdecken. Ihr seid ein stadtbekannter Mann. Es wird nicht auf Dauer unbemerkt bleiben, dass Ihr nachts am Hafen herumschleicht.«

»Aurelio«, setzte Michelangelo an. Er klang müde – wie immer, wenn er jemandem etwas erklären sollte. »Die meisten Menschen halten mich für einen knorrigen, verwirrten Misanthropen, wenn nicht gar für verrückt.« Während er sprach, behielt der Bildhauer die ganze Zeit über seine Säule im Blick. »Vielleicht stimmt es sogar«, überlegte er, »das mit dem Misanthropen, meine ich. Verrückt ... Nein, verrückt wäre ich Gott vollkommen nutzlos. In jedem Fall wird man sich lediglich in dieser Ansicht bestätigt sehen, falls mich jemand bei Nacht an der Ripetta herumschleichen sieht.

Und du, mein lieber Aurelio, hast mein Versteck nur deshalb entdeckt, weil du bereits wusstest, wonach du suchst. Der Mensch findet immer nur das, wonach er sucht. Für alles andere ist er blind.«

Langsam führte er seinen Gehilfen um den Block herum, hielt die Laterne von hinten an den Stein, demonstrierte im Gegenlicht die Gleichmäßigkeit der Struktur. »Kein Einschluss, keine Ader, nicht die geringste Unregelmäßigkeit.« Er suchte die Kanten ab, als müsse er sich selbst überzeugen. Dabei war ihm der Block vertrauter als sein eigener Körper. »Einen wie den gibt es kein zweites Mal auf der Welt«, überlegte er. »Jemand, der weiß, was alles zusammenkommen muss, damit Marmor überhaupt entstehen kann, dem fällt es schwer zu glauben, dass Gott nicht persönlich seine schützende Hand über diesen Block gehalten hat.«

Aurelio wunderte sich darüber, dass der Block bislang kaum Spuren der Bearbeitung aufwies. Michelangelo hatte noch nicht einmal richtig mit dem Bossieren, dem groben Behauen, begonnen. Lediglich einige Überstände und Kanten waren, wie um die Werkzeuge zu testen, mit einem Zahneisen entfernt worden. Als wage sein Meister nicht, seine Schale aufzubrechen.

»Ihr habt mit der eigentlichen Arbeit noch gar nicht begonnen«, stellte Aurelio fest.

»Oh doch«, entgegnete Michelangelo, »man sieht es nur noch nicht. Hier«, er zeigte seinem Gehilfen einen imaginären Punkt, der direkt unter der Oberfläche des Steins lag, »das ist ihr Ellenbogen. Und hier hinten, sieh her!, hier wölbt sich ihre Hüfte bis an die Kante … Damit werde ich beginnen – mit ihrer Hüfte.«

In all den Nächten, in denen Michelangelo heimlich aus dem Haus geschlichen war, hatte er nichts anderes getan, als sich in diesen Block zu versenken? Aurelio dachte an die Worte seines Meisters zurück, als sie in der halb abgerissenen Kapelle der alten Peterskirche vor der Pietà gestanden und Aurelio ihn gefragt hatte, wie er auf die Idee gekommen war, Maria und ihren Sohn ausgerechnet in dieser Haltung darzustellen. Eine Idee müsse zu sich selbst finden, hatte Michelangelo damals erklärt, und dass die Pflicht des Künstlers darin bestehe, sich in einen Zustand zu versetzen, der dies ermögliche. Nun, Aphrodite hatte einen ganzen Winter benötigt, um zu sich zu finden. Jetzt brannte sie vor Ungeduld.

»Ich wünschte, ich könnte sehen, was Ihr seht, Maestro. Ich kann die Gravitation des Steins spüren, seine Kraft. Doch sehen kann ich nur einen großen, weißen Marmorblock.«

Michelangelo ließ seine feingliedrigen Finger über die noch spröde, abweisende Kante gleiten. »Mit der Pietà hab ich die Tür aufgestoßen«, flüsterte er dem Stein zu, »mit dem David meinen Platz eingenommen. Du aber wirst mein Vermächtnis sein.« Widerstrebend lösten sich seine Finger vom Marmor, und er richtete den Blick zur Decke. »Verzeiht mir, Herr. Am Ende ist es doch nur wieder die Eitelkeit, die den Sieg davonträgt.«

Aurelio hatte das Gefühl, seinen Meister nicht aus den Gedanken reißen zu dürfen.

»Du siehst also nichts weiter als einen großen, weißen Marmorblock«, nahm Michelangelo den Faden wieder auf. »Nun: Jetzt, da du mein Geheimnis gelüftet hast, ist wohl nichts dagegen einzuwenden, wenn ich deiner Vorstellungskraft etwas auf die Sprünge helfe.« Er wandte sich von der Säule ab und ging, eingehüllt in das matte Licht seiner Laterne, zum Tisch. »Komm her«, sagte er, schlug seine Ledermappe auf, entnahm ihr die Skizzen für den Adam und zog aus dem in die Naht eingearbeiteten Geheimfach einen vierfach gefalteten Bogen, den er vorsichtig ausbreitete.

Die Zeichnung war im wahrsten Sinne des Wortes unfassbar. Sie zeigte Aphrodite, so wie Michelangelo sie bei ihrer letzten Sitzung eingefangen hatte: in dem Moment, da Wille und Vernunft sich dem Ansturm der Begierde geschlagen geben mussten. Und doch wieder war sie es nicht. Denn Michelangelo hatte ihren entblößten Körper unter einem transparenten, schwebend leichten Schleier verborgen, hatte sie zu einer Allegorie überhöht, ohne ihr die Sinnlichkeit zu nehmen. Aus der Kurtisane des Papstes war die Göttin der Liebe geworden.

»Fragt mich bitte nicht, was ich sehe, Meister«, bat Aurelio. »Ich hätte keine Worte, es zu beschreiben. Ich weiß nicht einmal, ob ich die Gefühle habe, es zu fühlen.« Er versuchte, seinen Blick abzuwenden, doch Aphrodite hielt ihn fest. Plötzlich traf ihn eine Erkenntnis. »Sie ist gefährlich. Niemand wird sie betrachten können, ohne seinen eigenen Abgrund zu erblicken. Die Menschen werden sich vor ihr schützen wollen.«

»Du meinst, so wie sie sich vor dem Teufel zu schützen versuchen? Das wäre ihr endgültiger Triumph.«

Aurelio studierte die Zeichnung genauer. Michelangelos Vorgehen glich dem für die Figuren des Freskos in der Sistina: Er hatte Aphrodite zunächst nackt gezeichnet und erst anschließend den Schleier über ihren Körper gesenkt. Doch wie sollte er sie auf diese Weise in Stein meißeln?

»Ich verstehe es nicht«, sagte Aurelio.

»Was?«

»Den Schleier. Wie könnt Ihr erst ihren Körper aus dem Marmor formen und ihn dann unter einen Schleier gleiten lassen, der noch dazu leicht ist wie feine Seide und durchsichtig wie Gaze?«

»Ich werde im Geiste ihren nackten Körper aus dem Block befreien und anschließend den Schleier über ihn breiten. Wenn das getan ist, muss ich nur noch den überschüssigen Marmor abtragen.«

Aurelio drehte sich zur Säule um. Ein Stein von mindestens einem Dutzend Doppelzentner Gewicht, und der sollte sich in feinste Gaze verwandeln und über einen nackten Körper legen?

»Gewährt mir eine letzte Frage, Meister.«

Behutsam faltete Michelangelo die Zeichnung zusammen.

»Wie konntet Ihr Aphrodites Verlockungen widerstehen?«

Der Bildhauer schob die Zeichnung zurück in das Geheimfach. »Am Ende, Aurelio, ist auch sie nur eine Frau wie jede andere.«

»Ist sie nicht«, entgegnete der Gehilfe. »Sie ist wie dieser Marmorblock: Eine wie sie gibt es kein zweites Mal auf der Welt!«

Michelangelo senkte seinen Blick. Es sah aus, als schäme er sich. »Ich ahne, was du für sie empfindest, Aurelio. Doch glaub' mir: Nur eine unerfüllte Liebe kann solche Dimensionen annehmen und so köstliche Wunden schlagen.«

»Kein anderer Mann hätte dieser Versuchung widerstanden«, beharrte Aurelio, während sich das Bild von Aphrodites Körpers vor sein geistiges Auge schob und ihr bittersüßer Duft die Gerüche des Schuppens vorübergehend auslöschte. »Warum Ihr?«

Michelangelo klappte die Mappe zu, drehte sich zu Aurelio um und bedachte ihn mit einem langen Blick. »Mein Herz ist bereits vergeben.«

✛ ✛ ✛

Lange schon hatte Aurelio seinen Meister nicht mehr in dessen Schlafgemach umhergehen hören. In dieser Nacht jedoch kreisten Michelangelos Schritte wieder für Stunden um sich selbst. Unterdessen mischten sich in der Schwärze von Aurelios Kammer die Bilder seines eigenen Lebens auf unheilvolle Weise ineinander. Er sah Margherita, wie sie mit aufgerissenen Augen und aufgeschlitzten Wangen vor ihm stand; Tommaso auf seinem Totenbett, die Finger dünn wie Krähenfüße; Antonia, wie sie von dem Söldner mit der Narbe aus der Tür geschoben wurde; die blutbefleckte Hand des blonden Söldners, die Aurelios Lieblingsbecher umschloss ... Das Leid, der Tod – mit unerschöpflicher Geduld schritten sie unerkannt neben dem Leben einher und warteten, bis ihre Zeit gekommen war. Dann nahmen sie sich, was früher oder später ohnehin in ihre Hände fiel, frei von Groll, ohne Genugtuung, ohne Gehässigkeit. Beinahe gelangweilt. Es war so, wie es war. Und so wie es war, hatte man es zu nehmen.

Aurelio hätte nicht zu sagen gewusst, wann er in den Schlaf geglitten war. Die Bilder hatten ihn auch im Traum begleitet: Blut, Schmerz, unabwendbares Verhängnis. Ebenso wie die Schritte seines Meisters in der Kammer über ihm. Jetzt war das Haus still, und das fahle Licht des frühen Morgens kroch zögerlich unter der Tür durch. Aurelio bemerkte einen diffusen Schatten auf dem Boden. Körperlos und ungreifbar zunächst, zeichnete er sich umso deutlicher ab, je weiter sich das Licht in die Kammer vorwagte. Ein Blatt. Ein doppelt gefaltetes Blatt, das unter der Tür durchgeschoben worden war.

Aurelio wartete, ohne zu wissen, worauf, betrachtete das Blatt, das sich durch den wachsenden Schatten zu bewegen schien. Erst, als sich das Haus belebte, Rosselli aus seiner Kammer trat und das erste Geschirrklappern aus der Küche zu vernehmen war, stand er auf, nahm das Blatt und faltete es auseinander. Ein Gedicht. Aurelio erkannte es an der Art, wie die Zeilen angeordnet waren. Und er erkannte Michelangelos Handschrift. Sollte sein Meister ihm ein Gedicht geschrieben haben? Als er verwundert und nachdenklich die Tür öffnete, begegnete er völlig unerwartet dem Blick zweier blutunterlaufener Augen.

Vor Schreck fuhr er zusammen. »Maestro Buonarroti!«

»Hast du jemand anderen erwartet?«

»Ich habe niemanden erwartet.«

Der gehetzte Blick Michelangelos fiel auf das entfaltete Papier, und ehe Aurelio begriff, wie ihm geschah, hatte sein Meister ihm das Blatt entrissen.

»Hast du es gelesen?«, fragte er vorwurfsvoll.

Aurelio war zu verwirrt für eine Antwort. Eigentlich wusste sein Meister doch, dass er gar nicht lesen konnte. Was sollte das alles?

»Hast du es gelesen?«, insistierte Michelangelo.

Im Hintergrund streckte Rosselli eine sorgenzerfurchte Stirn aus der Tür.

»Nein«, antwortete Aurelio schließlich.

Michelangelo stieß hörbar den Atem aus. »Gut.« Er nahm den Zettel und zerriss ihn so lange, bis daraus ein Häuflein fingernagelgroßer Schnipsel geworden war. Auf der Suche nach einem Ort für die Fetzen blickte er sich nervös um: »Weshalb zum Teufel ist hier nirgends ein Feuer?«

XLII

*Da sah die Frau, dass es köstlich wäre, von dem Baum zu essen, dass
der Baum eine Augenweide war und dazu verlockte, klug zu werden.
Sie nahm von seinen Früchten und aß; sie gab auch ihrem Mann, der
bei ihr war, und auch er aß.*

Genesis 3,6

BEIM ANBLICK DER NACKTEN, halb liegenden Eva rieb sich Aurelio jedes Mal unwillkürlich den Nacken. Die Erinnerung an die
Schmerzen, die er erduldet hatte, während er seinem Meister Modell für »Sündenfall und Vertreibung« gestanden beziehungsweise
gelegen hatte, war seinem Hals wie eingeschrieben. Jetzt war das
vierte der insgesamt neun Paneele, die am Ende den Deckenspiegel
füllen sollten, vollendet.

In nur zwei Wochen – einem Drittel der Zeit, die er auf die
Sintflut verwandt hatte – hatte Michelangelo die Szene fertiggestellt. Und das, obgleich er nahezu jeden Abend aus dem Haus geschlichen war, um in der Verschwiegenheit der Nacht an der Statue zu arbeiten. Als befriedige es ihn auf widernatürliche Weise,
sich nach der Zwangspause der Wintermonate jeden Tag aufs Neue
bis an den Rand der Erschöpfung zu quälen, sich seiner Kunst zum
Opfer zu bringen. Gelegentlich, wenn sie auf der Arbeitsbühne

381

standen und Piero und er Michelangelo stützen mussten, damit er weiterhin die Farben in den Intonaco einbringen konnte, dachte Aurelio, dass sein Meister, an dem Tag, da er beides vollendet hätte – die Statue sowie das Fresko –, sterben würde. Dass mit der Fertigstellung dieser beiden Werke alles Leben, das er zu geben hatte, in seine Kunst eingeflossen sein und seinen Körper als leblose Hülle zurücklassen würde.

✢ ✢ ✢

»Du lässt wahrlich keine Gelegenheit ungenutzt, die Hunde des Herren gegen dich aufzubringen«, hatte Piero bemerkt, als Michelangelo ihnen den fertigen Entwurf für die Szene vorlegt hatte.

»Was ist dagegen einzuwenden, Erbsünde und Vertreibung in einem Bild zusammenzufassen? Nur weil Ursache und Wirkung in der Bibel getr…«

»Du weißt, was ich meine«, schnitt ihm Piero das Wort ab.

Michelangelo blickte seinen Freund an wie ein aufsässiger Schüler. »Die Darstellung von Adam und Eva?«

»Manchmal glaube ich, jeder zusätzliche Feind ist eine Genugtuung für dich.«

»Der Papst hat mir bei der Gestaltung des Freskos freie Hand gegeben«, rechtfertigte sich Michelangelo.

Dabei entglitt seinen Lippen eine Bewegung, die Aurelio als Schmunzeln zu deuten wusste. In Wahrheit, das wussten sie alle, hatte Piero natürlich recht: Jede Gegnerschaft bestätigte Michelangelo in seinem Selbstbild.

»Freie Hand ja«, erwiderte Piero, »nicht aber freien Geist.«

Michelangelo beendete das Gespräch mit einer Geste, die jeden weiteren Einwand zu einer kleingeistigen Nichtigkeit erklärte.

Natürlich meinte Piero die Darstellung von Adam und Eva. Die Dominikaner – *domini canes*, Hunde des Herren, genannt – würden gegen Michelangelos Bibelinterpretation Sturm laufen. Die Frau trug die Schuld am Sündenfall. So stand es in der Bibel. Sie war den Versprechungen der Schlange erlegen, hatte von der verbotenen Frucht gekostet und schließlich ihren Mann dazu überredet, es ihr gleichzutun. In Michelangelos Version dieser Szene jedoch machte sich Adam mindestens im selben Maße schuldig wie seine Frau. Während nämlich Eva den falschen Versprechungen der Schlange erlag, musste Adam erst gar nicht überredet werden. Statt sich die verbotene Frucht von der Schlange reichen zu lassen, reckte er sich selbst, um an sie zu gelangen. Und als sei diese Auslegung nicht bereits Provokation genug, brachte Michelangelo den Sündenfall auch noch unübersehbar mit der fleischlichen Begierde in Verbindung, indem er Eva in einer Pose darstellte, die nicht viel Phantasie erforderte, um dahinter eine erotische Handlung zu erblicken. Seitlich aufgestützt lag sie mit angezogenen Beinen zu Füßen Adams, Oberkörper und Kopf nach hinten gedreht, den Arm ausgestreckt. Genaugenommen sah es aus, als sei sie gerade von der Schlange bei einer Fellatio unterbrochen worden. Erotik und Sünde – für Michelangelo schien beides denselben Ursprung zu haben. Oder, gewagter noch: Die Ursünde war körperlicher Gier entsprungen, eine Folge unkontrollierter, tierischer Triebe.

✢ ✢ ✢

Am Morgen hatte sich der Schmerz in Aurelios Nacken nicht nur festgesetzt, sondern zudem Wurzeln in seinen Hinterkopf getrieben. Als er aufstand, gaben kurz seine Beine nach. Die Arbeit der letzten Wochen schien ihn ausgelaugt zu haben.

»Stimmt etwas nicht?«, fragte Rosselli, als er ihm wie jeden Morgen seinen Getreidebrei vorsetzte.

Aurelio blickte ihn aus verschleierten Augen an. »Wird schon gehen«, sagte er, führte den Löffel zum Mund und hätte den Brei beinahe wieder ausgespuckt, der bitter schmeckte und wie ein Klumpen Erde auf seiner Zunge lag. Widerwillig rang er ihn die Speiseröhre hinab. »Was ist das?«, fragte er.

»Was meinst du?«

Aurelio starrte auf seine Schale, als tummelten sich Kaulquappen darin. Dann schob er sie Rosselli hin. »Kostet selbst«, forderte er ihn auf.

Rosselli tauchte seinen Löffel in den Schleim und schob ihn in den Mund. »Schmeckt wie immer«, befand er.

Später, beim Anrühren des Intonaco, stellten sich Gelenkschmerzen ein. Kleinste Bewegungen jagten Aurelio brennende Strahlen durch Knie, Hüften, Schultern, Ellenbogen und Handgelenke. Mit Schrecken bemerkte er, dass sogar die einzelnen Fingergelenke betroffen waren. Als habe sich ein Gift in seinem Körper eingenistet und nage an seinen Knochen. Den Auftrag des Intonaco musste Rosselli besorgen. Als Aurelio gegen Mittag die lange Leiter hinabstieg, um frisches Wasser zu holen, hatten seine Finger Mühe, die Sprossen zu umfassen. Unten angekommen, klebte ihm das Hemd auf der Haut. Er schleppte sich in den Cortile del Belvedere, befüllte die Eimer, die er danach kaum vom Brunnenrand zu wuchten in der Lage war, und taumelte zur Kapelle zurück.

Unsicher schob Aurelio seine Füße über das Steinmosaik. Der Boden begann zu wanken, die Wände blähten sich auf und zogen sich zusammen wie die Flügel einer steinernen Lunge. Als er die Sprossen der Leiter fixierte und seine Hände dennoch ins Leere griffen, stellte sich erstmals ein Gefühl der Angst ein. Ein Gefühl, das sich noch verstärkte, als Aurelio auf der Höhe von Peruginos Fresko der Schlüsselübergabe angelangt war, an dem die Leiter vorbeiführte. Der von Petrus' Handgelenk herabhängende Schlüssel begann, hin und her zu schaukeln, und plötzlich bewegten sich auch die umherlaufenden Figuren im Hintergrund, sprangen von rechts nach links, streckten ihre Arme mal in diese, mal in jene Richtung. Der gesamte Platz schien aus der Wand herauszutreten, Gestalt anzunehmen, lebendig zu werden. Aurelio schloss die Augen und tastete nach den Sprossen. Oben angelangt, erbrach er sich auf die Bretter: eine bräunliche Lache, deren Verwesungsgestank ihm scharf in die Nase stach.

»Verzeiht mir, Maestro«, brachte er hervor und sank benommen auf die Arbeitsbühne.

Kurz darauf brach Michelangelo die Arbeit ab, knotete dem im Fieberwahn gefangenen Aurelio zwei Taue um die Brust und ließ ihn mit Rossellis Hilfe an den Seilwinden herab. Der päpstliche Chor, der sich zu einer Probe eingefunden und gerade ein Magnifikat angestimmt hatte, hielt abrupt inne. Die Sänger bestaunten mit geöffneten Mündern den von der Decke Herniederfahrenden, als hätten sie mit dem Lobgesang Marias den wahrhaftigen Engel Gabriel herbeigerufen. Erst nachdem der Niedergefahrene, gestützt von Rosselli und Michelangelo, durch den Seitenausgang entschwunden war und Michelangelo ihn in den Karren geladen hatte, der ihnen sonst zum Transport der Werkzeuge und Materialien diente, setzte, wie zum Geleit, der Gesang wieder ein.

Ihm war kalt, furchtbar kalt. Und doch brannte sein Körper wie Feuer. Mit offenem Mund rang er nach Luft. Die Stimme seines Meisters sprach wie aus der Ferne zu ihm. Über die Wände tanzten Schatten. Er sah Kerzen, drei, fünf, acht, unmöglich, sie zu zählen. Die Zeichnung auf dem Boden, das Geschenk Michelangelos. Aurelio hätte sie gerne bei sich gehabt, doch je weiter er seinen Arm aus dem Bett zu strecken versuchte, umso weiter entfernte sich das Blatt von seiner Hand. Sein Arm! Dunkle Flecken, bläulich, schwarz, groß wie Dukaten. Im Nacken eine eisige Hand, die ihn aufrichtete, ein dröhnender Schmerz, der sich vom Kopf kommend gewaltsam in das Rückgrat stieß, das Mark aushöhlte, die Knochen dünn machte wie Glas. Seine Arme, über Kopf gestreckt, das Hemd, die Laken, alles von Schweiß bedeckt. Sein nackter Körper wie feuchtes Pergament.

Michelangelo. Sein Gesicht direkt vor Aurelios. Warum war es so besorgt? Augen wie flüssiger Bernstein, tiefer als der Brunnen hinter dem Haus, ohne Boden. Trotula wird Hunger haben, so lange ohne Essen. So traurig, diese Augen. Aphrodite? Bist du gekommen? Nein. Der Bart. Maestro Buonarroti. Wie gerne würde ich Euch lieben. Doch auch mein Herz ist vergeben. Ihr wisst es. Ihr wisst immer so viel mehr. Der Becher, danke, der Lieblingsbecher, die Frucht vom Baum. Die Finger, sie verschmelzen, brennen sich ein in den Ton, schwarzer Qualm steigt auf, der Geruch verkohlten Fleisches. Knackende Balken, laut wie Donner, Flammen, die zum Himmel emporstreben. Kein Schmerz. Nur ... Trauer? Abschied?

Wieder das Gesicht. Maestro. So ernst jetzt. Wie gerne hätte ich Euch geliebt. Euch gerettet vor Euren Dämonen. Die Lippen, immer verborgen unter dem Bart. Worte wie Fische im Glas. Man kann sie zappeln sehen, aber nicht hören. Die Bourbonen? Julius wird sich in die Engelsburg flüchten vor Angst, geduckt wie eine Ratte. Maestro, seht, meine Hand an Eurer Wange. Wo sind die Finger? Ah, hier. An Eure Wange, so. Wie gerne hätte ich Euch geliebt! Noch so ein Fleck, auf dem Handrücken. Wie eingebrannt. Ihr weint ja, blutige Tränen!

»Warum so traurig?«, flüsterte Aurelio heiser.

Behutsam löste Michelangelo Aurelios Hand von seiner Wange und bettete sie auf das Laken. Anschließend legte er zwei Finger auf die Schwellung an Aurelios Hals. Ein entsetzliches Stöhnen erfüllte die Kammer, das den Gehilfen sich wie eine Schlange windend zurückließ. Michelangelo erhob sich von der Bettkante, ohne den Blick von seinem Geliebten zu nehmen.

»Piero!«

Die Tür zu Aurelios Kammer wurde geöffnet, doch bevor Rosselli eintreten konnte, streckte sich ihm bereits Michelangelos Hand entgegen.

»Nicht!«, rief er.

Rosselli erstarrte.

»Pack deine Sachen«, wies der Bildhauer ihn an. »Du fährst noch heute nach Florenz. Sobald ich entschieden habe, dass du gefahrlos zurückkehren kannst, schreibe ich dir einen Brief, der bei meinem Vater hinterlegt werden wird. Geh hinauf in meine Kammer.« Er zog den mächtigen Schlüsselbund aus dem Umhang, den er über das Fußteil des Bettes gelegt hatte, und warf ihn Rosselli zu. »Unter dem Bett findest du eine Truhe. Der Schlüssel zu ihr ist ebenfalls an dem Ring. Nimm dir ein halbes Dutzend Dukaten und verlasse so schnell wie möglich das Haus.«

»Aber *caro fratello*, was ...«

»Die Bourbonenpest.«

Zweimal setzte Rosselli an, bevor er gefunden hatte, was er sagen wollte: »Es ist zu früh im Jahr für die Pest.«

»Sieh selbst.«

Er nahm eine Kerze und führte sie an Aurelios Gesicht. Die bläulich schimmernden Beulen am Hals waren groß wie Pflaumen.

»Heiliger Sebastian, steh uns bei!«, rief Rosselli den Schutzheiligen gegen die Pest an. »Ich gehe augenblicklich den Pestarzt holen.«

»Du gehst augenblicklich nach Florenz.«

»Aber er muss in ein Spital, in Isolation!«

»Wo sie ihn zur Ader lassen, allen möglichen Unsinn mit ihm anstellen und froh sein werden, wenn er möglichst schnell stirbt. Niemals werde ich das zulassen.«

»Und wer soll sich um ihn kümmern?« Da Michelangelo nicht antwortete, gab sich Rosselli selbst die Antwort. »Das ist Selbstmord«, stellte er fest.

»Das ist Nächstenliebe.«

»Du wirst dich anstecken!«

»Ich sterbe an dem Tag, den Gott dafür vorgesehen hat. Nicht früher und nicht später.«

»Und was ist mit Aurelio? Wird auch er an dem Tag sterben, den Gott dafür vorgesehen hat?«

»Natürlich.«

»Dann bring ihn ins Spital!«

»Niemals!«

✣ ✣ ✣

Bis die Glocke der kleinen Kirche an der Piazza Rusticucci mit ihrer dünnen Stimme zur Vigil läutete, waren die Beulen an Aurelios Hals und Leisten zu Faustgröße angewachsen und hatten sich schwarz gefärbt. Das Fieber hatte einen nicht mehr steigerbaren Grad erreicht. Die Schmerzen ebenfalls. In den wenigen Momenten, da Aurelio seinem Fieberwahn entglitt, beschwor er seinen Meister, er möge ihn sich selbst überlassen. Der jedoch machte sich nicht einmal die Mühe, seinem Geliebten zu antworten.

Aurelio würde sterben. Wenn die Beulen einmal diese Größe erreicht hatten, platzten sie innerhalb weniger Stunden nach innen auf und der schwarze Tod überschwemmte den Körper. Danach ging es sehr rasch, einige Stunden, ein Tag vielleicht. Doch Aurelio würde in seinen, Michelangelos Armen sterben. Niemand könnte ihm das nehmen.

»Nur schwach kann ein geteiltes Herze schlagen«, flüsterte der Bildhauer. Seit Stunden saß er auf dem Bett, den Rücken an die kalte Wand gelehnt, Aurelios Kopf auf den Oberschenkeln. »Drum gab ich dir das meine ganz und gar …« Er unterbrach sich, um die schweißverklebten Locken aus Aurelios Stirn zu streichen. »Drum muss ich heiß dich lieben, will ich leben. Denn ich bin Holz nur, du bist Holz, das brennt.«

»Das Gedicht, das Ihr zerrissen habt …«, hauchte Aurelio.

Der Bildhauer beugte sich vor. Aurelios Augäpfel zuckten suchend umher. Michelangelos Tränen versickerten lautlos in seinem Bart. »Schweig.«

»Das war es doch, nicht wahr?«

»Schweig, hab ich gesagt.«

Michelangelo glaubte, sein Gehilfe sei bereits wieder hinabgetaucht in das Reich der Erinnerungen und Visionen, als Aurelio wisperte: »Wie lange muss ich diesen Schmerz noch ertragen?«

Noch mehr lautlose Tränen rannen Michelangelos Wangen hinab. Und keine von ihnen brachte Erleichterung. »Nicht mehr lange«, antwortete er.

»Ich hätte Euch so gerne geliebt.«

Michelangelo verbarg sein Gesicht in den Händen. Wie viel Leid konnte eine einzelne Seele ertragen? Wie viel Schmerz hatte Platz in Gottes Gefäß?

Bis die Glocken zu den Laudes riefen, hatte Michelangelo nur noch einen Wunsch: »Bitte, Herr, lasst auch mich sterben, an seiner Seite.«

»Nicht mehr lange …«, wiederholte Aurelio delirierend.

»Schweig, Geliebter«, flehte Michelangelo.

✢ ✢ ✢

Seit Stunden gab Aurelio nur noch unartikulierte Laute von sich: ein heiseres Röcheln, das von einem Gurgeln abgelöst wurde, wann immer sich die Lunge mit Flüssigkeit gefüllt hatte. Auf das Röcheln folgte ein Erstickungsanfall, der in ein Husten mündete. Am Ende troff in großen Mengen zähes, gräuliches Sekret von Aurelios ohnmächtigen Mundwinkeln, das Michelangelo in einer Schale auffing. Das Fieber hatte ihn ausgebrannt, sein Herz jedoch schlug weiter in panischem Tempo.

Nachdenklich untersuchte Michelangelo die Pestbeulen. Eine kleine an der Wade, jeweils zwei weitere in den Leisten, am Hals und unter den Achseln. Diese waren so groß, dass sie eigentlich längst hätten aufgeplatzt sein müssen. Sie waren aber nicht aufgeplatzt. Kurz überlegte Michelangelo, ob er dem Rat Rossellis folgen und einen Schnabeldoktor holen sollte. Das allerdings hätte bedeutet, Aurelio alleine zu lassen. Außerdem hatten die Pestärzte mit ihren albernen Schnäbeln und dem gestelzten Gebaren noch keinen Pestkranken je geheilt. Wahrscheinlich wusste Michelangelo mehr über die Natur des menschlichen Körpers als irgendein Arzt in dieser vor Hochstaplern und Scharlatanen wimmelnden Stadt. Schließlich hatte er damals, im Kloster Santo Spirito in Florenz, zahlreiche Leichen seziert, Muskeln, Sehnen, Adern studiert, Herzen, Lungen und Lebern befühlt und ihre Funktionsweise ergründet. Ein flüchtiger Gedanke streifte ihn: Wenn es Gottes Wille war, dass er Aurelio nicht von der Seite wich – war es womöglich auch Gottes Wille, dass er handelte? Er wog den Gedanken so lange ab, bis er sicher war, keine Antwort finden zu können, dann ging er ins Atelier, holte einen Skizzenblock sowie einen Kohlestift, rückte sich den Schemel an Aurelios Bett und leckte den Stift an.

Also: Was wusste er? Michelangelos Hand begann, einen menschlichen Körper zu skizzieren, mit geöffnetem Torso, und Leber, Herz, Milz, Lunge einzuzeichnen. Dazu die Pestbeulen, die sich bei Aurelio herausgebildet hatten. Und nun? Offenbar wusste er nicht so viel, wie er hätte wissen müssen. Als Nächstes: die großen Gefäße, die vom Herz ausgehend den Körper in Bahnen durchzogen und ihn mit Blut versorgten. Er überlegte: Sobald sich die Beulen öffneten und die Pest in den Körper entließen, war der schwarze Tod nicht mehr abzuwenden. Aber wie konnte man ein solches verhindern? Sein Stift zog abwesend die in den Körper eingezeichneten Blutbahnen nach, immer wieder, bis es aussah, als sei der Mensch in einem Knäuel aus Seilen gefangen.

»Nicht nach innen«, überlegte Michelangelo.

Er ließ den Block auf das Bett fallen, studierte die Beulen an Aurelios Hals, als wolle er sie in Marmor meißeln, ging in die Küche und legte den Daumen auf die Klinge des Messers, das Rosselli mit so beharrlicher Regelmäßigkeit beim Scherenmacher schleifen ließ. Es hätte schärfer nicht sein können.

»Piero«, er verdrehte die Augen zum Himmel, »auf dich ist Verlass.«

Es war nicht zu sagen, in welcher Welt Aurelios Blick umherirrte, doch sie musste wenigstens einen Teil von Michelangelos Welt umfassen, denn als sich der Bildhauer mit dem Messer und einem frischen Tuch auf die Bettkante setzte, stöhnte sein Gehilfe: »Nicht das auch noch!«

»Sei unbesorgt«, Michelangelo strich ihm mit einer Zärtlichkeit durchs Haar, die einen Schmetterlingsflügel unbeschadet gelassen hätte, »ich werde nicht dich, sondern nur die Beulen zur Ader lassen.«

Mit diesen Worten führte er eilig das Messer an Aurelios Hals – später würde ihm womöglich der Mut dazu fehlen –, kniff die Augen zusammen und stieß die Spitze in die Beule. Aurelio gab ein unbestimmtes Stöhnen von sich, im selben Moment schoss eine schwärzliche, eitrig durchsetzte Fontäne von seinem Hals auf, die quer über das Bett spritzte und geräuschvoll auf den Boden klatschte.

XLIII

DREI TAGE UND DREI NÄCHTE balancierte Aurelio auf der Schneide zwischen Leben und Tod. Der Tod hielt ihn umfangen. Manchmal meinte Aurelio, seinen eisigen Atem auf dem Gesicht zu spüren, ihn greifen zu können, ihn zu sehen – ein körperloser Schatten, der die Kerzen flackern ließ und die aufsteigende Luft verwirbelte. Nimm mich mit, dachte Aurelio. Vielleicht sagte er es sogar. Geh nicht ohne mich.

Die Pest war eine Strafe Gottes, jeder wusste das. Zuerst hatte Gott Margherita für ihre Sündhaftigkeit bestraft, indem er zuließ, dass man ihr Gesicht aufschlitzte, jetzt hatte er seinen Zorn auf Aurelio gerichtet. Und seine, Aurelios, Schuld war weit größer als Margheritas. Er hatte still am Tisch gesessen, während Antonia im Stall um ihr Leben geschrien hatte. Der Tod war die gerechte Strafe. Vielleicht durfte er auf Gottes Vergebung hoffen, wenn er willig sein Leben gab für seine Sünden.

»Verzeih mir«, flüsterte er wieder und wieder, »verzeih mir, Mutter, verzeih mir, verzeih mir …«

In diesen drei Tagen verließ Michelangelo kein einziges Mal das Haus. Und statt wenigstens zum Schlafen in seine Kammer hinaufzusteigen, zog er sich Bugiardinis alten Materazzo aus der Werkstatt herüber und verbrachte die wenigen Stunden im Dämmerschlaf zu Füßen seines Gehilfen. Mit Hingabe rieb er ihn ab, salbte ihn, lagerte seinen Oberkörper auf Kissen, damit er besser atmen konnte, schob ihm den Topf für seine Notdurft unter, entleerte diesen, wusch ihn aus. Niemals hatte Michelangelo sich gestattet, Aurelio zu berühren. Jetzt, da die Situation es erforderte, kannte seine Fürsorge keine Grenzen.

Insgeheim spürte Michelangelo sehr früh, dass seine Aufopferung vor allem der Befriedigung seines eigenen Verlangens diente. Die Tage, in denen sich Aurelio delirierend auf dem Lager wälzte, unaussprechliche Pein durchlitt, zwischen Diesseits und Jenseits pendelte, während sich Michelangelo vor Sorge nach und nach sämtliche Barthaare ausriss – es wurden die erfülltesten in Michelangelos Dasein. Zeit seines Lebens würde er die Erinnerung an diese Tage wie ein Amulett bei sich tragen.

✢ ✢ ✢

Und so wurde der Tag, an dem Aurelio darauf beharrte, erstmals ohne die Hilfe seines Meisters aufzustehen, für Michelangelo zu einem der schönsten und zugleich schrecklichsten. Das frische Nachthemd durfte Michelangelo ihm noch überstreifen, dann allerdings musste er mit ansehen, wie sein Gehilfe auf unsicheren Beinen, doch ohne seine Hilfe, in den Vorraum trat, ins Licht – eine geisterhafte Gestalt, die sich zu ihm umwandte, ein von Dankbarkeit erfülltes Lächeln auf den farblosen Lippen, und sagte: »Ihr habt mir das Leben gerettet, Maestro.«

Statt zu antworten, flüchtete sich Michelangelo in seine Kammer und schloss sich einen ganzen Tag lang darin ein. Was hatte er geglaubt? Dass Aurelio ihm den Gefallen tun würde, für immer krank und bettlägerig zu bleiben? Dass er ihn für immer würde pflegen dürfen, ihn würde berühren müssen? Hasserfüllt blickte Michelangelo auf seine Hände, auf die Finger, die Aurelio gereinigt, gekleidet, seine Wunden gesalbt, ihm die Exkremente und den Urin abgewaschen hatten, die ihn gedreht, gelagert, um ihn gebangt hatten, jede Berührung eine uneingestandene Liebkosung.

Er ballte eine Hand zur Faust und schlug in Ermangelung eines brauchbaren Gegenstandes mit Wucht gegen die Wand. Begleitet von einem stumpfen Schrei durchzuckte der Schmerz seinen Arm und fuhr ihm in die Schulter. An der Wand blieben die blutigen Abdrücke von zwei aufgeplatzten Fingerknöcheln zurück. Mit der rechten die linke Hand haltend, ließ er sich auf das Bett fallen, wo er sich umherwälzte, wie Aurelio es so lange getan hatte.

In dieser Nacht hätte Michelangelo dankbar mit jedem Pestkranken getauscht. Seine Sehnsucht schwoll an wie die Beulen an Aurelios Hals, durchdrang seinen Körper mit unaussprechlichen Schmerzen, verfärbte sich schwarz und – da es keine Möglichkeit gab, sie von außen aufzustechen – öffnete sich schließlich nach innen und entließ eine Woge tödlichen Giftes in seinen Körper. Um seinem seelischen Schmerz irgendetwas Konkretes entgegenzusetzen, schlug Michelangelo abermals mit der Faust gegen die Wand. Die Fingerkuppen, die sich vor wenigen Stunden erst geschlossen hatten, platzten erneut auf, alle vier diesmal. Befriedigt warf sich Michelangelo vor Schmerzen hin und her.

Warum hatte Gott ausgerechnet ihn erwählt, um ihn solcher Qual auszusetzen? Weshalb hatte Gott ausgerechnet ihm ein Verlangen eingepflanzt, so stark, dass es die Atmung lähmte, den Geist, den Körper, ihn mit jeder Faser diesem einen einzigen Gefühl unterwarf? Um nicht sein Bett zu besudeln, wickelte er sich ein Tuch um die blutende Hand. Dann begann er nachzudenken. Der Schmerz half ein wenig. Warum also?

Je länger Michelangelo nachdachte, umso klarer stieg die einzig logische Antwort aus dem Abgrund seiner Seele zu ihm auf: Er musste die Pestbeulen seines Verlangens nach außen öffnen. Die einzig mögliche Heilung bestand darin, sein Herz zur Ader zu lassen. Erst hatte Gott ihm dieses einzigartige Talent verliehen, jetzt hatte er ihm einzigartige Qualen auferlegt, Michelangelos Holz in Brand gesteckt. Dieses göttliche Feuer – es musste in der Statue brennen. Und im Adam. Für immer. Wenn nicht das seine Bestimmung war, was dann? Er stand auf, wickelte das Tuch ab, tauchte seine Hand in die Waschschüssel und rieb sich das verkrustete Blut von den Knöcheln. Anschließend ballte er langsam einige Male die Finger zur Faust. Es würde gehen, den Schlägel könnten sie halten.

Aurelio lag im Bett und erholte sich von den Strapazen der ersten Schritte. Er schlief, rein wie Adam am Tag seiner Erschaffung. Michelangelo trat auf die Gasse hinaus. Lautlos verriegelte er die Tür. Vom Tiber kommend strich eine sanfte Brise durch die Straßen.

✢ ✢ ✢

»Ihr bringt sie ja um!«

Ein weiterer Monat war vergangen, ehe Aurelio sich so weit erholt hatte, dass er seinen Meister in den Schuppen hinter der Ripetta begleiten konnte. Vier Wochen, in denen Michelangelo die Arbeit in der Kapelle hatte ruhen lassen und stattdessen die Tage bei Aurelio im Haus verbrachte und die Nächte in seiner geheimen Werkstatt.

»Unsinn«, antwortete Michelangelo, während er sich über den Arbeitstisch beugte, um das Drahtgestell auf seinem Kopf zu befestigen, dessen ausgreifender Bogen die brennende Kerze hielt, die ihm als Arbeitsleuchte diente.

Aurelio starrte den verstümmelten Marmorblock an. Sein Meister musste den Verstand verloren haben. An zwei Seiten hatte er versetzt riesige Keile aus dem Marmor geschlagen, als wolle er ihn fällen wie einen Baum. Mit dem nächsten Schlag würde der Quader in zwei Teile zerbrechen und unwiederbringlich zerstört sein.

»Er ist verloren!«

In aller Ruhe wählte Michelangelo Eisen und Schlägel aus und ging zu seinem Gehilfen. Der Bogen mit der Kerze wippte auf und ab und ließ Michelangelos Schatten drohend über die Wände zucken.

Aurelio war den Tränen nahe. In den vergangenen zwei Jahren hatte er begierig alles aufgesaugt, was ihm sein Meister über das Bildhauern erklärt und gezeigt hatte. Er wusste, dass man zum

Bossieren und für bestimmte Profilarbeiten ein Zahneisen verwendete, weil die gezahnte Schneide ein Einreißen des Marmors verhinderte. Er hatte dabei zugesehen, wie sein Meister über der Feuerstelle in der Küche seine Werkzeuge geschmiedet hatte, hatte das heiße Metall gerochen, es im Wasserbad zischen hören und seinen Meister genauestens dabei beobachtet, wie er bei dem Block im Atelier die Kanten abgetragen hatte. Und genau aus diesem Grund wusste er, dass dieser Block nicht mehr zu retten sein würde.

»Ihr selbst habt mir gesagt, dass der Marmor bossiert werden muss, bevor man darangehen kann, die eigentliche Figur auszuformen.«

»Hab ich das?«

»Ja. Ihr habt gesagt, kein Bildhauer hätte jemals einen Block nicht bossiert.«

Michelangelo kratzte sich am Kinn. »Und warum nicht?«

Aurelio war fassungslos. »Das fragt Ihr mich? Na, weil sonst der Block zerspringt – so wie dieser es tun wird, sobald Ihr noch einmal Hand an ihn legt. Niemand kann einfach an einer beliebigen Stelle den Meißel ansetzen und die Figur aus dem Stein herauslösen.«

»Das soll ich gesagt haben?«

»Wer denn sonst!?«

»Hm.«

Michelangelo ließ seine Finger entlang der Kanten des oberen Dreiecks gleiten, das er aus dem Stein geschlagen hatte. Das fehlende Stück war so groß, dass der Stein eigentlich unter seiner eigenen Last hätte zusammenbrechen müssen, es aus unerfindlichem Grund aber nicht tat.

Michelangelo entwischte eines seiner so seltenen Lächeln. »Selbst ich habe nicht immer recht«, sagte er und setzte den Meißel an.

»Nicht!« Aurelio verzog das Gesicht zu einer Grimasse.

Dreimal ließ Michelangelo den Schlägel auf das Zahneisen treffen, dann sprang ein Stück von der Größe eines Doppeldukaten direkt vor Aurelios Füße.

Der Bildhauer wandte sich seinem Gehilfen zu, die Kerze vor seinem Gesicht zitterte nervös. »Alles noch ganz«, sagte er.

Aurelio konnte seiner Empörung nicht länger Herr werden. »Ihr werdet den Block ruinieren! Selbst wenn es Euch gelingt, ihn in einem Stück zu lassen, werdet Ihr die Statue verlieren.«

Michelangelo betrachtete eingehend den Marmorquader. Als er den Kopf schieflegte, tröpfelte Wachs von seiner Arbeitsleuchte. Schließlich streckte er die Arme aus wie zur Begrüßung. »Wozu soll ich sie bossieren? Ich sehe sie doch«, erwiderte er. Anschließend blickte er auf die Wachsflecken, die seine Kerze auf dem Boden hinterlassen hatte. »Verbesserungswürdig«, stellte er fest.

XLIV

KEIN FEST WURDE IN FLORENZ ausgiebiger und exzentrischer gefeiert als das zu Ehren des heiligen Johannes am vierundzwanzigsten Juni. Die Clans verwandelten die Innenhöfe ihrer Villen in von Fackeln erleuchtete Vergnügungstempel, und die Viertel wetteiferten untereinander, welches die meisten Feierwilligen in seine Straßen locken konnte. Granacci hätte lieber seinen Geburtstag versäumt, als am vierundzwanzigsten Juni nicht in Florenz zu sein. Wie Michelangelo sprach auch er von Florenz gerne als seiner Heimatstadt, auch wenn er ebensowenig wie dieser dort geboren worden war. Es dauerte also bis zum sechsundzwanzigsten Juni, ehe Granacci und Rosselli, angekündigt von einem Brief voller überbordender Freude, nach Rom zurückkehrten. Als sie schließlich eintrafen, war das Gesicht Granaccis noch immer gezeichnet von den Ausschweifungen der Feier. Dafür war seine Begrüßung umso ungestümer. Als er seinen Freund in die Arme schloss, dachte Aurelio für einen Moment, er würde seinen Meister erdrücken.

Michelangelo hatte ihnen nach Florenz geschrieben. Sie wussten also, dass sowohl der Bildhauer als auch Aurelio dem Schwarzen Tod entgangen waren. Dennoch behandelten sie ihren Freund zwei Tage lang, als fürchteten sie, dass er im nächsten Moment unter ihrer Berührung zu Staub zerfallen könne. Jeder der beiden brachte seine Erleichterung auf eigene Weise zum Ausdruck.

Rosselli fasste Michelangelo bei den Schultern: »Noch weniger Fleisch auf den Rippen als vorher«, rief er. »Ich wusste es!«

Kurz darauf verschwand er in der Küche. In den folgenden Tagen nutzte er jede nur erdenkliche Gelegenheit, Schalen mit Essen hinter dem Bildhauer herzutragen.

Granacci hatte eine Koffertruhe voller nützlicher und unnützer Dinge mitgebracht. Bahnen fester, derber Leinen- und Wollstoffe zum Beispiel, wie sie in Florenz vom *popolo minuto* – dem einfachen Volk – getragen wurden. Michelangelo hatte immer darauf beharrt, sich keine neuen Hemden nähen lassen zu können, weil die Römer die Herstellung einfacher, guter Dinge nicht beherrschten. Überhaupt, diese verkommene Stadt bringe ausschließlich Dinge hervor, die nicht zur Benutzung, sondern bestenfalls zum Vorzeigen geeignet seien. Jetzt blieb ihm nichts anderes mehr übrig, als sich wenigstens neue Arbeitskleidung anfertigen zu lassen. Außerdem hatte Granacci Bettwäsche mitgebracht, Gläser, Teller, Pinsel, einen riesigen Schinken und große Mengen an neuen Pigmenten.

»Willst du mich verheiraten?«, beschwerte sich Michelangelo angesichts dieser Mitgift.

»Nein«, antwortete Granacci lächelnd, »aber falls es je so weit kommen sollte, habe ich das hier für dich.«

Er reichte ihm einen faustgroßen, in blaue Seide eingeschlagenen Gegenstand. Michelangelo nahm ihn argwöhnisch entgegen und entblätterte ein ebenso blaues, kostbares Fläschchen. Mit hochgezogenen Augenbrauen entkorkte er den Flakon und führte ihn zögerlich zur Nase.

»Was soll *ich* mit Rosenöl?«, fragte er ungläubig.

»Was hab ich gesagt?« Rosselli fing an zu grinsen, stieß den neben ihm stehenden Granacci in die Seite und hielt die Hand auf. »Du schuldest mir drei Grossi.«

Michelangelo bemühte sich nach Kräften, seine Freude über das Wiedersehen nicht nach außen dringen zu lassen. Insgeheim aber, das spürten Aurelio, Rosselli und Granacci gleichermaßen, war der Bildhauer gerührt. Michelangelo hatte nur sehr wenige Freunde, und die hatte er nur deshalb, weil sie die Größe besaßen, seine *ter-*

ribilità und seine abweisende Art nicht persönlich zu nehmen, sondern hinter dieser feindseligen Haltung sein wahres Wesen zu erkennen. Vielleicht, so ging es Aurelio durch den Kopf, waren sämtliche Menschen, die es wirklich gut mit ihm meinten, in diesem Haus versammelt.

Als Michelangelo scheinbar missmutig in seine Kammer hinaufstieg, um in seinem Schrank Platz für die neuen Laken zu schaffen, legte Granacci väterlich den Arm um Aurelio: »Selbst ein Menschenfeind will geliebt werden ...«

»Was war das?«, tönte es von oben.

»Nicht alles ist für deine Ohren bestimmt!«, rief Granacci.

»Dann sollte es auch nicht den Weg dorthin finden!«

Aurelio, Rosselli und Granacci standen im Vorraum und grinsten sich an wie Schuljungen nach einem geglückten Streich.

✛ ✛ ✛

Obgleich zwei Tage für seine Erledigungen ausreichend gewesen wären, blieb Granacci eine ganze Woche, bevor er nach Florenz zurückkehrte. Eine Woche, in der sich in Michelangelos Haus eine merkwürdige Veränderung vollzog. Die Schwermut, der Ernst, das Leid der vergangenen Monate – sie wichen einer Sorglosigkeit, wie nur Granacci sie verbreiten konnte. Erinnerungen an die erste Zeit der alten Bottega wurden wach, als alles noch vor ihnen lag, jeder Morgen nach Aufbruch roch und jeder Quadratfuß verputzten Gewölbes eine kleine Eroberung war. Rosselli summte, wenn er in der Küche zugange war, Granacci, der stets nach der neuesten Mode gekleidet war, lief wie ein schillernder Pfau durch das Haus, und selbst Beato, der Fattorino, schien den Besen mit ungewohnter Leichtigkeit zu schwingen.

Am dritten Tag nach Rossellis und Granaccis Rückkehr nahmen sie die Arbeit in der Kapelle wieder auf. Noch eine Szene aus der Entstehungsgeschichte, die Erschaffung Evas, sowie die entsprechenden Ignudi, dazu die Cumäische Sibylle und der Prophet

Ezechiel, und sie wären in der Mitte des Gewölbes angelangt. Halbzeit. Nach zwei Jahren Arbeit.

Lächerliche vier Giornate nahm die Erschaffung Evas in Anspruch. Michelangelo zeichnete die Kartons morgens, auf der Arbeitsbühne, während Rosselli und Aurelio den Intonaco auftrugen. Es waren flüchtig hingeworfene Skizzen, Umrisslinien, angedeutete Haare, der Sitz eines Auges im Profil. Während Rosselli die sich überlappenden Kartons an die Decke heftete, mit dem Stift die Linien in den Putz durchdrückte und Aurelio die Pigmente und Bindemittel vorbereitete, stromerte Michelangelo auf der Bühne herum wie ein herrenloser Hund.

Er unterbrach Rosselli jedes Mal, bevor der die Vorzeichnung vollständig übertragen hatte: »Lass gut sein – das reicht.«

Für die Darstellung Gottes, der die gesamte Bildhöhe beanspruchte und dennoch wirkte, als müsse er den Kopf einziehen, um in den Rahmen zu passen, benötigte Michelangelo lediglich eine einzige Giornata.

Rosselli nahm Aurelio beiseite: »Sieben Tage hat Gott gebraucht, um die Erde zu erschaffen«, sagte er, wobei er das »I« in »sieben« in die Länge zog, »Michelangelo jedoch benötigt nur einen einzigen, um Gott zu erschaffen … Was sagt uns das?«

Aurelio hatte nur einen fragenden Blick als Antwort.

»Ich weiß es auch nicht«, gestand Rosselli, »aber es fällt mir schwer zu glauben, dass es nichts bedeutet.«

Aurelio wusste, was es bedeutete: Michelangelo malte die Szene wie im Vorübergehen, weil sie ihn nicht interessierte. Wochenlang hatte er seinem Meister Modell gestanden, bevor dieser endlich den Adam gefunden hatte. Für die Eva jedoch musste Aurelio nur einmal kurz auf der Arbeitsbühne die Hände in einer bittenden Geste aufeinanderlegen. Den Rest schöpfte Michelangelo aus seiner Vorstellungskraft. Die Erschaffung Evas vermochte sein Interesse nicht zu wecken. Ganz anders verhielt es sich mit der Erschaffung Aphrodites.

Aurelio wurde unwillkürlich davon ergriffen, sobald er nachts gemeinsam mit Michelangelo dessen geheime Werkstatt aufsuchte. In dem kleinen, unscheinbaren Lagerraum war eine seltsame Kraft gefangen, die niemals schlief und wie ein Tier die Ankunft des Bildhauers ersehnte. Dann wurde sie schlagartig zum Leben erweckt, sprang auf Michelangelo über, dessen Bewegungen plötzlich von einem Knistern begleitet waren, durchströmte Eisen und Schlägel und entlud sich im Marmor. Aurelio meinte, es sehen zu können. Mit jedem Schlag, mit jedem abgeplatzten Marmorbröckchen wurde die Säule von weiterer Energie erfüllt.

Michelangelo hatte seine Ankündigung in die Tat umgesetzt: Er hatte begonnen, Aphrodite von der Hüfte aus freizulegen. Und so unerhört schnell dieser Tage das Fresko den Himmel der Sistina in Besitz nahm, so quälend zögerlich gab Aphrodite des Nachts ihren Körper preis. Manchmal entfernte Michelangelo bis zum Morgengrauen nur einen oder zwei Fingerbreit des überschüssigen Marmors von ihrer Hüfte, bei anderer Gelegenheit war auf den ersten Blick überhaupt kein Fortkommen zu erkennen. Immer wieder zwang sich der Bildhauer zu einer Langsamkeit, die seinem rastlosen Temperament völlig zuwider war – wie ein Pferd, das man gewaltsam im Schritt hielt, obgleich es eigentlich galoppieren wollte.

Aurelio erklärte sich das Vorgehen seines Meisters erst, als er ihn dabei beobachtete, wie er zum wiederholten Male das Flacheisen an die Hand mit dem Schlägel übergab, um seine Finger immer wieder über die gleiche Stelle an Aphrodites Hüfte wandern zu lassen. Auf sonderbare Weise schien ihn das permanente Hinauszögern zu befriedigen. Es verschaffte ihm Lust, sich dieser Langsamkeit zu unterwerfen. Aurelio indessen quälte das schwerfällige Tempo, mit dem sein Meister zu Werke ging. Bereits jetzt, da sie kaum zu leben begonnen hatte, ergötzte er sich an der Statue und hungerte danach, ihre Schenkel, ihre Knie, ihre Brüste zu sehen, ihre Füße und Zehen, die Papst Julius so begierig küsste.

Als Michelangelo ihn das erste Mal aufforderte, seine Finger auf

Aphrodites sich sanft wölbende Hüfte zu legen, traute Aurelio seinen Händen nicht. Wie war das möglich? Aphrodite hatte sich gerade erst zu entblättern begonnen, doch bereits jetzt konnte er den hauchdünnen Schleier spüren, der ihren Körper umhüllte, konnte die Spannung von Haut und Muskeln erahnen, die eine andere sein würde als bei den muskelbepackten Männern, die sein Meister sonst als Sujet wählte, weicher und zarter und unendlich fein. Bei keiner anderen der vielen Statuen, die Michelangelo ihm in dieser Stadt gezeigt hatte – mit Ausnahme der Pietà –, war etwas Ähnliches in ihm vorgegangen. Sein Meister verfügte über die einzigartige Gabe, den härtesten Stein in zarteste Haut zu verwandeln.

»Es ist das Zahneisen«, erklärte Michelangelo, der, Aurelio den Rücken zugewandt, am Arbeitstisch stand. Er hatte Schlägel und Eisen zu den anderen Werkzeugen gelegt und bog langsam, einen nach dem anderen, die Finger seiner linken Hand nach außen, bis sich diese vollständig geöffnet hatte. »Die meisten Bildhauer haben zu viel Angst vor dem Eisen. Sie legen es zu früh aus der Hand.« Er kühlte seine Handflächen, indem er die Hände eine Weile flach auf den Tisch drückte. Als er einen Blick über die Schulter warf, sah er Aurelio unverändert vor der Marmorsäule stehen. »Und woran liegt das?«, fragte er.

»Ihr wisst, dass ich darauf keine Antwort habe«, entgegnete Aurelio.

»Kein Gefühl für das Material«, fuhr Michelangelo fort. Er war in Gedanken. Aurelio begriff, dass sein Meister die Frage an sich selbst gerichtet hatte, nicht an seinen Gehilfen. »Sie fürchten sich davor, mit einem unbedachten Schlag der Figur eine Wunde zu schlagen, ihre Haut zu verletzen, sie zu ruinieren. Sie meiden das feine Zahneisen wie der Teufel das Weihwasser. Stattdessen greifen sie, kaum dass sie das Flacheisen aus der Hand gelegt haben, zur Raspel und treiben dem Stein seine Struktur aus. Pah!« Seine Nase stieß ein scharfes Pfeifen aus. »Sie machen Marmor zu Holz! Kein Gefühl für das Material …« Er blickte zu Aurelio hinüber, als bemerke er ihn erst jetzt. »Aurelio!«

Der Gehilfe erschrak: »Ja, Maestro?«

»Komm her!«

Michelangelo ging um den Tisch herum, wählte einen von einem halben Dutzend größerer Brocken aus, die er in einer Ecke aufgestapelt hatte, und wuchtete ihn vor Aurelio auf den Tisch. In dem Block war eine Hand gefangen, deren Rücken, Zeige- und Mittelfinger sich aus dem Stein wölbten. Offenbar hatte Michelangelo ihn zu Studienzwecken benutzt. Er deutete auf die Reihe mit Werkzeugen, die vor seinem Gehilfen ausgebreitet lag.

»Nimm die feine Raspel und glätte den Handrücken und die Fingerknöchel.«

Zögerlich schloss sich Aurelios Hand um den Griff der Raspel. Sie war leichter, als er erwartet hatte. Michelangelo machte eine ungeduldige Geste. Aurelio setzte die Raspel an.

Er war überrascht davon, wie schnell sich ein ›Gefühl für das Material‹, wie sein Meister es genannt hatte, einstellte. Als gebe die Raspel die Information über den Stein an seine Hand weiter. Aurelio durfte keinerlei Druck ausüben, sonst deutete sich im Handrücken sofort eine Vertiefung an. Das Eigengewicht der Raspel war längst ausreichend. Wenn er gekonnt hätte, hätte Aurelio ihr Gewicht sogar noch verringert. Schwierig wurde es bei Wölbungen und Vertiefungen, den Knöcheln und ihren Zwischenräumen. Das eine ließ sich nicht bearbeiten, ohne das andere in Mitleidenschaft zu ziehen. Als gänzlich unmöglich erwies sich der Versuch, die Sehnen und Adern zu glätten, die sich auf dem Handrücken abzeichneten. Selbst äußerste Vorsicht konnte nicht verhindern, dass sie an Kontur verloren.

»Das genügt«, sagte Michelangelo schließlich.

Er nahm den Block, blies den Marmorstaub vom Handrücken und hielt ihn gegen das Licht.

»Bist du zufrieden?«, fragte er seinen Gehilfen, während er ein Auge zukniff und Aurelios Arbeit aus verschiedenen Blickwinkeln prüfte.

Aurelio zog die Schultern hoch.

Michelangelo setzte den Stein auf dem Tisch ab. »Also ich an deiner Stelle wäre zufrieden …«

Der Gehilfe fühlte Stolz in sich aufsteigen, albernen Stolz. Er hatte mit einer Raspel einen Handrücken geglättet. Das war wahrlich nichts, worauf man hätte stolz sein dürfen.

»Eine Wohltat für das Auge«, fuhr Michelangelo fort, »findest du nicht?«

»Wenn Ihr meint …«

Michelangelo strich mit den Fingern über den geglätteten Handrücken. »Auch wenn man ihn befühlt, wird das Auge nicht enttäuscht. Wie Elfenbein – hier …«

Aurelio tat es ihm nach. Sein Meister hatte recht. Den Handrücken zu befühlen löste das Versprechen ein, das die Augen gemacht hatten. Und in dem Moment stieg zugleich die Gewissheit in Aurelio auf, dass die Einlösung dieses Versprechens nicht das war, worauf sein Meister aus war. Er hatte es bei der Pietà erlebt: Sie war so erhaben und von geradezu überirdischer Schönheit, doch sie anzusehen versetzte dem Betrachter einen Stich. Einen Stich, der ihn emporhob und gleichzeitig in sich zusammensinken ließ.

»Mach das, was du mit dem Handrücken gemacht hast, mit einer ganzen Figur«, sagte Michelangelo schwermütig, »und du hast am Ende alles Leben aus ihr herausgeraspelt. Sie wird schön anzusehen sein, doch sie wird dich nicht berühren.« Er wählte ein unscheinbares Eisen aus der Reihe der Werkzeuge und hielt es hoch. »Was ist das?«

»Ein Zahneisen, würde ich sagen, nur …«

»… kleiner. Richtig. Ich habe lange daran gefeilt, bevor ich die richtige Form gefunden habe.« Michelangelo nahm den kleinsten Holzschlägel, der auf dem Tisch zu finden war. »Und jetzt gib acht, was dieses kleine Stück gehärtetes Eisen zu leisten vermag.«

Nach diesen Worten war lange nur noch das Pfeifen von Michelangelos Nase und das leise, rhythmische Klopfen des Schlägels zu hören, während sich die gespaltene Zunge des Zahneisens wie von selbst ihren Weg über den marmornen Handrücken suchte, sich in die Vertiefungen zwischen den Fingern vortastete, die Knöchel aus dem Block herausdrückte, so dass die Haut sich über ihnen zu spannen schien. Michelangelo versank derweil in Selbstvergessenheit, verschwand geradezu aus seinem Körper, um ganz zu einem Werkzeug seines Zahneisens zu werden, nicht umgekehrt, sich von ihm um den Tisch führen zu lassen, mal auf diese, mal auf jene Seite, mal bis auf eine Handbreit an den Block heran, mal bis auf Armeslänge von ihm weg.

Wie hypnotisiert verfolgte Aurelio, wie das Zahneisen von neuem die Konturen hervorbrachte, die durch das Raspeln an Schärfe verloren hatten, wie es die Schatten auf dem Handrücken lebendig werden ließ, Wölbungen und Höhlungen schuf, wo die Gelenke zuvor in einer gichtartigen Starre gefangen waren. Bis Michelangelo schließlich das Zahneisen wieder zu den anderen Werkzeugen legte und vom Tisch zurücktrat, war aus der so gefällig anzusehenden Fläche die Hand einer jungen Frau geworden, eine Hand, die greifen wollte, deren Finger aus dem Block strebten, mit Adern, in denen Blut floss.

»Siehst du, dass ich ihr irgendwo die Haut verletzt hätte – oder einen Knochen gebrochen?«, fragte Michelangelo.

Aurelio brauchte nicht nachzusehen. »Nein.«

»Na also«, bestätigte sein Meister zufrieden, nahm den Block und trug ihn in seine Ecke zurück. »Mir ist noch nie etwas von einem Block abgebrochen, von dem ich nicht wollte, dass es abbricht«, brummte er.

Aurelio betrachtete das schmale Zahneisen, das sich zwischen den anderen eher mager ausnahm. Ein Stück Metall wie jedes andere. Es würde ihm für immer unbegreiflich bleiben.

✧ ✧ ✧

Am Abend vor Granaccis Abreise war Michelangelos Haus bereits am späten Nachmittag von einem schweren, satten Geruch nach Zwiebeln, Rosmarin und gebratenem Fleisch erfüllt, der von dem kleinen Hof auf der Rückseite hereinzog. Rosselli hatte tatsächlich im Schatten des Feigenbaums ein Spanferkel gebraten. Auf dem Tisch in der Küche, an dem sie gewöhnlich zu Abend aßen, stan-

den ein Krug mit korsischem Rotwein, eine Schale mit Melonen-
stücken, ein Berlingozzo – ein köstlicher Napfkuchen –, damp-
fende Pasta sowie eine Schale mit einer grünlich-grauen Paste, die
Michelangelo misstrauisch beäugte, bevor Rosselli das Geheimnis
lüftete: »Artischockenpüree.«

Michelangelo sah seinen Freund an, als habe der soeben Wein in
Wasser verwandelt.

»Ist etwas Neues – aus Afrika. Hat ein kleines Vermögen gekostet.«

»Afrikanische Pampe, die ein Vermögen kostet …« Michelangelo schien der Ohnmacht nahe.

»Und nach der afrikanischen Pampe und dem Spanferkel«, sagte
Granacci und rieb sich den Bauch, dessen Umfang von Besuch zu
Besuch zunahm, »werden wir uns hieran vergiften.« Er deutete auf
eine Platte mit Ziegenkäse und getrockneten Feigen, die vorbereitet auf einem Schemel wartete.

»Wer um alles in der Welt hat das bezahlt?«, war Michelangelos
größte Sorge.

Granacci und Rosselli antworteten aus einem Mund: »Du!«

»Gott steh mir bei!«

Auf die Idee mit dem Spanferkel war Rosselli nicht ohne Grund
gekommen. Der Duft war bereits des Öfteren vom Palazzo del Belvedere, wo Bramante residierte, herübergeweht und ihnen ver-
führerisch in die Nase gestiegen, wenn sie abends hungrig und
erschöpft aus der Sistina gekommen waren, um den Weg zu Michelangelos Haus anzutreten, wo sie selten mehr erwartete als eine
Fischsuppe, verdünnter Wein, Käse und trockenes Brot. Die Vorliebe des Papstes für Spanferkel war allgemein bekannt. Julius'
Leibgericht schien für Granaccis letzten Abend nur angemessen zu
sein.

Die Stimmung hätte ausgelassen sein können, wäre Granaccis
bevorstehender Abschied nicht so präsent gewesen. Alle, auch Michelangelo, waren sich der Tatsache bewusst, dass sich zugleich mit
Granacci auch die Unbeschwertheit der vergangenen Tage nach
Florenz verabschieden würde. Dennoch stand der Abend unter gu-

ten Vorzeichen. Gemeinsam hatten sie so viele Hindernisse überwunden und so große Herausforderungen gemeistert – am Ende hatte nichts sie aufhalten können. Die erste Hälfte des Gewölbes war nahezu vollendet, nächsten Monat würden sie die zweite in Angriff nehmen. Alle waren davon überzeugt, dass Michelangelo das Werk zu Ende bringen würde, ein zusammenhängendes Fresko von bald zehntausend Quadratfuß.

Insbesondere Granacci war guter Stimmung. Nachdem etwa die Hälfte des Weins erst in seinem Becher und anschließend in seinem Bauch verschwunden war, schwoll seine Stimme allmählich zu einem freundlichen Dröhnen an. Für ihn würde der vorübergehende Verlust seiner Freunde am leichtesten zu verschmerzen sein. Er kehrte in die Stadt zurück, die er liebte, sein freudvolles Gemüt nahm er mit, und den Fortgang der Arbeiten an der Sistina verfolgte er ohnehin vorzugsweise aus sicherer Entfernung. Nachdem er sich über den Ziegenkäse und die getrockneten Feigen hergemacht hatte, schlug er dem jungen Beato, der mit ihnen am Tisch saß, unvermittelt auf die Schulter. Der Fattorino, der den ganzen Abend noch keinen Ton von sich gegeben hatte und sein Essen zum Mund führte, als habe er es gestohlen, zuckte zusammen.

»Ich hab was für dich«, verkündete Granacci, stand schwerfällig auf, ging ins Atelier und kehrte mit einem kostbaren weinroten Seidenhemd zurück.

»Hab ich im Circus Agonalis gekauft«, erklärte er und warf es Beato achtlos in den Schoß, »und dabei meinen Bauchumfang unterschätzt. Es gehört dir – wenn du willst.«

Weder wagte Beato, das kostbare Hemd mit seinen fettverschmierten Fingern zu berühren, noch bekam er den Bissen herunter, den er im Mund hatte. Seine Augen weiteten sich, als habe Granacci ihm ein glühendes Holzscheit in den Schoß geworfen. Schließlich wischte er sich ungläubig die Finger an seiner Leinentunika ab, ergriff das wertvolle Geschenk, stand auf, verneigte sich und ging rückwärts aus der Küche. Er ließ eine erheiterte Runde zurück.

»Das war sehr großzügig von dir«, sagte Rosselli.

Granacci zuckte nur mit den Schultern und erhob sich. Alle wussten, was das bedeutete. Er hatte sich den Bauch vollgeschlagen und würde als Nächstes das Haus verlassen und zum Tiber hinunterstromern, um sich, wie er es nannte, eine »kleine Sünde zu gönnen«. Plötzlich hielt er inne und blickte Aurelio an.

»Wo wir gerade beim Thema sind«, setzte er an, ohne dass jemand am Tisch gewusst hätte, welches Thema er meinte. »Warst nicht auch du mit dieser Kurtisane bekannt – der mit den schönen Kleidern?«

Aurelio stieg schlagartig das Blut zu Kopf: »Ich weiß, wer sie ist«, antwortete er ausweichend.

»Und sie weiß, wer du bist«, streute Rosselli ein, der sich an die Feierlichkeiten anlässlich des römischen Sieges über Venedig erinnerte, als Margherita seinem Gehilfen vor aller Augen ihre Gunst bezeugt hatte.

»Wusstest du, dass sie in den Genuss einer Sfregia gekommen sein soll?«, fragte Granacci.

»Die Kurtisane mit den schönen Kleidern?«, fragte Rosselli.

Aurelio musste schlucken. »Hab davon gehört«, sagte er heiser.

»Hat mir die Kupplerin erzählt, die im selben Haus wohnt. Irgendein abgewiesener Freier hat ihr das Gesicht aufschlitzen lassen. Zu traurig …« Granacci straffte seine Trikothosen und schüttelte die Vorstellung ab. »Die Kupplerin meinte, sie sei jetzt eine Cortigiana da candela und habe sich einen neuen Namen zugelegt. Sie heißt jetzt nicht mehr ›die mit den schönen Kleider‹, sondern ›la velata‹, die Verschleierte, weil sie einen Schleier trägt, den sie niemals ablegt. Nicht einmal, wenn sie alles andere ablegt.« Granacci nahm sein schwarzes Samtbarett, strich mit dem Ärmel die Straußenfedern glatt, setzte es auf und rückte es zurecht. »Inzwischen wohnt eine andere Kurtisane in ihrer Wohnung. Nennt sich Saltarella. Die Möbel sind noch dieselben …« Er verlor sich in Erinnerungen. »Aber Saltarella ist … na ja, nicht wie die mit den schönen Kleidern. Übrigens«, er blinzelte Aurelio verschwörerisch zu, »ich würde dir nicht raten, das Haus noch einmal aufzusuchen. Als ich gehen wollte, stand plötzlich ein Mann mit einem Dolch im Torbogen und einem Gesicht wie eine Axt.«

»Was hat er gewollt?«, fragte Rosselli.

»Geld. So, wie es aussieht, hat die Kurtisane mit den schönen Kleidern nicht nur ihre Wohnung zurückgelassen, sondern auch Mietschulden.«

»Und was hast du gemacht – mit dem Mann, meine ich?«

»Ihm gesagt, dass ich in Diensten des Papstes stehe und er seine Forderungen gerne an die Kurie richten könne.«

XLV

»MICHELANGELO BUONARROTI!«

Julius' Stimme schnitt mit scharfer Klinge durch die schwere, stickige Sommerluft, die sich unter dem Gewölbe staute. An Tagen wie diesen rann ihnen auf der Arbeitsbühne bereits der Schweiß über die Stirn, ohne dass sie einen Finger dafür rühren mussten. Alles Leben erstarrte für einen Moment. Rosselli, Aurelio und Michelangelo blickten sich an. Schließlich trat der Bildhauer an den Bühnenrand. Der Papst stand in einem der kreisförmigen Steinmosaike wie im Zentrum einer Zielscheibe. Neben ihm hatte sich de' Grassi in Stellung gebracht. Selbst von oben und aus der Entfernung vermittelte der päpstliche Zeremonienmeister den Eindruck, als hätte eigentlich er Papst werden sollen, ein Adeliger aus Bologna, statt des aus ärmlichen Verhältnissen stammenden Julius.

Michelangelos Nase zischte verächtlich: »Heiliger Vater?«

»Steigt vom Gerüst herab.«

»Es tut mir leid, aber im Augenblick …«

»Steigt vom Gerüst!«

Michelangelo sah Rosselli und Aurelio an, legte den Pinsel aus der Hand, verdrehte die Augen und reichte seinem Gehilfen den kleinen Mörser, in dem dieser Terra di Siena vorbereitet hatte.

»Halte die Pigmente flüssig«, bat der Bildhauer, dann stieg er rückwärts die Leiter hinab.

Er habe vernommen, so Julius, dass die Arbeiten an der ersten Deckenhälfte abgeschlossen seien. Michelangelo würdigte de' Grassi, der unablässig mit seinem Zeigefinger den Kragen seiner Soutane entlangstrich, keines Blickes. Er konnte sich auch so denken, von wem der Papst seine Informationen hatte. Bevor er, Buonarroti, die zweite Hälfte in Angriff nehme, um »für die nächsten Jahre hinter Planen zu verschwinden«, verlange er, Papst Julius Caesar der Zweite, die fertiggestellte Hälfte in Augenschein zu nehmen. Und zwar von da, wo er jetzt stehe.

»Ich soll die Planen abhängen und das bestehende Gerüst abbauen?«, fragte Michelangelo.

»*Wer* es abbaut, ist mir gleichgültig.«

»Aber Heiliger Vater, ich …«

»Ich verlange es!«

Wie immer verbeugte sich Michelangelo gerade so weit, dass es aussah, als wolle er Julius auf die Hörner nehmen. »Wie Ihr wünscht, Heiliger Vater.«

✢ ✢ ✢

Bereits seit Wochen befand sich Julius in einer unheilvollen Verfassung. Seine Blutbahnen sprudelten über vor gelber Galle. Erst vor drei Tagen sollte er einem Kämmerer mit seinem gefürchteten Stock das Schlüsselbein zertrümmert haben. Und jetzt wollte er die fertige Gewölbehälfte sehen.

Im Grunde sprach Julius' Wunsch seinem Künstler aus der Seele: Zu gerne hätte sich Michelangelo nach zwei Jahren sklavischer Arbeit von der Wirkung seiner Fresken überzeugt. Ob er für die Bibelszenen überzeugende Tableaus gefunden hatte; ob die Scheinarchitektur das Gewölbe in ästhetisch ansprechender Weise gliederte; ob es ihm gelungen war, all die riesigen Propheten und Sibyllen, die er in extremer perspektivischer Verkürzung hatte malen müssen, so auszuführen, dass sich dem Betrachter der Eindruck vermittelte, unter einer gerade Decke zu stehen … Nicht aber an der Seite des Papstes, und schon gar nicht in Julius' derzeitiger Verfassung.

Sollte sich die Kühnheit, die den Bildhauer bei seinem Entwurf beflügelt hatte, jetzt, zwei Jahre später, als vermessen erweisen? Es stand zu befürchten, dass Julius seinen Stock an Michelangelos Kopf zu Kleinholz zerschmettern würde. Dutzende entblößter Männerkörper, die der Künstler dem Papst in seinen Entwürfen verschwiegen hatte, alleine zehn Ignudi, deren überlebensgroße Nacktheit nach Michelangelos Vorstellung das Göttliche im Menschlichen priesen – eine Vorstellung, die Egidio da Viterbo ebenso wenig teilen würde wie de' Grassi oder Julius selbst. Vor lauter männlicher Nacktheit waren die Bibelszenen, die das Herz des Freskos hätten bilden sollen, in den Hintergrund gedrängt worden. Davon konnten alle Propheten, Sibyllen und noch so viele Hinweise auf das Familienwappen der della Rovere nicht ablenken.

Als der Bildhauer wieder zur Arbeitsbühne emporstieg, zitterten ihm die Hände derart, dass er nach zwei Versuchen, die Arbeit wiederaufzunehmen, kapitulierte.

»Wir packen ein. Schluss für heute.«

»Was ist mit dem Rest der aufgetragenen Giornata?«, fragte Rosselli.

»Abschlagen.«

Im Laufschritt eilte Michelangelo, flankiert von Rosselli und Aurelio, über den Petersplatz und die Piazza Rusticucci zu seinem Haus, flüchtete sich in seine Kammer und kam für den Rest des Tages nicht mehr zum Vorschein. Es war nicht das erste Mal, dass Aurelio seinen Meister in diesem Zustand erlebte.

Piero schien denselben Gedanken zu haben: »Ich kenne niemanden, der sich in solcher Geschwindikeit von einem Löwen in ein Eichhörnchen verwandelt«, sagte er, nachdem Michelangelo seine Kammertür hinter sich zugeschlagen hatte. »Und umgekehrt. Es sollte mich nicht wundern, wenn er mit gespreizten Tatzen und hervorspringenden Krallen wieder herunterkommt.«

✢ ✢ ✢

Michelangelos Angst, sich durch die Enthüllung des Gewölbes den Zorn des Papstes zuzuziehen, sollte sich als unbegründet erweisen. In der Nacht, die Julius' Besuch in der Kapelle folgte, hatte der Papst eine göttliche Eingebung: Während er einmal mehr ruhelos seine Gemächer durchwanderte, weil, wie er sagte, die Franzosen ihm den Appetit genommen und den Schlaf geraubt hätten, erkannte er seine politische Bestimmung: »Es ist Gottes Wille, den Herzog von Ferrara zu züchtigen und Italien aus den Händen der Franzosen zu befreien.«

Kaum einer in der Ewigen Stadt zweifelte daran, dass es nicht Gottes Worte gewesen waren, die Julius in dieser Nacht vernommen hatte, sondern die seiner angebeteten Kurtisane, die er mit seinen nicht enden wollenden Klagen zur Weißglut trieb. Und so dauerte es nur wenige Stunden, ehe am Pasquino, einer der »sprechenden Statuen« der Stadt, der erste Spottvers zu lesen war.

Seit wann ist es Gott, der die Beine spreizt,
Für des Papstes mickrige Heiligkeit?

Es hieß, Aphrodites Zornesausbruch sei im gesamten Palast zu hören gewesen: »Dann unternimm endlich etwas!«

»Aber was denn?«, sollte Julius voller Verzweiflung ausgerufen haben.

»Lehre Alfonso ein für alle Mal, dass Italien das Schicksal bestimmt ist, unter einem einzigen Herrscher vereint zu werden – dem Vertreter Gottes auf Erden!«

✤ ✤ ✤

Die Liga von Cambrai hatte sich als ein riesiges Pendel erwiesen, das erst mit gewaltigem Schwung die Macht der Venezianer gebrochen hatte, um am höchsten Punkt kehrtzumachen und sich gegen den Kirchenstaat zu richten. Seit der Schlacht von Agnadello schwebten die Franzosen wie das Schwert des Damokles über dem

Haupt der Welt. Und Alfonso d'Este war das größte Hindernis auf dem Weg, sie endlich aus Italien zu vertreiben – der glühendste Stachel in Julius' göttlichem Fleisch. Letztes Jahr, als es darum gegangen war, gemeinsam mit den Franzosen die Vorherrschaft der Venezianer zu brechen, hatte der Herzog von Ferrara noch erfolgreich die päpstlichen Truppen kommandiert. Kurz darauf hatte er dankenswerterweise noch die venezianischen Galeeren zerschossen. Jetzt jedoch, da Julius seinem göttlichen Auftrag folgte und eine – die! – Heilige Liga zu bilden bemüht war, um mit Hilfe der zuvor geschlagenen Venezianer die Franzosen zurückzudrängen, verweigerte der eitle Waffennarr dem Papst beharrlich die Gefolgschaft. Wie sollte Julius da nicht Gift und Galle spucken?

Alfonso, dieser Geck, war ihm verhasst wie kaum ein anderer. Selbstgefällig und starrköpfig saß er in seinem riesigen Castello Estense, das für sich genommen bereits eine Anmaßung darstellte, und ließ sich porträtieren, immer in Siegerpose und vorzugsweise in seiner kunstvoll geschmiedeten Edelrüstung. Noch dazu war er mit Lucrezia Borgia verheiratet, der Tochter von Julius' ebenfalls leidenschaftlich verhasstem Vorgänger Alexander. Ganz Italien wusste, dass Lucrezia erst mit ihrem Vater und später mit ihrem Bruder Cesare das Bett geteilt hatte, bevor sie sich mit Alfonso d'Este hatte verheiraten lassen. Immerhin mit ihrem Bruder Cesare hatte Gott inzwischen ein Einsehen gehabt. Vor drei Jahren war er in seinem spanischen Exil in einen Hinterhalt gelaufen und erschlagen worden.

Alfonso jedoch saß nach wie vor in seinem Castello, hielt sich und seine Kanonen für unbezwingbar und stand Ludwig treu zur Seite. Das bedeutete Krieg. Krieg gegen Alfonso, und Krieg gegen Ludwig und seine Barbaren. Gott hatte sich Julius als Werkzeug erwählt, um den Kirchenstaat auf ganz Italien auszudehnen. Wenn dieses Werkzeug nun die Form eines Schwertes annehmen musste, um das Ziel zu erreichen … Nun, dann würde es das eben tun. In Gottes Namen.

Aber nicht allein. Gottes Werkzeug benötigte Unterstützung – weitere Werkzeuge, die sich in den Dienst der geheiligten Mission stellten. Doch auf wen konnte man zählen? Wer war verlässlich und effektiv zugleich? Die Söldnerhorden, die lustlos durch das Land marodierten, waren allesamt unbrauchbar. Seit Jahren beklagte Julius ihren mangelnden Kampfeswillen. Auf sie zurückzugreifen wäre wenig erfolgversprechend. Wer also könnte der Heiligen Liga die nötige Schlagkraft verleihen, um die Mission zum Erfolg zu führen? Innerhalb der Mauern des Vatikans wusste jeder, dass es Aphrodite war, die den Papst davon überzeugt hatte, dass es nur eine Lösung für dieses Problem gab. Die Wahl fiel nicht schwer. Im Grunde genommen gab es gar keine Wahl zu treffen. Wer sich des Erfolgs einer militärischen Operation sicher sein wollte, für den gab es nur eine Lösung: die Unterstützung der Eidgenossen. Noch nie waren die Schweizer im Felde bezwungen worden.

Julius' Verhandlungen waren von Erfolg gekrönt: Er schloss eine Allianz, die ihm für die kommenden fünf Jahre die militärische Unterstützung der Schweizer zusicherte. Kaum war die Tinte unter dem Vertrag getrocknet, da versetzte der Papst die gesamte Kurie auch schon in Aufruhr und rüstete sofort zum Kampf. Ganz so, als fürchtete er, die fünf Jahre könnten im Herbst bereits vergangen sein. Michelangelos Fresko war bis auf weiteres zur Nebensache geworden.

Die von den Schweizern zugesicherten Soldaten hatten noch nicht einmal die Alpen überquert, da brach Julius bereits nach Ferrara auf. Gemeinsam mit seinem Neffen, dem Condottiere Francesco Maria della Rovere – einem zwanzigjährigen Milchgesicht –, führte er die päpstlichen Truppen an.

Zu Tausenden marschierten die geharnischten Fußsoldaten in der sengenden Julisonne von der Piazza Venezia kommend die glänzende Via del Corso hinauf und schließlich, begleitet von müden Posaunen- und Fanfarenklängen, unter dem Bogen der mit trägen Bändern geschmückten Porta del Popolo hindurch. Noch bevor sie die Stadt verlassen hatten, lief den meisten Soldaten der Schweiß in Strömen den Nacken hinab.

Michelangelo, Rosselli und Aurelio hatten sich unters Volk gemischt und verfolgten die zähe, sich durch das Tor zwängende Schlange aus Soldaten vom Pincio aus, dem Hügel, der sich zur Rechten der Piazza del Popolo erhob und einen Blick über ganz Rom gestattete. Das Klirren der Rüstungen unten auf dem Platz erfüllte die drückende Luft und kroch schwerfällig den Hang hinauf. Bis es Michelangelo, Rosselli und Aurelio erreichte, war nur noch ein kränkliches, heiseres Rasseln übrig. Die in den Himmel gestreckten Lanzen schwankten wie trunken. Ludwig und seine Barbaren würden sich vor Lachen die Bäuche halten bei dem Anblick.

Doch all das interessierte Aurelio nicht. Er hatte einzig Augen für den gepanzerten Kutschwagen, der, mühsam von vier Pferden gezogen, dem Papst und seiner persönlichen Eskorte folgte. Ein gefedertes Haus auf Rädern, das selbst einer Kanonade Alfonsos standgehalten hätte. Die Seiten zierte Julius' Familienwappen: die Traubeneiche mit den zwölf goldenen Eicheln. Selbst vom Pincio aus war es problemlos zu erkennen. Am gesamten Wagen schien es keinen Winkel zu geben, der nicht mit einem Ornament verziert war. Selbst die Speichen der Räder waren mit goldenen Beschlägen geschmückt. Die prunksüchtige Lucrezia sollte nicht nur ihren Mann Alfonso fallen sehen, sie sollte sich zudem vor Neid über den päpstlichen Luxus die eigenen Fingernägel ins Fleisch bohren.

Jeder auf der Piazza, vom Kleinkind bis zum Greis, wusste, wer in dem Kutschwagen saß: die Kurtisane, deren Namen auszusprechen einen die Zunge kostete; die Frau, die mehr Macht über den Papst besaß als irgendwer sonst und die ein Verlangen in ihm entfachte, das mühelos über seinen Verstand triumphierte. Eine Liebesgöttin, über deren wahres Aussehen nur Gerüchte kursierten, das sinnlichste Mysterium der Ewigen Stadt. Und unter den vielen tausend Menschen, die den Platz und die Straßen säumten, gab es nur zwei, die gesehen hatten, was sich unter dem weißen Schleier verbarg: Michelangelo und sein Gehilfe.

Aurelio stieg das Blut zu Kopf, als sich der Umriss des Wagens im Schatten der Via del Corso abzuzeichnen begann, um wenig später daraus hervorzubrechen, den Platz in Besitz zu nehmen, das Licht auf sich zu ziehen und seine goldenen Strahlen über die Piazza zu werfen bis hinauf auf den Pincio. Wie oft hatte er sich gesehnt nach diesem Körper, wie oft Aphrodites Geruch nachgespürt, wie oft sich vorgestellt, ihre Haut zu berühren, in der Leiste, wie flüssige Bronze, ihre zarten Schlüsselbeine, ihren schwanenhaften Hals, ihre stolzen Brüste … Seit damals war kein Arbeitstag verstrichen, ohne dass er beim Wasserholen im Cortile zu ihren Fenstern emporgeblickt hätte. Ein Sehnen, das ihm in Fleisch und Blut übergegangen war wie ein Muttermal, das man immer wieder befühlte.

XLVI

AURELIO ATMETE DURCH DEN MUND, doch auch das half nicht
viel. Bis er die dritte Straßenkreuzung erreichte, war er kurz davor,
sich zu übergeben. Der Gestank von Kot und Urin verklebte ihm
die Nase und kroch in den Stoff seiner Trikothose, seines Hemdes,
die Poren seiner Haut. Beim Gehen machten seine Bauernschuhe
schmatzende Geräusche und hinterließen auf dem schimmernden
Pflaster schlierige Abdrücke. Aurelio meinte zu spüren, wie unter
ihm die Ausscheidungen der Stadt gärten und dabei alle möglichen
Krankheiten hervorbrachten und wie dieser verhängnisvolle Sud
durch die Erde nach oben drängte, hinauf auf die Straße.

Begleitet von sich auf dem Fluss spiegelnden Fackeln, war er im
nächtlichen Treiben am Ufer entlang bis zur Pons Aemilius gegangen, der gewaltigen Römerbrücke, die irgendwann eingestürzt war
und unter der sich die Cloaca Maxima, der größte Abwasserkanal
der Stadt, in den Tiber ergoss. Auf den Stümpfen der alten Brü-
ckenpfeiler fanden sich stets viele Angler ein, weil – Gestank hin
oder her – der Unrat des Kanals die Fische in Schwärmen anlockte.
Hier war Aurelio in eine Straße abgebogen, die zur Kirche San
Giorgio mit ihrem weithin sichtbaren Glockenturm führte, um
sich von dort in die Gassen des Velabro spülen zu lassen.

Michelangelo hatte ihm erklärt, dass die flache Gegend zwischen Kapitol, Palatin und Tiber früher ein Sumpf gewesen war –

bis Tarquinius auf die Idee verfiel, die Cloaca Maxima ausheben und so die Sümpfe trockenlegen zu lassen. Über Jahrhunderte war das Velabro später zu einer beliebten und belebten Gegend geworden, bevölkert von Straßenhändlern, Wahrsagern und Tänzern. Die besten Bäcker der Stadt sollten in diesen Straßen um die Gunst ihrer Kundschaft gewetteifert haben. Nur waren seit Tarquinius gut zweitausend Jahre vergangen.

Inzwischen war das Velabro, insbesondere aber das Bordelletto genannte Gassengeflecht, das hinter Santa Maria in Cosmedin begann und sich in einem undurchsichtigen Wirrwar bis zum Westhang des Palatins zog, selbst eine Cloaca Maxima geworden. Jetzt, im August, war es am schlimmsten. Ständig brach das Abwassersystem zusammen, verstopften die Kanäle oder versagten gänzlich ihren Dienst. Dann staute sich die giftige Brühe unter der Erde und quoll den einst so stolzen Gesichtern, die auf den riesigen, alten Kanaldeckeln prangten, wie Erbrochenes aus Nasen, Augen und Mündern. Da das Bordelletto in einer Senke lag, stand das Abwasser oft tagelang in den Straßen, und das Einzige, was sich darin bewegte, waren Ratten. Deshalb hatte man viele der Gassen mit provisorischen Stegen überspannt. Dennoch trieben sich hier nach Einbruch der Dunkelheit viele zum Teil gutgekleidete Menschen herum. Das Bordelletto nämlich war eines der wenigen Viertel der Stadt, in denen die Cortigiane da candele – die Kerzenkurtisanen – geduldet wurden und unbehelligt ihrem Gewerbe nachgehen konnten.

Vorsichtig balancierte Aurelio auf einer Planke von einer Straßenseite zur anderen. Als ihm auf halbem Weg ein Trio trunkener Männer entgegenkam, unter deren Gewicht das Holz bedrohlich nachgab, fürchtete er für einen Moment, seine so sorgsam gepflegten Bauernschuhe würden die andere Seite nicht unbeschadet erreichen. Doch es traf einen der Männer. Der Mittlere verlor bei dem Versuch, sich an Aurelio vorbeizuschieben, das Gleichgewicht und landete mit beiden Füßen knöcheltief in der stinkenden Lache. Als sei es nur die Frage gewesen, welchen von ihnen es erwischen würde, fingen die beiden anderen lauthals an zu lachen, und schließlich stimmte der Dritte, der sich von ihnen die Hände reichen und zurück auf die Planke helfen ließ, in ihr Gelächter mit ein.

Auf der anderen Seite angekommen, erblickte Aurelio eine Hure, den Oberkörper gegen die Hauswand gelehnt, ein Bein angewinkelt. Ihre Hand umfasste einen kleinen Holzhalter, auf dem die zur Hälfte heruntergebrannte Kerze steckte, die ihrem Berufsstand seinen Namen gab. In der Hierarchie der Kurtisanen war eine Cortigiana da candela nur noch zweite oder dritte Wahl. Anders als eine Cortigiana onesta, eine ehrbare Kurtisane, die sich von einem oder mehreren Bewunderern in Luxus betten ließ, war eine Cortigiana da candela meist auf einen Puttaniere – einen Zuhälter – angewiesen und musste sich ihren Lebensunterhalt in allerlei Hinterzimmern erschlafen. Mit anderen Worten: Was eine Cortigiana da candela von einer gewöhnlichen Hure unterschied, war der Umstand, dass sie ihre Freier wenigstens nicht auf offener Straße bedienen musste und sich einen Rest Würde zu bewahren versuchte.

Die Frau war jünger und gepflegter, als Aurelio angesichts des Gestanks und des Drecks erwartet hätte. Ihm fiel auf, dass sie Trippen trug, hölzerne Überschuhe, die sie größer erscheinen ließen und gleichzeitig ihre Lederschuhe schützten. Ihre prominente Nase wies sie als Griechin aus, ihr Gesicht wurde von dichtem, schwarzem Haar umrahmt. Als sich ihre mit Zinnober gefärbten Lippen zu einem Lächeln kräuselten, bemerkte Aurelio zudem, dass ihr nicht ein einziger Zahn fehlte.

»Hast du dich verlaufen?«, fragte sie mit dunkler Stimme.

Offenbar blickte Aurelio sie nicht auf die Weise an, die sie von ihren Freiern gewohnt war.

»Ich suche eine Kurtisane«, antwortete er unsicher.

»Wonach sehe ich aus – einer Hebamme?«

»Ich meine … eine bestimmte …«

»Ich bin eine bestimmte.«

»Nein, ich meine: Ja, das sehe ich, dass Ihr eine … bestimmte seid …« Aurelios Gedanken verhedderten sich. »Die mit den schönen Kleidern, das ist ihr Name: Die Kurtisane mit den schönen Kleidern. Wisst Ihr, wo ich sie finden kann?«

Die Griechin strich sich über die runden Hüften und rückte ihr verbrämtes Dekolleté zurecht: »Dir gefällt mein Kleid nicht?«

»Doch, entschuldigt …« Plötzlich fiel ihm ein, was Granacci gesagt hatte: dass Margherita sich einen neuen Namen gegeben hatte. »La velata! So heißt sie jetzt: die Verschleierte.«

Die Cortigiana blickte betont gelangweilt die Gasse hinunter. Bis sie Aurelio den Kopf wieder zuwandte, war das Leuchten aus ihren Augen verschwunden. Sie hatte ihren Köder ausgeworfen, und der hübsche Jüngling hatte ihn verweigert. Jedes weitere Lächeln wäre reine Verschwendung gewesen. »Versuch's am Ponticello«, sagte sie kurz.

»Und wo finde ich den?«

Ihr markantes Kinn deutete zum Palatin hinüber: »Santa Maria Liberatrice.«

Die Kirche Santa Maria Liberatrice war auf den Überresten eines alten Palastes erbaut worden und lag etwas höher als das übrige Bordelletto. Auch unter dem schmalen Weg, die zu ihr hinaufführte, verlief die Cloaca Maxima. Um den Kirchenbetrieb nicht durch auf die Straße gespülte Exkremente zu gefährden, hatte man eine kleine Holzbrücke errichtet, den Ponticello. Die Luft im Bordelletto war stickig in dieser Nacht, wie festgebacken klebte die feuchte Hitze an den Steinen. Hier jedoch, am Westhang des Palatins, genügte der kaum spürbare Luftzug, um dem beißenden Geruch der tiefer gelegenen Gassen die Strenge zu nehmen. Erleichtert richtete Aurelio sich auf. Dann blieb er stehen.

Er war noch etwa dreißig Schritte vom Ponticello entfernt, auf dessen Geländer Fackeln aufgesteckt waren, doch er erkannte Margherita sofort. Noch immer war ihr diese stolze Haltung eigen, die sie größer erscheinen ließ als die Frauen um sich herum, auch wenn sie es nicht war. Noch immer trug sie das schönste Kleid, und noch immer hob sich ihr Lachen von dem der anderen ab – eine Spur zu schrill und zu laut. Kopf und Hals verbarg sie unter einem senfgelben, mit Schmucksteinen verzierten Chaperon, das eine Straußenfeder zierte und das auf der Vorderseite mit einem Schleier versehen war. Die erlittene Sfregia hatte ihre Karriere als ehrbare Kurtisane beendet, ihr Stolz jedoch schien ungebrochen. Um nicht von ihr erkannt zu werden, zog Aurelio sich sein Barett in die Stirn und wich in den Schatten eines überhängenden Balkons zurück.

Als Granacci von dem Abend erzählt hatte, an dem er Margherita hatte besuchen wollen, um stattdessen zu erfahren, was ihr während seiner Abwesenheit zugestoßen war, war alles wieder hochgekommen – wie die Ausscheidungen der Stadt, die hier, im Velabro, aus den Kanaldeckeln krochen. Später, im Halbschlaf in seinem Bett, hatte sich Aurelio in Margheritas Gemach wiedergefunden, unfähig, seiner Geliebten beizustehen, das Unglück zu verhindern. Er hatte sich Gedanken gemacht, über Gott und ob die Sfregia die gerechte Strafe für Margheritas Verfehlungen gewesen war, doch er hatte keine Antwort gefunden. Später war ihm klargeworden, dass keine wie auch immer geartete Antwort sein schlechtes Gewissen erleichtert hätte, das ihn seither plagte.

Nun, da Aurelio in der Verschwiegenheit des Schattens an den Abend mit Granacci zurückdachte, begriff er zum ersten Mal, weshalb er überhaupt hier war: Schuld. Er fühlte sich schuldig an Margheritas Schicksal. Und wenn er ehrlich gegen sich selbst war, dann hatte er sich auf die Suche nach ihr begeben, weil er sich Absolution erhoffte. Erst dann könnte er sie endgültig hinter sich lassen. Am Ende hatte ihn also nicht die Sorge um seine einstige Geliebte hergeführt, sondern die Hoffnung, von seiner Schuld freigesprochen zu werden. Aurelio trat aus dem Schatten und ließ sich im Strom der Menschen an die Stelzen des Ponticello schwemmen.

Auf der kleinen Brücke herrschte ein Gurren wie im Taubenschlag. Freier, die um den Preis feilschten, wurden hingehalten, angefüttert, herangezogen, wieder vom Haken gelassen oder eingeholt. Unwillkürlich suchte Aurelio erneut im Schatten Zuflucht, diesmal unter dem Brückenbogen. Er hörte Margheritas durchdringende Stimme, wie sie einem unverschämten Freier nachrief, er solle achtgeben, sonst strecke sein Hahn den Kopf noch von alleine durch die Hose. Aurelio zögerte. Doch er wusste, dass es im Grunde keinen Ausweg gab. Margherita musste ihn erlösen. Sonst würde er die Last ihres Schicksals für immer mit sich herumtragen. Und das durfte nicht sein. Das Schicksal seiner Mutter lastete schwer genug für ein Leben.

Er trat einen Schritt aus dem Schatten: »Margherita?«

Sie hörte ihn nicht.

»Margherita!«

Über ihm wurde es still. Ihr Kleid raschelte, dann beugte sie sich über die Brüstung und tastete mit den Augen im Halbdunkel nach seiner Silhouette. Aurelio schluckte, hob seinen Blick und schob sich das Barett aus der Stirn.

Ein Schauer durchlief Margherita – wie ein kalter Windhauch, der durch die Blätter eines Baumes strich. Als sie endlich antwortete, war ihre Stimme tränenverschleiert: »Heilige Mutter Maria – warum tust du mir das an?«

✢ ✢ ✢

Sie gingen nebeneinander, ohne sich zu berühren oder miteinander zu sprechen. Margherita schlug die Richtung zum Tiber ein, geleitete Aurelio ein Stück flussaufwärts und wechselte schließlich über den Ponte Fabricio, die älteste Brücke Roms, und den Ponte San Bartolomeo auf die andere Tiberseite hinüber. Nach einem kurzen Irrgang durch die licht- und namenlosen Gassen von Trastevere gelangten sie an einen Weg, der geradewegs zum Tiber führte.

Vor dem letzten Haus blieb Margherita stehen. Die Rückseite grenzte an den Fluss, der Vorbau des Obergeschosses ragte über das Wasser. An der Fassade war noch der dunkle Streifen zu erkennen, den das letzte Hochwasser hinterlassen hatte. Hier, in direkter Ufernähe, war der Straßenlehm so aufgeweicht, dass er Aurelio beinahe die Schuhe ausgezogen hätte. Ein modriger Geruch nistete in den Winkeln. Unvermittelt wurde die Tür aufgestoßen, und ein schwacher Lichtschein erhellte die Gasse. Zwei Betrunkene polterten auf den Weg, staksten zunächst in die falsche Richtung, machten kehrt, torkelten an Margherita und Aurelio vorbei, ohne sie zur Kenntnis zu nehmen, und verschwanden im Dunkel von Trastevere. Kurz darauf war nur noch das Gurgeln des Tiber zu hören.

Margherita klopfte. »Hier ist es«, sagte sie, als erkläre sich alles andere von selbst.

Die Tür öffnete sich erneut, und unter dem niedrigen Balken erschien eine Frau in einem schwarzen, eng geschnürten Mieder. Mehr konnte Aurelio nicht von ihr erkennen.

»Ach, du bist es«, sagte sie, und als sie eintraten und Margherita eine neben der Treppe bereitstehende Kerze entzündete: »Da hast du aber einen hübschen Fang gemacht.«

Hinter Margherita stieg Aurelio die Stufen ins Obergeschoss hinauf. Auf der Treppe mischte sich der schwere Geruch von Wein und Schweiß mit dem von süßem, klebrigem Parfüm. Oben angekommen, zog Margherita einen Schlüssel aus einer Ritze des Türstocks und entriegelte eine der Kammertüren. Aurelio musste den Kopf einziehen, als er eintrat.

Die Kammer war karg. Ein Schemel, ein Tisch, ein Schrank, ein Bett, eine Waschschüssel mit Krug. Wären der Wandspiegel und die Koffertruhe ihres Mannes nicht gewesen, es hätte ebenso gut Michelangelos Kammer sein können.

»Es ist nicht, was du von meiner alten Wohnung gewohnt warst«, stellte Margherita fest und versuchte, es nicht wie eine Entschuldigung klingen zu lassen, »doch ich muss es wenigstens mit niemandem teilen.«

Sie blickte sich um, als sei auch sie zum ersten Mal hier. Aurelio konnte nicht erkennen, ob hinter ihrem Schleier eine Veränderung vor sich ging, doch es schien, als ob ihr Körper an Spannung verlor. Margherita hatte es verstanden, sich ihre Unabhängigkeit zu bewahren, doch diese Kammer war nicht, wofür sie nach Rom gekommen war. Nur ein oder zwei Schritte trennten sie noch von dem Schicksal, dem sie um jeden Preis hatte entgehen wollen: zu einer der zahllosen Gestrandeten zu werden, die mit hochfahrenden Plänen nach Rom kamen, um unbemerkt vom Rest der Welt ihren Lebenstraum zu Grabe zu tragen. Der Stolz, den sie auf dem Ponticello zur Schau getragen hatte, ihre überlegene Haltung, sie waren wie die Säulen der alten Tempel auf dem Forum Romanum, die mit letzter Kraft ihr Dach stützten, obwohl ihnen das Fundament bereits weggebrochen war.

Aurelio wandte den Kopf ab und richtete seinen Blick aus dem Kammerfenster, unter dem die Wasser des Tiber dahinströmten. Ein beruhigend gleichmäßiges Gurgeln stieg vom Fluss auf, der die Luft kühlte und ihr etwas von ihrer Last nahm.

»Es hat mich flussabwärts getrieben«, hörte er Margherita sagen, »von der Torre di Nona nach Trastevere.« Aurelio blickte weiter aus dem Fenster. Auf dem Tiber spiegelte sich der Mond an einem Dutzend Stellen gleichzeitig. »Doch untergegangen bin ich nicht.«

Er vernahm das Rascheln von Margheritas Kleid in seinem Rücken und ahnte, was es bedeutete. Es fühlte sich falsch an. Dass er hier war, fühlte sich bereits falsch an. Das Bett gab ein Knarzen von sich. Aurelio drehte sich um. Wie erwartet, hatte Margherita sich entkleidet und die Decke ihres Bettes zurückgeschlagen.

»Komm her«, sagte sie leise, »komm zu mir und lass uns so tun, als sei das hier«, sie deutete auf ihren Schleier, »nie geschehen.«

Sie ließ sich aufs Bett gleiten, mit nichts als ihrem Chaperon, und drehte ihren Körper ins Mondlicht. Der milchige Dunst verfing sich in den kupferfarbenen Haaren, die sich unter ihrer Kopfbedeckung hervorwellten, legte sich auf die Rundung ihrer Hüfte und glitt zwischen ihre Schenkel. Ihr Körper war so, wie Aurelio ihn in Erinnerung hatte. Und doch war er nicht mehr derselbe. Ihn anzusehen war nicht mehr dasselbe. Aurelio war nicht mehr derselbe.

»Du zögerst?«

Aurelio hatte keine Erklärung, die Margherita nicht verletzt hätte.

»Hör zu, mein schöner Prinz: Ich weiß, dass du nicht länger mir gehörst.«

Aurelio vermochte sich nicht von der Stelle zu rühren.

»Weißt du noch, was du zu mir gesagt hast«, ihre Worte bewegten sich wie Schatten durch die Kammer, »damals, als du zu mir auf
den Wagen gestiegen bist?

Natürlich erinnerte er sich: an die untergehende Sonne, die
Weite des Meeres, die Stadtmauern Fanos, dahinter unbekanntes
Land. Er nickte: »Dass du dich täuschst, wenn du glaubst, ich
könne den Lauf des Schicksals beeinflussen.«

»Und weißt du auch noch, was ich dir zur Antwort gab?«

Auch das war Aurelio in Erinnerung.

»Ich sagte dir«, antwortete Margherita an seiner Stelle, »dass ich
den Lauf meines Schicksals selbst bestimmen würde.«

Ja, dachte Aurelio, nur hast du damals gelacht, als du es sagtest.

»Du schuldest mir nichts«, bekräftigte Margherita.

Er stieg zu ihr ins Bett, legte seine Hand auf ihren Bauch, ließ
seine begabten Hände über ihren Körper gleiten. Er empfand Mitleid. Und Schuld. Sie wussten es beide.

»Ich möchte dein Gesicht sehen«, sagte Aurelio.

»Nein, das möchtest du nicht«, entgegnete Margherita. »Du
willst mich so in Erinnerung behalten, wie wir uns begegnet sind.«

»Aber ich bin wegen dir hier, nicht wegen deines Körpers.«

»Ich bin mein Körper.«

Sie schliefen miteinander wie zwei Fremde, die nichts voneinander wussten, jeder für sich. Die Teile von Aurelio, auf die
es Margherita ankam, erfüllten ihren Dienst. Doch Aurelio kam es
vor, als hätten sein Kopf und sein Körper die Verbindung zueinander verloren.

Sie löste sich aus seiner Umarmung, stand auf und ging zum
Fenster. An den Innenseiten des Rahmens waren Schlaufen ange-
bracht, an denen sie sich festhielt, während sie sich auf den Sims
hockte, so dass ihr nackter, in Mondlicht getauchter Hintern im
Freien hing. Nachdem sie sich in dieser Haltung direkt in den
Tiber entleert hatte, kehrte sie ins Bett zurück, schmiegte sich an
Aurelio und schlief sofort ein. Der auffrischende Wind, den die
Stadt seit Wochen ersehnte, hatte ihre Pobacken gekühlt.

Ihr Atem ging schwer und gleichmäßig. Kaum merklich bewegte sich der Schleier über ihrem Gesicht. Obgleich sie sich auf die Seite gedreht hatte, schnarchte sie leise. Ein matter Glanz ruhte auf ihrer Schulter und der Hüfte. Aurelio richtete den Blick zur Decke. Er spürte seine Nacktheit wie einen Makel. Er würde nicht wiederkommen. Margherita hatte ihn von seiner Schuld freigesprochen. Er hatte erhalten, wofür er gekommen war.

Sie mussten Flöhe im Bett haben oder Wanzen. Oder beides. Zum wiederholten Mal war Aurelio von etwas gebissen worden. Aus dem Schankraum unter ihnen drangen die Rufe einer ausbrechenden Schlägerei herauf. Je länger er neben ihr lag, nackt, auf den Rücken gedreht, umso greifbarer wurde die Unruhe, die in ihm aufstieg. Es drängte ihn fort von Margherita, der Frau, die er so lange begehrt hatte. Doch warum? Die Angst vor ihrem entstellten Gesicht schreckte ihn nicht. War es der Gedanke, in Margherita sein eigenes Schicksal gespiegelt zu sehen? Klammerte auch er sich nur an eine Illusion? War auch er nur ein Gestrandeter, der mit großen Plänen, Bildhauer zu werden, in diese Stadt gekommen und gescheitert war? Das Mitleid hinderte ihn am Gehen. Und dafür schämte er sich mehr als für alles andere: dass es Mitleid war, das ihn in Margheritas Bett hielt.

Es war spät in der Nacht, ehe Aurelio sich heimlich aus dem Bordell schlich, einen schalen Geschmack auf der Zunge. Margherita schlief oder gab vor, es zu tun. Lautlos hob er den Riegel an und schloss leise die Tür hinter sich.

Trastevere hing am Ponte Sisto wie an einer Nabelschnur. Wer auf direktem Weg in die Stadt und nicht den noch engeren Ponte Fabricio nutzen wollte, dem blieb nur die unter Sixtus erbaute Brücke. Kein Wunder also, dass sie selbst zu dieser Zeit noch belebt war. Aurelio trat an die Brüstung und hielt sein Gesicht in den auffrischenden Wind. Um ihn herum, vom Schmutz des Tages befreit, erhob sich die Ewige Stadt in dunkler, majestätischer Pracht. Im Widerschein der zahllosen Fackeln war sie lediglich als Silhouette zu erkennen, doch ihre erhabene Größe schien greifbar, als habe ihr die Geschichte eine zusätzliche Gravitation verliehen.

»Hier.«

Unbemerkt war ein Mann an ihn herangetreten. Er verströmte denselben Geruch nach Eiter und krankem Kot, der Aurelio stets entgegenschlug, wenn er am Spital Santo Spirito vorbeiging. Unter seiner in Fetzen hängenden Tunika kroch eine zur Faust geballte Hand hervor. Dem Mann fehlten sämtliche Fingernägel. Er öffnete die Faust, und ein grau-brauner Kieselstein kam zum Vorschein, der sich beim zweiten Hinsehen als Zahn erwies.

»Willst du ihn?«, fragte er Aurelio. »Er steht zum Verkauf.«

»Nein«, sagte Aurelio, »danke.«

Der Mann öffnete einen zahnlosen Mund, dem der Geruch fauligen Gedärms entwich. Aurelio wandte den Kopf ab. »Ist mein Letzter, wie du siehst.« Sein heiseres Lachen ließ eine rohe Gaumenleiste hervortreten. »Eines Tages sprechen sie mich heilig, dann kannst du damit ein Vermögen machen.«

»Nein«, wiederholte Aurelio, »danke.«

Ein Stück flussaufwärts war das linke Ufer von zahllosen Fackeln gesäumt. Chigis Villa. Offenbar veranstaltete er eines seiner Bankette. Umspielt von Lautenmelodien, trug der Westwind das glockenhelle Lachen wohlhabender Kurtisanen über das Wasser. Kurz meinte Aurelio sogar, von einem Parfüm gestreift zu werden. Die Villa des Bankiers lag nur drei Steinwürfe entfernt. Hier jedoch, am Tor zu Trastevere, konnte sich die gesamte Hoffnung eines Menschen auf den letzten ausgefallenen Zahn stützen.

Aurelio hätte den Weg wählen können, der ihn – an Chigis Villa vorbei – die Via Lungara hinauf zur Porta Santo Spirito geführt hätte. Doch um diese Zeit hielt sich ohne Begleitung nur außerhalb der Stadtmauern auf, wer keine andere Wahl hatte. Folglich entschied sich Aurelio für den längeren Weg über den Ponte Sisto, die nach Julius benannte Via Giulia und den Ponte Sant' Angelo.

Mehr als einmal bemerkte Aurelio sich bewegende Schatten, die er erst wahrnahm, nachdem er sie bereits hinter sich gelassen hatte. Gelegentlich zischte ihm eine Stimme nach. Auf der Großbaustelle des Justizpalastes, von dem inzwischen das erste Stockwerk aufgemauert war, huschten Schemen umher. Aurelio jedoch richtete seinen Blick auf das wie flüssiges Blei schimmernde Pflaster der Via Giulia und dachte nach.

Bis Aurelio das Ufer erreichte und sich die mächtige Engelsburg unbezwingbar und feindselig vor ihm erhob, war die Beklemmung dieser Nacht von ihm gewichen. Margherita und er teilten nicht dasselbe Schicksal. Das wusste er jetzt. Diese Stadt hatte sie beide ihres Lebenstraums beraubt, das ja. Doch während Margherita an etwas festhielt, das bereits vergangen war – wie der Mann auf der Brücke an seinem letzten Zahn –, war Aurelio um vieles, Einzigartiges und Unbeschreibliches reicher geworden.

XLVII

ÜBER EIN JAHR WAR VERGANGEN, seit der Papst von Michelangelo
gefordert hatte, den fertiggestellten Gewölbeteil zu enthüllen. Dann
war er überstürzt nach Ferrara aufgebrochen, um Alfonso d'Este
in seine Schranken zu weisen, und war sehr lange nicht zurückgekehrt. Ein ganzes Jahr, in dem Michelangelo seinem halbfertigen
Werk nicht einen Pinselstrich hinzugefügt hatte.

Julius war überzeugt gewesen, dass dank der militärischen Unterstützung durch die Schweizer sowie der Inspiration durch Aphrodite seiner göttlichen Mission derselbe Erfolg beschieden sein
müsse wie seinem Feldzug gegen Perugia und Bologna. Schließlich hatte sich ihm, seit der Allmächtige ihm Aphrodite zugeführt
hatte, noch jede Stadt kampflos ergeben. Mit ihr an seiner Seite
könnte Julius die Weltherrschaft erlangen – im Namen Gottes. Im
Geiste hatte sich der Papst also bereits bei seinem Aufbruch aus
Rom unter dem tosenden Jubel Tausender befreiter Seelen in Ferrara einziehen sehen, begleitet von Fanfaren und Posaunen, vor
sich, auf dem Boden kniend, Alfonso d'Este, dem er eigenhändig
den Kopf abschlagen würde. Doch es sollte anders kommen.

Die Schweizer hatten den Papst schmählich im Stich gelassen.
Zwar hatten sie die Alpen überquert, jedoch einzig zu dem
Zweck, sogleich wieder den Rückweg anzutreten. Julius hatte Gift
und Galle gespuckt, die Schweizer jedoch schien das wenig zu

kümmern. Bis der Papst und seine Verbündeten in Bologna eintrafen, war die Heilige Liga auf ein größeres Familientreffen zusammengeschrumpft.

Der Feldzug begann dennoch vielversprechend. Francesco Maria, der milchgesichtige Neffe des Papstes, arbeitete sich mit seinen Truppen trotz Dauerregens Stück für Stück in das Territorium d'Estes vor. Alfonso, der sich bis dahin stets siegessicher gegeben hatte, bekam erst kalte Füße, dann weiche Knie. Schließlich legte er ein Friedensangebot vor: Er würde sämtliche Besitztümer in der Romagna an den Papst abtreten und außerdem alle Kosten übernehmen, die Julius durch den Feldzug entstanden waren. Einzig Ferrara wollte er behalten. Das war ein gutes Angebot. Der Papst jedoch wollte keinen Frieden. Er wollte Krieg. Und Rache. Das Bild von d'Estes auf eine Lanze gespießtem Kopf war zu einer fixen Idee geworden. Wahren Seelenfrieden würde Julius nicht finden, solange Alfonso ihn noch auf den Schultern trug.

Der Herbst kam. Das ohnehin schlechte Wetter verschlechterte sich weiter. Der Vormarsch geriet ins Stocken und blieb immer häufiger im Schlamm stecken. Für Julius gleichermaßen tragisch war der Umstand, dass er an einem Fieber erkrankte. Wochenlang war er in Bologna an sein Lager gefesselt – und das, wo ihn seit Jahren alle möglichen Leiden wie Blutegel befielen: die Franzosenkrankheit, die Gicht, Malaria, Hämorrhoiden. Aphrodite, seine Muse, seine Göttin, sein Lebenselixier, durfte nicht für einen Moment von seiner Seite weichen. Jeder andere in seiner Situation und seinem Alter wäre sicherlich gestorben. Nicht aber Julius. Für ihn bedeutete jede neue Krankheit eine weitere Herausforderung. Und wenn es auf dieser Welt etwas gab, das all seine Kräfte zu mobilisieren in der Lage war, dann war es der Kampf. Und wenn es etwas gab, das er niemals akzeptieren würde, dann war es die Niederlage.

Dem Herbst war der Winter gefolgt, dem Regen der Schnee. Noch immer war der Papst nicht in der Lage, sich ohne fremde Hilfe von seinem Krankenlager zu erheben. Ohne seine unerbittlich strenge Hand allerdings verwandelten sich seine Soldaten nach und nach in genügsame Kühe, die nichts anderes im Sinn hatten, als sich ein friedliches Plätzchen zum Grasen zu suchen. Francesco Maria, der schon vor Monaten Mirandola hätte einnehmen können, klagte derweil über kalte Füße. Kalte Füße! Kaum drehte Julius seinem Neffen den Rücken zu, verkroch sich der in seinem Zelt und jammerte. Julius musste handeln. Solange die Verantwortung für diese Unternehmung auf Francescos kümmerlichen Schultern ruhte, würden seine Truppen bestenfalls ein Vogelnest einnehmen oder einen Fuchsbau ausheben, niemals aber die Mauern Ferraras überwinden.

Am Neujahrstag ließ der Papst für seinen Aufbruch aus Bologna rüsten. Seine Berater – da Viterbo, de' Grassi, Bramante –, die er zur Teilnahme an seinem Feldzug verpflichtet hatte, trauten ihren Ohren nicht: Vierzig Meilen, bei diesem Wetter, in seiner Verfassung? Das würde Julius nicht überleben. Der Papst jedoch ließ sich nicht beirren. Aphrodite hatte ihn darin bestärkt, dass er in göttlicher Mission unterwegs war. Wenn Gott für ihn den Tod vorgesehen hatte, dann konnte er seinem Schicksal ohnehin nicht entgehen.

Am Morgen des zweiten Januar 1511 ließ er sich auf einem von Bramante entworfenen Schlitten in dichtem Schneetreiben und unter einem bleischweren Himmel von zwei Ochsen aus der Stadt ziehen, um nach wenigen Schritten im Nebel zu verschwinden und drei Tage später bei Mirandola wieder zum Vorschein zu kommen. Am siebzehnten rückte Francesco Maria notgedrungen gegen Mirandola vor, am zwanzigsten wurde die Stadt eingenommen, am einundzwanzigsten war sie vollständig geplündert. Von neuer Zuversicht durchströmt, ließ sich der Papst vor seiner angebeteten Kurtisane auf die gichtigen Knie sinken und bat flehentlich darum, gedemütigt zu werden. Seiner Bitte wurde stattgegeben.

»Wie kann es sein«, fuhr Julius seinen Neffen an, bevor er sich auf seinem Schlitten wieder nach Bologna aufmachte, »dass ein kranker Mann, der dreimal so alt ist wie du, in drei Tagen erreicht, was du in drei Monaten nicht zuwege bringst?«

Francesco hatte keine Antwort.

»Du weißt, in welcher Richtung Ferrara liegt?«

Das wisse er, entgegnete Francesco mit gesenktem Haupt.

»Dann weißt du auch, was du jetzt zu tun hast!«, donnerte der Papst.

Am Ende hatte dennoch alles zu lange gedauert. Bis Francesco mit den von ihm befehligten Truppen endlich so weit nach Ferrara vorgerückt war, dass man über eine Belagerung hätte nachdenken können, war es Frühling geworden, und Alfonso d'Este hatte Unterstützung von den Franzosen bekommen. Statt selbst anzugreifen, wendete sich das Blatt, und die päpstlichen Truppen wurden nun ihrerseits angegriffen. Francesco floh so überstürzt, dass er unterwegs seine Stiefel verlor. Julius musste sich nach Ravenna in Sicherheit bringen, und im Mai marschierten die Franzosen in Bologna ein. Im Juni 1511, zehn Monate nach seinem Aufbruch, kehrte Julius nach Rom zurück. Seine geheiligte Mission hatte ein wenig göttliches Ende gefunden. Statt Ferrara einzunehmen, hatte er Bologna verloren. Alfonso d'Este saß noch immer mit geschwellter Brust in seinem Castello, und die Franzosen hatten sich über Norditalien hergemacht wie die Frösche über Ägypten. Doch wenn es etwas gab, das Julius niemals akzeptieren würde, dann war es eine Niederlage.

✜ ✜ ✜

In mancherlei Hinsicht gehörte das hinter ihnen liegende Jahr, in dem Julius seinen Feldzug unternommen hatte und die Arbeit am Gewölbe ruhte, zur schönsten Zeit, die Michelangelo und Aurelio erleben sollten. Da war ein Gefühl der Befreiung gewesen, das sich unbemerkt im Haus ausgebreitet hatte, wie bei dem Feigenbaum im Hof, der im September noch einmal überraschend zur Blüte gelangte. Julius war in den Norden gezogen, um Krieg zu führen. Den halben Vatikan hatte er mitgenommen, Bramante und de' Grassi eingeschlossen. Und Aphrodite. Niemand verlangte Rechenschaft von Michelangelo, niemand machte ihm Vorschriften.

433

Für Aurelio war die Abwesenheit der Kurtisane schmerzhaft und erlösend zugleich gewesen. Solange er sie in ihren Gemächern gewusst hatte, hinter den Vorhängen, zu denen er aufsah, wann immer er im Cortile Wasser holte, hatte er keine andere Wahl gehabt, als sich nach ihr zu sehnen, sich nach ihrem Körper zu verzehren, nach ihrer Stimme, ihrem Duft, ihrer Bewegung, ihrer Sinnlichkeit und ihrem Feuer. Diese Sehnsucht hatte ihn gequält, beglückt und auf tragische Weise erfüllt, und sie hatte sein Herz schlagen lassen, als müsse es Steine schleppen. Jetzt, da sie Julius nach Bologna gefolgt war, war Aphrodite nicht weniger unerreichbar als zuvor, doch wenigstens hatte sie Aurelio von ihrer Gegenwart entbunden.

So entfalteten die Monate nach dem Aufbruch des Papstes – der späte Sommer mit seinen warmen Farben, dem ein milder Herbst folgte – eine Unbeschwertheit, wie Michelangelo sie selten erlebt hatte. Tagsüber zeichnete er und arbeitete die Entwürfe für die zweite Gewölbehälfte aus. Sogar die Kartons fertigte er bereits an. Jeder von ihnen würde später einen langen Tag harter Arbeit bedeuten. Jetzt stapelten sie sich auf Granaccis Lager und wuchsen langsam in die Höhe.

Wenn Aurelio seinem Meister nicht gerade Modell stand, ging er Piero in der Küche zur Hand, oder sie experimentierten an einer Wand im Atelier mit neuen Pigmentmischungen. Nachmittags fanden sie sich dann zu dritt um den Arbeitstisch ein. Michelangelo legte ihnen seine Entwürfe vor, und sie suchten meist vergeblich nach etwas, das ihnen verbesserungswürdig erschien. Anschließend zog sich der Bildhauer auf sein Zimmer zurück und schlief zwei bis drei Stunden, um pünktlich zum Abendessen die Treppe herabzusteigen und tatsächlich etwas zu essen. Es war das erste und einzige Mal, dass Rosselli und Aurelio ihn regelmäßig schlafen und essen sahen.

Nachts teilte Michelangelo mit seinem Gehilfen dann in der verschwiegenen Intimität des Schuppens am Tiber das köstlichste und zugleich gefährlichste Geheimnis. Er ließ Aurelio an der Entstehung der Statue teilhaben. Und mit jedem weiteren Fingerbreit, den Michelangelo Aphrodite von ihrer steinernen Hülle befreite, mit jedem bisschen ihres Marmorstaubs, das Aurelio sich heimlich in die Haut rieb, kam es dem Gehilfen vor, als nehme er ein Stück mehr von ihr in Besitz. Sie würde für immer unerreichbar bleiben, zugleich aber war sie ihm näher als je zuvor.

✢ ✢ ✢

Erst gegen Ende des Jahres 1510 wurde Michelangelo wieder von seiner inneren Unruhe erfasst. Er hatte kein Geld mehr. Ein Zustand, der ihn normalerweise bereits im Frühstadium in einer Weise belastete, wie es sonst nur die Sorge um seine Familie vermochte. Diesmal aber war die Situation tatsächlich vertrackt. Seit dem Beginn der Arbeiten vor zweieinhalb Jahren hatte er keine Zahlung mehr erhalten. Mit Julius hatte er vereinbart, dass nach Vollendung der ersten Gewölbehälfte eine Zahlung von tausend Dukaten fällig werden sollte, hinzu kamen weitere fünfhundert Dukaten als Anzahlung für die zweite Hälfte. Nun hatte Michelangelo den ersten Teil des Freskos zwar fertiggestellt, der Papst jedoch hatte die Gelegenheit versäumt, ihn in Augenschein zu nehmen. Folglich hatte Michelangelo bislang weder für die fertiggestellte noch für die zu beginnende Hälfte Geld bekommen.

Jetzt, da sich das Jahr seinem Ende zuneigte, lag Julius bereits seit Wochen in Bologna auf seinem Krankenbett, und wenn man den Gerüchten Glauben schenken durfte, die hinter den Mauern des Vatikans kursierten, so stand zu befürchten, dass er sich lebend nicht wieder davon erheben würde. Was dann mit dem Fresko sowie den ausstehenden Zahlungen geschehen würde, wusste Gott allein. Zweimal suchte Michelangelo den Kardinalkämmerer auf, um ihm das Problem vorzutragen. Dieser, der sich mit dem bezeichnenden Namen Innocenzo schmückte, war der für das Fresko zuständige Schatzmeister. Aus unerfindlichem Grund zog er sich, wann immer er eine Eintragung in seinen Geschäftsbüchern vornahm oder darin blätterte, weiße Baumwollhandschuhe über.

Nach Michelangelos Aussage gab es neben den Handschuhen vor allem zwei Dinge, die Innocenzo kennzeichneten: seine Tränensäcke, die die Größe von Weinschläuchen hatten, und sein Beharren auf jeder noch so unsinnigen Vorschrift.

Feldzug hin oder her, so Innocenzo, der Heilige Vater habe verfügt, die ausstehenden tausend Dukaten für die erste Hälfte des Freskos erst auszuzahlen, nachdem er sich persönlich von dessen Existenz überzeugt habe. Eine anderslautende Anordnung habe der Kardinalkämmerer nicht erhalten. Die fünfhundert Dukaten Anzahlung für die zweite Hälfte wiederum könnten erst zur Auszahlung kommen, nachdem der Heilige Vater die erste für fertiggestellt befunden hätte.

»Aber der Heilige Vater befindet sich seit Monaten auf einem Feldzug!«, grollte Michelangelo.

Innocenzo zupfte sich die Handschuhe von den Fingern und legte sie über Kreuz auf den Tisch. »Werter Herr Buonarroti, das ist bekannt.«

»Und wie soll ich dann die zweite Hälfte des Freskos in Angriff nehmen?«

»Meine Aufgabe ist es, den Anweisungen des Heiligen Vaters Folge zu leisten, nicht, Euch zu sagen, wie Ihr Eure Arbeit verrichten sollt.«

»Ich weigere mich, auch nur einen weiteren Pinselstrich am Gewölbe anzubringen, bevor ich die mir ausstehenden Zahlungen erhalten habe!«

Innocenzo kreuzte seine Hände auf dieselbe Art wie seine Handschuhe. »Danke für die Information.«

Um wenigstens Aurelio und Rosselli bis Jahresende auszahlen zu können, versuchte Michelangelo, sich von seiner Bank in Florenz Geld überweisen zu lassen. Doch obgleich er auf sein Florentiner Konto eine vierstellige Summe eingezahlt hatte, erhielt seine Bank in Rom lediglich die Auskunft, dass eine Überweisung des erbetenen Betrags nicht möglich sei.

Anfang Dezember hielt er es nicht länger aus. Er mietete ein Pferd und packte seine Sachen. Nichts sprach dafür, dass der Papst in Bälde zurückkehren würde. Folglich musste sich Michelangelo, wenn er je sein Geld bekommen wollte, wohl oder übel nach Bologna begeben und Julius persönlich darum bitten.

Er entschied, über Florenz zu reisen. So könnte er sich zum einen endlich einmal wieder davon überzeugen, wie es seiner Familie ging und ob seine Brüder ihre Zeit mit etwas anderem verbrachten, als Karten zu spielen und zu trinken. Zum anderen würde er bei seiner Bank vorstellig werden und damit drohen, zu einem anderen Geldhaus zu wechseln, sollte sich so etwas wie bei der Überweisung wiederholen. Rosselli beschloss, seinen Freund bis Florenz zu begleiten. Solange sie die zweite Hälfte des Freskos nicht in Angriff nehmen konnten, gab es für ihn ohnehin nichts zu tun. Er würde Weihnachten und den Jahreswechsel bei seiner Familie verbringen, danach würde man weitersehen.

Zum Abschied schloss Rosselli Aurelio in die Arme: »Und du willst sicher nicht deine Familie in Forlì besuchen?«

Aurelio blickte an ihm vorbei zur Engelsburg hinüber und schüttelte zögerlich den Kopf.

Dann stand Michelangelo vor ihm, schluckte und wusste nicht, wie er sich verabschieden sollte.

»Ich werde hier sein, wenn Ihr zurückkehrt, Maestro«, sagte Aurelio.

Michelangelo nickte, biss sich auf die Lippen, schwang sich auf sein Pferd und preschte Rosselli nach, der schon vorgetrabt war.

Als Aurelio ins Haus zurückging, stand Beato, der Fattorino, im Vorraum und blickte ihn fragend an. »Keine Sorge«, beruhigte ihn Aurelio, »wir werden schon nicht verhungern.«

Aurelio hatte lange darüber nachgedacht, ob auch er nach Hause reisen sollte. Er hätte Matteo und Giovanna wiedersehen können und den kleinen Luigi, der inzwischen – Aurelio erschrak bei dem Gedanken – bald vier Jahre sein und längst schon Laufen und Sprechen gelernt haben müsste. Nach Hause. Auf ihren Hof, bei Forlì. Auf dem Grundriss der niedergebrannten Scheune würde Matteo eine neue errichtet haben. Doch noch immer wäre jede Handbreit des Hauses untrennbar und für immer mit Erinnerungen behaftet, die Aurelio die Brust zusammenschnürten. Es wäre nicht gut, an diesen Ort zurückzukehren. Außerdem, das war ihm inzwischen klargeworden, fühlte sich der Ort seiner Kindheit und Jugend nicht mehr an wie sein Zuhause.

✞ ✞ ✞

Anfang Januar kehrte Michelangelo zurück, beladen mit mehr Sorgen als bei seinem Aufbruch. Seine größte Sorge jedoch galt seinem Gehilfen: »Aurelio, Aurelio!«, rief er, noch ehe er die Tür hinter sich geschlossen hatte. Aurelio hatte nicht einmal Gelegenheit, von seinem Schemel aufzustehen, da stürmte sein Meister bereits in die Küche. »Ist dir auch nichts geschehen?«

»Was hätte mir geschehen sollen?«, lachte Aurelio.

Vor Erleichterung hellte sich Michelangelos Gesicht auf. »Ich weiß auch nicht. Guten Tag, Beato …«

Seine Reise war zu einem Fiasko geraten. Bereits in Florenz hatte es seinen Anfang genommen. Als er bei seiner Bank vorstellig wurde, um sich über den nicht erfolgten Geldtransfer zu beschweren, erklärte man Michelangelo kurzerhand, dass praktisch kein Geld mehr auf seinem Konto war. Bis auf zwölf Dukaten war alles weg. Der Ohnmacht nahe, trommelte Michelangelo seine Familie zusammen. Es stellte sich heraus, dass es seine Brüder Buonarroto und Giovan Simone gewesen waren, die mit dem Einverständnis ihres Vaters das Konto des Künstlers geleert hatten. Sie hätten das Geld in eine Unternehmung »investiert«, erklärte Giovan Simone mit leuchtenden Augen. Michelangelo mochte sich gar nicht vorstellen, was das bedeutete. Ausgerechnet dieser Nichtsnutz hatte sein, Michelangelos, hart erarbeitetes Geld kurzerhand »investiert«. Und sein Vater hatte brav das Konto leergeräumt.

Sie hätten sich das Geld doch lediglich geborgt, versuchte Buonarroto ihn zu beschwichtigen. Sie waren nämlich dabei, ins Tuchgeschäft einzusteigen, und zwar im großen Stil. Für einen Spottpreis hatten sie eine ganze Schiffsladung bester indischer Seide

438

geordert. Die würden sie in Florenz färben lassen und mit astronomischem Gewinn verkaufen. Das Schiff war bereits unterwegs. Innerhalb eines Jahres würde Michelangelo sein Geld doppelt zurückerhalten. Warum sie ihn nicht um Erlaubnis gefragt hatten? Nun, hätte er eingewilligt? Da siehst du es, Bruder.

Strenggenommen sogar selbst schuld an der Situation war Michelangelo. Was tauchte er auch so plötzlich in Florenz auf, noch dazu unangemeldet? Damit konnte schließlich niemand rechnen. Sie hatten ihn nicht beunruhigen wollen, nur deshalb hatten sie es ihm verschwiegen. Wäre Michelangelo wie geplant bis zum Abschluss der Arbeiten in Rom geblieben, hätte er nur deshalb von ihrer Unternehmung erfahren, weil sich das Geld auf seinem Konto während seiner Abwesenheit auf wundersame Weise vermehrt hätte! Wie dem auch sei, bald würden Michelangelos Sorgen um die Familie ein Ende finden. Vier Tage lang hatte Michelangelo daraufhin keinen Bissen herunterbekommen und keine Stunde geschlafen. Dann war er nach Bologna aufgebrochen.

Dort kam es noch schlimmer. Der Papst war ein Bild des Jammers. Ausgezehrt von seiner Krankheit und gleichzeitig in höchster Erregung wegen seines unfähigen Neffen, lag er auf goldbestickte Kissen gebettet und fuchtelte fahrig mit den Armen herum. Er hatte sich einen Bart wachsen lassen und geschworen, ihn erst wieder abzunehmen, nachdem er die Barbaren endgültig aus Italien vertrieben hätte. Ein Papst mit Bart, der seine eigenen Truppen ins Feld führte!

Nicht einmal während Michelangelos Audienz durfte Aphrodite Julius' Gemach verlassen. Sie saß, verborgen unter ihrem weißen Schleier, in einer Ecke und rührte sich nicht. Ihre Blicke jedoch brannten Michelangelo Löcher in den Nacken. Die ganze Zeit über konnte er an nichts anderes denken, als dass er tiefer in ihre Seele geblickt und ihren Körper erkundet hatte, als es Julius, dieses bärtige Häufchen Elend, jemals könnte.

Der Papst hatte den Bildhauer schließlich vertröstet. In wenigen Tagen schon werde Ferrara sich seinen Truppen ergeben, anschließend müsste er Alfonso nur noch den Kopf abschlagen, um befriedigt nach Rom zurückzukehren. Binnen eines Monats werde er wieder in seinen Palast einziehen, dann würde er sich um alles kümmern. Michelangelo hatte gedrängt, gedroht, gezetert, doch es hatte nichts geholfen. Am Ende hatte Julius mit zittriger Hand seinen gefürchteten Stock ergriffen und damit in der Luft gerührt. Da wusste Michelangelo, dass alle Bemühungen nicht fruchten würden und seine beschwerliche Reise umsonst gewesen war. Resigniert und unverrichteter Dinge trat er den Rückweg an, mit allem, was seine Bank in Florenz ihm auszuzahlen bereit gewesen war: zwölf Dukaten. Rosselli würde bis auf weiteres in ihrer Heimatstadt bleiben. Dort hatte er wenigstens Arbeit. Sobald Michelangelo seine Dienste wieder benötigte, würde er zur Stelle sein. Niemand konnte ahnen, dass noch sieben Monate vergehen sollten, ehe der Papst zurückkehrte – und dass Rossellis Abschied von Aurelio ein endgültiger gewesen war.

✢ ✢ ✢

So vergrämt und gereizt Michelangelo war, ein weiteres halbes Jahr auf sein Geld warten zu müssen, so froh war er darüber, ungestört an der Statue arbeiten zu können. Sechs Monate lang, vom starren Winter bis in den heißen Sommer hinein, verließen er und Aurelio fast täglich bei Einbruch der Dunkelheit das Haus, um sich auf verschlungenen Wegen zur Ripetta zu begeben. Hier erwartete sie die Statue, für die jeder weitere Tag, den sie eingeschlossen in ihrem Block ausharren musste, eine Qual zu bedeuten schien.

Bis Julius, von einem Trauer- statt einem Triumphzug begleitet, wieder im Vatikan Einzug hielt, steckten nur noch Aphrodites Kopf, ihr Hals sowie ihre rechte Hand in dem marmornen Würfel fest, der ihr auf den Schultern saß. Es sah aus, als versuche sie, sich den massigen Klotz vom Kopf zu reißen. Bereits jetzt, noch vor Beginn der Feinarbeiten, konnte man durch den Schleier hindurch die Anspannung der Oberschenkel spüren, vermittelten die hervortretenden Sehnen an ihrem nackten Fuß den Eindruck, Aphrodite sei im Absprung begriffen, ließen die geschwungenen Hüften erahnen, dass zwischen ihnen die Begierde einen Kampf mit sich selbst austrug.

»Man kann tatsächlich Angst vor ihr bekommen«, gestand Aurelio.

Michangelo nickte nachdenklich. »Manchmal frage ich mich, ob ich ihren Kopf nicht besser in dem Block eingeschlossen lassen sollte.«

Teil VI

XLVIII

AUGUST 1511

DER MORGEN AN MARIÄ HIMMELFAHRT war strahlend und klar. Nicht die kleinste Wolke würde das Licht in der Kapelle trüben. Außer Julius selbst sowie Michelangelo und seinen Mitarbeitern hatte die Kapelle zwei Tage lang niemand betreten dürfen. Nicht einmal Paris de' Grassi. Der Papst hatte damit gedroht, jeden, der vor ihm die fertige Gewölbehälfte in Augenschein nahm, blenden zu lassen. Und niemand zweifelte daran, dass er dieser Ankündigung die entsprechenden Taten folgen lassen würde. Seit seiner Rückkehr vor zwei Monaten hatte Julius kaum eine Gelegenheit ausgelassen, unliebsame Untertanen in Ketten schmieden, foltern oder enthaupten zu lassen.

Eine ungewohnte Stille spannte sich über den Petersplatz. An Mariä Himmelfahrt ruhten sämtliche Bauarbeiten im Vatikan. Die ersten Vierungspfeiler der künftigen Peterskirche ragten in den Himmel, als habe Gott sie von dort auf die Erde geschleudert. Noch warfen die angrenzenden Häuser im weichen Morgenlicht lange Schatten auf den ausgetrockneten Boden. Die Luft allerdings hatte sich auch über Nacht kaum abgekühlt. Jeder, der den Platz betrat, wurde unwillkürlich von einer ungreifbaren Nervosität erfasst. Als müsste er Michelangelo vor möglichen Angreifern schützen, ging Aurelio zwei Schritte vor ihm her.

Bereits beim Aufstehen war Michelangelo so überreizt gewesen, dass er sich kaum das Hemd hatte zuknöpfen können. Jetzt jedoch war es mit seiner Fassung gänzlich vorbei. Gewaltsam verschränkte er seine Finger auf dem Rücken. Kaum hatten sie das Tor zum Vatikan passiert, blieben Aurelio und er wie angewurzelt stehen. Vor dem Eingang der Sixtinischen Kapelle hatte sich eine riesige Schlange gebildet: Pilger, Geistliche, Römer jeder gesellschaftlichen Stellung und Herkunft, Geschäftsleute, Adelige, Kurtisanen in großer Zahl. Halb Rom, so schien es, hatte sich zur Kapelle begeben.

»Das überlebe ich nicht«, murmelte Michelangelo.

»Das bezweifle ich«, entgegnete Aurelio.

»Da ist der Künstler!«, ertönte eine Männerstimme aus der Schlange.

»Michelangelo Buonarroti!«, kam es aus einer anderen Richtung.

»Lasst ihn durch. So lasst ihn doch durch!«

Aurelio musste seinen Meister stützen, da diesem die Knie weich geworden waren und er zu schwanken begann.

Die Kapelle war derart überfüllt, dass es Aurelio den Atem raubte. Als er kurz seinen Blick zu Boden richtete, konnte er vor lauter Füßen kaum das Mosaik erkennen. Auch im abgetrennten Sancta Sanctorum herrschte dichtes Gedränge, und es gab handgreifliche Streitigkeiten um die nicht reservierten Plätze. Aufgrund seiner geringen Körpergröße konnte Michelangelo nicht sehen, wer sich im Sancta Sanctorum eingefunden hatte, Aurelio jedoch gab ihm die Namen weiter, die ihm bekannt waren. Im Grunde waren alle anwesend, die in Rom über Macht und Einfluss verfügten oder ein hohes Kirchenamt innehatten. Da Viterbo, de' Grassi, extra für diesen Anlass angereiste Bischöfe und Kardinäle, Sangallo, einfach alle. Im Schatten des Balkons glaubte Aurelio, einen weißen Schleier zu erahnen: Aphrodite. Die Frau, die ihm mehr Nächte geraubt und Gedanken gestohlen hatte, als irgendwer sonst es vermocht hätte. Die noch immer seinen Leib in eine brennende Fackel und seine Seele in schwarze Galle verwandelte. Aurelio musste sich auf die Zunge beißen, um nicht laut ihren Namen zu rufen.

Unterhalb des Papstthrons und nur eine Armeslänge von Julius entfernt, hatten Bramante und Raffael Platz genommen, die, anders als Michelangelo, zur Capella Papalis gehörten und Zugang zum abgetrennten Bereich hatten. Michelangelos Widersacher hatten Ehrenplätze erhalten: der Maler, der nach Rom gekommen war, um zum größten lebenden Künstler aufzusteigen, und der Baumeister, der mit dem Papst die Wette eingegangen war, dass Michelangelo dem Gewölbe der Sistina nicht gewachsen sein würde.

Sorgenvoll blickte Michelangelo zur Decke empor. Dort, hinter den Planen, wartete sein Schicksal darauf, enthüllt zu werden. Der Papst hatte verfügt, das Gerüst abzubauen, die Planen jedoch aufgespannt zu lassen und so zu präparieren, dass sie sich durch den Zug an einer Kordel einseitig von der Wand lösen und gleichzeitig über die Köpfe der Anwesenden hinwegschweben würden, um sich wie Vorhänge auf die Nordwand zu legen und den Blick auf das Fresko freizugeben.

Die gesamte Messe über drückte sich Michelangelo in der Nähe des Eingangs herum und versuchte, in der Menge zu verschwinden. Keines der Worte, die da Viterbo vortrug, erreichte sein Ohr. Im Falle des Falles wollte er zur sofortigen Flucht bereit sein. Dafür hatte er Vorkehrungen getroffen. Sollte das Fresko den Zorn des Papstes erregen und Michelangelo augenblicklich die Stadt verlassen müssen, wartete an der Piazza Rusticucci ein gemietetes Pferd auf ihn, ausgestattet mit allem, was er für einen Zweitagesritt nach Florenz benötigte. Bevor der Befehl, ihn aufzuhalten, die Wachen an den Stadttoren erreicht hätte, würde er Rom bereits für immer verlassen haben.

Als es endlich so weit war, die Stimmen des päpstlichen Chores verklungen waren und Julius sich von seinem Thron erhob, um nach der mit Goldfäden durchwirkten Quaste zu greifen, die neben ihm von der Decke hing, verpasste Michelangelo nur deshalb nicht den Moment der Enthüllung, weil Aurelio ihn darauf aufmerksam machte, indem er ihn in die Seite stieß. Sichtlich erregt, murmelte Julius einen lateinischen Segen, hielt eine kurze Ansprache auf Italienisch und riss dann unvermittelt und hektisch an der Schnur.

Für einen ewig scheinenden Moment war nichts zu hören außer dem trägen Flattern der Stoffbahnen, die langsam von Falten durchzogen wurden, um anschließend herabzusinken. Das in
Form großer Säulen einfallende Sonnenlicht füllte sich mit wir-
belndem Staub, Putzkrümel rieselten knisternd auf den Steinboden. Mit einem leisen Flüstern schmiegten sich die Stoffbahnen an
die Nordwand der Kapelle. Zwei Dinge nahm Aurelio wahr: dass
Julius in der Aufregung vergaß, die Quaste loszulassen, und dass die
verschleierte Aphrodite an das Geländer des Balkons trat. Dann
war niemand mehr in der Kapelle, der nicht seinen Kopf in den
Nacken gelegt hätte. Eine Taube, von der keiner wusste, wie sie
den Weg in die Sistina gefunden hatte, flog unter dem Gewölbe
umher und ließ sich schließlich auf einem der aus dem Mauerwerk
ragenden Holzstümpfe nieder.

Dann trat eine absolute Stille ein.

In diesem Moment war es Michelangelo völlig gleichgültig, was
der Rest der Welt von seinem Werk dachte. Sollte de' Grassi ihn auf
ewig dafür verdammen, Julius ihn in die Engelsburg werfen lassen,
Raffael ihn auslachen. Es war, was er drei Jahre lang ersehnt hatte.
Mehr als das, die Wirkung war stärker, als er zu hoffen gewagt
hatte. Alles, was bis dahin nur auf dem Papier existiert hatte – jetzt
lebte es, litt es, sprang den Betrachter förmlich an. Die künstliche
geschaffene Architektur war perfekt proportioniert und in ihrer
gestalterischen Wirkung absolut überzeugend. Die Sibyllen und
Propheten waren von einer Pracht und einer Tiefe, die niemals zuvor auch nur in Ansätzen erreicht worden war. Die nackten, überlebensgroßen Ignudi erhöhten den Menschen zu dem, was er hätte
sein sollen: eine Lobpreisung Gottes, des allmächtigen Schöpfers.
Zugegeben, die Sintflut wäre für alle Zeiten übervölkert, die Haltung der Eva uninspiriert. Doch das, worauf es Michelangelo ankam – die alles überwältigende schöpferische Kraft Gottes –, hatte
er einzufangen verstanden.

Dem allgemeinen Atemanhalten folgte ein Raunen, dann, von
der Mitte des Raumes sich ausbreitend, erste Begeisterungsrufe,
die schließlich die Absperrung zum Sancta Sanctorum überspran-

gen, worauf die gesamte Kapelle in Jubelrufe ausbrach. Der Papst sank ungläubig auf seinen Stuhl und ließ endlich die Quaste los. Aphrodite führte ihre behandschuhten Hände zum Mund. De' Grassi zupfte nervös an seinem Kragen. Sein Kopf war puterrot angelaufen. Raffael saß wie versteinert und konnte seinen Blick nicht vom Gewölbe nehmen.

Michelangelo hatte das Bedürfnis, die Kapelle auf der Stelle zu verlassen. Die vielen Menschen, der Jubel, die Blicke … Das alles ertrug er nicht. Er brauchte jetzt einen stillen Moment mit sich und seinem Schöpfer, wollte Gott dafür danken, dass er ihm die Kraft und das Vermögen gegeben hatte, so weit zu kommen, sich als Künstler so weit entwickeln zu dürfen. Der Bildhauer hatte sich von der Wirkung seines Freskos überzeugt, das er von nun an jeden Tag zu Gesicht bekommen würde. Und er hatte die Begeisterung der Anwesenden erlebt, die Ergriffenheit in ihren Gesichtern gesehen. Mehr brauchte er nicht.

Er versuchte, sich unerkannt einen Weg zum Ausgang zu bahnen. Bevor er jedoch die rettende Tür erreichte, ließ ihn etwas innehalten. Eine warnende Stille hatte sich über die Besucher gebreitet. Verstohlen blickte er sich um. Wie von Geisterhand teilte sich die Menschenmenge und bildete ein Spalier, das vom Sancta Sanctorum direkt zu ihm hinüberführte. »Bitte Herr, nicht!«, flüsterte Michelangelo kaum hörbar. Verschwommen nahm er wahr, wie sich am anderen Ende der Kapelle der Papst von seinem Thron erhob und sich einen Weg durch die Reihen der vor ihm Sitzenden bahnte. Michelangelo wurde unterdessen von einem Schwindel erfasst. Er tastete nach einem Halt und fand die Wand, kühl und unverrückbar. Dann gab er sich einen Ruck und ging dem Papst entgegen.

Im Zentrum der Kapelle trafen sie aufeinander. Michelangelo verbeugte sich, setzte ein Knie auf den Boden und küsste den Ring an Julius' Hand, in dem der Holzsplitter des Christuskreuzes eingearbeitet war. Er hörte den Flügelschlag der Taube oben im Gewölbe und sah Julius' gefürchteten Stock, dessen vergoldete Spitze zwei Handbreit vor seinem Fuß über das Mosaik kratzte.

Der Papst räusperte sich. »Dies ist weder, was wir von Euch verlangten, noch ist es das, was Ihr uns als Entwurf vorlegtet ...«

In das folgende Schweigen hinein hob Michelangelo den Kopf. Sollten sich Julius' schmale Lippen tatsächlich zu einem Lächeln kräuseln? Der Papst bedeutete ihm, sich zu erheben.

»Maestro Buonarroti!« Julius ergriff Michelangelo an der Schulter. Seine Stimme drang bis in den letzten Winkel der Kapelle. Unter den Hunderten Schaulustiger war keiner, der nicht jedes Wort verstanden hätte. »Diese Stadt – ganz Italien – ist Euch zu großem Dank verpflichtet.«

Wie er im anschließenden Trubel den Ausgang erreicht und den Vatikan verlassen hatte, wusste Michelangelo später nicht zu sagen. Erst nachdem er sich im blendenden Mittagslicht auf einem der Marmorblöcke niedergelassen hatte, die noch immer auf dem Petersplatz lagen, setzte seine Wahrnehmung wieder ein. Die Haare klebten ihm auf der Stirn. Der Schweiß war ihm sogar die Beine hinabgelaufen. Seine Füße rutschten in den neuen Kuhmaulschuhen hin und her. Erleichtert blickte er zu Aurelio auf, der vor ihm stand und ihn gegen die Sonne abschirmte. Das Gesicht seines Gehilfen sagte ihm, dass er sich die vergangenen Stunden nicht nur eingebildet hatte. Innerhalb weniger Augenblicke hatten sie den gesamten Lohn für drei Jahre harte Arbeit erhalten.

»Maestro Buonarroti!«

Michelangelo meinte, die Stimme zu kennen, doch ihm fehlte das Gesicht dazu. Ein warnendes Gefühl stieg in ihm auf. Er fuhr herum.

Raffael. Wie immer war er umringt von einem Tross aus Bewunderern, Schülern und aufwendig frisierten jungen Frauen, die darauf hofften, das etwas vom Glanz seines Ruhms an ihren Kleidern haften bleiben würde. Wie sehr Michelangelo dieses Gesicht zuwider war: der hündische Blick, die feinen Gesichtszüge, die lange, gerade Nase, das dunkle, glatte, immer glänzende Haar, das sich weich auf seine Schultern legte. Eine kompositorische Meisterleistung. Wie konnte jemand so versessen darauf sein, von allen gemocht und umschwärmt zu werden?

Raffael schien die Gedanken seines Künstlerkollegen zu erahnen. Er ließ ein sanftes Lächeln erkennen: »Maestro Buonarroti, ich weiß, dass ich Euch ebenso verhasst bin wie alle anderen Menschen. Dennoch möchte ich Euch etwas sagen. Das Fresko … Ich habe noch immer nicht die richtigen Worte, es zu beschreiben. Eure Figuren, insbesondere die Propheten und Sibyllen …« Michelangelo erstarrte zu Stein. Einzig die Kaumuskeln, mit denen er seine Kiefer aufeinanderpresste, bewegten sich. »Ihre Ausdruckskraft …« Raffael senkte sein Haupt, bevor er fortfuhr. »Sie hat nicht ihresgleichen. Und ich sehe nicht, wie sie je von einem anderen Künstler übertroffen werden könnte.«

Wie immer im Zustand höchster Anspannung, pfiff Michelangelos Nase etwas lauter als sonst. Alle erwarteten, dass er etwas erwidern würde. Doch entweder konnte er nicht, oder er wollte nicht. Die einzige Reaktion auf das Kompliment seines Kollegen war ein verspätetes, langsames Nicken als Zeichen der Würdigung und des Dankes. Raffael schien davon nicht enttäuscht zu sein. Sie hatten einander verstanden. Es war alles gesagt. Er erwiderte Michelangelos Nicken und schritt von dannen, seine Schüler und Bewunderer wie eine Schleppe hinter sich herziehend.

XLIX

Als mir dein Augenstern zuerst erglühte,
Da war's kein irdisch Licht, das mich getroffen,
Schon sah mein Geist entzückt den Himmel offen,
Ein ew'ger Friede zog in mein Gemüte;
Denn nimmer stillt mein Herz der Anmut Blüte,
Erzeugt aus dieser Erde niedren Stoffen;
Der Schönheit Ursprung ist sein Ziel und Hoffen;
Es fliegt der ew'gen Schönheit zu und Güte.
Nie hoffe denn ein weises Herz den Frieden
Von jener Blüte, die zu Staub verkehren
Die raue Zeit, und Tod, der uns beschieden;
Wohl mag der Sinne Glut den Greis versehren,
Die Liebe nicht, sie heiligt uns hienieden,
Doch erst der Himmel wird uns ganz verklären.

Michelangelo Buonarroti

MICHELANGELO HÄTTE DIE ERSCHAFFUNG Adams mit geschlossenen Augen malen können. Wie in Trance brachte der Pinsel die Pigmente in den Putz ein. Dabei schien es, als ginge der Künstler im wahrsten Sinne des Wortes in seiner Arbeit auf, als werde er zu einem Werkzeug seines Pinsels. So war es immer: Je vollständiger

452

eine Szene vor seinem inneren Auge Gestalt angenommen, je tiefer der Bildhauer sich in eine Figur versenkt hatte, umso größer war die Sicherheit bei der Ausführung und umso stärker ihre Wirkung. Aurelio zeigte sich wenig überrascht, als Michelangelo ihm, noch bevor er das erste Mal den Pinsel ansetzte, sagte, dass diese Szene ihre Betrachter später stärker in den Bann ziehen würde als alle, die er bis dahin geschaffen hatte. Dass dem Adam nichts mehr »zustoßen« könne, wie er es formulierte.

Vier Giornate für Adam, vier für Gott. Mehr brauchte es nicht. Und das, obwohl sie nur noch zu zweit waren. Die Rückkehr des Papstes hatte so lange auf sich warten lassen, dass Rosselli inzwischen in Florenz den Auftrag für ein eigenes Fresko angenommen hatte. Wahrscheinlich, ging es Aurelio durch den Kopf, war Piero ganz froh darüber, vorerst nicht wieder nach Rom kommen zu können. Sicher, er hätte für Michelangelo jedes Opfer erbracht, doch jahrelang als erfahrener Freskant immer nur Hilfsarbeiten zu verrichten und sich den Launen seines Freundes zu unterwerfen, erwies sich auch der größten Verehrung irgendwann als abträglich.

Michelangelo schien ebenfalls nicht wirklich traurig darüber zu sein. Er hatte stets ein schlechtes Gewissen gehabt, seinen auf dem Gebiet der Freskenmalerei so erfahrenen Freund mit nichts anderem zu betrauen als dem Auftragen des Intonaco, dem Malen eines Gesimses oder einer Girlande. Doch was er damals Bastiano gesagt hatte, galt noch immer: Dieses Fresko war sein Fluch. Er musste es alleine vollbringen. Also bestand die Bottega seit Beginn der Arbeiten an der zweiten Gewölbehälfte nur noch aus ihm und Aurelio. Für Michelangelo bedeutete das zum einen weniger Kosten, zum anderen kaum Zeitverlust. Für Aurelio dagegen bedeutete es vor allem mehr Arbeit. Bis er den Intonaco aufgetragen, die Linien der Kartons in den Putz geritzt und die Farben angemischt hatte, war er meist so müde, dass er sich über Mittag in einen Winkel der Arbeitsbühne zurückzog, wo er sich auf die nackten Bretter legte und auf der Stelle einschlief. Anders als sein Meister brauchte Aurelio wenigstens einige Stunden Schlaf.

Michelangelo hätte andere, neue Gehilfen hinzuziehen können, doch die Idee behagte ihm nicht. Er wollte die Intimität der Zusammenarbeit zwischen Aurelio und ihm nicht durch fremde Energien gefährden, Menschen mit einer eigenen Persönlichkeit, die er nicht kannte, Römer am Ende, und das, wo er Menschen im Allgemeinen bereits misstraute, von Römern ganz zu schweigen. Dann lieber einen Monat länger brauchen. Sie würden es zu zweit zu Ende bringen. Eine eingeschworene Gemeinschaft, die alles miteinander teilte. Nur nicht das Bett.

✛ ✛ ✛

Beinahe wäre alles ganz anders gekommen. Zwei Tage nach der triumphalen Enthüllung der ersten Gewölbehälfte bestellte Julius Michelangelo in den Papstpalast. Endlich. Sie würden die finanziellen Fragen klären, Michelangelo würde sein Geld erhalten und könnte nach über einem Jahr Zwangspause die Arbeit wiederaufnehmen. Der Papst empfing ihn in seiner künftigen Privatbibliothek, dem Raum, den Raffael in den vergangenen zwei Jahren mit Fresken versehen hatte. Vielmehr, empfing er ihn nicht, sondern ließ ihn durch den westlichen Eingang in den Saal führen und warten.

Wie jedermann in Rom hatte auch Michelangelo viel von Raffaels Fresken gehört. Sie machten so sehr von sich reden, dass man ihnen nicht entkommen konnte. Nun sah der Bildhauer sie zum ersten Mal, musste sie sehen. Einen anderen Grund konnte es nicht geben, weshalb Julius ihn ausgerechnet in diesen Saal hatte führen lassen. Die Einladung zur Enthüllung der *Disputa* im vergangenen Jahr hatte Michelangelo noch ausgeschlagen. Jetzt stand er allein in dem leeren Raum, und sämtliche Wände waren mit Raffaels Arbeiten versehen.

Den Fresken war ein thematisches Konzept übergeordnet. Sie stellten die drei höchsten Prinzipien des menschlichen Geistes dar: das Wahre, das Schöne und das Gute. Die *Disputa*, der Triumph der Religion, verbildlichte die spirituelle Wahrheit. Ihr gegenüber hatte Raffael *Die Schule von Athen* gemalt, auf der die berühmten

454

Philosophen der Antike versammelt waren. Dieses Fresko pries die rationale Wahrheit. Das Gute war in dem Fresko an der Südwand dargestellt, den *Kardinals- und Gottestugenden*, das Schöne schließlich im *Parnass* an der Nordwand. Michelangelo schnaufte und betrachtete widerwillig die *Disputa*. Was blieb ihm anderes übrig? Wohin er auch seinen Blick richtete, stets fiel er auf eines von Raffaels Fresken.

Die Arbeit war, was Michelangelo insgeheim von ihr befürchtet hatte: einzigartig. Und sie würde es bleiben. Da konnte er noch so lange nach Makeln suchen. Die Raumaufteilung hätte gelungener nicht sein können. Die gestalterische Anordnung war selbsterklärend und dennoch von größter Komplexität. Die Figuren waren in subtiler Weise aufeinander bezogen. Jede einzelne hatte ihre Funktion und war organisch und logisch in das Gesamtkonzept eingebunden. Giuliano da Sangallo hatte untertrieben, als er das Fresko als »außergewöhnliche Arbeit« beschrieben hatte. Es war vollkommen, zu vollkommen beinahe.

Mit der *Schule von Athen* auf der gegenüberliegenden Wand verhielt es sich nicht anders. Auch sie war in ihrer Gestaltung neu und von selten erreichter Perfektion. Raffael hatte, offenbar inspiriert von Bramantes Plänen für den Neubau von Sankt Peter, die Möglichkeiten des perspektivischen Malens voll ausgeschöpft. Die Tiefe des Raums zog den Betrachter förmlich in das Bild hinein. Wie bei der *Disputa*, so war auch hier die Aufteilung vollendet, und jede einzelne der mehr als fünfzig Figuren ergab einen Sinn. Die Überlegenheit seines Konkurrenten auf diesem Gebiet stach Michelangelo wie ein stumpfes Messer in die Brust. In Fragen der Bildkomposition, das musste er sich schmerzhaft eingestehen, würde er Raffael niemals das Wasser reichen. Und doch hielt der Anblick dieser Fresken etwas Tröstliches bereit, etwas, das Michelangelo in seiner Arbeit bestätigte. Es dauerte nur eine Weile, ehe sich diese Erkenntnis an dem Schmerz in seiner Brust vorbeigearbeitet hatte und sich in Worte formen ließ. Bei aller Schönheit und Wohltat für das Auge fehlte den Figuren Raffaels, so gefällig sie modelliert und so vollkommen sie in Szene gesetzt sein mochten, doch das für Michelangelo Entscheidende: der menschliche Abgrund.

Je länger der Papst ihn warten ließ, umso greifbarer wurde das Gefühl einer vagen Bedrohung, das in Michelangelo aufstieg. Weshalb war Julius so sehr daran gelegen, ihn mit den Werken seines Konkurrenten zu konfrontieren? Der Bildhauer war noch gefangen in den Wirren dieser Frage, als sich die Tür an der Ostseite des Saals öffnete und der Papst eintrat. Gefolgt von Bramante! Michelangelo stellten sich die Haare an den Unterarmen auf, als er den Architekten mit seiner Unschuldsmiene und der unvermeidlichen schwarzen Samtweste hinter Julius einherstolzieren sah. Was hatte der Baumeister, der so hinterlistig war, wie er arglos tat, bei diesem Treffen verloren?

Sie standen vor der Ostwand, Julius in der Mitte, Michelangelo zu seiner Rechten, Bramante zur Linken, und betrachteten *Die Schule von Athen.*

»Was sagt Ihr dazu?«, fragte Julius.

Da Michelangelo sicher war, dass der Papst Bramantes Ansicht zur Genüge kannte, musste die Frage an ihn gerichtet sein. Was beabsichtigte Julius mit diesem Spiel?

»Heiliger Vater«, setzte er an, »ich hatte gehofft, wir könnten über mein …«

»Ist es nicht geradezu …«, der Stock des Papstes beschrieb einen Bogen, der das gesamte Fresko einfing, »göttlich?«

Michelangelo wandte sich dem Papst zu, der immer noch das Fresko betrachtete. »Heiliger Vater«, begann er von neuem, »seit einem Jahr warte ich darauf, mit den Arbeiten in der Sistina fortfahren zu können. Das Fresko …«

»Gut, dass Ihr darauf zu sprechen kommt«, schnitt ihm Julius das Wort ab.

Er beteuerte, wie sehr die Ewige Stadt dem Bildhauer zu Dank verpflichtet sei, auch wenn gewisse Personen sich mit Aspekten seiner Bibelauslegung sowie den dargestellten Figuren alles andere als einverstanden gezeigt hätten. Dieser Kritik zum Trotz habe Julius sich entschlossen, die erste Hälfte des Werkes als vollendet zu betrachten und den Kardinalkämmerer angewiesen, den ausstehenden Betrag zu zahlen.

Michelangelo atmete auf. »Ich gehe davon aus«, entgegnete er, »dass diese Zahlung die vereinbarte Anzahlung für die zweite Hälfte der Arbeit einschließt.«

Der Papst stützte sich mit gekreuzten Händen auf seinen Stock. Sofort kehrte das Gefühl der Bedrohung zurück.

»Heiliger Vater?«, fragte Michelangelo.

»Nun«, fing der Papst an und wandte sich endlich dem Meister zu, »wir denken darüber nach, die zweite Hälfte des Gewölbes einem anderen Künstler anzuvertrauen.«

Bevor Michelangelo die Bedeutung dieser Worte vollständig erfasst hatte, stach ihm bereits ein Schmerz in die Schläfen. »Was ...«, setzte er an, kam aber nicht über das erste Wort hinaus. »Warum?«, fragte er schließlich.

»Nun, um einen direkten Vergleich der beiden Künstler zu ermöglichen.«

Raffael! Dieser niederträchtige Rüschenständer versuchte, Michelangelo den Auftrag für die zweite Hälfte des Freskos abzujagen. Erst hatte Julius den Bildhauer gezwungen, den Auftrag gegen seinen Willen anzunehmen, jetzt sollte er ausgebootet werden. Deshalb hatte er ihn so lange mit Raffaels Fresken in diesen Raum gesperrt. Und wen hatte Raffael vorgeschickt? Bramante, diesen intriganten Hundsfott. Schneller, als sich eine Taube in den Himmel aufschwang, verstopfte das Blut Michelangelos Adern und ließ seinen Kopf anschwellen.

»Darauf soll ich ein Jahr lang gewartet haben«, platzte es aus ihm heraus, »dass Raffael die von mir begonnene Arbeit zu einem unseligen Ende führt?«

Julius war um einen versöhnlichen Ton bemüht: »Ich sagte: Wir denken darüber nach, ihn das Fresko zu Ende bringen zu lassen.«

Also hatte er recht: Es sollte Raffael sein.

Bramante, der bis dahin so getan hatte, als ginge ihn das alles nichts an, meldete sich zu Wort: »Und von ›unselig‹ kann sicherlich keine Rede sein.«

457

Michelangelo beugte sich vor, um zwischen den beiden hin und her blicken zu können. »Eure Heiligkeit, darf ich fragen, wer mit ›wir‹ gemeint ist? Sind damit ausschließlich Eure Heiligkeit gemeint, oder schließt dieses ›wir‹ auch Maestro Bramante oder gar Raffael selbst mit ein? Mir scheint, ›Eure‹ Überlegungen sind nicht frei von äußeren Einflüssen.«

Julius nahm eine Hand von seinem Stock und strich sich den Bart glatt, den er, so er sein Versprechen halten und ihn erst wieder abnehmen würde, nachdem er die Barbaren aus Italien vertrieben hätte, wohl für den Rest seines Lebens mit sich herumtragen müsste. »Werter Michelangelo: Ihr vergreift Euch im Ton. *Ich* bin derjenige, dem Rechenschaft abzulegen ist, nicht umgekehrt.«

So war das also: Erst hatte Bramante mit Julius gewettet, dass Michelangelo der Aufgabe des Freskos nicht gewachsen sein würde, jetzt, da seine Wette verloren war, wollte er das Gewölbe zum Kampfschauplatz machen und seinen Günstling mit Michelangelo einen Wettstreit austragen lassen. Und was wäre mit Michelangelos Gesamtkonzeption, was mit dem Adam, was mit den Propheten und Sibyllen? Sollte das alles verloren sein? Die Kartons, die sich hundertfach in seinem Atelier stapelten – sollte das alles vergebens gewesen sein?

»Dann tut es!«, rief Michelangelo. »Lasst das Gewölbe der Sistina mit hübschen Nymphen und geflügelten Putten auspinseln!«

Wieder ergriff Bramante für seinen Schützling Partei: »Raffael ist ein Meister seines Fachs! Seine Fresken werden den Euren in keiner Weise …«

»Ganz recht!«, donnerte Michelangelo, der Bramante nur deshalb nicht in Stücke riss, weil der Papst zwischen ihnen stand. »Raffael ist ein Meister *seines* Fachs. Und sein Fach ist Schönheit, Anmut und Grazie. Mein Fach dagegen ist Ringen, Schmerz, das Streben nach dem ewig Unerreichbaren! Jemand, der nicht weiß, was Entbehrung bedeutet, wird das *niemals* verstehen – denn er wird es nicht fühlen! Und eine Kunst, die nicht wahrhaft *gefühlt* ist, wird immer seelenlos bleiben.« Er wandte sich wieder Julius zu. »Heiliger Vater: Die Entscheidung liegt bei Euch. Wollt Ihr

Schönheit und Anmut, oder wollt Ihr Erhabenheit, Ergriffensein, Demut vor der Schöpfung? An Süße und zartem Liebreiz ist Raffael unübertroffen. Wenn es Eurer Heiligkeit also darum zu tun ist, die zweite Hälfte des Gewölbes mit einer inhaltslosen Hülle aufzuhübschen: bitte sehr. Ich wünsche viel Vergnügen. Erlaubt mir bitte, mich zu entfernen.«

Zu Hause angekommen, stampfte Michelangelo ohne ein Wort der Erklärung in seine Kammer hinauf und schloss sich darin ein. Stundenlang hörte Aurelio nur das nervöse Ächzen der Balken, die nicht zur Ruhe kommen wollten.

Bei Sonnenuntergang schlug eine Faust gegen die Haustür. Aurelio öffnete und erblickte auf Augenhöhe einen Reitstiefel. Dieser gehörte einem uniformierten Gardisten, dessen Pferd Aurelio weit überragte. Er ließ sein Reittier zwei Schritte rückwärts gehen, anschließend förderte er aus seiner ledernen Umhängetasche einen Brief zutage, dem das päpstliche Siegel aufgedrückt war.

»Eine Nachricht für Michelangelo Buonarroto«, knurrte er.

»Buonarroti«, verbesserte Aurelio. »Ich bin sein Gehilfe.«

Der Uniformierte warf ihm einen geringschätzigen Blick zu. »Ich habe diesen Brief persönlich zu übergeben.«

»Mein Meister ist in seiner Kammer«, entgegnete Aurelio.

Der Gardist betrachtete das gefaltete Papier zwischen seinen Fingern, rückte sich mit einer schwungvollen Kopfbewegung das übergroße Barett zurecht und ließ den Brief mit einer abfälligen Handbewegung vor Aurelios Füße segeln. Der Gehilfe bückte sich, und noch bevor er ihn ergreifen konnte, sprengte das Pferd davon und bespritzte sein Gesicht mit Lehm.

✢ ✢ ✢

»Ha!«, tönte es aus Michelangelos Kammer. »HA!!«

Die Tür flog auf. Aurelio hatte zuvor den Brief unter ihr hindurchgeschoben, sich ins Erdgeschoss zurückgezogen und im Vorraum die Reaktion seines Meisters abgewartet. So, wie Michelangelo am Nachmittag die Treppe hinaufgestürmt war, so trampelte er sie jetzt herab. Auf halbem Weg hielt er inne, schwenkte das entfaltete Blatt wie eine Trophäe und blitzte Aurelio herausfordernd an.

»Fünfhundert Dukaten hätte ich als Anzahlung für die zweite Hälfte erhalten sollen!«, zischte er. Dann ließ er seine Zähne aufblitzen. »Tausend hat er gezahlt. Das nenne ich Demut!«

Die Erleichterung des Bildhauers übertrug sich auf seinen Gehilfen. »Das bedeutet, Ihr könnt mit der zweiten Hälfte beginnen?«

»Das bedeutet, ich werde sie zu Ende führen!«

✢ ✢ ✢

Sich in den Figuren des Freskos gespiegelt zu sehen, würde Aurelio immer Unbehagen bereiten. Vor allem beim Anblick der Ignudi stellte sich unwillkürlich ein Gefühl der Scham ein. Wie neulich, als ihm im Circus Agonalis ein Scharlatan das Barett vom Kopf gerissen und damit laut kreischend durch die Menge gelaufen war. Der Adam jedoch verstärkte diese Scham in einem Maß, dass Aurelio sich zwingen musste, nicht den Kopf abzuwenden. Es tat weh, ihn anzusehen. Als hätte Michelangelo die geheimsten Winkel seiner Seele ausgeleuchtet.

Eine Weile beobachtete der Bildhauer seinen Gehilfen dabei, wie dieser auf der Suche nach einer Erklärung mit in den Nacken gelegtem Kopf die fertige Figur studierte. Schließlich erläuterte Michelangelo: »Das Maß der geistigen Durchdringung vollzieht sich auf Wegen, für die das Auge nur die Pforte sein kann.«

Aurelio legte sich auf die Bretter, die Arme verschränkt, den Blick auf das Gewölbe gerichtet. Das rechte Bein Adams, die Giornata, die sein Meister soeben fertiggestellt hatte, war noch nicht vollständig getrocknet und von feuchtem Glanz überzogen. Die Abendsonne erfüllte das Gewölbe mit einem goldenen Leuchten, die Luft war träge wie Honig. Lange verharrte Aurelio in dieser

Position, selbstvergessen und von seinem Meister mit schmerzlichen Blicken bedacht. Das Licht wandelte sich, trug einen blauen Schleier herein, die Luft wurde durchlässiger und kühlte langsam ab. In sicherem Abstand tat Michelangelo es seinem Gehilfen schließlich gleich: Er legte sich auf die Bühne und betrachtete den überlebensgroßen Adam.

Aurelio hätte gerne etwas gesagt, doch alle Worte, auf die er sich zu besinnen vermochte, erschienen ihm ungeeignet. Dass der Adam großartig war, wollte er sagen. Doch er war mehr als das. Und als sich Aurelio auf die Suche begab nach diesem »mehr«, begann er langsam zu begreifen, was sein Meister gemeint hatte, als er sagte, dass die Augen nur die Pforte waren für das, was es zu erkennen galt. Der Adam, der da nackt über ihren Köpfen schwebte – er war, was Michelangelo selbst so gerne gewesen wäre: stark und dennoch empfindsam, männlich und dennoch überbordend vor sinnlicher Schönheit. Der Papst hatte gut daran getan, Michelangelo und nicht Raffael die Vollendung der Fresken anzuvertrauen.

L

ES WAR AURELIO, der es als Erster bemerkte. Und in dem Moment, da er es bemerkte, fiel ihm auf, dass es schon da gewesen war, als Michelangelo und er das Haus verlassen hatten. Im trüben Novemberregen waren sie nach dem Abendessen mit eingezogenen Köpfen entlang des Passetto zur Engelsburg hinuntergegangen, um im Strom der Menschen unterzutauchen, der sich neuerdings wie ein Bandwurm ohne Anfang und ohne Ende durch die Adern der Stadt zwängte. Zu dieser Zeit und bei diesem Wetter verirrte sich sonst kaum ein Römer auf die Straße, doch seit einigen Tagen befand sich die Stadt im Ausnahmezustand. Eigentlich herrschte in Rom ja fortwährend Ausnahmezustand, dieser aber war ein besonderer. Nicht nur hinter den vatikanischen Mauern brodelte es. Die Ewige Stadt war in heimlichem Aufruhr. Von einem venezianischen Gesandten in Umlauf gesetzt, hatte sich die Kunde von Julius' Krankheit wie ein Lauffeuer verbreitet. Beinahe jeder hatte sich die Zunge daran verbrannt.

Sicher war, dass Julius einen Rückfall erlitten hatte. Aphrodite, so hieß es, habe den Papst endgültig dem Wahnsinn anheimgegeben. Im Fieberwahn gefangen, wälze er sich delirierend auf seinem Bett wie von tausend brennenden Nadeln gestochen, fuchtele mit den Armen, als versuche er, Dämonen abzuwehren, und schreie unablässig den Namen seiner Kurtisane heraus. Sein Ableben sei eine Frage von Stunden eher als von Tagen. Niemand konnte mit Bestimmtheit sagen, was danach geschehen würde – nur, dass die Stadt ohne Julius augenblicklich im Chaos versinken würde. Der Polizeipräfekt selbst sollte sich bereits in die Engelsburg geflüchtet haben. Für die Römer hieß das: an sich reißen, wessen man habhaft werden konnte, und sich verbarrikadieren. Während die Wachen im Vatikan sich noch verunsicherte Blicke zuwarfen, trugen die Bediensteten bereits die ersten Silbervasen an ihnen vorbei.

Ausgerechnet da, wo das Gedränge am dichtesten war, mitten auf der Ponte Sant' Angelo, machte sich bei Aurelio plötzlich dieses unbestimmte Gefühl im Nacken bemerkbar. Bis sie das andere Ufer erreicht hatten, war er sicher.

»Maestro«, er beugte sich zu ihm hinab, »wir werden beobachtet.«

»In dieser Stadt beobachtet jeder jeden«, entgegnete Michelangelo mürrisch und steuerte eine Gasse an, die vom Ufer wegführte. Dieses Gedränge war ihm zuwider.

»Jemand folgt uns«, erklärte Aurelio.

Kaum merklich zuckte sein Meister zusammen. »Ein Spitzel des Papstes?«

»Ich weiß es nicht.«

Michelangelo zog sich die Kapuze in die Stirn. »Wir nehmen den langen Weg«, knurrte er, »an Santa Maria della Pace und dem Circus Agonalis vorbei.«

Im Zickzack durchstreiften sie die verwinkelten Gassen zwischen der Via del Corso und dem Tiber. Der Regen war überall gleichzeitig. Michelangelos durchnässter Umhang hing schwer von seinen knöchrigen Schultern. Wie immer bemerkte er es kaum. Ihn plagten andere Sorgen. Sollte Julius wirklich sterben, was würde dann aus ihm und dem Fresko?

Die Feuchtigkeit hatte die Straßen hellhörig gemacht. Bis sie das Pantheon erreichten und die von Laternen umstellte Piazza della Rotonda überquerten, war Michelangelo überzeugt: »Da ist niemand.«

Verstohlen blickte Aurelio sich um. Schließlich zog er die

Schultern hoch. Sein Meister fühlte sich zu jeder Tages- und Nachtzeit verfolgt. Wenn schon er sicher war, nicht verfolgt zu werden, dann musste sich Aurelio wohl geirrt haben. Schweigend stapften sie durch die lehmigen Gassen zur Ripetta, die Hände in ihren Umhängen vergraben.

Als sie an dem Palazzo vorbeikamen, über dessen Innenhof Aurelio seinem Meister damals zur geheimen Werkstatt gefolgt war, sagte Michelangelo unvermittelt: »Also gut«, und tauchte in den Torbogen ein. Sie betraten den Hof mit dem palmengesäumten Brunnen. »Du gehst weiter«, zischte Michelangelo seinem Gehilfen zu und verschwand im Schatten eines Mauervorsprungs.

Aurelio überquerte den Hof und verließ den Palazzo zur Parallelgasse hin. An der nächsten Kreuzung hielt er inne. Er musste nicht lange warten. Kaum hatte er sich umgedreht, kam mit kurzen, schnellen Schritten eine kleine, schwarz verhüllte Gestalt aus dem Durchgang. Im nächsten Augenblick erschien Michelangelo hinter ihr, schnell wie eine Fledermaus, und stürzte sich mit ausgebreiteten Armen auf sie. Danach war nur noch ein dunkles Knäuel auf dem Boden zu sehen. Spitze Schreie glitten an den feuchten Mauern empor. Entsetzt eilte Aurelio seinem Meister zu Hilfe. Der hatte seinen Verfolger bereits zu Boden gerungen, ihm ein Knie zwischen die Schulterblätter gestoßen und einen Arm auf den Rücken gedreht. Mit der freien Hand riss der Bildhauer der im Matsch liegenden Gestalt die Kapuze vom Kopf. Ein wallender Schleier schwarzer Haare breitete sich über das Gesicht. Michelangelos Hand zögerte kurz, dann schob sie den Schleier zurück.

»Das ist ja eine Frau!«, rief Aurelio überrascht.

Michelangelo stieß einen erschreckten Laut aus, ließ sie los und sprang auf die Füße. »Steht auf«, befahl er.

Die Frau kam auf die Beine und schob sich ihr langes, weiches Haar in den Nacken. Bevor ihr Kopf wieder unter der Kapuze verschwand, hatte Aurelio Gelegenheit, ihr Gesicht zu sehen. Es hatte die Farbe von reinem Bleiweiß und war glatt wie polierter Marmor. Ihre schwarzen Augen funkelten zornig.

»Ist sie das?«, fragte Aurelio unsicher, und dann, als er sicher war, sie schon einmal gesehen zu haben: »Was hat das zu bedeuten, Maestro?«

»Das kann ich dir sagen«, knurrte Michelangelo, wischte sich die Hände an seinem Umhang ab und zog seine Stirn in Falten. Seine Nase zischte in kurzen Abständen. Er versicherte sich, dass niemand in Hörweite war, dann neigte er sich zu der Frau. »Na schön«, seine Stimme verengte sich zu einem eindringlichen Flüstern, »richtet Eurer Herrin aus, ich werde ihrem Wunsch nach einer Zusammenkunft nachkommen. Morgen. Zeit und Ort zu erwähnen, erspare ich uns. Und richtet Eurer Herrin weiterhin aus, dass sie, sollte sie mir ein weiteres Mal nachstellen, niemals auch nur zu Gesicht bekommen wird, was sie so dringend zu sehen wünscht! Habt Ihr das verstanden?«

Der Glanz ihrer Augen bezeugte, dass bereits die Frage eine Beleidigung war.

»Gut«, schloss Michelangelo, »und jetzt verschwindet.«

✢ ✢ ✢

»Ich kann nicht länger warten!« Aphrodites Stimme glich dem Fauchen ihres Jaguars.

Mit geschlossenen Augen führte Aurelio seine Nase an den Spalt im Wandbehang und ließ sich vom Duft der Rosenblätter durchströmen, der sich mit dem des brennenden Holzes im Kamin mischte.

»Das werdet Ihr aber müssen«, gab Michelangelo zur Antwort. »Wenigstens so lange, bis die Statue mich davon überzeugt hat, dass es nichts mehr gibt, was ich für sie noch tun könnte.«

Eigentlich hätten sie es sich denken können – dass Aphrodite früher oder später eine Spionin auf sie ansetzen würde. Vor einigen Wochen waren die beiden Männer wieder aufgetaucht, der Blinde und der Stumme, mehrfach. Immer wie aus dem Nichts. Michelangelo hatte sie ein ums andere Mal abgewimmelt. Schließlich war der Bildhauer von einer schwarzgekleideten Frau – der späteren

Spionin – aufgesucht worden. In seinem Haus! Sie hatte ihm einen Brief überbracht, ohne Absender oder Unterschrift, dafür mit unzweideutiger Botschaft. Die Verfasserin der Zeilen verlangte eine Zusammenkunft.

»Jetzt schreibt sie mir schon Briefe!«, hatte Michelangelo ausgerufen. »Als würden mir die meiner Brüder nicht genug Kummer bereiten!«

Aurelio blickte durch den Spalt. Aphrodite. Sie stand vor dem Kamin wie damals, eingehüllt in ein weißes Kleid zwar, aber dennoch in Fleisch und Blut. Ihr Haar lief in einem weichen Bogen über ihre Schultern und wellte sich den Rücken hinab. Sein Verlangen war so groß, dass nur noch der Wandteppich ihn vor dem vollständigen Verlust seines Verstandes trennte.

Aphrodite ging auf den Bildhauer zu, der sich in der Nähe des Wandbehangs postiert hatte, und blieb eine Armeslänge entfernt vor ihm stehen. »Michelangelo«, ihre Stimme nahm einen flehenden Ton an, »verzeiht meine Indiskretionen. Aber ich muss diese Statue sehen. Ich muss wissen, dass ich nicht vergebens gelebt habe.«

Der Bildhauer rieb mit besorgter Miene seine Handflächen gegeneinander. »Vor nicht allzu langer Zeit habt Ihr mir vorgeworfen, von Euch so zu sprechen, als wärt Ihr bereits vergangen. Jetzt seid Ihr es, die so spricht.«

»Ich habe Angst, Michelangelo. Meine Zukunft ist völlig ungewiss. Sollte Julius tatsächlich sterben, muss ich auf der Stelle aus dem Vatikan verschwinden, besser noch aus der Stadt. Am besten aus dem Land. Doch ich kann nicht ohne diese Statue gehen!«

»Julius war schon oft krank. Er ist häufiger krank als gesund.«

»Diesmal ist es anders.« Aurelio sah das Flehen in Aphrodites Augen, ihre erregten Lippen … »Er selbst glaubt nicht mehr daran, dem Tod noch länger die Stirn bieten zu können. Heute hat er sich die Sterbesakramente geben lassen.«

Michelangelo durchfuhr ein Zucken. »Dann ist auch meine Zukunft ungewiss«, überlegte er. »Gut möglich, dass der kommende Papst alles ausradieren wird, was ihn an seinen Vorgänger erinnert.

Bei den Spielern auf der Strada dei Banchi wird darauf gewettet, dass als Nächstes ein Franzosenfreund den Thron besteigt. Ich sollte nicht warten, bis er gewählt ist und die Gelegenheit ergreift, mich als Getreuen Julius' in die Engelsburg sperren zu lassen.«

»Ihr werdet fliehen?«

»Noch stehe ich in Julius' Diensten«, stellte Michelangelo fest.

»Falls er stirbt.«

»Ich denke, ich würde umgehend in meine Heimatstadt zurück-kehren.«

»Nach Florenz?«

»Wohin sonst?«

»Und meine Statue?«

»Die ist an einem sicheren Ort.« Der Bildhauer überlegte. »Auch ihr wird es nicht gefallen, noch länger warten zu müssen. Doch im Zweifel wird auch sie sich damit abfinden müssen.«

Über Aphrodites Gesicht legte sich ein bittendes Lächeln. »Ich könnte *Eure* Kurtisane werden, so, wie ich Julius' Kurtisane gewesen bin. Nur mit dem Unterschied« – sie legte Michelangelo zärtlich die Hände auf die Arme –, »dass ich mich Euch mit Freuden unterwerfen würde.«

Die folgende Stille wurde nur vom Knurren des Jaguars unter-brochen, der sich, als habe man ihm frisch angerührten Arriccio unter die Nase gehalten, auf die Füße hievte und in den äußersten Winkel des Gemachs zurückzog, wo er sich auf einer schweren Decke niederließ. Einem unsichtbaren Impuls gehorchend, nä-herte Aphrodite ihr Gesicht dem von Michelangelo. Drei Hand-breit von ihm entfernt hielt sie inne. Aurelio schnürte sich die Brust zusammen. Beider Blicke, so wurde ihm klar, suchten ver-zweifelt in den Augen des jeweils anderen nach der letzten Ant-wort, nach der Wahrheit, die keine Zunge verleugnen und keine Geste verschleiern konnte. Schließlich neigte Aphrodite ihren Kopf zur Seite, ihr Haar rutschte von der Schulter wie ein schwar-zer Samtvorhang, und sie bot Michelangelo ihre leicht geöffneten Lippen dar. Aurelio schloss die Augen. Heiße Tränen sprangen un-ter seinen Lidern hervor.

»Mit Freuden unterwerfen«, hörte er Michelangelo sagen. »So etwas kann nur einer Frau einfallen ...« Er musste sie abgewiesen haben. Sie standen sechs Fuß voneinander entfernt in der Mitte des Raums. Offenbar hatte sein Meister hinter ihren Augen etwas anderes erblickt als sie hinter seinen. »Ich habe mich entschieden, mein Leben der Kunst zu opfern«, fuhr er fort. »Das ist Gottes Wille. Und wahrhaft Großes kann in der Kunst nur hervorbringen, wer auf das Glück des Lebens verzichtet.« In Aphrodites Gesicht mischten sich erschütterter Stolz und der Hunger nach Vergeltung. »Warum tut Ihr nicht, was jede andere Frau an Eurer Stelle tun würde?«, fragte er schließlich.

»Ich soll das Leben einer gewöhnlichen Kurtisane führen?«

»Wenn Euch das nicht genügt: Führt das Leben einer ungewöhnlichen.«

»Unmöglich. Imperia würde mich innerhalb einer Woche umbringen lassen.«

»Dann müsst Ihr Imperia eben zuvorkommen. Das hier ist Rom, so sind die Regeln.«

Aphrodite zog sich ganz auf ihre Seite des Gemachs zurück. Sie schlug ihre Lapislazuliaugen nieder. »Es würde nichts helfen«, sagte sie leise. Sie drehte sich zur Wand. als schäme sie sich. Unter ihrem Kleid schien sie zu frieren. Aurelio spürte ihre Schwermut wie das Gewicht eines Marmorquaders. Ihr Schicksal war unabwendbar. Und es war Teil ihrer Schönheit. »Selbst wenn ich wollte, so könnte ich doch niemals das Leben einer gewöhnlichen Kurtisane führen«, erklärte sie. »Sobald mir eine Frau begegnet, fürchtet sie mich. Steht mir ein Mann gegenüber, begehrt er mich. Von Euch einmal abgesehen. Ihr seid anders. Vielleicht begehre ich Euch deshalb so sehr.« Ihr regloser Körper stand schutzlos im Raum. »Ihr habt recht gehört, Michelangelo: Ich begehre Euch. Ihr seid nicht von dieser Welt.« Langsam richtete sie sich auf, ging wieder zum Kamin und starrte in die Flammen. »Ich weiß nicht, was das ist, das ich da in mir trage. Oder woher es kommt. Wie eine teuflische Saat ... Seit ich eine Frau bin, Michelangelo, lebe ich im goldenen Käfig. Nehmt mich und die Statue mit nach Florenz. Ich bitte Euch!«

»Warum um alles in der Welt sollte ich das tun?«

»Das fragt Ihr die Frau, die Ihr seit zwei Jahren in Marmor meißelt?«

»Das solltet Ihr besser wissen. Ich meißele nicht *Euch* in Marmor, sondern alles, was Gott dem Menschen an Begierden, Sehnsüchten und Sinnlichkeit mit auf seinen bemitleidenswerten Weg gegeben hat – von jeher und für alle Zeit. Ihr seid nur die Hülle, das Gefäß, wenn Ihr so wollt. Bevor Gott das nächste Mal mit den Wimpern schlägt, wird bereits alle Schönheit von Euch gegangen, werdet Ihr alt und krank, schmerzerfüllt gestorben und verwest sein.«

Aphrodite stand wie erstarrt vor dem Kamin, den Blick in die Flammen gerichtet. »Jetzt seid Ihr es, der von mir spricht, als sei ich bereits vergangen.«

✣ ✣ ✣

Aurelio erschien es, als seien all diese Worte an ihn gerichtet gewesen, als hätten Aphrodite und sein Meister zu ihm gesprochen. Wie würde das sein, wenn alles vorbei war? Das Fresko. Und, tausendmal schlimmer noch, die Statue. Was würde aus ihm werden, wenn die Aphrodite vollendet und der Schuppen leergeräumt wäre, wenn sein Meister den letzten Propheten gemalt und keine Verwendung mehr für ihn hätte? Wenn der Papst gestorben wäre und Aphrodite für immer das Land verlassen hätte? Er war jung, gerade einmal zweiundzwanzig Jahre alt. Was könnte das Leben ihm noch zeigen, das er nicht bereits gesehen, was könnte er noch fühlen, das er nicht bereits empfunden hatte? Wie sollte er das aushalten – den Rest seines Lebens gefangen zu sein in der Sehnsucht nach etwas, das unwiederbringlich vergangen war? Zum ersten Mal in seinem Leben wünschte sich Aurelio, alt zu sein, so alt wie der Papst, und sterben zu dürfen, sobald er beides vollendet gesehen hätte, das Fresko und die Statue.

LI

Gott aber hat ihn am dritten Tag auferweckt und hat ihn erscheinen lassen,
zwar nicht dem ganzen Volk, wohl aber den von Gott
vorherbestimmten Zeugen:
uns, die wir mit ihm nach seiner Auferstehung von den Toten
gegessen und getrunken haben.
Und er hat uns geboten, dem Volk zu verkündigen und zu bezeugen:
Das ist der von Gott eingesetzte Richter der Lebenden und der Toten.

Apostelgeschichte 10, 40–42

WENN ES NOCH EINES BEWEISES bedurft hatte, dass der Papst nicht
nur der legitime Nachfolger Julius Caesars, sondern auch Jesu war,
dann hatte er ihn durch seine eigene Auferstehung erbracht. Drei
Tage lang hatte Julius, nachdem ihm die Sterbesakramente gespendet worden waren, reglos und mit in den Höhlen erstarrten Augen
unter seinem golddurchwirkten Brokatbaldachin auf dem Bett gelegen. Am Morgen des vierten Tages dann, als man ihn tot aufzu-
finden erwartete, saß er plötzlich gegen seine Kissen gelehnt und
zeigte sich erbost darüber, dass man ihm sein Frühstück noch nicht
gebracht hatte. Offenbar waren sämtliche Krankheiten der Welt
nicht in der Lage, ihn endgültig niederzuringen. So schnell die
Bediensteten die Silbervasen und Samtvorhänge aus dem Vatikan

getragen hatten, so eilig wurden sie wieder herbeigeschafft. Die Aufregung in den Gassen ebbte ab, die Vorboten der Tramontana kühlten die erhitzten Gemüter, hinter den Mauern richtete man sich auf den bevorstehenden Winter ein.

Beim Papst bewirkte die eigene Auferstehung eine grenzenlose Selbstüberhebung. Die letzten Zweifel über seine irdische Bestimmung waren endgültig getilgt. Er war Gottes Kreuzritter, und Aphrodite, seine gottgleiche Kurtisane, war das Medium, das der Allmächtige ihm gesandt hatte. Seine Mission bestand darin, ganz Italien zu einem einheitlichen Kirchenstaat zu formen. Und da ihm möglicherweise nicht mehr viel Zeit blieb, bedeutete das Krieg.

Bei Michelangelo indessen bewirkte Julius' wundersame Genesung zweierlei: zum einen eine gänzliche Befreiung in seiner Arbeit. Auch bei dem Künstler schwanden die letzten Zweifel, was am deutlichsten bei den Propheten und Sibyllen zutage trat. Jede neue Figur geriet noch größer als die vorhergehende. Bereits der Prophet Daniel und die Persische Sibylle beanspruchten so viel Platz, dass die Gliederung des Freskos beinahe aus den Fugen geriet. Wenn Michelangelo auf diese Weise fortfuhr, würden die Libysche Sibylle und der Jeremias, spätestens aber der Jonas ihre architektonischen Rahmen endgültig sprengen. Irgendwie passte das, dachte Aurelio – dass Michelangelo sich erst seine eigene Begrenzung schuf, um sie anschließend zu überwinden. Dasselbe galt für den Umgang mit den Farben. Auch hier war die Zeit des Experimentierens endgültig vorbei. Oft kam Aurelio mit dem Zerreiben der Pigmente kaum nach und war gleichzeitig von einem Dutzend Bronze- und Marmormörsern umringt. Er arbeitete auf Zuruf: Umbra, Weiß, Grünerde, Violett, gelber Ocker, roter Ocker, Marsbraun ... Nur vor dem unbezahlbaren, aus Persien eingeschifften Lapislazuli schreckte Michelangelo zurück. Er fürchtete, es könne die anderen Farben zu sehr dominieren.

Zum anderen drängte es Michelangelo mehr denn je zur Eile. Aus dem ewig Verfolgten wurde ein ewig Gehetzter. Julius' Auferstehung hatte er als Warnung und göttliches Vorzeichen zugleich verstanden. Wollte er sein Lebenswerk, seine beiden Lebenswerke, zu Ende führen, durfte er keine Zeit mehr verlieren. Nicht einen Tag. So wuchsen die Giornate in demselben Maß wie die Propheten und Sibyllen. Jeden Tag ein Stückchen mehr.

✢ ✢ ✢

In der Nacht vor Weihnachten 1511, gegen Morgen, schälte Michelangelo den letzten überflüssigen Marmor von Aphrodites Körper. Noch lagen Monate vor ihnen, in denen der Bildhauer mit Feinbohrer, Raspel und Bimsstein ihre endgültige Gestalt herausarbeiten würde, doch ihre Form, ihre Haltung, waren nun unwiderruflich festgelegt. Zum letzten Mal legte Michelangelo das große Zahneisen aus der Hand, nahm seine Arbeitslampe von der Stirn und löschte die Kerze. Anschließend zogen er und Aurelio sich ihre Schemel heran, setzten sich vor die Statue und erwarteten den Sonnenaufgang. In der Pfanne glommen die letzten Kohlen. Sie würden keine neuen mehr nachlegen, nicht heute Nacht. Aurelio zog seinen Umhang enger. Durch die Ritzen zwischen Wand und Dach drang das erste Tageslicht, wenig, doch genug, um Aphrodite Leben einzuhauchen.

Die Wirkung der Statue war mit nichts vergleichbar, was Aurelio jemals erlebt hatte. Nicht einmal mit der Pietà. Man wusste nicht, was sie mit einem machte, konnte es nicht beschreiben. Bereits jetzt, in ihrem unfertigen Zustand, forderte sie allen Raum für sich ein, den sie bekommen konnte, kündete sie von überirdischer Schönheit, unbändigem Stolz und herausforderndem Hochmut. Zugleich wirkte sie seltsam verloren, isoliert und hilflos, angefüllt mit dem Wissen um die Schicksalhaftigkeit ihrer Existenz, dem Los der Einsamkeit. Die geöffnete rechte Hand neben dem Kopf war bittend gen Himmel gerichtet, die Haltung des Arms ähnlich der des Laokoon, den Michelangelo Aurelio gezeigt hatte. Die linke Hand jedoch deutete hilflos zu Boden und fing die Verzweiflung ein, ihn nicht überwinden zu können. So fragte die eine Hand nach dem Warum, die andere nach dem Wohin. Trotz ihrer Über-

472

lebensgröße wirkte die Statue, als schwebe sie. Aphrodites linker Fuß hatte sich bereits vom Boden gelöst, und der rechte, dessen vordere Hälfte unter dem Schleier hervorsah, hielt nur noch mit Zehen und Fußballen Kontakt zur Erde. Als werde sie von unsichtbarer Hand emporgehoben. Durch die Neigung ihres himmelwärts strebenden Körpers hätte sie eigentlich umfallen müssen, doch ihr hauchdünner Schleier, der sich vom Boden zu lösen im Begriff war, stützte in Wirklichkeit die gesamte Figur. Zu wahrer Größe, so hatte Michelangelo seinem Gehilfen erklärt, könne eine Statue nur reifen, wenn es gelang, das gesamte Wesen der Figur, alles, was sie denke und fühle, als Bewegung im Raum auszudrücken. Aurelio hatte verstanden, was Michelangelo damit meinte, doch spüren konnte er es erst jetzt.

»Was ist?«, fragte er, als er die Anspannung seines Meisters bemerkte. »Plagen Euch Zweifel?«

»Zweifel?« Michelangelo erhob sich und rieb die Handflächen gegeneinander. »Nein, Aurelio.« Er begann, die Statue langsam zu umrunden. »Was mich plagt, sind Skrupel«, erklärte er schließlich. »Ich frage mich, ob es wirklich Gottes Wille sein kann, dass ich eine Statue von solch wollüstiger Sinnlichkeit erschaffe.« Er hatte die Statue umkreist und legte zögerlich zwei Finger auf Aphrodites sich durch den Schleier abzeichnende, leicht geöffnete Lippen. »Nun, die Skrupel kommen, wie es scheint, etwas spät.« Er ging hinüber zur Werkbank, nahm den Schlüsselring an sich und warf Aphrodite einen letzten Blick zu. »Ist noch was?«, fragte er dann.

Aurelio wusste nicht recht, ob die Frage an ihn oder Aphrodite gerichtet war. »Buon Natale«, gab er zur Antwort. Frohe Weihnachten.

»Buon Natale«, erwiderte Michelangelo.

✣ ✣ ✣

Erst am dritten Tag nach Neujahr erhielt die Bank, bei der Michelangelos Post hinterlegt wurde, endlich den Brief Ludovicos, den der Bildhauer bereits seit langem erwartete. Die Schiffsladung mit der Seide hätte schon vor Wochen eingetroffen sein sollen, und sein Vater hatte ihm versichert, dass er ihm schreiben würde, sobald dies geschehen sei. Michelangelo nahm das Kuvert mit unguten Gefühlen entgegen.

Die Ursache für die Verspätung der Weihnachtspost kam ans Licht, kaum dass Michelangelo den Umschlag geöffnet hatte. Er entfaltete die Blätter und las den Brief, während er die neuerbaute Via Alexandrina hinaufging, die Papst Alexander hatte anlegen lassen, um den Verkehr zwischen Engelsburg und Vatikan in geordnete Bahnen zu lenken. Michelangelo stapfte, den eisigen Wind im Gesicht, die Straße hinauf, zwang entgegenkommende Karren auszuweichen, was ihm unwirsche Kommentare eintrug, und las die im Wind flatternden Zeilen. Das dritte Blatt las er zweimal. Dann war er auf der Piazza Scossacavalli angekommen, dem berühmt-berüchtigten Platz, an dem einander gegenüber Raffael und Imperia ihre Villen bewohnten. Er blieb stehen, die Haare vom Wind zerzaust, ballte die Linke zur Faust, reckte den zerknitterten Brief gen Himmel und rief zur Verwunderung der Umstehenden: »Warum ich?«

Seine Brüder, seine ganze Familie war ruiniert. Genauer gesagt: Sie hatte sich ruiniert – mit seinem, Michelangelos, Geld. Also hätte man zunächst einmal annehmen sollen, Michelangelo sei der Ruinierte. Das stand da aber nicht. Da stand, die Familie sei ruiniert. Beinahe klang es so, als trage Michelangelo auch noch die Schuld an ihrem Ruin. Das Schiff war gesunken, im Golf von Venedig, den Hafen praktisch vor Augen. Und natürlich hatten seine Brüder es versäumt, die Ladung zu versichern. Giovan Simone und Buonarroto standen mit leeren Händen da, und Ludovico hatte sich lächerlich gemacht. Die ganze Stadt spottete angeblich über ihn, und das nicht einmal hinter vorgehaltener Hand. Seide im Wert von zwölfhundert Dukaten: alles abgesoffen. Es war, als hätte sich Michelangelos Familie hohnlachend am Hafen versammelt, um sein über Jahre erarbeitetes Geld mit vollen Händen ins Meer zu schaufeln. Eintausendzweihundert Dukaten! So viel verdiente ein Mann des *popolo minuto* in seinem ganzen Leben nicht. Doch es kam noch schlimmer. Giovan Simone und Buonarroto hatten in Erwartung der Lieferung bereits Unmengen an Farben gekauft. Auf denen saßen sie jetzt wie auf einem Berg Fische, den keiner haben wollte und der anfing zu stinken. Deshalb brauchten sie ganz dringend neue Ware, besser heute als morgen, doch sie konnten keine ordern, es sei denn …

»Noch mehr Geld?!« Noch immer stand Michelangelo mitten auf der Piazza Scossacavalli. Inzwischen machten die Passanten einen Bogen um ihn oder blieben neugierig, aber in sicherer Entfernung stehen. »Pah! PAH!!«

Zum dritten Mal las er die letzte Seite des Briefs. Nur durch ein weiteres Darlehen, erklärte Ludovico, sei es Giovan Simone und Buonarroto möglich, wenigstens das von Michelangelo geliehene Geld zurückzuzahlen und ihn, Ludovico, von seiner Schmach zu befreien.

»Geliehen?« Vor Wut zerriss Michelangelo die Seite in kleine Schnipsel und warf sie in die Luft, wo sie der Wind sogleich mit sich riss. »Bestohlen haben sie mich! Und jetzt wollen sie noch mehr! Ich bin in den Schoß einer Hydra geboren worden!«

Kaum war er zu Hause angelangt und hatte die Tür hinter sich zugeschlagen, hatte ihn der erste Fieberschub erreicht.

LII

Etwa zweihundert Schritt vor dem spanischen Lager hielt die französische Armee an und brachte ihre Kanonen in Stellung. Ihr linker Flügel wölbte sich in einem leichten Bogen um den rechten der Spanier. In dieser Aufstellung verharrten die verfeindeten Streitkräfte über zwei Stunden, und während dieser Zeit entwickelte sich die erbarmungsloseste Kanonade zwischen zwei Armeen, die die Welt je gesehen hatte.

F. L. Taylor, The Art of War in Italy, 1494–1529

FEBRUAR 1512

ES WAR DER KÄLTESTE WINTER, solange man sich zurückerinnern konnte. Aurelio feuerte jeden Morgen vor dem Auftragen des Intonaco drei Kohlepfannen an, die er zuvor in einem Dreieck um die an diesem Tag zu bewältigende Giornata anordnete. Nachdem Michelangelo von dem Brief seines Vaters genesen war und ihm zurückgeschrieben hatte, dass sich das Fegefeuer in eine Eiswüste verwandeln müsse, ehe er seine Brüder noch mehr von seinem Geld auf den Grund des Meeres versenken ließe, hatte er verkündet, bis zum Abschluss der Arbeiten am Gewölbe keinen Tag mehr ungenutzt verstreichen zu lassen. Nicht einen. Auch wenn das bedeutete, die angerührten Pigmente mit einem Alpenstock* zu bearbeiten.

Julius war ebenfalls genesen und rüstete für den Krieg. Dass ganz Oberitalien und sogar Florenz unter einer dichten Schneedecke begraben lag, kümmerte ihn nicht. Niemand konnte ihn aufhalten. Solange er Aphrodite bei sich hatte, war ihm der göttliche Beistand gewiss. Mit ihr an seiner Seite war er unbesiegbar. Und die Zeit drängte. Die Franzosen hatten einen neuen Heerführer: Gaston de Foix, der Herzog von Nemours und Neffe Ludwigs XII. Er war kaum älter als Francesco Maria, Julius' Neffe, doch wenn man den Schilderungen Glauben schenken durfte, dann war der Herzog von Nemours aus einem anderen Holz geschnitzt als Francesco Maria. Jedenfalls sollte de Foix noch nie über kalte Füße geklagt haben. Entschlossen, kühn, schlau, tatkräftig, hungrig – das waren die Attribute, die Julius ein ums andere Mal schlucken musste, wenn ihn neue Lageberichte aus der Romagna erreichten. Mit anderen Worten: Der Neffe Ludwigs XII. war das genaue Gegenteil von Julius' Neffen.

Bereits im vergangenen Jahr hatten die Franzosen unter Gaston de Foix' Führung Bologna eingenommen. Die Stadt war noch nicht vollständig geplündert, da versammelte der Heerführer bereits wieder seine Truppen, um nach Norden zu ziehen und bei Brescia die Venezianer zu schlagen. Inzwischen hatte er, von Ravenna abgesehen, die gesamte Romagna erobert. Die Hafenstadt war die letzte Bastion, die dem Kirchenstaat geblieben war. Dorthin hatten sich die päpstlichen Truppen geflüchtet, und dort warteten sie. Ein Zustand fortwährender Demütigung. Die päpstlichen Truppen, eingeschlossen in der Stadt, die man vor drei Jahren erst den Venezianern entrissen hatte. Und jetzt sollte sie den Franzosen in die Hände fallen? Das konnte unmöglich Gottes Wille sein.

Doch es schien der von de Foix zu sein. Der nämlich zog seit einiger Zeit in aller Ruhe in Bologna seine Truppen zusammen.

* Vorläufer des Eispickels

Und das konnte nur bedeuten: Ravenna. Und wer eilte ihm zu Hilfe, stellte seine Truppen und seine geliebten Kanonen in den Dienst der Barbaren, um gemeinsam mit dem französischen Befehlshaber die letzte päpstliche Bastion anzugreifen? Alfonso d'Este! Niemals – niemals! – würde Julius zulassen, dass dieser verfluchte Mistkerl Ravenna eroberte und den Papst ein weiteres Mal zum Gespött Italiens machte.

Genau das hatte er vor drei Monaten erst getan. Einen Tag vor Silvester hatte ein wild gewordener Pöbel in Bologna die von Michelangelo geschaffene Bronzestatue des Papstes, die seit Jahren über dem Portal der Basilica di San Petronio gethront hatte, auf den Vorplatz stürzen lassen, wo sie einen zehn Fuß tiefen Krater gerissen hatte. Alfonso d'Este hatte sie daraufhin zu einer Kanone von nie gefertigter Größe umschmelzen lassen und sie, um die Demütigung perfekt zu machen, auf den Namen des Papstes getauft: »La Giulia«. Nein. Diesmal würde Julius nicht eher ruhen, bis sich sein Traum erfüllt hätte und Alfonsos abgeschlagenes Haupt vor ihm läge und den Schnee rot färbte.

Der Papst hatte die Heilige Liga wiederbelebt und neue Verbündete gewonnen. Neben der Republik Venedig und den Schweizern, die ihn bei seinem letzten Feldzug so schmählich im Stich gelassen hatten, waren dies das Königreich Aragonien, der Habsburger Kaiser Maximilian I. und Heinrich VIII. von England. Der Wichtigste aber war Ferdinand III., König von Neapel. Und das bedeutete: die Spanier. Innerhalb der Heiligen Liga stellten sie jetzt nicht nur die gewaltigste Streitmacht, sondern auch einen Befehlshaber, der den Vergleich mit Gaston de Foix und Alfonso d'Este nicht scheuen musste: Ramón de Cardona, Vizekönig von Neapel. Wenn einer die Franzosen in die Knie zu zwingen in der Lage war, dann er. Francesco Maria hatte bis auf weiteres als Truppenführer ausgedient.

Die Vorbereitungen für den anstehenden Feldzug waren bereits in vollem Gange, als in Rom die Nachricht von der Geburt des »Monsters« eintraf. In Ravenna war eine grässliche Missgestalt zur Welt gekommen. Branca Tedallini, ein römischer Chronist, notierte:

Der achte Tag des März: Wie in Ravenna einem Mönch und einer Nonne ein Kind geboren wurde, so wie ich es Euch beschreiben werde: Sein Kopf war riesig, ebenso sein Mund, und von seiner Stirn stand ein Horn ab. Auf seiner Brust waren drei Buchstaben: YXV. Ebenso drei Büschel Haare. Ein Bein war behaart und hatte einen Teufelshuf, in der Mitte des anderen prangte ein Auge. Soweit man weiß, hat etwas Derartiges noch nie zuvor das Licht der Welt erblickt.

Sowohl in Ravenna also auch in Rom war jedermann davon überzeugt, dass es sich beim »Monster von Ravenna« um ein göttliches Zeichen handelte, das großes Unheil ankündigte. Als erste Reaktion ließ Julius seine Gemächer im Vatikanspalast versiegeln und zog mit seiner göttlichen Geliebten in die Engelsburg um. Viele Päpste hatten dort Zuflucht gesucht, und keiner Macht der Welt war es je gelungen, diese Festung einzunehmen. Kaum war der Papst von den unüberwindbaren Mauern umgeben, wurde er von neuer Zuversicht durchströmt. Sofern das Monster von Ravenna tatsächlich drohendes Unheil ankündigte, konnte das doch für Gottes ersten Diener nur bedeuten, sofort etwas dagegen zu unternehmen.

Ende März war es schließlich so weit: Während Alfonso d'Este und Gaston de Foix sich in Bologna noch auf die Belagerung Ravennas vorbereiteten, erreichte Ramón de Cardona mit seinen spanischen Truppen die Ewige Stadt, schloss sich mit dem Papst zusammen und zog weiter nach Norden, um sich mit der Garnison von Ravenna zu vereinigen und den Franzosen die alles entscheidende Niederlage beizubringen.

Niemand konnte sich erinnern, jemals ein Heer von solchen Dimensionen den Corso hinaufziehen gesehen zu haben. An der Spitze, vor sich nur den Träger der geweihten Hostie, befanden sich Ramón de Cardona und der Papst nebst ihren Gefolgen. Dahinter der so prächtig ausstaffierte, gepanzerte Kutschwagen, in dem, wie jeder wusste, Aphrodite auf ihrer goldverzierten Bettstadt mit den aus Elfenbein geschnitzten Füßen thronte. Dann kamen die Truppen: tausendfünfhundert spanische Reiter, Hunderte italienischer Arkebusierreiter und eine nicht endende Kolonne von Fußsoldaten, zehntausend, wie es hieß. Erinnerungen an den triumphalen Sieg von Agnadello wurden wach. Es dauerte Stunden, bis der letzte Soldat die Porta del Popolo durchschritten hatte. Danach waren auch die letzten Zweifler in der Heiligen Stadt überzeugt: Eine solche Streitmacht konnte nur siegreich zurückkehren.

Das Hochgefühl jedoch währte nur wenige Stunden. Kaum hatten die Truppen der Heiligen Liga die Stadt verlassen, ereignete sich ein jäher Temperatursturz. Von Norden kommend, stob ein eisiger Wind heran, verzweigte sich in die Gassen und trieb die Bewohner Roms in ihre Häuser. Nicht einmal Michelangelo wagte sich noch vor die Tür, um zu seiner Werkstatt an der Ripetta zu gehen. Als Aurelio in der Nacht wach wurde, erschienen ihm die von der Straße kommenden Geräusche seltsam gedämpft. Doch er dachte nicht darüber nach, sondern nahm sich nur die zweite Decke und wickelte sich darin ein. Bei Tagesanbruch dann hörte er die alarmierten Schritte seines Meisters auf der Treppe, sprang aus dem Bett und trat in den Vorraum. Michelangelo hatte bereits die Haustür aufgerissen und stand barfuß und im Nachtgewand auf der Straße, wo seine Füße zwei Fingerbreit im frischen Schnee einsanken. Schnee, in Rom, Ende März!

Mit besorgter Miene schloss Michelangelo die Tür. »*A Roma nevica ogni morte di Papa*«, zitierte er sichtlich nervös. Wenn es in Rom schneit, stirbt der Papst.

»Das ist doch nur ein altes Sprichwort«, entgegnete Aurelio.

Sein Meister blickte ihn finster an. Was seinen Aberglauben anging, konnten ihm nicht einmal die Römer das Wasser reichen. »Wir müssen uns beeilen«, schloss er. Die Heilige Liga mochte siegreich aus der Schlacht zurückkehren, doch Julius, dessen war Michelangelo sicher, würde es nicht tun.

Wie sich zeigte, war sein Meister mit dieser Ansicht nicht allein. Auf dem Weg zur Sistina begegneten ihnen ausschließlich skeptische oder besorgte Gesichter. Noch schlimmer verhielt es sich innerhalb der vatikanischen Mauern. Die Wachen, die Wäscherinnen, alle beäugten die dünne Schneeschicht, als verätze sie die Haut, sobald man mit ihr in Berührung kam.

Eine Woche später war der Schnee geschmolzen und der Papst, so hieß es, euphorischer gestimmt denn je. Die Heilige Liga würde rechtzeitig in Ravenna eintreffen. Die Truppen von Alfonso d'Este und Gaston de Foix hatten sich eben erst in Bewegung gesetzt. In Rom traf die Meldung ein, dass die Truppenverbände der Heiligen Liga in Kürze Forlì erreichen würden. Von dort wären es nur noch zwei oder drei Tagesmärsche entlang des Ronco, und sie wären in Ravenna. Bereits jetzt war die Strecke für die Truppen der Heiligen Liga kürzer als der Weg, den die Franzosen noch zurückzulegen hatten.

An dem Tag, da diese Nachricht den Vatikan erreichte, wunderte sich Michelangelo darüber, seinen Gehilfen jede Arbeitspause nutzen zu sehen, um sich in einen Winkel der Arbeitsbühne zurückzuziehen und zu beten. Überhaupt wirkte er den ganzen Tag über völlig in sich gekehrt und war kaum ansprechbar.

»Wer hätte gedacht, dass wir mal für den Papst beten würden«, bemerkte Michelangelo, einen Pinsel zwischen den Zähnen.

»Ich bete nicht für den Papst«, antwortete Aurelio abwesend. »Ich bete für meine Familie.«

Seit Monaten hatte Aurelio kaum einen Gedanken auf Matteo, Giovanna und Luigi verwendet. Der Hof, seine Familie – das alles war weit weg und lag lange zurück. Insgeheim war Aurelio erleichtert, wenn er seine Vergangenheit vergessen konnte. Alles andere bedeutete nur Schmerz und führte zu nichts. Doch als er hörte, dass die päpstlichen Truppen in Kürze Forlì erreichen würden, war all das, was er so gut auf Distanz gehalten hatte, wieder über ihn hereingebrochen: Er sah die blutigen Finger des Söldners mit den Fischaugen, spürte im Nacken die Hand, die ihn auf den Schemel gedrückt hatte, die Klinge an seinem Hals, hörte die Schreie seiner Mutter und hatte den Geruch des verkohlten Fleisches in der Nase, der aus der Senke mit den Olivenbäumen heraufgezogen war. Michelangelo fragte nicht nach. Er wusste, was damals geschehen war.

Aurelio spürte, wie gerne ihm sein Meister beigestanden hätte, wie sehr es ihn drängte, ihm zu helfen und ihn zu trösten. Doch so nah wie damals, als Aurelio an der Pest erkrankt war, würde er ihm nie wieder kommen. Sein beredtes Schweigen war das Äußerste, was sich der Bildhauer an Anteilnahme gestattete. Und er selbst litt darunter am meisten.

»Ist schon gut«, sagte Aurelio, als er sich am Abend in seine Kammer zurückzog.

✠ ✠ ✠

Getrennt nur noch durch den lächerlich schmalen Ronco, dessen Wasser sich unhörbar und harmlos Richtung Meer bewegten, nahmen die beiden größten Heere, die sich auf italienischem Boden je gegenübergestanden hatten, im nebligen Morgengrauen des 11. April Aufstellung. Und warteten. Es war Ostersonntag. An diesem Tag war noch nie gekämpft worden. Die Barbaren jedoch schienen zu allem fähig. Am Nordufer befanden sich Gaston de Foix und Alfonso d'Este. Einschließlich der achttausendfünfhundert deutschen Landsknechte zählte ihr Heer gut dreiundzwanzigtausend Mann, nicht mitgerechnet Alfonsos fünfzig Kanonen, die den Venezianern noch lebhaft in Erinnerung waren. Am Südufer stand Cardona. Die Garnison von Ravenna mit eingerechnet, war sein Heer ebenfalls über zwanzigtausend Mann stark. Und auch er verfügte über Kanonen.

Als die Nebel sich lichteten, stiefelte ein einzelner französischer Soldat durch den Fluss, meldete sich beim spanischen Kommandanten und verlangte, zu Ramón de Cardona geführt zu werden. Man geleitete ihn zum Oberbefehlshaber, dem er einen Brief von Gaston de Foix übergab: eine formelle Einladung zur Schlacht. Cardona zögerte keinen Augenblick. Ohne von seinem Pferd zu steigen, gab er dem Franzosen den Brief zurück, zog sein Schwert und schlug ihm den Kopf ab. Der Körper des Soldaten stand noch aufrecht auf den Beinen, da lag sein Kopf bereits mit weit aufgerissenen Augen im Schnee. »Ich nehme an«, sagte Cardona.

Was nun folgte, waren die längsten Stunden im Leben all jener, die das Gemetzel überlebten. Und das waren nicht viele. Die Franzosen durchquerten den Fluss und drängten die Spanier bis an ihr Lager zurück. Dort bezogen sie Position und eröffneten ein Artilleriegefecht, das apokalyptische Ausmaße annehmen sollte. Die folgenden Kavallerieangriffe von beiden Seiten mündeten wiederum in einem Infanteriegefecht, in dem niemand mehr die Orientierung behielt, weil es nichts mehr zu orientieren gab. Vierzigtausend Soldaten bildeten einen gigantischen Menschenhaufen und stachen wild aufeinander ein.

Gegen Abend, die Nebel stiegen bereits wieder aus dem Fluss auf und krochen über die Felder, starteten die Franzosen die Schlussoffensive. Die spanische Infanterie brach ein, wer noch am Leben war, versuchte, sich entlang des Flusslaufs nach Ravenna zu retten und wurde von Gaston de Foix aufgespießt, der mit einer Truppe den fliehenden Spaniern den Weg abschnitt. Bevor die Nacht hereinbrach, hatten zehntausend französische Soldaten – Gaston de Foix eingeschlossen – ihr Leben geopfert, während vom Heer der Heiligen Liga zwar Ramón de Cardona und der Papst am Leben geblieben waren, aber kaum ein Soldat. Die Heilige Liga war vernichtet, auf den Feldern südlich von Ravenna stapelten sich dreißigtausend gefallene Soldaten. Die Franzosen hatten gesiegt, der Papst war am Ende.

LIII

Aurelio trat aus dem Laden von Petronino, bei dem Michelangelo damals die Möbel für die Bottega geordert hatte. Er war noch ganz benommen. Das Lager des Altwarenhändlers zu betreten war ihm vorgekommen, wie in ein Zeitloch zu fallen. So vieles hatte sich verändert, seit er vor vier Jahren in diese Stadt gekommen war. Im Grunde genommen alles. Die Bottega hatte sich zusammengefunden und wieder aufgelöst, die alte Peterskirche war dem Erdboden gleichgemacht, Palazzi waren erbaut, Straßen geschlagen und Kriege geführt worden. Mehr noch als diese Stadt jedoch hatte Aurelio selbst sich verändert. Petronino und sein Möbellager hingegen, so schien es, hatten die vergangenen Jahre über in einer Starre verharrt und waren erst wieder zum Leben erwacht, als Aurelio vorhin den Laden betreten hatte. Die verblichenen Farben, die Gerüche, die übereinandergestapelten Möbel, Petronino selbst, seine Haltung, die fahle Haut, die langen, grauen, zum Zopf gebundenen Haare … Aurelio hatte das Lager exakt so vorgefunden, wie er es damals verlassen hatte.

Michelangelo hatte seinen Gehilfen gebeten, nach Trastevere hinunterzugehen und dem Altwarenhändler aufzutragen, die Betten aus dem Atelier wieder abzuholen. Seit Monaten dienten sie zu nichts anderem mehr, als Zeichnungen und Kartons darauf zu stapeln. Eine Zeitlang hatte Beato, der Fattorino, noch eines von ihnen benutzt. Letzte Woche dann war er bis auf weiteres in die Kammer von Rosselli gezogen – ein sicheres Zeichen, dass Michelangelo nicht vorhatte, seinen Florentiner Freund noch einmal nach Rom zu bitten. Sie würden sich zu Hause wiedersehen, in Florenz, sobald die Arbeit in der Sistina abgeschlossen und die Statue fertig wäre.

Aurelio versuchte sich zu sammeln. Auch darin unterschied sich der damalige Besuch bei Petronino nicht von dem heutigen: Er hatte das Bedürfnis, den schlierigen Film, der allem in diesem Lager anhaftete, abzustreifen. Er hatte Glück. Die späte Frühlingssonne suchte sich einen Weg an San Pietro in Montorio und dem Gianicolo vorbei, wagte sich wie verstohlen in die Gassen Trasteveres vor und warf einen schmalen, leuchtenden Steg durch die Gasse, in der Aurelio stand. Er trat ins Licht, schloss die Augen, drehte sein Gesicht der Sonne zu und tat einen ausgiebigen Moment lang nichts anderes als zu sein.

»Aurelio – bist du das?«

Er erkannte ihre Stimme, noch ehe sie seinen Namen vollständig ausgesprochen hatte. Doch als er seine Augen aufschlug, um sie gleich darauf im Gegenlicht zusammenzukneifen, erblickte er nicht die Margherita, die er einmal gekannt hatte. Vor ihm stand eine eingesunkene Gestalt mit hängenden Schultern, über die sich ein abgewetztes Kleid spannte. Er trat in den Schatten zurück, um sie besser sehen zu können. Der vergangene Winter musste ihr furchtbar zugesetzt haben. Die Frau, die Aurelio noch ein halbes Jahr zuvor aus dreißig Schritt Entfernung an ihrer Haltung erkannt hatte – außer dem senfgelben Chaperon mit dem Schleier schien ihr nichts geblieben zu sein. Und selbst dem waren die Schmucksteine und die Feder abhandengekommen. Sogar die Haut, die Margheritas Dekolleté preisgab, war vor der Zeit gealtert. Aurelio wollte es nicht, doch er zuckte unwillkürlich zusammen.

Margherita trat auf ihn zu und nahm seine Hände in ihre, wie um ihn am Weglaufen zu hindern. »Ich weiß«, sagte sie ohne einen Anflug von Hoffnung, »ich weiß.«

Sie versuchte nicht einmal mehr, den Anschein zu erwecken, die Säulen ihres Tempels würden noch stehen und ein Dach halten. Sie war eingebrochen, ein Trümmerfeld, das ebenso von einstiger Größe zeugte wie von der Tatsache, dass diese Größe für immer vergangen war. Aurelio versuchte, seine Hände ihrem Griff zu entziehen, ohne es wie eine Abweisung aussehen zu lassen. Dann standen sie einander gegenüber und suchten nach Worten. Gemeinsam hatten sie die Reise nach Rom hinter sich gebracht, ein neues Leben begonnen, waren der Zukunft mit ausgebreiteten Armen entgegengeritten. Gefährten wider Willen waren sie gewesen, Freunde, Vertraute, Geliebte …

»Was ist geschehen?«, fragte er ohne Umschweife.

Die tiefstehende Sonne warf ihr Licht seitlich auf Margheritas Schleier. Ein unregelmäßiges Schattennetz zeichnete sich auf ihrem Gesicht ab. Aurelio erahnte die Narbe auf ihrer linken Wange, ein gerader, wulstiger Strich vom Jochbein bis hinunter zum Mundwinkel.

Margherita drehte ihr Gesicht aus der Sonne. »Das willst du nicht wirklich wissen.«

»Doch«, entgegnete Aurelio, »das möchte ich.«

Sie folgten den verschlungenen Pfaden von Trastevere, vorbei an Santa Maria mit ihren goldenen Mosaiken bis hinunter zur Ripa Grande, dem großen, flussabwärts liegenden Tiberhafen, an dem die aus dem Mittelmeer kommenden Schiffe entladen wurden. Oberhalb der Freitreppe suchten sie sich einen sonnenbeschienenen Platz, von dem aus sie das Treiben im Hafen überblicken konnten. Der Tiber führte mehr Wasser als gewöhnlich, entsprechend unberechenbar war die Strömung. Dutzende kleiner Schiffe rangierten hilfesuchend auf dem Wasser.

Es war kein Zufall gewesen, so erzählte Margherita, dass Aurelio und sie sich vor Petroninos Laden wiedergetroffen hatten. Sie hatte gerade ihre letzten Möbel bei ihm in Zahlung gegeben. Das kleine Zimmer im ersten Stock des Bordello, in dem Aurelio und sie ihre letzte gemeinsame Nacht verbracht hatten, es war nicht länger ihres. Außer der Koffertruhe ihres Mannes gehörte nichts mehr wirklich ihr. Und die war leer. Ihre schönen Kleider waren jetzt die schönen Kleider einer anderen. Ihr alter Vermieter hatte sie aufgespürt und die Mietschulden eingetrieben. Vorher allerdings hatte er ihre alte Wohnung ausräumen lassen. Also musste sie dem Ausstatter, bei dem sie ihre Einrichtung geliehen hatte, einen Großteil der Möbel ersetzen.

»Das ist Rom«, überlegte Margherita, »du schläfst ein als ehrenwerte Kurtisane und erwachst als Hure der untersten Kategorie.«

»Was wirst du jetzt tun?«, wollte Aurelio wissen.

»Du meinst, was habe ich getan.« Ihr Blick schien sich mit den Wassern des Tiber zu vereinigen und dem Meer zuzutreiben. »Ich bin zurück zu dem Bekannten meiner Cousine gezogen. Da, wo alles angefangen hat ... Abends finde ich mich an der Piazza del Pozzo bianco ein.«

Die Piazza del Pozzo bianco kannte Aurelio nur vom Hörensagen. Eine verrufene Gegend östlich der Via del Corso, wo Gesetze keine Gültigkeit mehr hatten. Wer dort einmal landete, so hieß es, den führe sein Weg nur noch unter die Erde.

»Aber ich dachte, dieser Bekannte sei ...«

»... ein Widerling, ja. Ist er. Seiner Frau sagt er, ich würde Miete zahlen, in Wirklichkeit mache ich die Beine für ihn breit, sobald sie aus dem Haus geht.«

Lange saßen sie schweigend auf dem Travertinquader oberhalb der Freitreppe und schauten dem abendlichen Gewusel im Hafen zu. Ununterbrochen schollen Rufe über das Wasser. Es war Eile geboten. Nach Einbruch der Dunkelheit war an ein Entladen der Kähne nicht mehr zu denken.

»Kann ich etwas für dich tun?«, fragte Aurelio.

Margherita schüttelte den Kopf: »Mir ist nicht mehr zu helfen.«

Die Schatten der Häuser streckten sich über den Tiber und erreichten die andere Uferseite. Das abendliche Zwielicht verhüllte die Wunden der Ewigen Stadt mit einem gnädigen Schleier. Margherita und Aurelio blickten zur anderen Seite hinüber wie zwei einander verschämt Liebende. Unauffällig tastete Aurelio nach dem Lederbeutel, den er zusammen mit seinem Messer unter dem Gürtel verstaut hatte. Er trug zwei Dukaten und acht Grossi bei sich, zwei Monatsgehälter. Mit so viel Geld ging er sonst nie aus dem Haus. Er hatte nach seinem Besuch bei Petronino noch zum Circus Agnonalis gehen wollen, um sich zwei neue Hemden, eine Trikothose und das grüne Samtbarett zu besorgen, das er dort neulich gesehen hatte. Seit sein Meister ihn damals hatte ausstaffieren lassen, hatte sich Aurelio kein neues Kleidungsstück zugelegt. Von dem Geld könnte sich Margherita mindestens ein neues Kleid schneidern lassen. Was war eine Frau wie Margherita ohne ein schönes Kleid? Heimlich löste er den Knoten des Lederbandes, spürte das Gewicht des Beutels in seiner Hand und zog ihn beiläufig unter seinem Umhang hervor. Als er sich zu Magherita beugte, zuckte sie kurz zusammen. Seine Wange berührte ihren Schleier. Der Duft, der ihn einst so betört hatte, war einem säuerlichen Dunst gewichen. Ohne es sie merken zu lassen, schob er ihr den Geldbeutel unter eine Kleiderfalte.

»Gib auf dich acht«, flüsterte er.

LIV

JULIUS LIESS SEINEN STOCK auf den Boden krachen. Vier-, fünfmal hintereinander bohrte sich die Spitze in das Steinmosaik der
Sistina. Michelangelo und sein Gehilfe sahen sich an. Dieses Geräusch hatte man lange nicht mehr vernommen. Der Bildhauer
wischte sich mit dem Ärmel seiner Tunika die Farbe aus dem Bart
und streckte seinen Kopf in den schmalen Spalt zwischen Wand
und Arbeitsbühne.

»Eure Heiligkeit?«

»Maestro Buonarroti«, mühsam zitterte sich die Stimme des
Papstes zur Arbeitsbühne empor, »kommt herunter, ich bitte
Euch.«

Deshalb hatte er seinen Stock benutzt: Julius war zu schwach,
um noch die Stimme zu erheben. Er hatte weiterhin die Kraft, seinen Stock in den Boden zu bohren, doch seine Stimme war brü-
chig geworden.

»Sofort, Eure Heiligkeit.«

In den vergangenen Wochen hatte sich der Papst kein einziges
Mal mehr nach dem Fortgang der Arbeiten erkundigt. War er früher fast täglich in der Kapelle erschienen, so blieb er jetzt, da sich
das Fresko endlich der Vollendung näherte, nahezu unsichtbar.
Ganz Rom rätselte über den Zustand des Papstes, der nach seiner Rückkehr aus Ravenna in der Engelsburg verschwunden und

seither praktisch völlig aus dem öffentlichen Leben verschwunden war.

Die Antwort auf die Frage nach Julius' Zustand erhielt Aurelio, als er durch den Spalt zwischen den Planen beobachtete, wie Michelangelo und er sich gegenübertraten: Der Papst war ein gebrochener Mann. Gestützt auf seinen Stock, wirkte er in dem großen Raum völlig verloren. Er war ohne seine Leibwache gekommen oder hatte sie vor dem Eingang postiert. Michelangelo, der eigentlich kleiner und schmaler war, schien gegen ihn ein Bollwerk zu sein. Julius' berüchtigte *terribilità*, die ihn früher umgeben hatte wie die Wärme das Feuer, sie war erloschen. Die Last seines eigenen Schicksals zwang ihn in die Knie.

»Wann?«, fragte Julius, »wie lange noch?« Es klang, als bitte er Michelangelo, seinen Todeszeitpunkt zu bestimmen.

Sicher hundertmal hatte Michelangelo diese Frage im Laufe der Jahre beantwortet, mal ausweichend, ein andermal brüsk oder gar herausfordernd. Nie aber verbindlich und niemals zögerlich. Jetzt jedoch zauderte er.

»Ich müsste es Methusalem gleichtun«, fuhr Julius fort, ohne die Antwort seines Gegenübers abzuwarten, »wollte ich noch die Vollendung der Peterskirche erleben.« Er gab einen Laut von sich, der ebenso gut ein Lachen wie ein Stoßseufzer sein konnte. »Doch ich kann mich nicht der göttlichen Gnade anheimgeben, bevor ich nicht wenigstens das fertige Fresko gesehen habe.«

»Dann sollte ich mir also möglichst viel Zeit damit lassen?«, entgegnete Michelangelo.

Der Papst fixierte den Bildhauer. »Ihr seid ein störrischer Geist, Buonarroti … Früher hätte ich Euch für diesen Ausspruch meinen Stock spüren lassen.« Schwer atmend wartete er einen Moment ab. »Darin sind wir uns immer sehr ähnlich gewesen. Der störrische Geist …« Unter sichtbaren Anstrengungen richtete sich der Papst so weit auf, dass er den Blick auf die Planen unter den Arbeitsbühnen richten konnte. »Wie lange noch?«

In diesem Moment ahnte Aurelio, weshalb sein Meister so zögerte. Er hatte Mitleid. Vor Michelangelo stand der mächtigste

Mann der Welt, und wie der Bildhauer, so hatte auch der Papst eine Lebensaufgabe, eine göttliche Mission: Italien zu einem einheitlichen Kirchenstaat zu formen. Im Unterschied zu Michelangelo allerdings war Julius' göttlicher Auftrag gescheitert, und er selbst war an seinem Scheitern zerbrochen. Dieses Bewusstsein verlieh dem Bildhauer die Größe, Mitleid für den so oft gescholtenen und ihm verhassten Papst aufzubringen. Das Wissen um die eigene Überlegenheit milderte seine Bitterkeit und ließ die hundert Marmorblöcke auf dem Petersplatz, die körperlichen Entbehrungen und seelischen Leiden der vergangenen Jahre vorübergehend in den Hintergrund treten.

»Eure Heiligkeit«, der Bildhauer verneigte sich tiefer als notwendig, »das Fresko steht kurz vor seiner Vollendung. Nur der Jonas fehlt noch. Er wird der krönende Schlusspunkt sein. Ich bitte Euch: Habt noch ein wenig Geduld.«

»Ein wenig habe ich noch«, gab Julius zurück.

»Ich danke Euch«, sagte Michelangelo, und die Wärme seiner Stimme bezeugte die Ehrlichkeit seiner Worte.

✢ ✢ ✢

Wie alle Bewohner der Ewigen Stadt war auch Michelangelo nach der Kunde der verlorenen Schlacht bei Ravenna von großer Sorge erfüllt gewesen. Gaston de Foix hatte seinen Soldaten versprochen, im Falle eines Sieges nach Rom zu ziehen, ihnen die Stadt zum Geschenk zu machen und einen französischen Papst wählen zu lassen. Was das bedeutete, konnte sich Michelangelo allzu leicht ausrechnen. Sie hatten in Bologna seine Bronzestatue zerstört und zu einer Kanone umgeschmolzen. Selbst wenn sie sein Fresko unangetastet ließen: Es gab keinen Grund anzunehmen, dass sie ihn, der über Jahre in Julius' Diensten gestanden hatte, am Leben lassen würden. Giuliano da Sangallo, der ihm immer wohlgesinnt war, suchte den Bildhauer in der Kapelle auf und riet ihm, die Stadt zu verlassen. Wäre er, Sangallo, nicht im gleichen Alter wie der Papst, er wäre längst fort. Viele hätten inzwischen ihr Hab und Gut in Sicherheit gebracht und sich davongemacht.

Michelangelo strich sich durch seinen mit Farbe besprenkelten Bart und nickte nachdenklich. »Verehrter Giuliano: Seht Euch das an.« Er beschrieb eine ausladende Geste, die das Gewölbe einfangen sollte. »Das Fresko steht kurz vor der Vollendung. Vier Jahre Arbeit und Entbehrung. Und ich soll es im Stich lassen und mich davonstehlen wie ein Dieb, ihm den Rücken kehren, ehe ich es vollendet habe? Was würdet ihr an meiner Stelle tun?«

Sangallo blickte seinen Freund mit der ihm eigenen Warmherzigkeit an: »Ich würde die Stadt verlassen. Ihr seid jung, Michelangelo, Ihr könnt noch so vieles schaffen ...«

»Dieses Fresko ist die Aufgabe, die Gott mir anvertraut hat. Eine Arbeit, die ich um keinen Preis der Welt ausführen wollte. Und dennoch ...« Seine Nase stieß ein langgezogenes Pfeifen aus. »Julius mag an seiner Aufgabe gescheitert sein. Ich aber werde meinen Schöpfer nicht enttäuschen. Wer mich davon abhalten will, dieses Fresko zu Ende zu bringen, wird mir den Kopf abschlagen müssen.«

✢ ✢ ✢

Seither waren einige Monate vergangen, und die erhitzten Gemüter hatten sich beruhigt. Nach der verlustreichen Schlacht bei Ravenna schien den Franzosen der Hunger auf mehr vergangen zu sein. Zu teuer hatten sie ihren Sieg erkaufen müssen. Zudem hatte de Foix zwar noch das Hochgefühl des sicheren Sieges erleben dürfen, jedoch nur, um am Ende des Tages doch noch erschlagen zu werden. Die französische Armee war also ihrer Galionsfigur beraubt worden. Bis der Sommer Einzug hielt, schien klar, dass Ludwig das Haupt der Welt vorerst verschonen würde. Julius zog aus der Engelsburg zurück in den Papstpalast, und die reichen Römer, die sich ins Umland geflüchtet hatten, bezogen wieder ihre Stadtvillen.

Michelangelo hatte in der Zwischenzeit mit gieriger Eile seine Arbeiten vorangetrieben. Sein wütender Eifer grenzte zuweilen an Irrsinn. Sein gesamtes Leben unterwarf er der Aphrodite und der Decke der Sixtinischen Kapelle. Die Statue hielt ihn in gleichem Maße in Rom wie das Fresko. »Niemals könnte ich die Stadt verlassen«, gestand er seinem Gehilfen eines Nachts, »solange sie unfertig in diesem Schuppen herumsteht.«

Tagelang verzichtete er auf jeden Schlaf und saß der Aphrodite oft stundenlang in stummer Versenkung gegenüber. Mit den Figuren des Freskos führte er dagegen heftige Zwiegespräche. Überhaupt: die Figuren. Immer neue und wunderlichere Gestalten waren dem Hirn des Bildhauers entsprungen. Manche erst, während er bereits die Farben in den Putz einbrachte. Dann fügte er sie ohne jede Vorzeichnung in die Giornata ein. Die letzte Schöpfungsszene, die Scheidung von Licht und Finsternis, schuf Michelangelo an einem einzigen Tag, ohne jede Vorzeichnung. Eine Fläche von hundertachtzig Quadratfuß. Aurelio konnte es nicht fassen. Kaum hatte sich der Gehilfe an diesem Abend ermattet auf seine Matratze fallen lassen, hörte er, wie sein Meister das Haus verließ, um zu seiner geheimen Werkstatt zu eilen.

Michelangelos Ideenreichtum schien keine Grenzen zu kennen. Er schuf Ignudi von überirdischer Schönheit und makellosen Proportionen, Gott, der aus dem Himmel kommend drohend auf den Betrachter herniederfuhr, aber auch Dämonen und missgestaltete Fratzen, wie sie Aurelio bis dahin nur auf den Schreckenszeichnungen in Michelangelos Schlafkammer erblickt hatte. Alles andere – die Möglichkeit, dass Aphrodite doch noch entdeckt werden könnte, der kritische Zustand des Papstes, die Gefahr durch die Franzosen, die sich häufenden Briefe aus Florenz – weigerte er sich zur Kenntnis zu nehmen.

Mit Boas, den Michelangelo auf der vorletzten Lünette vor der Altarwand platzierte, stritt sich der Bildhauer am häufigsten und am ausgiebigsten. Er hatte dem Urgroßvater Davids, der im Alten Testament als wohlhabender, aber großzügiger Mann von samariterhaftem Wesen dargestellt wurde, einen krummen Rücken, eine hässliche Fratze mit vorspringender Nase und einen langen, grauen Bart verliehen. Der Knauf des Stocks, den er umfasst hielt, hatte dieselbe Fratze wie sein Besitzer und keifte Boas auf dieselbe Weise an wie dieser ihn. So war Boas, der Michelangelos Nase hatte und Julius' Bart trug, auf ewig in einem Streit mit sich selbst gefangen.

»Was ist das für ein Gefühl«, begrüßte Michelangelo die von ihm geschaffene Kreatur, kaum dass er morgens die Bühne betreten hatte, »jeden Tag aufs Neue seine eigene Ungestalt erblicken zu müssen? Kein gutes? Tja – so ist das eben …«

Zuletzt hatte der Bildhauer sich selbst an der Decke verewigt, als Jeremia. Schließlich, so hatte er die Entscheidung vor seinem Gehilfen gerechtfertigt, sei in den Blutbahnen des Propheten dieselbe Menge schwarzer Galle gekreist wie in seinen, Michelangelos. Der Jeremia war größer als alle anderen Figuren zuvor. Und trauriger.

Auch an ihn richtete Michelangelo gelegentlich das Wort: »Das ist unser Los«, tröstete er den Riesen, »Leid zu erdulden.«

Er konnte noch nicht wissen, wie sehr sich seine Worte bewahrheiten würden.

LV

AURELIO SCHRECKTE AUF. Er musste kurz eingenickt sein. War da ein Geräusch gewesen? Er blickte zu Michelangelo hinüber, der im Widerschein zahlloser Kerzen vor der Statue stand. Er hatte einen Lichterkranz um Aphrodite errichtet. Aurelios Blick fiel auf die Raspel, die Michelangelos Hand entglitten und zu Boden gefallen sein musste. Jetzt lag sie zu Füßen seines Meisters, der keinerlei Anstalten machte, sie wieder aufzuheben. Er bewegte sich überhaupt nicht, sondern stand nur wie versteinert da.

»Maestro?«

Aurelio bekam keine Antwort. Als habe Michelangelo sich auf wundersame Weise aus seinem Körper verflüchtigt und lediglich die Hülle zurückgelassen.

Aurelio erhob sich. »Maestro?«

Zögerlich ging er zu seinem Meister und schob das Gesicht in dessen Blickfeld. Zwei schmale Rinnsale zogen sich an Michelangelos marmorgepuderter Nase vorbei und versickerten in seinem von glänzendem Staub bedeckten Bart. Tränen. Wann hatte es das je gegeben? Vor Verlegenheit fiel Aurelio nichts anderes ein, als die Raspel aufzuheben. Er hielt sie Michelangelo hin.

»Maestro?«

Noch immer ließ der Bildhauer keine Regung erkennen. Nur seine schweren Tränen rollten weiterhin die Wangen hinab.

»Was ist mit Euch?«

Endlich nahm Michelangelo seinen Blick von der Statue: »Ich finde keine Stelle mehr, an der ich die Raspel ansetzen könnte, ohne Unheil damit anzurichten. Ich fürchte, Aphrodite hat sich für immer von mir gelöst.«

Gemeinsam traten sie zwei Schritte zurück. Aurelio durchfuhr die Erkenntnis wie der Stich eines Skorpions: Sein Meister hatte recht! Durch die Arbeit mit der an der Stirn entspringenden Bogenlampe war stets nur der Teil, an dem Michelangelo gerade gearbeitet hatte, an die Oberfläche von Aurelios Wahrnehmung gestiegen. Nun aber, im Licht der sie umgebenden Kerzen, nahm zum ersten Mal die gesamte Aphrodite Gestalt an. Und so wurde es offenbar: Sie war vollendet. Nach ungezählten Nächten, in denen Michelangelo ihr Fingerbreit für Fingerbreit den überschüssigen Stein von der Haut gekratzt hatte, Nächten, in denen Aurelio hatte miterleben dürfen, wie seine unerreichbare Sehnsucht aus dem Marmor auferstanden war, Nächten, in denen er mit unstillbarem Hunger verfolgt hatte, wie jeder noch so kleine Schlag mehr von ihr zum Vorschein gebracht hatte, war sie jetzt, in dieser Nacht, endlich zum Leben erwacht. Jedes weitere Gran Marmor, das man von ihr entfernte, könnte sie nur verstümmeln.

Ihr Schleier hätte zarter nicht sein können. Ein Lufthauch konnte ihn aufblähen. Ihre sinnlichen Lippen, ihr Hals, ihre Schlüsselbeine, sogar ihre Haare – man konnte sie sehen, durch den Stoff hindurch, sie anfassen, riechen. Ihre zarten und dennoch üppigen Brüste mit den aufgerichteten Warzen … Ein flüchtiger Blick genügte Aurelio, ihre Festigkeit zu spüren. Am meisten jedoch ließ den Betrachter verstummen, was nicht unmittelbar zu greifen war: der Zwiespalt, die Zerrissenheit. Aphrodites Hände, die unter dem Schleier hervorkamen: Die eine hielt sie auf der Erde, die andere zog sie gen Himmel, die eine wehrte den Betrachter ab, die andere gierte nach Berührung.

Einen schrecklichen Moment lang glaubte Aurelio tatsächlich, sich die Finger ihrer sehnsüchtig nach oben gereckten Hand bewegen zu sehen, meinte, ihre Haut auf seiner Haut zu spüren, ihren

Atem auf seiner Wange zu fühlen. Sie anzusehen war eine wollüstige Qual, ein Schmerz, der genüsslich den Köper in Besitz nahm, bis auf die letzte Faser, und ihn für alles andere unempfänglich machte. Dieser Schmerz war Michelangelos Schmerz. Das war die nächste Erkenntnis, die sich in Aurelio Bahn brach. Es war das Leid seines Meisters, das für immer in dieser Statue brennen würde. Er hatte nicht nur Julius' Kurtisane, sondern auch sein eigenes Verlangen unsterblich gemacht. Mehr noch: Michelangelo hatte es verstanden, seinem eigenen Schmerz eine Bedeutung zu verleihen, die ihn über sich selbst emporhob. Aphrodite trug die Sehnsüchte und Begierden aller Menschen in sich. Jeder Betrachter würde sich in ihr wiederfinden, sich von ihr entlarvt fühlen.

Aurelio sank auf seinen Schemel. Sein Meister tat es ihm nach. Erst nach einer Weile konnte er sich dazu bringen, die Statue in ihrer Ganzheit zu betrachten. Und schon offenbarte sich der nächste Zwiespalt: Sie war, wie Michelangelo ihm erklärt hatte, nur um ein Zehntel größer als die wirkliche Aphrodite. Dennoch schien sie, gemessen an der Realität, riesig zu sein. Ihre Präsenz war beklemmend, so sehr vereinnahmte sie den Raum und drängte aus ihm heraus. Zugleich war sie all ihrer Gravitation enthoben und hätte eigentlich unter ihrer Last zusammenbrechen müssen. Doch sie tat es nicht. Das ganze Gewicht ihres nach Erlösung strebenden Körpers bündelte sich in zwei Punkten: den Zehen ihres rechten Fußes und dem Schleier, der drei Handbreit vor diesem Fuß flüchtig den Boden berührte. Auf diesen handtellergroßen Flächen fußte die gesamte Statue – ein fortwährender Balanceakt, der ihr eine nicht mehr steigerbare Dynamik verlieh. Ein einziger Schlag hätte sie für immer zu Fall gebracht. Nie zuvor hatte es ein Künstler vermocht, dem Stein mehr von seinem Gewicht zu nehmen. Hätte sich Aphrodite tatsächlich vom Boden gelöst, Aurelio hätte es ohne Verwunderung zur Kenntnis genommen.

Er stand auf und trat an die Statue heran. Als er sein Gesicht dem ihren näherte und sah, wie sich ihre weichen Lippen durch den Schleier wölbten, verlangte es ihn danach, sie zu berühren. Zu seiner eigenen Überraschung jedoch erwies sich die letzte Handbreit vor ihrem Gesicht als unüberwindbar. Er vermochte nicht, Aphrodite tatsächlich die Finger auf die Lippen zu legen.

»Merkwürdig, nicht?«, hörte er die Stimme seines Meisters. »Auch ich wage es kaum mehr, sie zu berühren. Solange ich noch damit beschäftigt war, sie aus ihrem Korsett zu befreien, kannten meine Hände keine Scheu. Doch jetzt … Auch die Aphrodite der alten Griechen hat sich gegen ihren Schöpfer aufgelehnt, wusstest du das? Doch es kam sie teuer zu stehen.«

Aurelio hörte ihn kaum. Zu sehr war er im Bann der Statue gefangen. Noch immer seine Hand vor ihrem Gesicht, fragte er: »Weshalb hat Gott eine solche Versuchung erschaffen?«

Michelangelo blickte sich im Schuppen um, als habe er die Antwort irgendwo notiert und vergessen, wo. »Vielleicht wollte er Julius' Standhaftigkeit auf die Probe stellen … Oder deine …«

Wieder füllten sich Michelangelos Worte nicht mit Bedeutung. Stattdessen begann Aurelio, langsam die Statue zu umkreisen und dabei jeden Blickwinkel zu erkunden. Etwas, das ihm zuvor bereits aufgefallen war, erregte seine Aufmerksamkeit. Anders als Julius' Kurtisane hatte die marmorne Aphrodite markant vorstehende Schulterblätter.

»Es sind die Stümpfe ihrer Flügel«, erklärte Michelangelo. »Ohne zu wissen, warum, habe ich sie stets als einen gefallenen Engel gesehen.«

»Sie beherrscht jeden, der ihr unter die Augen tritt.«

»Und doch ist sie verzweifelt.«

»Wie kann das sein?«, ging Aurelio endlich auf die Antwort seines Meisters ein.

»So ist der Mensch. Das ist das Göttliche in uns.«

»Ihr meint, das Göttliche in uns offenbare sich im Zwiespalt?«

Michelangelo ließ seinen Kopf sinken. »Wie sonst sollten wir je von der Stelle kommen?«

✢ ✢ ✢

»Was habt ihr jetzt vor?«, fragte Aurelio.

Sie waren auf dem Weg zurück zur Piazza Rusticucci. Erste Farben hoben sich aus dem Grau. Noch schlief die Stadt. Nur drei frühe Möwen kreisten über der Ripetta. Und wie immer lungerten an jeder Ecke Katzen herum.

»Du meinst die Statue?«

Aurelio nickte.

»Nun: Ich werde sie in sehr viele Wolldecken einwickeln und mit zurück nach Florenz nehmen, sobald ich dieser Stadt endlich den Rücken kehren kann. Was danach wird …«

Aurelio zuckte unwillkürlich zusammen. Was war mit Aphrodite, Julius' Kurtisane? Schließlich hatte sie ihm den Auftrag erteilt und nie einen Zweifel daran gelassen, dass sie das fertige Werk für sich beanspruchte. Michelangelo und Aurelio erreichten den Ponte Sant'Angelo. Der Himmel war wolkenlos. Die aufsteigende Sonne tauchte die Zinnen der Engelsburg in verheißungsvolles Morgenlicht. Michelangelo sah es nicht. Wie üblich hatte er seinen Blick auf das Pflaster geheftet.

»Ich verrate dir etwas, Aurelio. Ich hatte nie vor, die Statue aus der Hand zu geben.«

»Aber was ist mit … Sie wird auf die Herausgabe bestehen.«

Michelangelo schien das nicht zu kümmern. In Gedanken war er ganz woanders. »Mein Schicksal und das der Statue sind untrennbar miteinander verknüpft«, stellte er fest.

Erst als sie auf der anderen Tiberseite angekommen waren, fand Aurelio seine Sprache wieder. »Ich vermag mir nicht vorzustellen, was geschehen wird, wenn sie erst ans Licht darf«, sagte er. Es war klar, dass damit nur die Statue gemeint sein konnte.

»Ich zweifle daran, dass sie so bald welches erblicken wird«, erwiderte der Bildhauer. »Mein Gefühl sagt mir, dass ihr Los ein Leben im Verborgenen sein wird.«

»Aber sie will …«, setzte Aurelio an.

»Wir wollen alle«, knurrte Michelangelo und verschränkte die Hände hinter dem Rücken, »und können doch nicht.«

Bis sie zu Hause ankamen, war Michelangelo vollkommen in

Gedanken versunken. Statt in seine Kammer hinaufzugehen, setzte er sich im Atelier auf einen Schemel und blickte stumm in den Hof hinaus. Mit den auf den Oberschenkeln abgestützten Armen erinnerte er Aurelio an den Jeremia, den er kürzlich fertiggestellt hatte. Im Herzen krank, dachte Aurelio. Er verstand seinen Meister nicht. Hätte er nicht von Hochgefühl erfüllt sein müssen angesichts der fertigen Statue? Wie auch immer: Aurelio hatte das deutliche Gefühl, ihn jetzt nicht sich selbst überlassen zu dürfen. In Momenten wie diesem war Michelangelo seinem selbstzerstörerischen Dämon hilflos ausgeliefert. Also lehnte sich Aurelio gegen die Wand und versuchte, ihn nicht zu stören und ihm gleichzeitig das Gefühl zu geben, nicht allein zu sein.

»Wie soll ich jetzt weitermachen?«, fragte der Bildhauer urplötzlich in den anbrechenden Tag hinein. Er erhob sich, trat vor den Marmorblock, der seit Jahren unbearbeitet an der Längswand stand, legte seine Hände darauf und ließ erneut den Kopf sinken. Mit Schrecken bemerkte Aurelio, dass Michelangelos Arme zitterten. »Ich habe Angst, Aurelio.« Seine Stimme war ein heiseres Flüstern. »Es gibt Dinge, Aurelio, für die muss ein Künstler – und sei er noch so begabt – dankbar sein, wenn sie ihm ein einziges Mal im Leben gelingen. Und in dem Moment, da dies geschieht, weiß er das. Alles, was danach kommt, ist vergebenes Streben nach vergangener Größe.«

LVI

DIE FLÄCHE ZWISCHEN DEN PENDENTIFS über der Altarwand war die letzte weiße Stelle des Gewölbes. Sie befand sich mittig über dem Altar, im Sancta Sanctorum, und lag dem Eingang direkt gegenüber. Jeder, der die Kapelle betrat, würde als Erstes seinen Blick auf diese Fläche richten; während der Messe würden die Gläubigen zu dieser Stelle emporblicken; wann immer der Papst seinen Thron bestieg, würde das, was dort zu sehen war, über ihm schweben, einer höheren Instanz, einem moralischen Gewissen gleich.

Aurelio drehte sich in Richtung des Eingangs und fand sich in einem magischen, farbenprächtigen, vor Figuren überbordenden Tunnel wieder. Er blickte auf vier Jahre entbehrungsreicher Arbeit zurück. Michelangelo jedoch blickte nicht nach hinten. Er starrte die letzte weiße Fläche an, die im klaren, weißlichen Oktoberlicht unbarmherzig hervortrat und sich über ihn spannte, als wolle sie ihn verschlingen. Jonas. Ihn hatte Michelangelo für die Fläche vorgesehen. Der Prophet hatte sich Gottes Anweisung widersetzt und dessen Zorn auf sich gezogen, durfte aber durch Einsicht, Schuldeingeständnis und Läuterung Gottes Gnade erfahren und bekam eine zweite Chance, seinen Auftrag doch noch auszuführen. Welche Figur hätte geeigneter sein können, den Gläubigen und vor allem dem Papst den Pfad des Glaubens aufzuzeigen?

Beim Gedanken an das, was sein Meister mit der Fläche vorhatte, wurde Aurelio ganz schwindelig. Auf dem benachbarten Pendentif, dem segelartig geformten Dreieck, das in den Winkeln den Gewölbeansatz bildete, hatte er nicht weniger als ein Dutzend ineinander verschlungener Gestalten untergebracht, und selbst die würden vom Boden der Kapelle aus mühelos erkennbar sein. Jetzt sollte eine einzige Figur, der Jonas, den gesamten Raum für sich beanspruchen, größer noch als der Jeremias, größer als die Libysche Sibylle, größer als jede Figur, die jemals in einem Fresko gemalt worden war. Und als sei das noch nicht Herausforderung genug, sollte sich dieser sitzende Jonas nach hinten lehnen, während sich die Fläche in die entgegengesetzte Richtung, also dem Betrachter zuneigte. Den Oberkörper sollte er dabei nach rechts, den Kopf aber nach links drehen.

»Fällt Euch nicht noch etwas ein, wodurch Ihr Euch die Arbeit erschweren könntet?«, fragte Aurelio, nachdem Michelangelo ihm den Entwurf dargelegt hatte.

»Du hast recht«, antwortete der Künstler nach kurzer Überlegung, »ich werde ihn die Beine spreizen lassen.«

Die Pendentifs zur Rechten und zur Linken hatte Michelangelo mit zwei Bibelszenen ausgestaltet: der Kreuzigung Hamans und dem Moses mit der ehernen Schlange. Beide Fresken zeigten Tableaus von größter Komplexität und Figuren in kaum zu meisternden Positionen, für die Aurelio stundenlang in den unmöglichsten Stellungen hatte ausharren müssen. Wer glaubte, dass die erste Hälfte des Gewölbes den Bildhauer auf der Höhe seines Könnens gezeigt hatte, der würde beim Anblick dieser Szenen von einem wilden Schwindel erfasst werden. Auch ein Unkundiger würde auf den ersten Blick erkennen, was für eine Entwicklung Michelangelo hinter sich gebracht hatte von der ersten Szene, der Sintflut, bis zum Moses mit der ehernen Schlange. Niemals hätte sich Michelangelo vor vier Jahren an ein solches Tableau gewagt, und schon gar nicht auf einer derart kompliziert gewölbten Fläche. Nun aber zeigten seine handwerklichen Fähigkeiten seiner Phantasie keinerlei Grenzen mehr auf. Was immer er ersann, er konnte es umsetzen. Und der Jonas, die letzte und größte Figur des gesamten Freskos, sollte für alle Künstler, die ihm nachfolgten, das Maß der Dinge darstellen. Wer etwas schuf, das dem Jonas ebenbürtig wäre, der hätte den Punkt erreicht, von dem man nicht weiter aufwärtssteigen konnte.

Michelangelo rieb die Handflächen gegeneinander, sog die Luft ein und ließ sie geräuschvoll durch die Nase entweichen. Aurelio kannte dieses Ritual nur zu gut und wusste, was es bedeutete: Angriff.

Der Gehilfe nahm sich den ersten Mörser: »Was werdet Ihr brauchen?«

»Zunächst: die liturgischen Farben der heiligen Messe.«

»Grün und Violett«, antwortete Aurelio.

Michelangelo trat vor die frisch in den Putz geritzten Umrisslinien. In Gedanken war er bereits bei der Ausführung. »Grün und Violett«, murmelte er. Und dann: »Diese Linien behindern mich mehr, als dass sie mir helfen. Ab morgen arbeiten wir ohne Karton.«

Aurelio betrachtete die weiße Fläche. In den vergangenen Jahren hatte er seinen Meister immer wieder Wunder vollbringen sehen. Er würde auch dieses vollbringen. Michelangelo glich einer heruntergebrannten Kerze, deren Docht noch einmal in doppelter Kraft erstrahlte, bevor sie erlosch.

✟ ✟ ✟

Am achtzehnten Oktober, der Jonas war zur Hälfte fertiggestellt, kehrte Michelangelo mit versteinerter Miene von seinem Gang zur Bank zurück. Er hatte extra den Gedenktag des heiligen Lukas gewählt, um die Post zu holen. Schließlich war Lukas der Schutzpatron der Künstler. Doch für Michelangelo schien das nicht zu gelten, jedenfalls nicht an diesem achtzehnten Oktober. Und auch nicht für seinen Gehilfen.

»Post aus Florenz?«, fragte Aurelio vorsichtig.

Michelangelo zog einen bereits erbrochenen und einen noch

versiegelten Brief aus der Tasche und legte beide, als enthielten sie ein Gift, das nicht entweichen dürfe, auf dem Tisch ab. »Ja«, antwortete er, »Giovan Simone droht mir seinen Besuch an. Meine Familie scheint zu glauben, dass, solange ich in Diensten des Papstes stehe, es in Florenz Dukaten vom Himmel regnen müsse.« Er warf Aurelio einen Blick zu, der vorwegnahm, was er jetzt hinzufügte. »Doch das ist nicht, was mir Sorgen bereitet.« Mit zwei spitzen Fingern schob er den noch verschlossenen Brief über den Tisch.

Aurelio verstand nicht.

»Von einem Schreiber«, erklärte Michelangelo, »aus Forlì.«

»Für mich?«

Michelangelo ließ ein Nicken erkennen.

Aurelio schob den Brief nachdenklich zurück. »Ihr wisst, ich kann nicht lesen.«

Er sah den Daumen seines Meisters, wie er sich unter das Siegel schob und das Papier wölbte. Mit einem Knacken brach das Wachs auf. Auf dem Tisch sammelten sich staubfeine, rote Krümel. Michelangelo entfaltete das Blatt und begann zu lesen. Irgendwann ließ er seine Hände sinken und blickte seinen Gehilfen an, die Bernsteinaugen wie in Eisenoxid getaucht.

»Deine Schwägerin schickt dir herzliche Grüße und hofft, dass dieser Brief dich bei guter Gesundheit erreicht …«

Das konnte nur eins bedeuten: »Matteo …«

Michelangelo musste die Worte gewaltsam ans Licht zerren. »Ein Unfall. Offenbar ist er von der Leiter gestürzt … Luigi hat ihn gefunden, hinter der Scheune.«

Sein Bruder. Der letzte Lebende von seinem Blut, der ihm noch geblieben war; der sein eigenes Leben riskiert und sich den Arm gebrochen hatte, als Aurelio auf der Piazza Saffi unter einen Karren geschleudert und beinahe von einem Pferd zertrampelt worden wäre; der später, bei einem Streit, in rasendem Zorn Aurelios Kopf so lange im Wassertrog untergetaucht hatte, bis das nach Stein schmeckende Wasser Aurelios Lungen gefüllt hatte und er ohnmächtig geworden war; der ebenso großzügig wie missgünstig sein konnte und dessen liebevolle Fürsorge nur von seiner bedingungslosen Selbstsucht übertroffen worden war.

»Ausgerechnet die Scheune …«, flüsterte Aurelio.

Er hatte von Söldnern gehört, die kaum zu ertragende Schmerzen verspürten, in Körperteilen, die gar nicht mehr existierten, einem abgetrennten Finger etwa, oder einem abgehackten Bein. So fühlte er sich: als habe man ihm einen Teil seines Körpers amputiert, und jetzt sitze der Schmerz da, wo nichts mehr war.

»Vergiss nie, wer du bist und wo du herkommst …«, murmelte Aurelio.

Dann stand er auf, öffnete die Haustür und ging hinaus in das Gewirr der Gassen.

Teil VII

LVII

30. Oktober 1512

Drei Tage vor Allerheiligen hatte Michelangelo das Fresko vollendet. Gerade zur rechten Zeit. Julius hatte angeordnet, das Gerüst spätestens einen Tag vor den offiziellen Feierlichkeiten abbauen zu lassen – selbst wenn Michelangelo noch dort oben zugange wäre. Der Papst hatte das Festum Omnium Sanctorum zum Tag der Einweihung des Freskos bestimmt, und alle Einwände des Künstlers hatten ihn nicht davon abbringen können, diesen Tag auf einen späteren Zeitpunkt zu verschieben. So hatten Michelangelo und sein Gehilfe notgedrungen am Ende zwei Tage und Nächte ohne Unterbrechung arbeiten müssen, vier nahtlos aneinandergereihte Giornate. Aurelio war schwarz geworden vor Augen, als er endlich alle Materialien abseilte und das letzte Mal die Leiter hinabstieg.

Michelangelo saß in sich zusammengesunken auf einer der steinernen Bänke, den Oberkörper gegen die Mauer gelehnt. Weder hatte er die Kraft, Anweisungen zum Abbau des Gerüstes zu geben, noch konnte er seinen Kopf länger in den Nacken legen, um zu verfolgen, wie die zweite Hälfte des Gewölbes nach und nach enthüllt wurde. Der Zimmermann, der damals geholfen hatte, die Bühnen zu bauen und die Decke einzurüsten, war mit einem halben Dutzend Gehilfen angerückt, um sie jetzt wieder abzunehmen. Zum Glück erinnerte er sich noch an die Besonderheiten der

509

Konstruktion und kam weitgehend ohne Anweisungen zurecht. Aurelio half, die Hölzer aufzustapeln. Auch seine Kräfte waren aufgezehrt, die Arme und Beine wie leere Hüllen. Sein gesamter Körper fühlte sich seltsam fremd an. Als sei das gar nicht er, der da die Balken aufschichtete. Gelegentlich wagte er einen Blick zur Decke. Dann traf ihn jedes Mal die bildgewaltige Wucht dessen, was dort zum Vorschein kam, wie der Atem Gottes selbst.

Er ging zu Michelangelo hinüber. Seine Knie knackten, als er sich vor ihn hockte. Das Gesicht seines Meisters war um Jahre gealtert.

»Maestro Buonarroti«, sagte er eindringlich, »ihr *müsst* das sehen! Es ist ... unbeschreiblich.«

Michelangelo strich sich fahrig durch den Bart. »Lass nur, Aurelio. Ich warte, bis alles abgebaut ist.«

Er hat Angst, ging es Aurelio durch den Kopf. Er hat Angst vor seiner eigenen Arbeit – und dem großen, schwarzen Loch, in das er zu fallen fürchtet.

Michelangelo sollte nicht mehr dazu kommen, an diesem Tag noch das vollständige Fresko zu erblicken. Mitten während der Arbeiten wurde die Tür aufgestoßen, und zwei Schweizergardisten eskortierten einen Mann herein, von dem im Gegenlicht zunächst nur die Silhouette erkennbar war.

»*Fratello!*«, schallte es durch die Kapelle.

Michelangelo fuhr auf, als sei er aus einem Traum aufgeschreckt. Er kniff die müden Augen zusammen. »Allmächtiger ... Das hab ich nicht verdient.«

»Maestro Buonarroti?«, fragte einer der Gardisten.

Michelangelo hörte ihn nicht einmal.

»Dieser Herr hier behauptet, Euer Bruder zu sein.«

Die blutunterlaufenen Augen des Bildhauers hüpften flehentlich zwischen den Gardisten hin und her. »Ich würde nichts lieber tun, als ihn zu verleugnen«, erklärte er. »Doch das würde bedeuten, mich selbst zu verleugnen.« Er schloss kurz die Augen. »Lasst ihn hier ...«

Giovan Simone trat zögerlich auf seinen Bruder zu und breitete die Arme aus: »*Fratello!*«, wiederholte er. Seine blonden Locken sprossen fröhlich unter seinem Samtbarett hervor, dessen Blau perfekt mit seinen erwartungsvoll leuchtenden Augen harmonierte.

Michelangelo verweigerte die angebotene Umarmung, führte die Hände vors Gesicht und sagte mit aller Kraft, die seiner Stimme noch verblieben war: »Was zum Teufel tust du hier?«

Der Hochmut, den Giovan Simone bei seinem letzten Besuch noch wie selbstverständlich zur Schau getragen hatte, war einer Pose gewichen, der die Unsicherheit bereits eingeschrieben war. »Aber ich habe dir doch geschrieben, dass ich komme!«

»Und ich habe dir geschrieben, dass du *nicht* kommst!«

Aurelio dachte an die vielen Briefe, die sein Meister in den vergangenen Monaten nach Florenz geschickt hatte: In wenigen Wochen, so hatte er sie ein ums andere Mal vertröstet, werde er nach Hause kommen, dann werde man sehen. Bis dahin durften weder sein Vater noch seine Brüder darauf hoffen, auch nur einen Fiorino von ihm zu bekommen.

»Ich konnte nicht länger warten«, entschuldigte sich Giovan Simone. »Es ging nicht mehr! Deine Arbeit hier nimmt einfach zu viel Zeit ...« Er blickte zur Decke empor und erstarrte: »Heilige Mutter Gottes!« Er drehte sich benommen um die eigene Achse: »Das hast alles *du* gemacht?!«

Aurelio konnte sehen, wie der Zorn in seinen Meister fuhr und dessen Körper zu alter Größe aufrichtete. Dass ein Ignorant und Schmarotzer wie Giovan Simone sein Fresko auch nur in Augenschein nahm, beleidigte bereits seine Arbeit. Dieser Nichtsnutz hätte Tage und Wochen unter dem Gewölbe zubringen können und doch nicht das Geringste davon verstanden, mit dem Herzen verstanden. »Hübsche Farben«, hätte er gesagt, oder so etwas wie: »Ganz schön groß, die Figuren.« Giovan Simone sah seinen älteren Bruder an, als erwarte er Lob oder wenigstens Zuspruch für seine Beobachtung.

Aurelio hielt den Atem an.

»Raus!« Michelangelo ergriff Giovan Simone unsanft bei den Schultern und drehte ihn Richtung Ausgang. »Raus mit dir! Was ich dir zu sagen habe, gehört nicht an einen Ort wie diesen.« Bevor er seinen Bruder in den Rücken stieß, wandte er sich noch einmal zu seinem Gehilfen um. »Kannst du Sorge dafür tragen, dass hier niemand zu arbeiten aufhört, bevor das Gerüst vollständig abgebaut ist?«

»Selbstverständlich, Maestro.«

Aurelio blickte den beiden traurig nach. Bei all den Rivalitäten und Streitereien, die Matteo und er zwei Jahrzehnte lang ausgetragen hatten, nie hätte es einer von ihnen so weit kommen lassen, den anderen zu verachten.

✢ ✢ ✢

So kam es, dass Aurelio der Erste war, der das fertige Fresko in seiner Gesamtheit erblicken durfte, nachdem der Zimmermann und seine Gehilfen die Kapelle verlassen hatten. Es hatte bis lange nach Sonnenuntergang gedauert, bevor die letzte Bühne abgebaut und alle Hölzer an der Seitenwand aufgestapelt waren. In der Zwischenzeit hatte Paris de' Grassi die Fackeln an den Wänden entzünden lassen. Morgen, zum Vespergottesdienst, würde der Papst mit seinem Gefolge kommen. Bis dahin müssten sie die Hölzer nach draußen geschafft und alles gesäubert haben. Übermorgen dann, an Allerheiligen, sollte ganz Rom die Fresken erblicken dürfen. Jetzt jedoch war es Nacht. Kein Laut drang in die Kapelle. Nur das Rauschen der Fackeln war zu vernehmen. Die kühle Herbstluft trug bereits das Wissen um den kommenden Winter mit sich. Das Jahr kam zur Ruhe. Die dunkle Zeit begann.

Die Flammen züngelten die Wände empor und ließen Schatten über die Fresken tanzen, die dreißig Jahre zuvor von Perugino, Botticelli, Ghirlandaio und den anderen Florentiner Meistern geschaffen worden waren. Aurelio schloss die Augen, atmete tief ein, legte den Kopf in den Nacken und schlug sie wieder auf. Dort oben, in sechzig Fuß Höhe, leuchteten in der Rätselhaftigkeit des Zwielichts die Szenen und Figuren Michelangelos in nie zuvor erreichter Pracht. Drohend und übermächtig die Propheten und

Sibyllen, erhaben die Ignudi, von schmerzlicher Tiefe die Schöpfungsszenen. Aus den zwölf Aposteln, die Julius ursprünglich für die Decke vorgesehen hatte, waren dreihundertdreiundvierzig menschliche Figuren von nie gesehener Dramatik und Dynamik geworden. Jede von ihnen in einer eigenen Pose, mit einem eigenen Ausdruck, einer eigenen Geschichte, einem eigenen Schmerz. Der Eindruck war so übermächtig, dass man darüber den Verstand verlieren konnte. Aurelio breitete die Arme aus wie Schwingen und gab unbeabsichtigt einen unartikulierten Freudenschrei von sich. Was für eine Fülle! Was für ein Glanz! Was für eine Herrlichkeit!

Er betrat das Sancta Sanctorum, betrachtete den Jonas – welch ein Titan! – und die zuletzt gemalten Schöpfungsszenen, in denen sein Meister die Tableaus ganz auf die Figur Gottes reduziert hatte. Soweit Aurelio das im Halbdunkel erkennen konnte, war alles so geworden, wie sein Meister es beabsichtigt hatte. Wenn morgen der Papst mit seinen Kardinälen, mit Raffael und Bramante die Kapelle betrat, würde ihre Kritik für immer verstummen. Aurelio griff sich seine Laterne und wandte sich zum Gehen. Er musste Michelangelo davon berichten. Und er ahnte, wo er ihn finden würde: in seiner geheimen Werkstatt, in stumme Zwiesprache mit seiner Statue versunken.

Bevor er jedoch den Ausgang erreicht hatte, traten Aurelio aus dem Dunkel des Durchgangs unerwartet zwei Gestalten entgegen. Seine Laterne fiel nur deshalb nicht zu Boden, weil er die Kette um sein Handgelenk geschlungen hatte. Dort baumelte sie nun, während er noch mit dem Kribbeln in seinen Fingern kämpfte und unauffällig nach Luft rang. Wie immer war der Schreck schneller gewesen als das Erkennen. Jetzt sah er, dass auch von der Hand des einen Mannes etwas herabhing, ein Band, eine Leine! Und da tappte auch schon mit schweren Schritten der Jaguar zwischen den beiden hindurch. Der Blinde und der Stumme.

Aurelio erlangte seine Fassung wieder. »Mein Meister ist bereits gegangen«, erklärte er ärgerlich, noch ehe der Blinde das Wort an ihn richten konnte. Er sah sich um und senkte die Stimme. »Aber auch ich kann Euch versichern, dass er Euch keinesfalls zu sehen wünscht!«

Die beiden Männer zeigten sich unbeeindruckt. »Ist er es?«, fragte der Blinde den Stummen.

Der Stumme gab einen zustimmenden Laut von sich.

Aurelio verstand gar nichts. Was sollte das?

Jetzt wandte sich der Blinde ihm zu: »Seid Ihr Aurelio?«, fragte er.

Ein bestürzter Blick war alles, was der Gehilfe zu antworten imstande war. Doch offenbar war das den beiden Männern Antwort genug. Geräuschlos schoben sie sich an ihm vorbei und steuerten auf den Seiteneingang zu. Dabei warf jeder von ihnen einen kreuzförmigen Schatten über das Steinmosaik. Sie öffneten die Tür und verschwanden in dem dahinterliegenden Gang, dessen Geheimnisse Aurelio nur allzu vertraut waren. Das Türblatt ragte leicht in den Raum hinein. Mit erhobener Laterne ging Aurelio ihnen nach.

LVIII

ALS AURELIO DURCH DIE ÖFFNUNG des Teppichs spähte, war es, als tauche er in einen altbekannten Traum ein: die schweren, malachitfarbenen Samtvorhänge, der Kamin mit dem Marmorsims, der lederbezogene Stuhl mit seinen goldenen Tigerpranken anstelle von Holzbeinen. Auch der Duft war da, schwer und sinnlich, die schwarzen Rosen, und die Wände badeten im bronzenen Licht zahlloser Kandelaber. Lediglich Aphrodite fehlte. Kurz streifte Aurelio ein Gedanke: War dies eine Falle? Sollte er in den Gemächern der Kurtisane angetroffen werden, damit man einen Vorwand hatte, ihn blenden oder gar töten zu lassen? Doch wer sollte ein Interesse daran haben? Es ergab keinen Sinn. Warum war er hier? Vorsichtig schob er sich an der Wand entlang und wagte sich hinter dem Teppich hervor. Der üppige Prunk, die satte Wärme und der betörende Duft – sie umfingen Aurelio wie ein vielstimmiger Chor engelhafter Stimmen. Benommen führte er seine Hände an die Stirn.

Plötzlich öffneten sich die Türen zum benachbarten Gemach. Aphrodite trug einen bodenlangen Samtmantel von dem gleichen Schwarz und dem gleichen Glanz wie ihr wallendes Haar. Beides schien von goldenem Raureif überzogen zu sein. Als Aurelio den nackten Fuß bemerkte, der unter dem Saum hervorsah, wusste er, dass der Mantel das Einzige war, das ihre Haut bedeckte.

Wie der Schleier der Statue. Sie schloss die Türen hinter sich und fing Aurelio mit ihren durchdringend blauen Augen ein. So standen sie einander gegenüber, schweigend, jeder auf einer Seite des Raums.

»Du hast es gewusst, nicht wahr?«, sagte sie schließlich. Auch ihre Stimme war die aus seinen Träumen geblieben. Eine Mischung aus Zimt und Leder.

»Seit dem Abend …« Aurelio erinnerte sich an die Nacht, in der Aphrodite nackt vor dem Wandbehang gestanden hatte, die Beine gespreizt, ihre und seine Hände nur durch den Teppich voneinander getrennt. »Ihr wisst, seit wann«, schloss er.

Sie traumwandelte auf ihn zu. Ihr geheimnisvoller Duft stieg ihm unausweichlich in die Nase und breitete sich in seinem Körper aus. Er atmete sie ein. Tief auf dem Grund ihrer Lapislazuliaugen verbarg sich etwas: eine seltsame Traurigkeit. Ein Abschied?

Langsam führte sie ihre Finger an seine Wange: »Du also bist das, was ich so gerne gewesen wäre …«

Aurelio schluckte.

»In dir«, fuhr sie fort und legte den Kopf auf die Seite, »in dir erblickt er all das, worin er sich so gerne spiegeln würde: Reinheit, Schönheit …«

»Warum bin ich hier?«, stieß Aurelio hervor.

»Weil ich es so will.«

Aurelio antwortete nicht. Noch immer verstand er nichts von alldem. Zudem spürte er dieses Verlangen in sich aufsteigen, das noch jedes Mal seinen Verstand unbrauchbar gemacht hatte.

Beiläufig angelte sie mit dem Fuß nach einer Tigerpranke des Ledersessels und drehte ihn in Richtung des Kamins. Anschließend bedeutete sie Aurelio, sich zu setzen. Sie selbst ging zur Feuerstelle hinüber.

Den Blick in die Flammen gerichtet, sagte sie: »Erzähl mir von der Statue.«

War er deshalb hier, um ihr von der Statue zu berichten? »Sie ist vollkommen«, flüsterte er und spürte sein Verlangen auf ein Maß anschwellen, das ihm körperliche Schmerzen bereitete.

»Er hat sie vollendet?«

Aurelio nickte. »Da ist niemand, der nicht seinen eigenen Abgrund in ihr erblicken würde – und den Abglanz seiner göttlichen Seele. Mein Maestro hat Euch wahrhaft unsterblich gemacht.«

Als Aphrodite sich zu Aurelio umdrehte, versuchte sie nicht einmal, ihren Schmerz zu verbergen. »Ich wünschte so sehr, sie sehen zu können«, fing sie an, »und sei es nur ein einziges Mal.« Ihr Blick richtete sich nach innen. Alle Fassade war verschwunden. Ihre Finger suchten nach einem Halt und fanden einander. »Seit wir aus Ravenna zurückgekehrt sind, habe ich kein einziges Mal meine Gemächer verlassen dürfen. Julius hat an jedem Ausgang ein Dutzend Wachen postiert. Niemand kommt herein, niemand heraus. Nicht einmal er selbst. So hofft er, sich vor mir zu schützen. Seit der Schlacht glaubt er, der Teufel habe mich geschickt. Er ist überzeugt, ich sei ein Dämon, der von ihm Besitz ergriffen und ihn um den Verstand gebracht habe. Und der ihm außerdem vor der entscheidenden Schlacht den falschen Rat gab …« Sie löste sich vom Kamin und bewegte sich auf Aurelio zu. Der Samt ihres Umhangs schmiegte sich lautlos um ihre nackten Hüften. Zwei Schritte vor ihm hielt sie inne. Ein Lufthauch hätte gereicht, den Flügel ihres Mantels zu öffnen. »Manchmal, Aurelio, glaube ich selbst, ein Dämon zu sein. Nicht einmal meinen wahren Namen kenne ich. Vielleicht hatte ich nie einen. Als ich alt genug war, um danach zu fragen, gab es niemanden mehr, der mir noch etwas über meine Herkunft hätte sagen können. Es heißt, ich sei als Baby ausgesetzt worden, irgendwo in Westafrika. Doch nicht einmal das ist gewiss …«

Fieberhaft überlegte Aurelio, wie er Aphrodite die Statue zeigen könnte. Er hätte ihr jeden Wunsch erfüllt, ob mit Einwilligung seines Meisters oder ohne. Er war verloren gewesen in dem Moment, da sie den Raum betreten hatte. »Gibt es eine Möglichkeit für Euch, unerkannt den Palast zu verlassen?«, fragte er.

»Den Weg, den du gekommen bist«, antwortete Aphrodite. »Da Julius sich von Anfang an geweigert hat, diese Gemächer zu betreten, ist ihm auch der Geheimgang verborgen geblieben. Die

Mauern des Vatikans jedoch bleiben mir verschlossen. Julius hat Anweisung gegeben, jede Person genauestens zu kontrollieren.«

Aurelio erinnerte sich an die beiden Soldaten der Schweizergarde, die Giovan Simone am Nachmittag in die Kapelle eskortiert hatten. »Es gibt eine Zeichnung …«, überlegte er.

Aphrodite drängte noch einen Schritt näher. Der Mantelkragen machte aus ihrem Dekolleté ein schwarz gerahmtes Dreieck fleischlicher Wollust.

»Mein Maestro hat sie angefertigt, als Vorzeichnung für die Statue«, erklärte er hastig. »Sie ist sehr … detailliert und hat … alles, was die Statue ausmacht. Auf ihr ist sie in genau der Pose zu sehen, in der mein Meister sie aus dem Marmor herausgearbeitet hat. Ich könnte …« Aurelio fasste sich an die Schläfe. Erbot er sich gerade, für Aphrodite die ausgearbeitete Kreidezeichnung zu stehlen, die Michelangelo im Geheimfach seiner Mappe versteckt hielt?

»Würdest du das für mich tun?«, fragte sie.

»Ich würde alles für Euch tun«, antwortete er ohne Zögern.

Aphrodite beugte sich vor. Ihr Mantel gab den Blick auf ihre Brüste frei, was Aurelio in gleicher Weise berauschte wie der köstlich-schmerzliche Duft, der von ihr aufstieg. Ihre blauen Augen drangen in ihn ein. Aurelio verzehrte sich danach, in ihnen zu ertrinken. Was für eine Sehnsucht, dachte er und wusste nicht einmal, dass es seine eigene war. Er spürte ihre Hand, wie sie seine umfasste und in den Schlitz ihres Mantels schob. In der Intimität des Dunkels schmiegten sich seine Finger von selbst an die Innenseite ihres Oberschenkels. Eine Haut, wie seine begabten Hände sie noch nie ertastet hatten. Eine Haut wie das Paradies – nach dem Sündenfall.

Ihr Atem streifte sein Ohr: »Komm«, flüsterte sie.

»Aber …« Aurelio spürte den Stuhl unter sich nachgeben. »Ihr liebt mich nicht.«

Ihre Stimme war körperlos, wie die eines Geistes. »Was macht das schon?«

Aurelio stiegen Tränen in die Augen, als er begriff, dass er von demselben Verlangen durchdrungen wurde, das sein Meister seit

Jahren wie einen Stachel im Fleisch trug: dem Verlangen danach, von seinem Gegenüber geliebt zu werden. »Aber Ihr liebt meinen Meister«, beharrte er in einem letzten, verzweifelten Versuch, Herr seines Willens zu bleiben.

»Ja«, hauchte Aphrodite in sein Ohr, »und er liebt dich, und du liebst mich. Fast ist es zum Lachen ...«

Sie führte ihn durch eine Reihe von ineinander übergehenden Räumen. Wie im Flug zogen silberne Kandelaber an Aurelio vorbei, er sah Bronze- und Elfenbeinarbeiten, golddurchwirkte Wandteppiche. Lass mich nicht los, dachte er, lass mich nicht fallen. Die letzte Tür, die Aphrodite aufstieß, war von zwei marmornen Putten flankiert, einer weiblichen und einer männlichen. Beide spielten mit ihren entblößten Geschlechtsteilen.

»Julius hat eine Vorliebe für ... ach, für alles Mögliche«, erklärte Aphrodite.

Der Saal war quadratisch und größer als die anderen. Ein neuer Duft umfing ihn, nach Orangen und Pinien und Dingen, die er nie zuvor gerochen hatte. An der Wand gegenüber der Tür stand das von Kandelabern umrahmte Bett wie ein Altar. Über Aurelios Kopf spannte sich ein Himmel aus Blau und Gold: eines der vielgerühmten Fresken Pinturicchios, die dieser für Julius' Vorgänger Alexander angefertigt hatte. Gestalten voller Anmut und Haltung. Gegen die Figuren jedoch, die Aurelio vorhin in der Sistina betrachtet hatte, wirkten sie wie ausgestopfte Puppen.

»Hier lebt Ihr?«, staunte Aurelio.

»Hier sterbe ich«, entgegnete Aphrodite, »jeden Tag ein Stück.«

Er beobachtete die Kurtisane, wie sie zum Bett hinüberging, wie sie durch den Raum schwebte, ohne dabei den Boden zu berühren; wie ihre Bewegungen den Mantel in eine seidige Flüssigkeit verwandelten. Ihrem Körper entstieg eine Kraft, die die Flammen der Kerzen erzittern ließ. Jeder Gegenstand im Raum unterwarf sich ihr. Als sie den Hermelinbesatz der Überdecke berührte, glitt diese scheinbar von selbst zu Boden.

»Also ist es wahr, was man sich erzählt«, flüsterte Aurelio.

»Das Bett, meinst du.«

»Aus Gold, mit Füßen aus Elfenbein. Und darüber ein Baldachin aus …« Aurelio streckte seine Hände vor. Das durch den Stoff gedämpfte Licht tauchte sie in flüssigen Honig.

»Goldgewirktem Damast«, antwortete Aphrodite.

»Ihr führt ein Leben in unbeschreiblichem Luxus«, stellte er fest.

»Ich habe mir dieses Leben nicht gewählt, Aurelio«, sagte sie traurig. »Es hat mich gewählt.« Sie saß auf dem Fußende, die Beine gerade so weit gespreizt, dass die Falten ihres Mantels die Innenseiten ihrer Schenkel erahnen ließen. »Komm«, flüsterte sie, »komm her und zieh mich aus.«

✢ ✢ ✢

Hand in Hand zogen sie sich zurück, langsam und weich, wie durch warmen Nebel – aus dem Palast, aus der Stadt, aus der Welt. Stufe für Stufe stiegen sie hinab in ein verborgenes Reich, das nichts kannte außer dem Moment, kein Morgen und kein Gestern, das nur aus sich selbst heraus Bestand hatte und nur für sich existierte. Aurelio spürte das Blut in Aphrodites Adern, hörte es Rauschen. Unter ihrer kupferfarbenen Haut vibrierte die Sehnsucht, sich zu spüren, erkannt zu werden, eine unsterbliche Seele zu besitzen, die Angst davor, zu vergehen, ohne je gewesen zu sein.

Sie lag auf ihm, umrankte ihn, schloss ihn in sich ein – bis aus Aurelio ein einziges brennendes Verlangen geworden war. Eine feuchte Hitze durchströmte ihn. Mit jeder Berührung jagten seine Fingerspitzen ihm weißglühende Blitze durch den Leib. Dann löste sich sein Empfinden endgültig von seinem Verstand, und er hätte nicht mehr zu sagen gewusst, wo sein Körper endete und Aphrodites anfing. Als er in sie eindrang, war es, als tauche er mit jeder Faser seines Körpers in sie ein, und als er kam, war es, als löse er sich in ihr auf. Aphrodites heißer Atem umhüllte sie wie ein Kokon, ihre Lippen legten den Riegel vor. Ihr Bund war besiegelt.

LIX

31. OKTOBER 1512

UNGLÄUBIG BEFÜHLTE AURELIO DIE BETTKANTE. Das war kein
Gold. Das war altes, sprödes Holz. Hatte er die Nacht mit Aphrodite in einem verräterischen Traum verbracht? Mit geschlossenen
Augen führte er seine Hand vor das Gesicht und roch daran. Nein.
Kein Traum. Sein gesamter Körper war benetzt von ihrem
Schweiß, ihrer Sehnsucht, dem Geruch ihrer Scham. Augenblicklich wurde er von pulsierendem Verlangen durchströmt. Er schlug
die Augen auf, löste gewaltsam die Hand von seinem Gesicht und
zwang sich zum Nachdenken. Seine Kammer, sein Bett. Wie war
er aus Aphrodites Schlafgemach hierhergekommen?

Aurelio stöberte noch in den Erinnerungen an die vergangene
Nacht, als eine erregte Stimme in seine Kammer drang. Michelangelo, aus der Küche. Dann war eine zweite Stimme zu hören. Giovan Simone! Den hatte Aurelio völlig vergessen. Ausgerechnet am
Tag vor der Einweihung des Freskos tauchte der hier auf. Hastig
streifte Aurelio seinen Umhang über und trat in den Vorraum.
Nach dem Licht zu urteilen musste es bereits später Vormittag sein.
Das Geräusch von auf die Straße prasselndem Regen war zu vernehmen.

»Nicht einen Dukaten!«, hörte Aurelio die Stimme seines
Meisters.

Offenbar waren er und Giovan Simone in einen Streit geraten.

Zögerlich öffnete Aurelio die Küchentür. Die beiden Brüder standen einander gegenüber, den Tisch wie einen Schlichter zwischen sich.

»Aber verstehst du denn nicht«, rief Giovan Simone, »ohne neuen Stoff …« Er hielt abrupt inne. »Was will *der* denn hier?«

»Komm ruhig herein, Aurelio«, sagte Michelangelo, an seinen Gehilfen gewandt, »sonst misstraue ich später meinen Erinnerungen.«

Beklommen wagte Aurelio einige Schritte in den Raum und blieb stehen.

Giovan Simone funkelte seinen Bruder zornig an: »Ich werde die Angelegenheiten unserer Familie nicht vor deinem Handlanger ausbreiten.«

»Entweder du breitest sie vor ihm aus, oder du breitest sie gar nicht aus.«

»Aber das ist …«

»Das ist deine Entscheidung«, schnitt ihm Michelangelo das Wort ab.

»Wie du willst.« Giovan Simone ballte in stummem Zorn die Hände zu Fäusten. Er war nicht in der Position, von seinem älteren Bruder irgendetwas einzufordern. »Also: Wir brauchen das Geld, Bruder. Unbedingt …«

»Wir?«

»Buonarroto und ich. Achthundert Gulden. Ich bitte dich! Das kannst du uns nicht verweigern!«

»Kann ich nicht?«

»Du bekommst es wieder, zusammen mit dem anderen Geld, sobald die Ware eingetroffen ist. Ich verspreche es!«

»Du meinst die Ware, die beim letzten Mal auf den Grund des Meeres gesunken ist?«

»Diesmal versichern wir die Lieferung – bei *deiner* Bank. Mein Gott, wie kann man nur so halsstarrig sein?«

Michelangelo stützte sich auf dem Tisch ab, als zwinge ihn das eigene Gewicht in die Knie. Er wandte sich an seinen Gehilfen: »Aurelio: Was würdest du an meiner Stelle tun?«

»Du fragst deinen Handlanger um Rat?«, bellte Giovan Simone.

»Schweig!«, rief Michelangelo. »Also, Aurelio?«

Aurelio schoss das Blut in den Kopf. Er war nicht in der Lage, auch nur einen klaren Gedanken zu fassen: Noch immer spürte er Aphrodites Haut unter seinen Fingern, stieg ihm ihr bittersüßer Geruch in die Nase. Die Abdrücke ihrer heißen, vollen Lippen mussten auf seinem Gesicht zu sehen sein wie Brandmale. Die Zeichnung! Er hatte versprochen, ihr die Zeichnung zu bringen.

»Ich weiß nicht«, stammelte er. »In meiner Familie«, er dachte an Matteo und wie unerbittlich sie sich als Kinder gestritten hatten, »haben immer alle füreinander eingestanden.«

Giovan Simone schluckte. Er konnte nicht glauben, dass sein Schicksal gerade in den Händen eines Farbmischers liegen sollte. Doch nichts konnte in dieser Situation mehr Unheil anrichten als ein unbedachtes Wort.

»Heißt das, du würdest ihm das Geld geben?«, fragte Michelangelo.

»Ich glaube, das heißt«, erklärte Aurelio zögernd, »dass in unserer Familie nie einer den anderen betrogen hätte.«

Michelangelo drehte seinem Bruder den Kopf zu: »Da hast du es!«, zischte er.

Giovan Simone konnte nicht länger an sich halten: »Wenn du uns das Geld nicht gibst, werden wir dir die tausend Dukaten nie zurückzahlen können!«

»Tausendzweihundert!«

»Das ändert nichts. Wenn …«

»Wenn du die Wahl hast, viel Geld zu verlieren oder noch mehr Geld zu verlieren, was wählst du?«

»Aber ich bin ruiniert!«

»Dann ruinier nicht auch noch mich! Sonst fehlt dir bald das Dach über dem Kopf.«

Eine unheilvolle Stille breitete sich aus und füllte den Raum bis in den letzten Winkel hinein. Aurelio wurde klar, dass die Katastrophe noch bevorstand.

»Vergiss nicht, was ich weiß!«, fauchte Giovan Simone. »Zwing mich nicht zu verraten, was ich letzte Nacht gesehen habe. Ich bin sicher, der eine oder andere würde ein hübsches Sümmchen zahlen, um zu erfahren, was sich in dem Schuppen hinter der Ripetta befindet.«

Aurelio spürte seine Füße in den Boden einsinken. Sein Mund war so trocken, dass er nicht zu schlucken vermochte.

Michelangelo sah seinen Gehilfen traurig an. Sein Blick machte das Unglaubliche zur Gewissheit. »Er weiß es«, sagte er nur.

Bestürzt warf Aurelio einen Blick in den Vorraum.

»Wegen Beato musst du dir keine Sorgen machen«, ergänzte Michelangelo. »Ich habe ihn losgeschickt, Besorgungen zu machen.«

Dann erklärte er seinem Gehilfen, was vergangene Nacht geschehen war: Aufgewühlt durch den Besuch seines Bruder war er so in sich gefangen gewesen, dass er nicht bemerkt hatte, wie Giovan Simone ihm nachspioniert hatte, als er in seiner geheimen Werkstatt Zuflucht vor der Bürde seines Lebens gesucht hatte. Irgendwann trommelte es dann urplötzlich gegen die Tür, und sein Bruder verlangte, eingelassen zu werden. Und zwar so lange und so vehement, bis jede Verzögerung eine noch größere Katastrophe nach sich gezogen hätte. Bereits während Michelangelo noch die Statue mit Decken verhüllte, ahnte er, dass das nichts helfen würde. Sein Bruder war faul, aber nicht dumm. Der hatte noch immer gemerkt, wenn man etwas vor ihm zu verbergen versuchte.

Aurelio schwindelte. Während er letzte Nacht Aphrodite geliebt und sie ihren unheilvollen Pakt geschlossen hatten, war Giovan Simone seinem Bruder nachgeschlichen und hatte die Statue entdeckt. Das unbestimmte, aber dennoch greifbare Gefühl stellte sich ein, dass hier gerade etwas aus den Fugen geriet, was möglicherweise verheerende Konsequenzen nach sich ziehen würde.

»Was glotzt der denn so?«, hörte er Giovan Simone seinen Bruder fragen.

Das brachte Aurelio wieder in die Wirklichkeit zurück. Er fixierte Giovan Simone. »Der glotzt so«, sagte er dann, während er sich vor ihm aufbaute, »weil er nicht glauben kann, dass Ihr tatsächlich die Kaltschnäuzigkeit besitzt, Euren eigenen Bruder zu erpressen!«

»Von dir lass ich mir nichts sagen, Farbenpanscher!«, rief Giovan Simone. Das wäre ja noch schöner, wenn er jetzt auch noch anfangen würde, mit dem Gehilfen seines Bruders zu diskutieren. »Wer ist denn dieser Schönling überhaupt«, fragte er Michelangelo, »dass er glaubt, mir Vorhaltungen machen zu dürfen?«

Was jetzt geschah, passierte so schnell, dass Giovan Simone nicht reagieren konnte. Mit einer katzenhaften Bewegung langte Michelangelo über den Tisch, packte seinen Bruder am Kragen und zog ihn so nah zu sich heran, dass sich ihre Nasenspitzen beinahe berührten. »Dieser Schönling, wie du ihn nennst, ist mein Gehilfe. Und er hat einen Namen. Er heißt Aurelio. Und der kleine Finger seiner linken Hand ist mehr wert als deine gesamte verkommene Gestalt.« Seine Nase zischte bedrohlich. »Du kannst *mich* beleidigen, Giovan Simone, aber nicht ihn. Das – steht – dir – nicht – zu!«

Giovan Simone blickte verdutzt zwischen seinem Bruder und Aurelio hin und her. Dann verzog sich sein selbstgefälliger Mund zu einem schiefen Lächeln. »Ooohhh – jetzt verstehe ich! Dein *Gehilfe*.« Er löste Michelangelos Hand von seinem Hemdkragen, verzog angewidert das Gesicht und trat so weit zurück, dass sein Bruder über den Tisch hätte springen müssen, um ihn noch einmal am Kragen zu fassen. »Ich sage dir etwas, Bruder: Was du und dein … Gehilfe miteinander zu tun habt, interessiert mich nicht. Ich brauche die achthundert Dukaten für die Stofflieferung. Und wenn du sie mir nicht freiwillig gibst …«

Bevor er den Satz beenden konnte, donnerte Michelangelos Stimme durch den Raum: »Du glaubst, ich fürchte deinen Verrat?« Er lachte schmerzlich auf. »Los, verrate mich! Lass mich töten, wenn du willst. Aber eines merke dir, und merke es dir gut: Wenn du es wagst, mein Geheimnis preiszugeben, dann wirst *du* derjenige sein, der es bereuen wird bis ans Ende seiner Tage.« Er nahm seinen Umhang von der Stuhllehne, förderte seinen Geldbeutel zutage und fingerte ein Geldstück heraus. »Hier«, er warf die Münze auf den Tisch, wo sie sich lange auf der Stelle drehte, bevor sie zu liegen kam. Ein Golddukaten, mit Julius' eingeprägtem Konterfei, das stumpf in Michelangelos Küche hineinstarrte. »Das ist für deine Rückreise«, erklärte Michelangelo. »Aurelio und ich gehen jetzt in den Vatikan. Heute zum Vespergottesdienst kommt der Papst mit seinem Gefolge, um das fertige Fresko in Augenschein zu nehmen. Bis dahin wartet noch viel Arbeit auf uns. Und wenn wir heute Abend zurückkehren«, seine Miene verfinsterte sich noch weiter, sofern das überhaupt möglich war, »wirst du verschwunden sein und dich auf dem direkten Weg nach Florenz befinden!«

LX

DER STREIT MIT SEINEM BRUDER hatte ihn derart aufgewühlt, dass Michelangelo nicht einmal die Muße hatte, in Ruhe die Frucht seiner bald fünfjährigen Arbeit zu betrachten. Nur wenige Augenblicke schritt er mit seinen noch tropfnassen Haaren im Sancta Sanctorum umher, dann wandte er sich Aurelio zu.

»Wenn ich bedenke, dass die Arbeit an diesem Gewölbe jetzt für immer der Vergangenheit angehören soll«, sagte er mit einer Stimme, die mit seinem Gesicht an Mattheit zu konkurrieren schien, »dann kann ich es kaum glauben. Ich weiß, dass es vorbei ist, aber ich fühle es nicht ...« Beiläufig wischte er sich den Regen aus dem Gesicht und inspizierte Jonas, den er erst drei Tage zuvor vollendet hatte. »Der ist gut, oder?«

Aurelios Brauen hüpften vor Verwunderung. »Er ist ... unvergleichlich, Maestro.«

Michelangelo schien über Aurelios Antwort nachzudenken. »Schön. Und jetzt lass uns die Spuren unserer Arbeit beseitigen.«

Den ganzen Tag über prasselte in dicken Tropfen der Regen aus einem bleiernen Himmel. Wann immer Michelangelo und sein Gehilfe einen Teil der Bühnenkonstruktion aus dem Seiteneingang trugen, um ihn hinter der Kapelle aufzustapeln, wurden sie ein weiteres Mal durchnässt. Beato, den Michelangelo mitgenommen hatte, um ihn den Staub beseitigen zu lassen, während er selbst mit

Aurelio das abgebaute Gerüst hinaustrug, war noch mit Fegen beschäftigt, als Paris de' Grassi in die Kapelle stolzierte, den Papst und sein Gefolge ankündigte und alle hinausschickte, um ungestört den Vespergottesdienst vorzubereiten.

Julius hatte unterdessen den verregneten Tag damit verbracht, ein Bankett für den Gesandten Parmas zu veranstalten, sich im Theatersaal des Palastes an der Aufführung einer Komödie zu erfreuen und der Rezitation klassischer Gedichte zu lauschen. Jetzt wollte er sehen, was er seit Jahren so begierig erwartete: die fertige Sistina. Morgen, am Tag der offiziellen Enthüllung, würde sich ganz Rom in der Kapelle drängen. Den Papst aber verlangte es nach einer privaten Enthüllung, nur für sich und sein Gefolge. Als er mit seinem Hofstaat, seinen Gästen, seiner Leibgarde und nicht weniger als siebzehn Kardinälen aus dem Palast kam, um gemäßigten Schrittes unter dem Schutz eines ihn begleitenden Baldachins zur Sixtinischen Kapelle hinüberzuschreiten, lehnte Michelangelo, der Aurelio und Beato nach Hause geschickt hatte, im Regen neben dem Eingang und konnte sich vor Erschöpfung kaum mehr auf den Beinen halten.

»In Gottes Namen: Bringt diesem Mann einen trockenen Umhang!«, rief Julius, als er ihn erkannte.

Der Papst wies Michelangelo an, sich ihm anzuschließen. Dann ließ er den gesamten Zug anhalten, murmelte einen lateinischen Segen und stützte sich auf seinen Stock. Er zitierte den Bildhauer zu sich, flüsterte ihm ein »Enttäuscht uns nicht« ins Ohr und vollführte eine ungeduldige Geste, die Paris de' Grassi bedeuten sollte, endlich die Türen öffnen zu lassen.

✢ ✢ ✢

Noch in derselben Nacht notierte der päpstliche Zeremonienmeister in seiner Chronik, dass Julius beim Betreten der Kapelle vor Ergriffenheit auf die Knie gesunken und hemmungslos schluchzend in Tränen ausgebrochen sei. Eine Reaktion, die niemand je zuvor bei ihm beobachtet hätte. Und tatsächlich erging es Julius wie den meisten, die an diesem und den folgenden Tagen zur Sistina pilgern sollten: Kaum hatte er die Kapelle betreten und seinen Blick zur Decke gerichtet, ließ ihn die Größe und Erhabenheit von Michelangelos Schöpfung demütig auf die Knie sinken. Selbst diejenigen, die bei der Enthüllung der ersten Gewölbehälfte zugegen gewesen waren, hätten sich eine derartige Wirkung des Gesamtkunstwerks nicht vorzustellen vermocht.

Später gestand Julius seinem Zeremonienmeister, dass sich ihm beim Betrachten des Freskos das göttliche Wesen des Menschen in einer Weise offenbart habe, die einen Orkan in seinem Kopf und seinem Herzen entfesselt und ihn mit ungekannter Macht auf sein eigenes, vergangenes Leben zurückgeworfen habe: seine Jugend, seine langen Jahre im Exil, sein später Triumph über Alexander, die Jahre seiner Regentschaft, die apokalyptische Niederlage bei Ravenna, die göttliche Mission, die er zu einem unseligen Ende geführt hatte, weil er vor den wollüstigen Klauen eines teuflischen Dämons kapituliert hatte. Und schließlich: sein nahendes Ende. Sehr bald würde er seinem Schöpfer gegenübertreten. Was hätte er dann zu erwarten? Papst Julius Caesar II., der Mann, dem der Zweifel immer nur als Zeichen der Schwäche gegolten hatte – konfrontiert mit seiner eigenen Sterblichkeit, sah er sich plötzlich aller Gewissheit beraubt.

Dies war der Moment, in dem eine schicksalhafte Überzeugung aus den Wirren seiner Gefühle und Gedanken hervorbrach und so klar umrissen vor ihn trat wie das goldene Kreuz, das über dem Altar leuchtete. Schmerzerfüllt blickte Julius zum leeren Balkon hinüber, in dessen Schatten die verschleierte Aphrodite noch die Enthüllung der ersten Gewölbehälfte verfolgt hatte. Kaum hörbar flüsterte er: »Verzeiht mir, Herr.« Dann brach er tatsächlich in Tränen aus, streckte sich auf den Boden hin, breitete die Arme aus und presste die linke Wange auf den kalten Stein, über dem die heiligste aller Kapellen errichtet worden war. Einer nach dem anderen taten es ihm seine Kardinäle nach. Am Ende lagen gut drei Dutzend Menschen, davon achtzehn in scharlachroter Soutane, mit ausgebreiteten Armen auf dem Boden und dankten, jeder für sich, ihrem Schöpfer.

Michelangelo, der sich in eine Ecke zurückgezogen hatte, entging nicht, dass auch Bramante Tränen in den Augen hatte. Wenngleich die Ergriffenheit des Baumeisters von Neid und Missgunst durchsetzt war: All seine Intrigen, seine Versuche, Raffael als den größeren Künstler zu positionieren, seine Voraussagen, Michelangelo werde sich der Aufgabe nicht gewachsen zeigen – im Angesicht des fertigen Freskos mussten sie andächtig verstummen. Und dann geschah etwas, das den Bildhauer zutiefst beschämte. Sein und Raffaels Blicke kreuzten sich, und aus den tränenverschleierten Augen seines schärfsten Rivalen sprach nichts als eine tiefe Bewegtheit, die sich dem Zugriff des Verstandes lange entzogen hatte. Stumm führte Raffael seine Hände zueinander, ein dankbares Lächeln auf dem Gesicht, und verneigte sich vor seinem Konkurrenten. Niemals, das musste sich Michelangelo eingestehen, wäre er selbst zu einer solchen Geste fähig gewesen. Niemals wäre es ihm möglich, sich in dieser Weise vor dem Werk eines anderen Künstlers zu verneigen. Er war und blieb ein ganz und gar unfertiger Mensch – hässlich, eitel und hochmütig.

Und während der Papst und sein Gefolge vor dem fertigen Fresko in Demut versanken und Michelangelo selbst auf die Unvollkommenheit seiner menschlichen Existenz zurückgeworfen wurde, nahm Aurelio den Schlüsselring, den sein Meister ihm anvertraut hatte, stieg mit pochendem Herzen die Stufen in den ersten Stock hinauf, verschaffte sich Zugang zu Michelangelos Kammer und stahl die Zeichnung der Aphrodite aus dem Geheimfach seiner Mappe.

✢ ✢ ✢

Auf dem Tisch lag das Schweigen schwer wie ein Marmorquader. Als hätte der größte künstlerische Triumph Michelangelos ihnen allen die Sprache geraubt. Giovan Simone war verschwunden und nicht wieder aufgetaucht. Alles sprach dafür, dass er sich auf dem Weg nach Florenz befand. Beato wagte kaum, das Brot anzurühren. Aurelio schnürte das schlechte Gewissen die Kehle zu. Die Zeichnung, die er in seinem Gewand verborgen hielt, brannte sich wie Ätzkalk in seine Haut. Auch Michelangelo rührte das Brot und den Cacciocavallo nicht an, trank nur hin und wieder einen Schluck verdünnten Wein. Keiner von ihnen wagte es, einem der anderen in die Augen zu schauen.

Irgendwann hielt Michelangelo es nicht länger aus. Wortlos schlurfte er aus der Küche, ging in seine Kammer hinauf und kehrte einen Augenblick später mit seinem Umhang und seiner Mappe zurück.

»Kommst du?«, fragte er Aurelio. Es war eine Bitte, beinahe ein Flehen.

Aurelio hatte andere Pläne. Pläne, von denen er nicht einmal seinem Meister erzählen konnte. Er sah zu Michelangelo auf und hoffte inständig, dass der seine Gewissensqualen als Erschöpfung missdeuten würde. Zaghaft schüttelte er den Kopf. Michelangelo wandte sich ab. Er war zu sehr mit sich selbst beschäftigt, um die verborgene Lüge hinter der Entscheidung seines Gehilfen zu wittern. Seine Enttäuschung jedoch drang aus jedem Fingerbreit seines Körpers.

Sie hatten sich noch nicht darüber verständigt, wie es nach dem Fresko weitergehen würde, doch der Bildhauer wusste, dass sein Gehilfe zumindest erwog, jetzt, da sein Bruder gestorben war, auf den Hof seiner Familie zurückzukehren. Als ehrbarer Mann war er dazu angehalten, die Witwe seines Bruders zu heiraten und ihr und ihrer Familie ein Auskommen zu sichern. Das gehörte sich so. Andererseits hatte sich Aurelio lange schon von seiner Vergangenheit gelöst. Wie also würde er sich entscheiden? Hatte Michelangelo erst die Statue und dann das Fresko gehen lassen müssen, um jetzt auch noch mit anzusehen, wie sich Aurelio von ihm trennte? Tiefer als jetzt, da er die Haustür öffnete und in den grimmigen Regen hinaustrat, hätte er kaum sinken können. Wie viel Verlust konnte ein Mensch ertragen, bevor er endgültig daran zerbrach?

Beinahe lautlos schloss er die Tür, in der Hoffnung, wenigstens bei seiner Statue ein bisschen Zuflucht und innere Ruhe zu finden, vielleicht gar ein Quäntchen Trost und, wer weiß: Zuversicht?

Nervös verharrte Aurelio noch einen Moment am Tisch, dann sprang er auf. Er warf sich seinen Kapuzenumhang über, klemmte das Messer mit dem kunstvoll verzierten Holzgriff – Relikt seines vorherigen Lebens – unter den Bund seiner Trikothose und eilte, die Zeichnung im Gewand verborgen, durch den Regen hinüber in den Vatikan.

LXI

IM BLEICHEN LICHT einer im Durchgang baumelnden Laterne drängten sich die Palastwachen der Schweizergarde unter dem Bogen und ließen Aurelio im Regen stehen. Er hatte sie beim Kartenspielen unterbrochen. Neuerdings waren sie zu viert. Julius hatte sie tatsächlich verdoppeln lassen, da ließ sich mit Kartenspielen die Zeit vertreiben. Die vorderen zwei kreuzten müde ihre Hellebarden.

»Ohne Passierschein ist nichts zu machen«, sagte der Größere gelangweilt.

»Ich stehe der Bottega von Michelangelo Buonarroti vor und muss dringend in die Sistina«, log Aurelio und schob die Kapuze in den Nacken, als sei sein Gesicht Passierschein genug.

»Und warum?«, wollte der Kleinere wissen.

»Um diese Zeit?«, ergänzte der Größere.

»Natürlich um diese Zeit«, entgegnete Aurelio. »Es ist wichtig.«

»Was ist wichtig?«, fragte der Kleine. Seine eng zusammenstehenden Augen sahen den Gehilfen argwöhnisch an.

Aurelio versuchte, sein Gegenüber zu ignorieren, so gut es ging. Wahrscheinlich, dachte er, blickten diese Augen sogar ein Stück Holz argwöhnisch an. »Ich habe eine« – seine Finger tasteten nach der Zeichnung – »Nachricht zu überbringen«, verstrickte er sich.

»Eine Nachricht?« Jetzt war wieder der Lange an der Reihe. »Und für wen?«

Namen. Aurelio brauchte Namen. Nichts war in dieser Stadt besser geeignet, Türen zu öffnen. »Paris de' Grassi«, stieß er hervor, als handele sich bereits hierbei um eine Geheiminformation.

Jetzt kam auch in die hinteren beiden Gardisten Leben. »Was für eine Nachricht?«, tönte es aus der zweiten Reihe.

»Eine Nachricht von außerordentlicher Wichtigkeit.«

»Hm.« Der Kurze wieder. »Und wie lautet sie?«

»Wenn es mir erlaubt wäre, sie irgendjemand anderem als Paris de' Grassi persönlich zu überbringen, wäre sie wohl kaum von außerordentlicher Wichtigkeit«, blähte sich Aurelio auf, »und ich stünde auch nicht hier im Regen.«

»Nicht ohne Passierschein«, sagte der Lange.

»Und wenn sie nicht so dringlich zu überbringen wäre«, ergänzte Aurelio, dem inzwischen der Regen den Nacken hinunterlief, »dann hätte ich auch einen Passierschein!«

Die Gardisten mit den gekreuzten Hellebarden sahen sich fragend an. Schließlich griff der aus der zweiten Reihe nach einem Stock, der in einer Nische lehnte und dem ein Haken aufgepfropft war. Aurelio machte sich innerlich zur Flucht bereit. Doch statt nach ihm zu schlagen, angelte der Gardist mit dem Stock die Laterne vom Haken und hielt sie zwischen seinen Kollegen hindurch vor Aurelios Gesicht.

»Den kenn ich«, erklärte er. »Das ist Mamas Liebling …« Während Aurelio das Blut in die Beine sackte, knuffte der Gardist seinem Kollegen eine Faust in die Seite. »Der ist harmlos.«

Die Kapuze tief in die Stirn gezogen, schob sich Aurelio an der Mauer des Palastes entlang und huschte zur Sistina hinüber. Bevor er jedoch den Seiteneingang erreichte, hielt er jäh inne. Durch die Loggia des noch immer im Bau befindlichen Belvedere-Korridors züngelte ein diffuses Licht aus dem Hof bis auf den kurzgeschorenen Rasen des vatikanischen Gartens, wo es mit der Nacht verschmolz. Zwischen den Säulen waren Silhouetten erkennbar, Mitglieder der Schweizergarde. Am Abend vor Allerheiligen hatte man den Cortile, aus dessen Brunnen Aurelio vier Jahre lang das Wasser für das Fresko geschöpft hatte, erleuchtet und mit Wachen umstellt. Und das bei strömendem Regen? Ein warnendes Gefühl stieg in Aurelio auf. Ein Gefühl, das er gut genug kannte, um zu wissen, dass er es besser nicht ignorierte.

Im Schutz der mondlosen Dunkelheit schlich er zum Palast zurück und von dort vor bis zum ersten Bogen des Belvedere-Korridors. Unwillkürlich suchte seine Hand nach der Zeichnung, die er zusammengerollt unter seinem Hemd trug. Sie war trocken. Dann tastete er nach seinem Messer. Es befand sich an seinem Platz. Aurelio hörte zwei Wachen miteinander sprechen. Offenbar hatten auch sie keine Erklärung dafür, weshalb man sie so kurzfristig zur Bewachung des Innenhofes abgestellt hatte. Aber, so der eine, das »Ding da« sei sicher nicht ohne Grund aufgebaut worden.

Geräusche drangen aus dem Hof, ein Scharren von Stiefeln auf nassen Steinplatten, das Klirren von Waffen, erstickte Laute – die erstickten Laute einer Frau! Es wäre unmöglich gewesen, sich durch die Loggia in den Hof zu schleichen, ohne von einer der Wachen bemerkt zu werden. Doch Aurelio kannte das Gebäude wie kaum ein anderer. Dort, wo der Korridor mit dem Papstpalast verbunden werden sollte, klaffte noch immer ein nicht aufgemauerter Spalt, weil Bramante die zu überbrückende Höhendifferenz zwischen den beiden Gebäuden verkehrt berechnet hatte. Aurelio zwängte sich hindurch und fand sich in einer abgelegenen, in völliger Dunkelheit verborgenen Nische des Bogengangs wieder. Durch das eindringende Wasser war eine Pfütze entstanden, man konnte das stete Geräusch der Tropfen vernehmen. In den Ecken drückten sich Ratten herum.

Aurelio schob seine Kapuze zurück. Im Zwielicht der Fackeln schien es, als folgten die Arkaden einer endlosen Linie nach Norden. Er erahnte ihr Ende nur, weil er wusste, dass oben, auf der Anhöhe, der Korridor mit dem Belvedere-Palast zusammenstieß. Unter jedem Bogen war eine Wache der päpstlichen Leibgarde postiert. Zu seiner Rechten erstreckte sich der Papstpalast, der den fertigen Cortile nach Süden hin abschließen würde. Unzählige

Male hatte Aurelio am Brunnen stehend zu den Gemächern seiner Sehnsucht emporgeblickt, die vergangene Nacht für einige köstliche Stunden seine eigenen gewesen waren. Mit schweißnassen Handflächen schob er sich an der Pfütze vorbei und gerade so weit aus der Nische heraus, dass er einen Blick in den Cortile werfen konnte. Bei dem, was er dort erblickte, weiteten sich seine Augen, seine Finger erstarrten, und sein Herz blieb stehen.

Das »Ding da«, von dem die Wache gesprochen hatte, war ein Berg aus Reisig, aus dem ein Pfahl ragte, an den soeben eine in ein Bußgewand gehüllte Gestalt gebunden wurde. Die Gewissheit, dass es sich dabei nur um Aphrodite handeln konnte, schleuderte Aurelio gegen die Mauer, noch ehe er begriffen hatte, dass es sich bei dem Reisigberg um einen Scheiterhaufen handelte. Ein Mann mit Söldnerstiefeln und einem schwarzen Kapuzenmantel riss ihren Kopf, dem ein Sack übergestülpt worden war, nach hinten, schlang ihr einen Strick um den Hals und band ihn am Pfahl fest. Ihre Arme waren bereits hinter dem Körper gefesselt. Undeutliche Laute waren zu hören, wie von einem Hund, dem man das Maul zuhielt.

Keine fünf Schritte von Aurelio entfernt öffnete sich ein Seiteneingang des Palastes, und ein Mann in einer festlichen Soutane betrat den Hof. Er hielt eine goldene Bibel an die Brust gepresst. Aurelio erkannte ihn sofort: Egidio da Viterbo, die rechte Hand des Papstes in allen Glaubensfragen. Ihm folgten zwei Geistliche, von denen einer Weihrauch schwenkte, während der andere ein goldenes Kreuz trug. Als sie die Mitte des Platzes erreichten, nickte da Viterbo dem Mann hinter dem Pfahl zu. Der zog der gefesselten Gestalt den Sack vom Kopf. Die Wachen wandten die Köpfe ab. Wie immer trug Aphrodite einen Schleier, wenngleich er diesmal schwarz war. Doch auch der schwärzeste Schleier hätte nicht zu verhindern vermocht, dass ihre Energie einer eisigen Böe gleich über den Cortile fegte.

Eilig schlug Egidio da Viterbo die Bibel auf und begann, einen lateinischen Text zu verlesen. Aphrodite wand sich, als werde sie von seinen Worten wie von Messerstichen traktiert. Wie eine

Schlange, dachte Aurelio. Wie die Schlange, die sich letzte Nacht um ihn gewunden hatte. Schließlich drehte sie ihren Kopf zu den Gemächern Julius' empor und begann, Worte zu formen.

»Du bringst nicht einmal den Mut auf, mir persönlich gegenüberzutreten!« Ihre Stimme, schrill und dunkel zugleich, ließ den gesamten Hof erstarren. Egidio, kurzfristig aus der Fassung gebracht, las weiter. Aphrodites nächste Worte waren an ihn gerichtet: »Hau ab, du dreckiger Handlanger! Du hast mehr Sünde auf dich geladen, als ich es jemals vermocht hätte! Deine Seele ist schwärzer als die ewige Finsternis, die dich erwartet, sobald du das Fegefeuer hinter dich gebracht hast!«

Egidio schloss die Bibel, schlug das Kreuz, trat zwei Schritte zurück und nickte erneut dem verhüllten Mann zu. Während Aurelio in fassungslosem Entsetzen mit ansehen musste, wie der Kapuzenträger um den Reisighaufen herumging, um an mehreren Stellen seine Fackel an das Holz zu halten, brach es aus der Kurtisane hervor: »Du glaubst, du kannst mich vernichten?« Ihre Stimme steigerte sich zu einem hysterischen Schreien, das mit scharfen Krallen die Mauern zu Julius' Gemächern emporkletterte. »Niemals wird dir das gelingen! Niemals! Ich weiß, dass du da oben hinter deinem Vorhang kauerst wie ein verängstigtes Kind. Also spitze deine Ohren!«

Es war, als versuche der Regen das auflodernde Feuer zu löschen. Tausende glitzernder Tropfen prasselten in den Hof und stürzten sich auf die Flammen, wo sie als zischender Dampf aufstoben, noch ehe sie das Holz erreichten. Erster Qualm stieg auf und hüllte Aphrodite ein. »Du kannst mich nicht vernichten!« Ihre Stimme überschlug sich. »Nichts, was du tust, könnte dich je von mir befreien! Ich verfluche dich, hörst du? ICH VERFLUCHE DICH!« Ein Hustenanfall ließ sie nach Luft ringen. Inzwischen hatten die Flammen sie vollständig eingehüllt. Ein irres Lachen entrang sich ihrer Kehle. »Ich werde ewig leben! Du kommst zu spät!« Ein neuerlicher Hustenanfall schüttelte ihren Körper und ließ ihren Kopf hin und her zucken. »Wenn deine mickrigen Gebeine schon längst zu Staub zerfallen sein werden, wird meine

Schönheit ungebrochen die Welt überstrahlen! Du kannst mich nicht töten! ICH – BIN – UNSTERBLICH!«

Ein letztes Aufbäumen durchfuhr ihren Körper, bevor er in sich zusammensank, gehalten nur von dem Strick, der ihren Hals an den Pfahl fesselte. Als sie sich übergab und das Erbrochene unter ihrem Schleier hervorrann, hatte der Rauch ihr bereits die Sinne geraubt.

Der Rest ging sehr schnell. Fichtenreisig brennt nicht lange, doch es brennt sofort, und hat es erst einmal Feuer gefangen, hält es kein Regen der Welt mehr auf. Nach nur wenigen Augenblicken hatte die Feuersäule die ohnmächtige Aphrodite vollständig in sich eingeschlossen. Die Mauern des Belvedere erglühten, teuflische Schatten flackerten unruhig im Cortile umher und rankten sich die Mauern empor. Ein verkohlter Rest von Aphrodites Schleier tanzte in den Nachthimmel hinauf. Ein kurzes Aufflammen, nicht länger als ein Atemzug, und ihre Haare, schön wie Ebenholz, waren verglüht. Der Rest – ihr Körper, der in der Nacht zuvor unter Aurelios Händen pulsiert hatte, ihr köstlicher Geruch, der noch zwischen seinen Fingern klebte, die sengende Sehnsucht ihrer begierigen Seele – verging in den Flammen, ohne dass einer der Anwesenden etwas hätte erkennen können.

Unfähig, seinen Blick abzuwenden, betrachtete Aurelio das Feuer, roch den Rauch, hörte das Knacken, das sich mit dem der Scheune von damals mischte, fühlte, wie die Hitze das Holz verschlang und alles Leben auslöschte, den Leib seiner Mutter verbrannte, alle Hoffnungen begrub, die Zeit zum Stillstand brachte. Vor seinen Augen zersplitterte die Welt in kleine Fragmente, die von der Hitze des Feuers in den Himmel geschleudert wurden. Als Letztes sah er die Sterne und spürte den Kosmos in seiner ganzen göttlichen Unerreichbarkeit und grenzenlosen Tiefe.

✢ ✢ ✢

Zwei Handbreit vor Aurelios Gesicht tapste eine neugierig schnüffelnde Ratte durch das Wasser. Das Knacken der Zweige – es war noch da. Die Nische. Er musste das Bewusstsein verloren und in die Pfütze gefallen sein. Zwei weitere Ratten inspizierten seine durchnässten Bauernschuhe. Aurelio stemmte sich hoch. Noch immer brannte der Scheiterhaufen, stoben die Flammen in den Nachthimmel. Schritte näherten sich. Aurelio drückte sich in die Nische und reckte in bebender Erregung den Kopf vor. Egidio da Viterbo, gefolgt von seinen Altardienern, verschwand im Papstpalast. Auch der schwarz verhüllte Mann, der Aphrodite an den Pfahl gefesselt und das Feuer entzündet hatte, verließ die Szenerie. Er trat vom Scheiterhaufen zurück, verbeugte sich in Richtung der päpstlichen Gemächer, kehrte den Flammen den Rücken und kam zu den Arkaden herüber. Seine Arbeit war getan. Der Strick, der Aphrodite aufrecht gehalten hatte, war verbrannt, der Rest ihres leblosen Körpers in den brennenden Kreis gefallen. Der Pfahl selbst war abgeknickt, ragte über den Rand des Scheiterhaufens und wies wie ein brennender Finger zum Papstpalast hinüber.

Die verhüllte Gestalt mit den Söldnerstiefeln hatte beinahe den Bogengang erreicht, als ihr die nassgeregnete Fackel entglitt und über die Steinplatten in Aurelios Richtung rollte. Der riss hektisch seinen Kopf zurück und breitete seinen Umhang über die verräterisch blitzenden Schnallen seiner Schuhe. Eine Ratte huschte überrascht davon. Der Mann hielt in der Verbeugung inne, drehte den Kopf, lauschte. Langsam streckte sich eine weiße Hand nach der Fackel aus. Eine sehr weiße Hand. Bei ihrem Anblick war es Aurelio, als drücke ihm jemand einen glühenden Dorn zwischen seine Nackenwirbel. Und dann wusste er, warum: Als die Hand die Fackel ergriff und der Mann sich aufrichtete, erleuchtete die Flamme für einen Augenblick das Innere der Kapuze und ließ zwei eisblaue Fischaugen wie gläserne Murmeln hervortreten. Augen ohne jedes Gefühl, in einem farblosen Gesicht mit einem weißblonden, gestutzten Söldnerbart.

Und während der Söldner, begleitet vom Licht seiner Fackel, den Arkadengang durchschritt und die Wachen noch gebannt in das Feuer starrten, richteten die verdrängten Bilder seiner Vergangenheit in Aurelios Kopf ein blutiges Gemetzel an. Wie von fremder Hand gelenkt, zog er sich in die Mauerspalte zurück, durch die er gekommen war, und wartete. Aurelio ließ den Mörder seiner Mutter passieren. Er lauschte seinem eigenen Atem, bis er sicher war, dass niemand dem Söldner folgte, zwängte sich aus dem Spalt, schlich hinter ihm her, sprang ihn an wie eine Katze, riss ihm die Kapuze vom Kopf und durchtrennte ihm mit einem einzigen Schnitt die Kehle.

Mit gegrätschten Beinen, das Messer fest umschlossen, stand Aurelio über dem röchelnden Leib des Söldners, dessen einer Arm noch ziellos in der Luft tastete, während aus seinem Hals stoßweise das Blut in den Rasen sickerte. Neben seinem Gesicht lag die Fackel, die im nassen Gras gegen ihr Erlöschen ankämpfte. Ohne etwas zu fühlen, betrachtete Aurelio die Augen, die auf der Suche nach einer Erklärung umherzuckten. Schließlich beugte er sich in ihr Sichtfeld. Nichts. Nur ein stummes Fragen. Sie hatten Aurelio längst vergessen. Es war ein Tag wie jeder andere gewesen, damals. Nicht jedoch dieser. Den heutigen Tag würden diese Augen niemals vergessen – vorausgesetzt, sie hätten eine Gelegenheit, sich zu erinnern. Was sie nicht haben würden.

Während ihm der Regen von Kinn und Nase rann, wartete Aurelio, bis die Augen des Söldners erstarrten und er zugleich mit der im Gras liegenden Fackel sein Leben aushauchte. Erst dann wischte er am Umhang des Toten sein Messer ab und steckte es in sein Futteral zurück. Aurelio richtete sich auf und blickte zur vatikanischen Mauer hinüber. Er fühlte nichts. Weder Angst noch Bedauern, weder Mitleid noch Genugtuung. Er wusste nur eins: Sein Leben, so wie er es kannte, endete hier und jetzt. Von diesem Moment an würde nichts mehr je wieder so sein wie vorher. Er verließ den Vatikan, wie er gekommen war, und verschwand über den Petersplatz in die Nacht der Ewigen Stadt.

LXII

SO, WIE SIE GEGEN DIE TÜR HÄMMERTEN, würden sie vermutlich mit seiner Hinrichtung nicht warten, bis ein Richter ihn schuldig gesprochen hätte. Möglich, dass sie das Urteil gleich an Ort und Stelle vollstreckten. Aurelio saß im Vorraum, wie er damals hier gesessen hatte, als er seinen Meister zur Rede stellen wollte. Er hoffte, sie würden ihn erst an einen anderen Ort bringen. Michelangelo sollte seinen geliebten Gehilfen nicht ermordet in seinem Haus vorfinden. Vielleicht müsste er nie davon erfahren. Es würde einfach so aussehen, als sei er … gegangen. Wieder hämmerte eine Faust gegen die Tür. Aurelio erhob sich von seinem Schemel. Besser er öffnete, bevor sie die Tür einschlagen und unweigerlich Beato aus dem Schlaf reißen würden. Sein Meister war noch nicht zurückgekehrt. Wahrscheinlich saß er bei seiner Statue und hoffte auf Trost und Erlösung. Er wusste nichts von Aphrodites Verbrennung, nichts von dem toten Söldner, nichts von dem Schicksal seines Gehilfen, das so vehement gegen die Tür klopfte. Ein Glück, dachte Aurelio. So müsste Michelangelo wenigstens nicht Zeuge davon werden, wie sie ihn verhafteten. Er hob den Riegel an und öffnete die Tür.

Was er sah, ließ sich mit dem, was er dachte, nicht übereinbringen. Aphrodite? Mit dem schwarzen Schleier, den er vorhin in die Nacht hatte davonschweben sehen? War die Kurtisane gekommen, um sich die versprochene Zeichnung zu holen? War sie ein Geist? Weshalb wurde er nicht in Haft genommen? Was war mit der Verbrennung und dem Scheiterhaufen? Und dem Söldner mit den Fischaugen? Aphrodite sagte etwas, doch auch das ergab keinen Sinn. Beeilen? Weshalb? Würden sie fliehen, gemeinsam? Aphrodite sprach weiter: Zwei Informanten des Papstes. Giovan Simone ... Aurelio spürte, dass all dem, was er sah und hörte, ein schwerwiegender Fehler zugrunde liegen musste. Und dann, endlich, wusste er, wer es war: »Margherita?«, unterbrach er sie mitten im Satz.

Ihr Schleier drehte sich von rechts nach links, dann schob sie Aurelio unsanft in den Vorraum zurück und schloss die Tür. »Willst du deinem Meister das Leben retten oder nicht?«, fragte sie.

Giovan Simone hatte die Stadt nicht verlassen. Das war die nächste Information, die zu Aurelio durchdrang. Der Dukaten, den Michelangelo seinem Bruder gegeben hatte, war in den Räumen eines namenlosen Bordello in Trastevere verpufft – zwischen vier Armen, die zwei Huren gehörten, um genau zu sein. Eine davon war Margherita gewesen. Er hatte sich betrunken, maßlos. Maßlos genug jedenfalls, um Margherita für ihre Dienste eine halbe Monatsmiete zu versprechen. Erst, als er anfing, zwei Trinkgenossen sein Leid zu klagen und lauthals auf seinen Bruder und dessen Gehilfen zu schimpfen, ging Margherita ein Licht auf und sie verstand, dass es sich dabei um diesen Michelangelo handeln musste, von dem Aurelio ihr immer erzählt hatte. Bereitwillig berichtete Giovan Simone von dem Dukaten, mit dem Michelangelo ihn – seinen eigenen Bruder! – abgespeist habe, und das, wo er mit seinen Pinseleien für den Papst Tausende verdiene, ganz zu schweigen von der Statue der päpstlichen Kurtisane, die er insgeheim angefertigt habe und die, verborgen in einem Schuppen hinter dem Hafen, darauf warte, die Welt zu erobern.

Margherita war lange genug im Geschäft, um auf den ersten Blick zu erkennen, wer ein Durchreisender, ein Pilger, ein Söldner, ein frustrierter Familienvater oder eben ein Spitzel des Papstes war. Und die beiden Trinkgenossen, die unauffällig das Bordello verließen, kaum dass sie Giovan Simone diese Informationen entlockt hatten, gehörten auf jeden Fall zu letzterer Spezies.

»Ich bin gekommen, so schnell ich konnte«, beendete Margherita ihre Ausführungen, »aber schneller als die Spitzel werde ich kaum gewesen sein.«

»Das bedeutet …«

»… das bedeutet, dass der Papst gerade über eine gewisse Statue unterrichtet wird und dass …«

»… mein Meister augenblicklich die Stadt verlassen muss, wenn er nicht so enden will wie Aphrodite.«

»Aphrodite?«

»Nicht wichtig«, sagte Aurelio gedankenverloren, nahm die Laterne und warf sich seinen Umhang über.

Diesmal war er es, der Margherita aus der Tür schob.

»Eines noch!« Sie klammerte sich an seinen Umhang.

Er blickte auf Margherita hinab, die Gedanken überall, nur nicht bei ihr. Sie suchte nach Worten. Im Schein der Laterne sah Aurelio eine Träne unter dem Schleier glitzern.

Am Ende schloss sie ihn in die Arme: »Leb wohl.«

✢ ✢ ✢

Aurelio rannte zur Engelsburg hinunter, über den Ponte Sant'Angelo und hinauf zur Ripetta.

Atemlos stürzte er in den Schuppen. »Ihr müsst fliehen, sofort!«

Michelangelo blickte traurig von seinem Schemel auf. Er sah aus, als habe er Aurelio bereits erwartet. »Warum sollte ich das tun?«

»Der Papst hat von der Statue erfahren! Und er weiß von diesem Schuppen und wo er zu finden ist.«

Michelangelo war völlig in seiner eigenen Welt versunken. »Wie das?«, fragte er, als ginge ihn das alles nichts an.

Aurelio kannte diesen Zustand seines Meisters, wenn die schwarze Galle in seinen Bahnen kreiste. Ein Zustand, der von außen nicht zu durchbrechen war. Ausgerechnet jetzt!

543

Eilig reichte er ihm den Mantel und die Mappe: »Das erkläre ich Euch, sobald wir eine Gelegenheit dazu haben. Einstweilen müssen wir fliehen. In wenigen Augenblicken wird die Schweizergarde hier sein …«

Michelangelo machte keinerlei Anstalten, sich von seinem Schemel zu erheben oder die Mappe entgegenzunehmen. Stattdessen richtete er seinen Blick auf die Statue, die im Licht der sie umringenden Kerzen badete und es kaum erwarten konnte, endlich von jemand anderem als ihrem Schöpfer in Augenschein genommen zu werden.

Jäh erinnerte sich Aurelio an seinen eigenen Verrat: die Zeichnung, die noch immer in seinem Hemd verborgen war. »Ich war es nicht, der Euer Geheimnis preisgegeben hat, Maestro!«, sagte er ohne erkennbaren Zusammenhang. »Das müsst Ihr mir glauben!«

»Ich weiß, dass du es nicht gewesen bist, Aurelio.« Michelangelos Stimme war die Ruhe selbst. »Wenn ich glauben müsste, dass du es warst, dann könnte ich an gar nichts mehr glauben. Wir wissen beide, wer es war.«

Aurelio stellte sich in sein Sichtfeld. Die Mappe in seinen Händen begann zu zittern. »Bitte, Maestro! Wir müssen fliehen!«

»Er hat die Stadt gar nicht erst verlassen, nicht wahr?«

»Kommt jetzt!«, flehte Aurelio.

Michelangelo blickte zu ihm auf. »Mein eigener Bruder …«

»Ihr müsst fliehen!«

Endlich tauchte Michelangelo aus seiner Versunkenheit auf. Aurelio erkannte es am Glanz seiner Bernsteinaugen. »Ich bin einmal vor dem Papst davongelaufen«, erklärte er in ruhigem Ton. »Ich werde es kein zweites Mal tun.«

»Er wird Euch umbringen lassen, wenn er Euch hier vorfindet!«

Michelangelo legte den Kopf auf die Seite und betrachtete an Aurelio vorbei seine Schöpfung. »Ich bin bereit.«

»Nein, das seid Ihr nicht!«, entgegnete Aurelio. »Sangallo hatte recht: Ihr seid jung, Ihr könnt noch zahllose Statuen schaffen!«

»Keine wie diese.« Für einen Moment löste Michelangelo seinen Blick von Aphrodite. »Es ist, wie ich gesagt habe, Aurelio: Mein

Schicksal und das der Statue sind untrennbar miteinander verknüpft.«

Noch immer hielt Aurelio die Mappe in seinen Händen. Er wusste weder wohin mit ihr, noch wohin mit sich.

»Ich sterbe an dem Tag, den Gott dafür ausgewählt hat«, stellte Michelangelo fest.

»Nicht, wenn Ihr Euch weigert zu fliehen!«

»Du solltest gehen, Aurelio. Versuche erst gar nicht, mich umzustimmen.« Endlich erhob er sich von seinem Schemel. »Sieh sie dir an ...« Er trat an die Statue heran und blickte in ihr verschleiertes Gesicht. »Niemals könnte ich sie einfach ihrem Schicksal überlassen.«

Aurelio trat neben ihn. Gemeinsam betrachteten sie die Frau, die wenige Stunden zuvor auf dem Scheiterhaufen verbrannt worden war. Und dann, beim Anblick ihrer zarten Schlüsselbeine, wurde Aurelio klar, dass es auf dieser Welt nichts gab, das seinen Meister hätte umstimmen können.

»Und ich Euch nicht Eurem«, sagte er.

Michelangelo wandte ihm den Kopf zu: »Aber ...«

»Ich bleibe bei Euch. Versucht gar nicht erst, mich umzustimmen.«

✠ ✠ ✠

Als das Gerassel von Schwertern und Pferdegeschirr, vermischt mit dem Klappern zahlloser Hufe, die päpstliche Garde ankündigte, saßen Michelangelo und sein Gehilfe auf ihren Schemeln und betrachteten schweigend die Statue. Unbeirrt trommelte der Regen auf die Schindeln, lief in Rinnsalen über die Dachkante und bohrte Löcher in den lehmigen Boden. Der Tiber war angeschwollen und gurgelte gierig. Abwesend dachte Aurelio an die vielen Stunden zurück, die er und sein Meister hier verbracht hatten, an die ungezählten Nächte, in denen er ihm bei der Arbeit hatte zusehen dürfen.

Nicht einmal, als das Geklapper und Gerassel zu einer Woge anschwoll und gegen die Mauern des Schuppens schlug, blickten sich Michelangelo und sein Gehilfe an. Sie wussten, was sie erwartete. Zwischendurch hatte Aurelio erwogen, die Statue wenigstens mit Decken zu verhüllen. Doch selbst in Decken gehüllt hätte ihre Präsenz den kleinen Raum dominiert. Ebensogut hätte man versuchen können, das Pantheon unsichtbar zu machen, indem man es mit Tüchern verhüllte. Das Schnaufen im Galopp gerittener Pferde drang herein. Der Geräuschkulisse nach zu urteilen hatte Julius eine Hundertschaft aufgeboten, um einen unbewaffneten Künstler festsetzen zu lassen. Der Papst, der mehr als einmal an der Spitze seines Heeres in die Schlacht gezogen war, der keine Krankheit fürchtete, kein Unwetter und der sich jeder feindlichen Kanone in den Weg gestellt hatte – ein Bildhauer und seine Statue vermochten ihn offenbar in panischen Schrecken zu versetzen.

Eine eisenbewehrte Faust schlug mit solcher Wucht gegen die Tür, dass das Holz unter ihr ächzte. »Michelangelo Buonarroti!«, tönte es von draußen, »wenn Ihr da drin seid, gebt Euch zu erkennen!«

Der Künstler machte sich nicht einmal die Mühe zu antworten.

»Öffnet die Tür, oder wir brechen sie auf!«, drohte die Stimme. »Der Schuppen ist umstellt!«

Die Blicke von Michelangelo und Aurelio trafen sich wie auf ein verabredetes Zeichen. Aurelios zeugte von tiefer Zuneigung, von Verbundenheit, von Dankbarkeit und Trauer. Michelangelos von unerfüllter, unsterblicher Liebe.

»Die Tür ist unverschlossen!«, rief er.

Ein kurzes Atemholen, dann stürmte ein halbes Dutzend geharnischter Gardisten den Schuppen, die Schwerter gezogen. Kaum jedoch hatten sie ihre tropfnassen Rüstungen in den Raum gezwängt, hielten sie inne, als habe Gott persönlich seinen Bannstrahl auf sie gerichtet. Schließlich klappten zwei von ihnen die Visiere ihrer Helme hoch, um das Wunderwerk in Augenschein zu nehmen, das da vor ihnen im Kerzenschein schwebte. Michelangelo und sein Gehilfe rührten sich nicht.

»Lasst mich durch!«, krächzte Julius' schwache Stimme.

Die zwei Gardisten, die den Eingang blockierten, traten zur Seite. Durch die Stimme des Papstes von ihrem Bannstrahl erlöst, nahmen auch die übrigen an den Wänden Aufstellung. In dieser Situation Julius' Zorn auf sich zu ziehen hieße den Tod herausfordern.

Mühsam schob der Papst seine lehmverschmierten Schuhe über die Schwelle. Er ging so gebeugt, dass der Hermelinbesatz seines Umhangs auf dem Boden schleifte. Bei jedem Schritt sank die goldene Spitze seines gefürchteten Stocks zwei Fingerbreit in die Erde ein. Die vergangenen Stunden und Tage hatten ihn dem Tod nahe gebracht. Doch sie hatten ihn nicht vernichtet. Der Anblick der Statue allerdings war mehr, als er verkraften konnte. Wie von einer unsichtbaren Keule in den Kniekehlen getroffen, knickten seine Beine ein, und nur die zwei herbeispringenden Gardisten konnten im letzten Moment verhindern, dass er der Länge nach auf den Boden schlug.

Kaum hatte er wieder festen Boden unter den Füßen, pflanzte er mit zittriger Hand seinen Stock vor sich auf. »Weg!«, keuchte er und machte mit dem freien Arm eine Bewegung, wie um lästige Insekten zu verscheuchen. Augenblicklich wichen die Wachen zurück. Er richtete seinen Blick auf die Statue. Seine Augen waren erfüllt von stummer Fassungslosigkeit.

»Wie ist das möglich?«, flüsterte er kaum hörbar.

Zögerlich näherte Julius sich der Frau, die er so verzweifelt geliebt hatte und die jetzt in göttlicher Überhöhung vor ihm schwebte. Wortlos verfolgten Aurelio und Michelangelo, wie seine Hand die Statue zu berühren versuchte. Doch es erging ihm wie dem Künstler und seinem Gehilfen: Er konnte sich nicht dazu bringen, sie anzufassen. Mit erhobener Hand, wie um eine Bestrafung abzuwehren, entfuhr Julius' trockener Kehle ein schmerzlicher Klagelaut, ein letztes Aufbäumen im Angesicht der Übermacht seines Dämons.

»Raus!«, rief er.

Die Gardisten stürmten so schnell nach draußen, wie sie hereingekommen waren.

Gewaltsam wandte Julius seinem Dämon den Rücken zu. So,

wie er jetzt dastand, hinter sich die überlebensgroße Statue, konnte Aphrodite ihn jeden Moment auf ihre Arme nehmen und davontragen – oder ihn zerdrücken. Ganz nach Belieben.

Mühevoll einen Fuß vor den anderen setzend, ging der Papst an Aurelio und seinem Meister vorbei zum Arbeitstisch hinüber. Der Gehilfe hörte, wie er nacheinander unterschiedliche Werkzeuge in die Hand nahm und wieder ablegte. Dann wurde die Mappe mit den Skizzen aufgeschlagen. Blätterrascheln. Das Geheimfach mit den Studien und Vorzeichnungen. Julius entdeckte es sofort. Er war Papst. Wenn sich einer mit Geheimfächern auskannte, dann er. Ein erneutes Stöhnen, wie von einem tödlich getroffenen Tier, als er dutzendfach seine nackte Geliebte erblicken musste. Dann waren nur noch das Prasseln des Regens, das leise Pfeifen von Michelangelos Nase und ein gelegentlich wieherndes Pferd zu hören.

Der Papst schlurfte zur Kohlenpfanne hinüber. Die Skizzen und Zeichnungen für die Statue hielt er in der Hand. Aus den Augenwinkeln verfolgten Michelangelo und sein Gehilfe, wie Julius sie, eine nach der anderen, in die Pfanne gleiten ließ. Mit jeder neuen Zeichnung, die er den Flammen übergab, schien er von einem weiteren Schlag getroffen zu werden. Im Wiederschein der Glut wirkte sein Gesicht wie aus altem Holz geschnitzt. Er wartete, bis auch die letzte Zeichnung vollständig verbrannt war.

»Steht auf!«, befahl er schließlich.

Michelangelo und Aurelio erhoben sich von ihren Schemeln. Sie hatten lange auf ihr Urteil gewartet, nun wurde es gesprochen.

»Dieses … Mirakel hier …« Er ging zu Michelangelo und richtete sich auf. »Es bezeugt zweierlei. Erstens: dass Ihr Euch in unentschuldbarer Weise gegen Gott und seinen Vertreter auf Erden versündigt habt und daher mit dem Tode bestraft werdet. Zweitens …« Sein Atem ging schwerer denn je. »Zweitens: dass Ihr der größte Bildhauer seid, der jemals auf Erden gelebt hat, und es folglich eine Sünde wäre, Euch zu töten.«

In Aurelios Kopf ging alles durcheinander. Noch immer wartete er darauf, Aphrodite durch den Raum schweben und Julius davontragen zu sehen.

»Ich verfüge also Folgendes«, nahm Julius den Faden wieder auf. »Ihr, Michelangelo Buonarroti, werdet diese sündige Statue auf der Stelle zerstören und den Rest Eures künstlerischen Lebens in meinen Dienst stellen, indem Ihr mein Grabmal fertigt, wie geplant, mit vierzig Statuen, von denen jede einzelne dieser hier an künstlerischer Qualität ebenbürtig sein wird, zur Lobpreisung des ewigen Schöpfers und seines irdischen Vertreters.« Er streifte Aurelio mit einem Blick, der zu besagen schien: Um dich kümmere ich mich später. »Dafür«, schloss er, »schenke ich Euch das Leben.«

Der Bildhauer blickte Julius offen ins Gesicht. Da war nichts Kämpferisches mehr in Michelangelo, keine Herausforderung, kein Aufbegehren. Es gab nichts mehr zu kämpfen. Und es gab nichts zu verhandeln. »Ich werde mich nicht gegen mein Werk versündigen«, erklärte er.

Julius' hölzernes Gesicht zeigte Spuren von Verwunderung. »Ihr stellt Euren Willen über den Eures Schöpfers?«

»Eure Heiligkeit: Glaubt Ihr, dieses Werk hätte ohne Gottes Zustimmung vollbracht werden können?«

»Dieser Starrsinn ...«, knurrte Julius müde. »Ihr tut, was ich befohlen habe. Andernfalls wird sich der Scharfrichter Eurer annehmen.«

»Ihr glaubt, ich fürchte den Tod?« Nun flackerte doch wieder etwas von Michelangelos Kampfgeist auf. Er würde den Tod akzeptieren. Aber nicht als reuiger Sünder, sondern aus eigenem Entschluss. Gott war sein Richter, nicht der Papst.

Umständlich drehte sich Julius zur Statue um und rammte schwer atmend seinen Stock in den Boden. Noch immer konnte er nicht fassen, dass das diabolische Wesen, das er wenige Stunden zuvor den Flammen übergeben hatte, aus Marmor auferstanden vor ihm schwebte.

»In der Tat«, sagte er schließlich, »glaube ich das nicht.« Er starrte die Statue an, als erwarte auch er, von ihr ergriffen und zermalmt zu werden. »Wie steht es mit Euch, Aurelio«, ergriff er wieder das Wort. »Seid auch Ihr bereit, Euren Meister sterben zu sehen?«

✢ ✢ ✢

Drei Gardisten waren nötig, um Michelangelo festzuhalten, während Aurelio das Zahneisen ergriff, das seinem Meister zur Ausformung der Haare gedient hatte.

»Tu es nicht, Aurelio!«, rief er, und als er seinen Gehilfen vor die Statue treten sah: »Ich verbiete es!«

Aurelio setzte das Eisen an und hob den Schlägel.

»Nein!«, rief Michelangelo aus voller Kehle.

Es ist verrückt, dachte Aurelio. Ich bin nach Rom gekommen, um Bildhauer zu werden, und das einzige Mal, da ich Schlägel und Eisen zur Hand nehme, ist es, um die großartigste Statue zu zerstören, die je ein Mensch geschaffen hat. Er spürte Tränen aufsteigen und schloss die Augen. Dann schlug er zu.

»Oh Herr«, flehte Michelangelo, »verlass mich nicht!«

Als Erstes zerfetzte das Zahneisen Aphrodites Wangen. Ihr bloßgelegtes Fleisch flog in Klumpen durch den Raum, die Jochbeine fielen in Stücken zu Boden. Aurelio brach ihr die Nase, hackte sie ab mit einem einzigen Schlag, schlitzte ihre Lippen auf, schlug ihr den Schädel ein, dass große Teile samt der daran befindlichen Haare von ihr herabstürzten. Mit je einem Schlag trennte Aurelio ihre Finger unterhalb der Knöchel von den Händen ab.

Michelangelos Schreie waren bis auf die andere Tiberseite zu hören. Männer mit alarmierten Gesichtern eilten herbei, machten jedoch auf dem Absatz kehrt, sobald sie die berittenen Soldaten der päpstlichen Garde erblickten. Einige blieben in sicherer Entfernung stehen.

Unterdessen zerbrachen Aphrodites zarte Schlüsselbeine unter dem geschärften Metall, bohrte sich das Zahneisen durch den Schleier und drang in ihre vollen Brüste ein, schälte ihr die Haut vom Körper bis hinab zu den samtenen Hüften, zerstückelte ihre Scham, zertrümmerte ihre Kniescheiben und fraß sich in ihre grazile Wade, bis das Fleisch in Streifen von den Knochen hing. Als Aurelio endlich bei den Fußrücken angelangt und Aphrodite zur völligen Unkenntlichkeit entstellt war, bedeckten Schweiß und Tränen in dicken Schlieren sein Gesicht.

Michelangelo hatte den Versuch aufgegeben, seinen Gehilfen

abzuhalten. Wehklagend war er auf die Knie gesunken. Die Wachen standen noch neben ihm, hielten ihn aber nicht länger fest. Er hatte die Unterarme in den aufgeweichten Boden gedrückt und verbarg sein Gesicht in den Händen.

Aurelio ließ Eisen und Schlägel fallen, durchquerte mit raumgreifenden Schritten den Schuppen, griff sich den größten Hammer, der auf der Werkbank zu finden war, lief zur verstümmelten Statue zurück und zertrümmerte ihr mit drei gezielten Schlägen das Sprunggelenk. Einen flüchtigen Augenblick lang schwebte sie noch unschlüssig im Raum, dann kippte sie seitlich um und bohrte sich der Länge nach in den Lehm. Zwei Dutzend weitere Schläge später waren nur noch mauersteingroße Brocken von ihr übrig.

Im Morgengrauen verließ Papst Julius Caesar II. die Werkstatt hinter der Ripetta. Seine Haltung war noch gebeugter als beim Betreten des Schuppens. Zweimal in derselben Nacht hatte er seine Kurtisane sterben sehen. Aurelio hatte die Statue zerstört, seinem Meister jedoch das Leben gerettet. Michelangelo kauerte tränenüberströmt mit blutigen Händen und Knien in seinem eigenen marmornen Scheiterhaufen.

LXIII

Mein Herz ist krank ...
Die Ernte ist vergangen, der Sommer ist dahin ...
Ach, daß ich Wasser genug hätte in meinem Haupte und meine
Augen Tränenquellen wären ...
Verflucht sei der Tag, darin ich geboren bin ...
Daß du mich doch nicht getötet hast im Mutterleibe,
daß meine Mutter mein Grab gewesen und ihr Leib ewig schwanger
geblieben wäre!

Altes Testament, Buch Jeremia

1. NOVEMBER 1512

WEDER MICHELANGELO SELBST NOCH PAPST JULIUS sollten miterleben, wie ganz Rom vor Staunen über die Fresken in Verzückung geriet. Nicht einmal die Entdeckung der Laokoon-Gruppe sechs Jahre zuvor oder die Nachricht über den Sieg bei Agnadello hatten die Stadt in einen ähnlichen Taumel versetzt. Kaum waren die ersten Besucher auf die linke Tiberseite zurückgekehrt und hatten mit verklärten Gesichtern das »Wunder der Sistina« in der

Stadt verkündet, strömten die Menschen erst zu Hunderten, wenig später zu Tausenden auf die Gassen und strebten zum Vatikan. Der Polizeipräfekt erlebte einen seltenen Moment hellsichtiger Klarheit und stellte kurzfristig vier Dutzend Uniformierte ab, um den Pilgerstrom, der sich über den Ponte Sant'Angelo drängte, in geordnete Bahnen zu lenken und größeres Unheil zu verhindern. Am Abend notierte Paris de' Grassi in seiner Chronik nicht weniger als siebenundvierzig in Ohnmacht Gefallene unter den Besuchern, und Egidio da Viterbo, der mit dem Bildprogramm Michelangelos alles andere als einverstanden war, schrieb, es sei unmöglich, von dem Fresko nicht ergriffen zu werden. Selbst der bibelunkundigste Betrachter müsse sich von der physischen Wucht des Dargestellten gleichsam in die Knie zwingen lassen.

Noch am selben Tag trat die Nachricht von Michelangelos Wunder ihren Siegeszug über die Welt an. Während auf Anordnung des Papstes Aphrodites Gemächer vermauert wurden, Julius selbst sich aufgrund peinigender Schmerzen im Bett wälzte und Michelangelo sich wie ein Fötus auf dem Boden seiner Kammer krümmte und stundenlang nichts anderes tat, als die bräunlichen Abdrücke an der Wand anzustarren, die seine blutigen Fingerkuppen dort hinterlassen hatten, wurde die Kunde des göttlichen Kunstwerks aus den Toren der Stadt in alle Himmelsrichtungen getragen. Zwei Tage später erreichte sie Neapel und Florenz, am vierten Tag Mailand und Venedig und gelangte binnen einer Woche nach Deutschland und Frankreich, nach Spanien, Afrika und bis zu den Osmanen.

✢ ✢ ✢

Als die Glocke der kleinen Kirche an der Piazza Rusticucci zur letzten Hore des Tages läutete, packte Aurelio seine Sachen. Es war kaum mehr, als er viereinhalb Jahre zuvor mit nach Rom gebracht hatte. Damit die Zeichnung Aphrodites unter seinem Hemd keinen Schaden nahm, wickelte er sie in ein Wachstuch ein. Er hatte sich nicht dazu bringen können, seinem Meister ihren Diebstahl zu beichten. Inzwischen war er unsicher, ob es nicht besser so war. Er würde sie behalten und eines Tages mit ihr begraben werden. Niemand musste je davon erfahren. Von den zwölf Fiorini, die sein Vater ihm auf dem Sterbebett überantwortet hatte, hatte er nur das Geld für die Bauernschuhe mit der doppelten Sohle ausgegeben. Die würden ihn nun hoffentlich nach Forlì zurückbringen, bevor auf dem Apennin der erste Schnee fiel. Von seinem Sold hatte er nicht weniger als siebzehn Dukaten zurückbehalten. Er war ein wohlhabender Mann. Zwei Hemden, zwei Trikothosen, einen Umhang, sein Barett, die Zeichnung, die sein Meister ihm geschenkt hatte, damals. Mehr würde er nicht mitnehmen. Sein Messer noch.

Mit jeder Stufe, die Aurelio zu Michelangelos Kammer emporstieg, nahm das Gewicht seiner Beine zu. Bis er auf dem Absatz anlangte, waren sie wie mit Blei ausgegossen. Die Tür war unverschlossen. So, wie Michelangelo auf der Bettkante saß und die Ellenbogen auf die Oberschenkel stützte, glich er dem Jeremias seines Freskos. Er starrte die eingetrockneten Blutflecken an. Seine hageren Beine ragten wie Stelzen unter der Leinentunika hervor, und die nackten Füße wirkten auf den dunklen Holzbohlen wie abgestorben. Die Luft schmeckte schal und verbraucht. Sein Gesicht war das Gesicht eines Mannes, den nur der eigene Herzschlag noch am Leben hielt. Aurelio verharrte auf der Schwelle.

»Dich trifft keine Schuld«, sagte Michelangelo unerwartet. »*Gott hat mich gestraft.*« Offenbar war dies die Frucht eines langen Tages kreisender Gedanken.

»Kann ich etwas für Euch tun, Maestro?«

»Ich habe mich gegen den Schöpfer versündigt«, fuhr er fort, ohne den Blick von der Wand zu nehmen. Der Nagel seines linken Daumes kratzte über seine rechte Handfläche. »Ich habe zugelassen, dass meine Eitelkeit die Demut vor der Schöpfung in Hochmut verkehrt hat. Deshalb hat Gott entschieden, aus meinem größten Triumph meinen Untergang zu machen.« Sein Blick tastete sich die Wand entlang, stolperte über die Türzarge und fand den seines geliebten Gehilfen. Sein linker Mundwinkel verzog sich zu einem schmerzlichen Lächeln. »Aber ich lebe. Und das soll ich wohl auch ... Alles, was ich jetzt noch tun kann, Aurelio, ist, den Rest meines unwürdigen Daseins darauf zu verwenden, meine Schuld abzutragen und Gottes Schöpfung zu preisen. Wenn ich nicht gar verflucht bin und fortan nur noch vergebens streben darf.«

Die folgende Stille legte sich wie ein leichter Schneefall über den Raum, bedeckte die Möbel und hüllte auch den Bildhauer ein.

»Ich werde nach Forlì zurückgehen«, sagte Aurelio.

Die Worte standen im Raum wie ein steinernes Kreuz.

»Ich weiß«, antwortete Michelangelo.

LXIV

»Was werdet Ihr tun, Maestro?«

Sie waren auf dem Weg zum Petersplatz. Aurelio hatte seinen
Sack geschultert. Die Zeichnung der Statue hielt er unter seinem
Hemd verborgen. Er hatte das Gefühl, sie auf der Haut tragen zu
müssen, wenn er ihrer wirklich sicher sein wollte. Von Zeit zu Zeit
stieß das morgendliche Sonnenlicht durch die Wolken, schmiegte
sich warm an eine Hauswand oder flößte einem Brunnen Leben
ein. Bläuliche Flecken schimmerten durch das himmlische Grau.
Nicht der schlechteste Tag, um eine Reise anzutreten. Der Regen
der vergangenen Tage hing noch in den Mauern und schimmerte
auf dem Straßenpflaster, stieg jedoch als nebliger Dampf auf und
verflüchtigte sich, sobald er von der Sonne getroffen wurde. Michelangelo, eine kleine, hagere, gebeugte Gestalt mit wirren Haaren und einem struppigen Bart, ging halb neben, halb hinter
seinem Gehilfen her – wie ein Hund, der sich wahllos einem Vor-
beikommenden angeschlossen hat.

»Du hast es gehört, Aurelio«, antwortete er nach einer Weile.
»Ich bin verflucht. Das Julius-Grabmal … Es hätte mein Befrei-
ungsschlag werden sollen. Jetzt ist es offenbar die Bürde meines Lebens.« Er verschränkte die Arme auf dem Rücken. Sein Oberkörper neigte sich noch ein Stück weiter nach vorne. Hätte er in dieser
Haltung innegehalten, wäre er kopfüber auf das Pflaster geschla-

gen. »Vielleicht«, überlegte er, »verzeiht mir Gott meinen Hochmut, wenn ich ihm zu Ehren eine Statue von gleicher Erhabenheit erschaffe …«

Aurelio war sicher, dass eine Statue wie die Aphrodite nur einmal gelingen konnte. Trotzdem fragte er seinen Meister: »Was für eine Statue könnte das sein?«

Bis Michelangelo endlich antwortete, zweifelte Aurelio daran, ob er ihn überhaupt gehört hatte. »Kein wollüstiges, sinnlichdiabolisches Feuerwerk, sondern …« Er verlor sich in Gedanken. »Vielleicht, wenn ich … den Moses … Wer weiß …«

✢ ✢ ✢

Auf dem Petersplatz, im Trubel emsig umherlaufender Menschen, verabschiedeten sich Michelangelo und Aurelio voneinander. Beiden erschien der Moment der Trennung seltsam unwirklich. Nicht einmal die innige Umarmung, die das Ende ihrer Verbindung markieren sollte, vermochte ihnen das Gefühl zu geben, dass dies die Wirklichkeit war, dass es tatsächlich geschah. Michelangelo war seltsam abwesend, verloren in einem Gedankenlabyrinth, in dem Zukunft und Vergangenheit zu tausend Irrwegen verwoben waren. Die Gegenwart schien ihm abhandengekommen zu sein. Das schützte ihn vor dem Verlust seines Geliebten.

Ähnlich erging es Aurelio. Die Ereignisse der letzten Tage … Vieles davon hatte sich bereits jetzt so sehr von ihm entfernt, als habe er es nur geträumt. Die bevorstehende Reise erschien ihm wie ein Aufbruch in die Vergangenheit: Er roch den Duft frischen Weizens, fühlte die Wärme des steinernen Troges, nachdem die Julisonne ihn einen ganzen Tag lang erhitzt hatte, hörte das trockene Rascheln der Ähren kurz vor der Ernte. Er hatte das Zirpen der Grillen im Ohr, den Duft wilder Rosen in der Nase und den bittersüßen Geschmack einer überreifen Aprikose auf der Zunge. Er war ein Bauer. Aus Forlì. Er hatte gesehen, was ihm zu sehen bestimmt war. Nun war es an der Zeit zurückzukehren.

Auf der Piazza Scossacavalli angekommen, drehte sich Aurelio ein letztes Mal um. Er sah seinen Meister als kleinen, dunklen Punkt verloren auf einem seiner hundert Marmorblöcke sitzen – wie einen zu früh gealterten Mann, der vergessen hatte, wer er war und woher er kam.

EPILOG

Michelangelo sollte recht behalten: Gott war so gnädig, Julius die Vollendung der Sixtinischen Kapelle erleben zu lassen. Zwei Tage später jedoch starb er. Paris de' Grassi vermerkte in seiner Chronik, dass sich alle Krankheiten, die den Papst jemals befallen hätten, in dieser Nacht in seinem Körper eingefunden und ihn innerhalb weniger Stunden zu Tode gemartert hätten. Indem der Papst seine Kurtisane hatte verbrennen und die Statue zerstören lassen, um auf diese Weise seinen Dämon zu besiegen, hatte er offenbar sein eigenes Todesurteil gefällt. Dem teuflischen Fluch, den er in ihr zu erkennen glaubte, war er selbst zum Opfer gefallen.

Am Tag nach seinem Tod war am Pasquino folgender Spruch zu lesen: *Wenn der Bach versiegt, hört die Mühle auf, sich zu drehen.* Jedermann in Rom wusste, wie diese Zeilen zu verstehen waren.

Der Fluch, mit dem Julius Michelangelo belegt hatte, sollte seine Wirkung entfalten und ihn zeitlebens verfolgen. Das Grabmal des Papstes bereitete dem Bildhauer ungezählte schlaflose Nächte und wartete noch dreißig Jahre später auf seine Vollendung. Erst 1543 stellte Michelangelo es fertig. Und obgleich es niemals so geplant war, zwangen seine Auftraggeber ihn dazu, den Moses, seine vielleicht eindrucksvollste Statue, durch die der Bildhauer sich Gottes Vergebung erhofft hatte, zur zentralen Figur des Grabmals zu machen – wo er bis zum heutigen Tag den Eingang bewacht.

Am vierten Tag seiner Reise wurde Aurelio von einem Wagen überholt. Bevor er wirklich begriff, wer dort auf der Bank saß, bemerkte er, dass ihm die Koffertruhe auf der Ladefläche bekannt vorkam. Erst dann erkannte er den senfgelben Chaperon mit dem Schleier. Margherita drehte sich nicht nach ihm um, doch ihre Finger winkten ihm heimlich zu. Viereinhalb Jahre nachdem sie ihn in seinem eigenen Haus eingeschlossen hatte, hatte Ceffo sie in Rom aufgestöbert und sie angefleht, zu ihm zurückzukehren. Dass ihr Gesicht inzwischen von tiefen Narben entstellt war, störte ihn nicht. Er würde immer nur die Frau in ihr sehen, in die er sich einst verliebt hatte.

Schon von Ferne sah Aurelio die neue Scheune, die Matteo über der alten errichtet hatte. Sie war größer, nahezu anmaßend. Typisch Matteo, dachte Aurelio, immer etwas mehr für sich zu beanspruchen, als ihm eigentlich zugestanden hätte. Luigi saß auf dem Rand des Steintrogs und beobachtete, wie die Kiesel, die er ins Wasser fallen ließ, auf den Grund sanken.

Aurelio näherte sich bis auf ein Dutzend Schritte, dann setzte er vorsichtig seinen Sack ab. »Guten Tag, Luigi«, sagte er.

Der Angesprochene blickte auf und sah ihn skeptisch an. Einen Moment später trat ein kräftiger Junge von etwa vier Fuß Größe aus der Scheune und zog seine energischen Augenbrauen zusammen.

»*Ich* bin Luigi«, verkündete er, als habe Aurelio ihn beleidigt. »Das da ist mein Bruder.«

Aurelio war noch damit beschäftigt, die Leerstelle zu verarbeiten, die durch den Anblick seines jäh gereiften Neffen entstanden war, als sich die Haustür öffnete.

Giovannas Schönheit war eine andere geworden, seit Aurelio dem Hof den Rücken gekehrt hatte, doch ihre Wirkung war noch dieselbe. In seinen Augen hatte sie sogar noch hinzugewonnen. In den Jahren mit Michelangelo hatte er die Schönheit der Tragik zu schätzen gelernt.

Sie hielt inne. Abwesend wischte sie ihre mehligen Hände an der Schürze ab. Sie sah müde aus. Ihr Lächeln war wie die erste Blüte nach einem langen Winter.

»Du bist tatsächlich gekommen.«

»Ja«, erwiderte Aurelio ihr Lächeln.

Die Heirat fand im Frühjahr statt. Luigi und Marco folgten noch sieben weitere Kinder, fünf Mädchen und zwei Söhne, die Giovanna und Aurelio alle heranwachsen sehen durften. Ihr Hof sollte immer genug einbringen, um alle zu ernähren und ihnen ein Dach über dem Kopf zu sichern.

Dass der entscheidende Beweis für die Existenz der Aphrodite – die Zeichnung, die Aurelio in jener Nacht bei sich trug – nicht den Weg ins Feuer fand, blieb Aurelios lebenslanges Geheimnis. Sie liegt, versiegelt in einem Wachstuch, unter den Überresten einer ehemaligen Scheune bei Forlì.

Nachwort

Die Reise zu »Der sixtinische Himmel« begann an dem Tag, als mir die Michelangelo-Biographie von Antonio Forcellino in die Hände fiel. Mehr noch als die Art und Weise, wie Forcellino den Künstler Michelangelo und dessen Kunst beschrieb, faszinierte mich an dem Buch, wie er den Menschen Michelangelo zu zeigen verstand. Kaum war die Biographie ausgelesen, besorgte ich mir einen Band mit den gesammelten Briefen und Gedichten des Künstlers. Ich wollte wissen, was er selbst zu sagen hatte. Nach dieser Lektüre war ich dann bereits hoffnungslos in die Welt Michelangelos verstrickt und las in den folgenden Monaten alles, was ich über ihn in die Finger bekommen konnte.

Sehr bald war klar, dass man sich als Autor eine faszinierendere Figur eigentlich gar nicht ausdenken konnte: grob und verletzend, zugleich aber auch hungernd nach Zuwendung und Zärtlichkeit; ohne jeden Zweifel, was die Einzigartigkeit der eigenen Fähigkeiten betraf, zugleich von der Angst umgetrieben, ein anderer könnte ihn übertreffen oder er könnte an seinen eigenen Ansprüchen scheitern. Die Liste ließe sich beliebig verlängern: seine gewaltsam unterdrückte Sexualität, sein krankhafter Geiz, dem eine bedingungslose Aufopferungsbereitschaft gegenüberstand ... Alles in allem eine Figur, die komplexer und zwiespältiger kaum hätte sein können. Mit anderen Worten: die perfekte Romanfigur.

Um gute Konflikte brauchte ich mich ebenfalls nicht zu sorgen: ein Vater, der seinen Sohn ablehnte, aber wenig Skrupel hatte, ihn auszunutzen; seine Brüder, von denen zumindest Giovan Simone sich zu gerne in Michelangelos Kielwasser hätte treiben lassen; Papst Julius, von dem sich Michelangelo ebenso abhängig gemacht hatte, wie er ihm gerne den Rücken gekehrt hätte; Bramante, der Michelangelo bereits deshalb verhasst sein musste, weil er sich besser zu vermarkten verstand als der Bildhauer; Raffael, der für ihn die größte künstlerische Bedrohung in Rom darstellte.

Erst relativ spät begann ich, mich verstärkt für die Kunst Michelangelos zu interessieren. Und was sich da auftat, sollte sich als eine Schatzkammer erweisen: eine einmalige Begabung, verbunden mit einem eisernen Willen. Noch heute ist mir unerklärlich, wie der Bildhauer seine Fähigkeit, die im Marmor eingeschlossene Gestalt plastisch zu denken, so weit zu perfektionieren imstande war, dass er an einem beliebigen Punkt des Blocks seinen Meißel ansetzen und damit beginnen konnte, sie freizulegen. Gleiches gilt für das Malen einer vier Meter großen Einzelfigur *in fresco buono* und perspektivischer Verkürzung.

An diesem Punkt angelangt, formte sich erstmals die Idee für einen Roman aus. Mir schwebte eine Figur vor, die mit derselben Unbedarftheit und Unverstelltheit in die Erzählung hineinstolpern würde, wie ich es getan hatte. Eine Figur, die meine eigene Begeisterung widerspiegeln und den Leser zugleich an die Hand nehmen sollte. So betrat Aurelio die Bühne. Und erst mit ihm enthüllte sich nach und nach die eigentliche Geschichte: der Kampf der Titanen, das Ringen um Unsterblichkeit, die verzweifelte Liebe, Politik gegen Kunst, die großen Fragen nach dem Warum und Wohin.

Bis die Handlung sich so weit konkretisiert hatte, dass ich mich an ein erstes Exposé wagte, hatte ich mehr als zwei Jahre Lektüre hinter mir. Von da an dauerte es noch einmal sechs Monate, bis ich das erste Kapitel in Angriff nahm. Am Ende, ein bedeutungsloser Zufall, der aber eine nette Fußnote abgibt, hat »Der sixtinische

Himmel« vom ersten Lesen bis zum fertigen Manuskript auf den Monat genau so viel Zeit eingefordert, wie Michelangelo für das Deckenfresko in der Sixtinischen Kapelle benötigte – glücklicherweise ohne mir die körperlichen Strapazen abzuverlangen, denen Michelangelo sich aussetzte.

Die vielleicht schönste Erfahrung, die ich als Autor während dieser Zeit machen durfte, war, das Gefühl zu haben, wie Aurelio einem Geheimnis auf der Spur zu sein, selbst eine Entdeckung zu machen. Ein Gefühl, das mich bis zur letzten Seite begleitet hat.

Leon Morell im September 2011

Danksagung

Ich möchte meinem Agenten Alexander Simon und seiner Co-Agentin Hanne Reinhard danken: Ihr habt euch um diesen Roman bemüht, als sei es euer eigener, und das zu einem Zeitpunkt, als ich mit der eigentlichen Schreibarbeit noch gar nicht begonnen hatte.

Ebenso möchte ich mich bei meiner Lektorin Susanne Kiesow bedanken: für deinen Mut, diesen Roman einzukaufen, als er noch nicht mehr war als ein 17-seitiges Exposé. Die Zusammenarbeit mit dir war alles, was man sich als Autor von seiner Lektorin wünschen kann. Halt, stimmt nicht: Bei Abgabe des Manuskripts warte ich noch immer auf das mir versprochene Schnitzel. Ich hoffe, eines nicht allzu fernen Tages heben wir noch einmal so einen Brocken. Aber vorher will ich mein Schnitzel.

Danke auch an Kai Precht und Helmut Lotz von der Edition diá: Bei Euch hat die Idee zu diesem Buch ihren Anfang genommen.

Liebe Michele & Stefan vom Café SLÖRM: Danke für die vielen, vielen Weltklasse-Cappuccinos, die ich während der Arbeit an diesem Roman bei euch trinken durfte. Und für die vielen Mußestunden. Grüße an die Crew. Und alles Gute für Jim und Zoe.

Mein ganz besonderer Dank gilt: meiner Mutter, Amelie, Meike-Marie, Stefan und Owe. Ihr wisst, wofür.

Ildefonso Falcones
Die Kathedrale des Meeres
Aus dem Spanischen von Lisa Grüneisen
Roman
Band 17511

Der kleine Arnau flieht mit seinem Vater Bernat vor einem brutalen Lehnsherren in das mittelalterliche Barcelona. Die Stadt steht in höchster Blüte, die Viertel wachsen bis hinunter ans Meer. Dort erlebt der junge Arnau den Bau von Santa María del Mar, einer riesigen Kirche, die vom Volk für das Volk gebaut wird. Im Schatten des mächtigen Bauwerks erfährt er, welch schweres Los die Arbeit dort ist: Mit den anderen Steinträgern schleppt der Vierzehnjährige die riesigen Felsblöcke vom Montjuïc bis hinunter an den Hafen. Doch während sich die Kathedrale des Meeres in den Himmel reckt, wirft sie auch dunkle Schatten auf das Leben der Menschen. Das Volk leidet unter der Willkür des Adels, die Pest lauert vor den Toren. Und Arnaus Aufstieg zu einem der angesehensten Bürger der Stadt droht ihm zum Verhängnis zu werden: Er wird Opfer einer Intrige, und sein Leben gerät in höchste Gefahr.

»Wie in Ken Folletts SÄULEN DER ERDE
wächst auch hier die Hauptfigur in dem Maße heran,
wie der Bau der Kathedrale voranschreitet.«
La Vanguardia

Fischer Taschenbuch Verlag

fi 17511 / 1

Nerea Riesco
Der Turm der Könige
Roman
Aus dem Spanischen von Lisa Grüneisen
544 Seiten. Gebunden

Ein Schachspiel über Jahrhunderte um ein architektonisches
Meisterwerk, das Christen und Muslime verbindet.

Sevilla 1248: Axataf, der maurische Herrscher der Stadt, er-
gibt sich König Fernando III. von Kastilien. Der Stolz der
Muslime aber, die Giralda – das wunderschöne Minarett der
Moschee von Sevilla – soll nicht in Christenhände fallen.
Doch der christliche König gewinnt Axataf für einen Pakt:
Ein Schachturnier soll über das Schicksal des gewaltigen
Turms entscheiden. Fünfhundert Jahre später steht noch im-
mer kein Sieger fest. Doch es gibt einen geheimnisvollen Aus-
erwählten, der die letzte Partie für die Christen spielen soll.
Und es gibt jene, die dies verhindern wollen.

»Ein großartiges Epochenbild
des historischen Sevillas und seiner Kathedrale.«
Ildefonso Falcones

Scherz

fi 4-10226 / 1

Sabine Weigand
Das Perlenmedaillon
Roman
Band 16359

Gegen ihren Willen muss Helena den Patrizier Konrad Heller heiraten. Doch eine verbotene Liebe verbindet sie mit dem Goldschmied Niklas. Nur die Briefe, die Niklas ihr über den jungen Maler Albrecht Dürer aus Venedig schickt, geben ihr noch Hoffnung – und das Perlenmedaillon, das sie zu Anna, der Hure, führt.

Mit Annas Hilfe wagt Helena das Unerhörte: sie begehrt gegen ihren Mann auf, ruft den Nürnberger Rat an. Und Niklas, der in Venedig das Geheimnis des Diamantschleifens entdeckt hat, macht sich auf den Weg zu ihr. Kann sie ihr Schicksal wenden?

Die wahre Geschichte der Helena Heller zwischen Venedig und Nürnberg – der große Roman von Sabine Weigand.

»Liebe, Schmuggel und andere Abenteuer:
Dieses Buch ist das Schmuckstück unter den
Historienromanen.«
Für Sie

»Ein absolutes Muss
für Freunde historischer Romane«
3sat/nano

Fischer Taschenbuch Verlag

fi 16359 / 1

Anne Fortier
Julia
Roman
Band 18556

Vor der einzigartigen Kulisse Sienas: Die junge Amerikanerin
Julia gerät in den Strudel eines Geheimnisses, das tief in die
Vergangenheit führt und bis heute wirkt. Es ist das Geheimnis
um die größte Liebesgeschichte der Welt: Romeo und Julia.

Der Weltbestseller voll
Spannung und Leidenschaft

»Anne Fortier erzählt in ihrem Roman-Debüt die
berühmte Liebesgeschichte von Romeo und Julia
noch einmal neu – als glänzenden Unterhaltungsroman.«
Brigitte

»Anne Fortiers Heldin Julia ist der wahren Geschichte
von Romeo und Julia auf der Spur. Ein spannendes
Vergnügen auf über 600 Seiten.«
Cosmopolitan

Fischer Taschenbuch Verlag

fi 18556 / 1

CUNARD

SCHÖPFUNGSGESCHICHTE

ALTES TESTAMENT

Eine farbige Abbildung des gesamten Deckenfreskos finden Sie im auffaltbaren Buchumschlag!